D0783500

ALICE M. EKERT-ROTHOLZ

Mohn in den Bergen

ROMAN

»No man is an island, entire of
it self.«
John Donne »Devotions«
(1572–1631)

». . . You cannot change people;
you can only give them some love
and hope they will take it.«
Arnold Wesker »I'm talking
about Jerusalem« (1960)

HOFFMANN UND CAMPE VERLAG
HAMBURG

4. Auflage 1962

Gesamtherstellung: Clausen & Bosse, Leck
Umschlag und Einband: Illo Wittlich
Printed in Germany

Für Andrew

Die Autorin dankt
Dr. R. G. Cochrane in London
für unschätzbare Informationen und für die in selbstloser Weise fortlaufend gewährte fachliche Beratung am zweiten Teil des Buches
und
Rev. Horace W. Ryburn in Bangkok
Mr. Walter Zimmermann in San Francisco
für die in freundschaftlicher Verbundenheit gegebenen Hinweise.

Alle Gestalten dieses Romans sind frei erfunden. Sie sind nicht das Abbild irgendwelcher heute oder früher lebender Personen. Die Hotels der Familie Bonnard sind ebenfalls freie Erfindung.

PROLOG

Der Vogel Garuda

I

Grausamer Mai

Immer wenn ich mir einen neuen Hut kaufe, geschieht etwas Unangenehmes. Vor zwei Jahren verlor ich meinen Füllfederhalter, und jetzt habe ich meinen Verlobten verloren.

Ich hatte mir in Knightsbridge einen neuen Hut gekauft. Natürlich bei Harrods. Man kennt uns dort. Wenn einer von uns auftaucht, kommt Miss Tyler persönlich zur Begrüßung herbei. Sie bedient durchaus nicht jeden, der sich bei Harrods einen Hut kaufen will. »Es tut mir leid, ich bin gerade beschäftigt«, sagt Miss Tyler zu den Damen, die sie nicht mag oder nicht kennt. Dabei sieht ein Blinder mit Sonnenbrille, daß Miss Tyler durchaus nicht beschäftigt ist – außer etwa mit ihren Gedanken, die sich hauptsächlich um ihre Katze Cleopatra drehen. Wer sich nicht nach Cleopatra erkundigt, der hat bei Miss Tyler verspielt.

Ich muß an jenem Tag Cleopatras Existenz vergessen haben, denn Miss Tyler revanchierte sich mit dem komischen grünen Hut. Ich wollte ihn nicht kaufen. »Ganz das Richtige für Sie, Miss Bonnard«, sagte Miss Tyler in jenem Ton, der keinen Widerspruch duldet. Man könnte mit demselben Erfolg versuchen, der Steuerbehörde zu widersprechen ... Nachdem Miss Tyler ihr Urteil verkündet hatte, erkundigte sie sich mit christlicher Nächstenliebe nach *Madam*, obwohl ich nicht nach ihrer Katze gefragt hatte. Es geht *Madam* immer großartig, wahrscheinlich weil sie sich nicht für ihre Gesundheit interessiert. *Madam* ist meine Großtante Bonnard und regiert unser Hotel in London N. W. 3. – Sie wird uns alle überleben und hat die irische Freude an Menschenansammlungen, die sie im *Bonnard* ausgiebig befriedigen kann. Unsere Dauergäste kommen mit allem zu Madam – mit ihren Familien, Klagen, Erbschaftsaffairen, Sorgen und Späßen. – Madam bringt zwar manchmal die Biographien durcheinander, aber wenn sie die Leute ansieht, wird es warm im Zimmer – obwohl es bei uns genauso durch die Fenster zieht wie in jedem besseren Hotel in London. Im *Bonnard* in Zürich würden die Gäste in den See springen oder Doppelfenster verlangen. Sie würden sie wahrscheinlich auch bekommen, obwohl Dominik Bonnard seine Franken zusammenhält... Bei uns verlangt niemand Doppelfenster – das tun nicht einmal unsere Gäste vom Kontinent. Sie wissen, daß in London alles anders ist . . . Sie finden selbst an unseren Menüs nichts auszusetzen, denn damit würden sie sich sofort als Ausländer charakterisieren. Sie möchten so gern, daß Mr. Nightingale, unser Oberkellner, sie für britisch hält . . . Bitte Lamm mit Minzsauce! –

Nur meine Kusine Marie hat ständig etwas an den Bonnards auszusetzen. Niemand kann es ihr rechtmachen. An meinem Verlobten hatte Marie allerdings nichts auszusetzen. Erik hat ihr so zugesagt, daß sie ihn mir gestohlen hat. Ich war erstaunt, denn Erik hatte mir ein halbes Jahr lang versichert, daß er mir gehöre. Man gehört niemandem. Aber es ist verzeihlich, daß ich Erik diesen Unsinn glaubte. Es war das erste Mal in zweiunddreißig Jahren, daß ein Mann mir so etwas sagte . . . Wir saßen auf Madams Balkon im Südwestflügel und sahen zu, wie die Leute in ihre altmodischen Häuser in Haverstock Hill zum Tee heimkehrten. Einige Villen haben Säulen, aber die Säulen sehen entmutigt aus. Sie gehören eben nach Griechenland. Die Leute, die durch die Säulenportale ins Wohnzimmer wandeln, die Schuhe ausziehen und ihren Papagei begrüßen, haben allerdings wenig Ähnlichkeit mit Griechen. Sie trinken ihren Tee, schimpfen gutartig über ihren Chef oder die Regierung und fragen sich, warum die vielen westindischen Einwanderer in Notting Hill nicht in Jamaica bleiben, wo es schön warm ist und niemals zieht . . . Was wollen diese Leute eigentlich in London? – Dann gehen die falschen Griechen durch ihre Säulenportale auf die Straße, um ihre lieben Hunde in Haverstock Hill spazierenzuführen. Falls sie dabei Einwanderern aus Westindien begegnen, die sich nach N. W. 3 verlaufen haben, erklären sie den Herren und Damen nicht nur den Weg zum Autobus, sondern bringen sie auch noch zur Haltestelle. – Erik und ich beobachteten das oft von Madams Balkon aus. Die Abendsonne machte mich mindestens vier Jahre jünger. Oder war es das Glück? – Selbst dann war ich nicht so jung wie Marie. Und auch nicht so schön und reich und witzig. Ich bin nichts Besonderes. Das kann mir nicht einmal unsere Hilda von der Rezeption einreden. Hilda ist nun schon sechzehn Jahre bei uns und ist meine beste Freundin – obgleich sie so viel und schnell redet, als ob sie die letzten fünf Jahre in Einzelhaft verbracht hätte.

»Nimm's nicht so schwer, Louise«, sagte Hilda nach der Sintflut. »Der Kerl ist's nicht wert. Einen Soziologen findest du alle Tage! Was ist das überhaupt für ein Beruf? Wahrscheinlich weiß Erik das selber nicht. Du heiratest schön einen Hotelfachmann, der zu uns paßt! Bitte, Louise, laß mich ausreden! Hier hast du mein Taschentuch! Ich kann dir nur sagen: es geschieht dem Kerl recht, wenn er Marie heiratet! Da wird er noch sein blaues Wunder erleben.«

Und Hilda verstaute zwei Wärmflaschen in meinem Bett — bei uns in London der beste Ersatz für die Hitze der Leidenschaften. — Dann wickelte sie mich sorgfältig in Madams beste Bettdecke ein und freute sich, daß mein Soziologe sein blaues Wunder mit Marie erleben würde. Süße Person — Hilda! Sie hat allerhand Übergewicht, aber wenn sie ihren Panzer aus dem Spezialgeschäft in Grosvenor Street trägt, ist sie »vollschlank«. Wir haben ihr das Ding zu ihrem dreiunddreißigsten Geburtstag geschenkt. Hilda wirkt darin wie eine Rubensfigur, die streng Diät gehalten hat. Unsere Hotelgäste sind immer ganz betroffen — so vollschlank ist Miss Sunshine! Mrs. Biggs behauptet, schlanke Frauen seien bösartig. — Man darf Mrs. Biggs (Zimmer 78) nicht widersprechen: sie ist von Beruf Invalidin. Sie hat immer recht, weil niemand sie aufregen darf . . .

Die Sonne scheint augenblicklich wie im Bilderbuch. Es ist richtiger Mai in London. Ich kann diese Saison die Sonne nicht ertragen. Ich habe nie gewußt, daß der Mai ein grausamer Monat ist . . .

Warum hat Marie einen Flirt mit Erik angefangen, der nun in Heirat ausarten wird? Sie kann alle möglichen Männer haben. Ich hatte nur Erik. — Aber Marie interessiert sich ausschließlich für Männer, die bereits vergeben sind. Es gab vor zwei Jahren deswegen einen ausgewachsenen Krach in Paris. Marie malte das Portrait eines Kollegen, eines Russen, der Décors fürs Ballett entwirft. Er war ein Freund ihrer Mutter. — Natalya raste, weil Marie mit ihm kokettierte . . . Das Portrait hängt bei Paul Bonnard im ›Gelben Salon‹. Marie nannte es *Der Kavalier*. Ich dachte immer, sie wäre in diesen Mann verliebt.

Erik und ich wollten jetzt im Mai heiraten, einige Zeit in Stockholm verbringen und dann nach Ostasien gehen, wo Erik Studien für Bücher und Vorträge macht. Er arbeitet mit verschiedenen Organisationen. Mit den *United Nations* und dem *International Institute of Differing Civilizations*, das großenteils von den USA finanziert wird. Erik wird ebenfalls vollständig finanziert und organisiert. Es ist so merkwürdig mit den neuen Berufen und Jobs nach dem zweiten Weltkrieg. Überall in der Welt sitzen Experten, Psychologen und Ratgeber, die fremde Menschengruppen studieren und ihre Mentalität zu modernisieren suchen. Das Ende ist immer ein neuer Krieg irgendwo, Massenmorde und Heimkehr zu den Tabu-Vereinen seitens der unterentwickelten Völker. – Die Herren von den großen Organisationen gehen dann woandershin und studieren aufs neue die Sitten, Unsitten und das allgemeine Gesellschaftsmilieu der fremden Völker . . . Alles das sagte mir Louis Bonnard über das Telephon, als er von meiner Verlobung mit einem schwedischen Soziologen, einem Graduierten der Universität Pennsylvania, hörte. – Es ist unglaublich, wozu die Bonnards das Telephon benutzen! Onkel Louis ist ein zynischer Franzose, der sich zu seinem Bedauern selbst finanzieren muß, denn seine Tochter Marie hat das große Vermögen der Pariser Bonnards geerbt. Louis war in Saigon, und sein Vater muß ihn, als er sein Testament machte, vergessen haben. Marie ist eine reiche Erbin – das kann jeder Mann gebrauchen, sagt Hilda . . .

Ich mag Louis Bonnard gern. Es wäre so nett gewesen, mit Erik zuerst nach Chiengmai in Nord-Thailand zu gehen. Denn Onkel Louis hat sein Hotel, das Restaurant und seine Chinesin nach Bangkok verlegt, seitdem Vietnam den Vietnamesen gehört . . . Wenn jemand nur *Saigon* sagte, ist bei Louis Bonnard Ladenschluß. Nun wird Marie in Bangkok sein. Allerdings wird sie sich von Natalyas Malerfreund trennen müssen. Marie hat nie im Fernen Osten gelebt. Sie sagt immer, in Paris könne sie sich die Chinesen aussuchen . . . Louis Bonnard führt zwar ein eigenartiges Familienleben mit seiner russischen Frau, seiner chinesischen Haushälterin und einer Pariser Tochter – aber ich mag ihn nun einmal leiden. Er weiß zwar alles besser und hat die Prinzipien der westlichen Moral im Fernen Osten verauktioniert, aber er meint es gut mit uns hier in London. Wie geduldig der ungeduldige Louis mit dem armen Antoine Bonnard umging! Wie wundervoll benahm er sich gegen Madam, nachdem sie beide ihren unglücklichen Ehemann bei Maurice Bonnard in seiner Züricher Klapsbude abgeliefert hatten . . . Das werden wir Londoner ihm nie vergessen. Onkel Louis war schrecklich verlegen, weil er aus heiterem Himmel eine Reihe guter Taten vollbrachte. –

Es war ein großes Pech, daß viele Bonnards nach London kamen, als Madam vor einigen Monaten ihren fünfundsechzigsten Geburtstag feierte. Sonst hätte Erik meine Kusine Marie niemals kennengelernt. Wir Bonnards können uns im allgemeinen nicht besonders gut vertragen, aber wir besuchen uns zu Geburtstagen und Beerdigungen. Dann essen und trinken wir, was die Hotelküchen hergeben, und wenn wir uns wieder in alle Winde zerstreut haben, telephonieren wir miteinander. Wir müssen immer wissen, was alle machen. Wir würden es einfach abscheulich finden, wenn einmal eins unserer Familienmitglieder verloren gehen würde. Wir stammen ja aus der Schweiz und halten unsern Besitz zusammen ... Ich bin allerdings in London geboren und hatte eine englische Mutter. Und Marie kam in Paris zur Welt. Natalya Bonnard machte eine Welturaufführung daraus. Sie ist eben Russin. Ihre Ballettschule ist ihr nicht dramatisch genug. Ganz Paris mußte wissen, daß Natalya ihr Baby einsam und »im Elend« zur Welt bringen mußte, während Louis sich die annamitischen Promenadenschönheiten in Saigon ansah ... Natalya war keineswegs einsam. Sie war von Anbetern umgeben, lebte im Bonnard und hatte ihre Eltern in Paris. Ihr Papa war allerdings grade für einige Zeit ins Gefängnis gewandert, weil er einige Ikone, die er selbst geschustert hatte, als Museumsstücke verkaufte. Er war Maler und konnte großartig bildhauern und fälschen. Er hatte es getan, um Natalya zu Maries Geburt einen echten Diamantschmuck schenken zu können. Natalyas Vater ging sehr befriedigt ins Kittchen, da er ein extravagantes Geschenk durch seiner Hände Arbeit erworben hatte. Die einzige anständige Person war immer Natalyas Mutter. Sie hieß die »Feldmaus« und arbeitete für ihren wunderbaren Mann und ihr Goldstück Natalya, bis Louis Bonnard das Fräulein Tochter auf legalem Weg als Ehefrau erwarb. Er war vernarrt in Natalya und hat sie auch heut noch recht gern. »Man kann sie anbeten, aber leben kann man nicht mit ihr. Sie kommt überall zu spät und will immerzu *leiden*. Sie haßt es, das Leben zu genießen. Sie wollte sich schon drei Wochen nach der Hochzeit ständig über nichts und wieder nichts mit mir erzürnen – nur um tränenreiche Versöhnungen feiern zu können.« Louis schrieb das vor Jahren an Madam – ich fand den Brief zufällig. Es ist ein Ereignis, wenn ein Bonnard einen Brief schreibt. Briefe sind ziemlich sinnlos. Man schreibt in einer bestimmten Laune. Aber entweder ist der Empfänger eines Jubelbriefes in Grabesstimmung und wirft das Zeug in den nächsten Teich, oder man selbst hat es sich anders überlegt . . . Wenn ich heute an die Briefe denke, die Erik mir schrieb! Danach konnte er es keinen Tag länger ohne mich aushalten. Jetzt kann er es plötzlich ein ganzes Leben lang ohne mich aushalten. –

Ich sitze wie immer im Bonnard und trommle gegen die Fensterscheiben. Sie müssen geputzt werden. Erik wird mein Trommeln nicht hören. Ich könnte auf Damast trommeln . . . Er schenkte mir eine kleine chinesische Trommel. Sie enthielt eine auf Seide geschriebene Liebeslegende und einen Smaragdring. Die Fassung des Ringes war so solide wie Barclays Bank. – Ich hatte mich in Regent Street in diesen Ring verliebt. Danach bummelten wir in Piccadilly herum. Erik behauptete, die Luft wäre voller Musik. Offen gestanden, hörte ich nur den Lärm der roten Autobusse und die hohen, eleganten Stimmen der Frauen. Erik hörte eine Symphonie. Er hörte das geisterhafte Echo von *Big Ben*, das Murmeln der fernen Themse, das Zischen der Tausend Teekessel und das Klappern der Teelöffel zwischen Baker Street und Hyde Park Corner. Erik hörte, wie die Biergläser in den *Pubs* sanft hin- und hergeschoben wurden; er hörte das Rascheln der ersten Abendzeitungen, die knisternde Unruhe der *Rush Hour* (Stunde nach Büroschluß), die Unterhaltungen der Liebespaare und die endlose Elegie von Hampstead Heath. – Er vernahm den diskreten Herzschlag dieser Stadt der tausend Dörfer, in der jede dritte Straße *Garten, Crescent, Hügel* oder *Close* heißt, und die bukolischen Namen der Häuser die Namen der Hausbewohner ersetzen . . . Erik hörte die Londoner Elegie – die uralte Sehnsucht dieser Riesenstadt nach Wald, Wiese und Hügeln . . . Ich fürchte, Erik wurde in London ein Dichter. – Es war Abend geworden. Die Laternen und Neonreklamen leuchteten wie die chinesischen Seidenschilder, die ich als Kind mit meinen Eltern in Hongkong sah. Wie herrlich ist London am Abend, wenn man Arm in Arm durch die Straßen schlendert und mit allen anderen Leuten, die einen in netter Weise nichts angehen, verbunden und vertraut ist . . . Diese Verbundenheit mit den Londonern von heute, den Steinen der Häuser und Plätze, mit dem Licht und den uralten Schatten der Vergangenheit erlebte ich mit Erik in Piccadilly.

Vielleicht war wirklich Musik in der Luft? Ich hatte noch eben an unsere Staubsauger gedacht, die unbedingt erneuert werden müssen, und natürlich an die tropfenden Wasserhähne in den Badezimmern im linken Flügel... Nun versuchte ich, Eriks Musik zu hören. Ich liebte ihn und wollte fliegen lernen. Ich sah ihn an: sein feines, nordisches Gesicht mit den kühlblickenden Augen und der kritischen Stirn. Wo waren seine Gedanken? In Stockholm? Im Fernen Osten? In einem uralten London, zur Zeit, da Piccadilly Gras oder Sumpf oder noch eine Idee war? Erik sah plötzlich andächtig aus, als ob die Nacht einen Choral von Westminster zu uns herüberwehte ...

»Ihr merkt die Magie nicht mehr. Ihr seid an London gewöhnt«, sagte er leise und küßte meine Nasenspitze. Er ist so groß, daß ich mich auf die Zehenspitzen stellen mußte, obwohl ich keineswegs klein bin. »Lulie«, flüsterte Erik. »Glaubst du, daß die Hunde sich zum Dinner umziehen?« – Dann küßten wir uns genau vor der Untergrund-Station. Alle Autobusse, Taxis und Zeitungsverkäufer sahen weg ... Die Stadt hat so gute Manieren. Es gefiel ihr durchaus nicht, daß wir uns in Piccadilly küßten. Das macht man im Hyde Park auf der Wiese ...

Ob der grüne Hut schuld daran ist, daß Erik mich verlassen hat? Vielleicht macht er mich grünlich. Oder ist die Form komisch?

»Was in aller Welt hast du auf dem Kopf?« fragte Hilda, als ich die Halle in Haverstock Hill betrat.

»Einen Hut.«

»Da lachen sämtliche Suppenhühner! So kannst du nicht nach Mayfair fahren, Louise! Marie wird da sein. Sie wird einen himmlischen Hut tragen, und Erik wird Augen machen.«

Ich lachte. Erik gehörte mir. Ich hatte es ihm eben *doch* geglaubt...

Paul Bonnard, der unsern Mayfair-Betrieb leitet, empfing mich ohne Wimperzucken, obwohl er als Junggeselle etwas von Damenhüten versteht. In seinem Restaurant kann man zur Mittagszeit eine Modenschau erleben. Paul gibt nicht allzu reichliche Portionen, aber seine Gäste sind immer gerade vor oder nach einer Schlankheitskur und mit einer Grapefruit oder geriebenen Karotten durchaus zufrieden. Sie zahlen widerspruchslos ein Vermögen für diese lukullischen Kleinigkeiten, da sie bei *Bonnards* in Mayfair serviert werden. Paul ist schlank, angegraut und äußerst reserviert. Er hat vorsichtige Ohren, schmale unsinnliche Lippen und ein robustes Kinn. Er ist sehr groß und sieht durch seinen langen Hals noch größer aus. Er kleidet sich wundervoll unauffällig und lächelt nur, wenn es gar nicht anders zu machen ist. Er erinnert im Aussehen an einen gewissen englischen Herzog – nur daß der Herzog viel freundlicher, anspruchsloser und zweimal geschieden ist . . . Er oder vielmehr seine Liebesgeschichten füllen die Frontseiten der Sonntagszeitungen. Paul Bonnard würde lieber »Cleopatras Nadel« verschlucken, als einen Privatskandal für den Sonntag liefern. Die »Nadel« gehört natürlich nicht Miss Tylers Katze, sondern ist der ägyptische Obelisk am Victoria Embankment. Erik sah eine ähnliche Säule im Central Park in New York und schleppte mich zum Embankment. Die Ausländer wissen alles über Londons Sehenswürdigkeiten, und wir müssen es ausbaden. Was ist schon an dieser Säule zu sehen?

Paul gab für Erik, Marie und mich einen großartigen Lunch. Er hatte zwar wie immer eine gläserne Wand zwischen sich und uns aufgestellt, war aber so nett, wie es ihm gegeben ist. Er schiebt die Wand nur beiseite, wenn der Adel um Karotten bittet. – Madam war nicht mitgekommen. Es genügt ihr, wenn sie Pauls Gesellschaft zu Geburtstagen und Beerdigungen genießt. Wir nennen unsere Großtante genau wie die Gäste »*Madam*«. Wir meinen das als Kosename. Manchmal glaube ich, daß Madam selbst vergessen hat, daß sie einmal Catherine O'Donnell von der Metropolitan Opera war. Bei einem Gastspiel in London traf sie zu ihrem Unglück Antoine Bonnard. Sie war jung, begann berühmt zu werden und tauschte Antoine für eine große Opernkarriere ein. Er muß sie bezaubert haben . . . Das war lange, bevor er Gespenster durch die Korridore des Bonnard verfolgte, bevor Catherine O'Donnell plötzlich *Madam* wurde und unser Haus in Haverstock Hill vor dem armen Antoine rettete. Er hatte Feuer im Privatflügel des Hotels gelegt. Er war dabei sehr schlau zu Werke gegangen, aber Madam und Miss Lund von den Leinenschränken hatten es doch gemerkt . . . Miss Lund ist Schwedin und wird uns nie verlassen. Sie kam als junges Zimmermädchen ins Bonnard. Heute wüßten wir nicht, was wir ohne sie machen sollten. Es gibt nichts, was Madam nicht mit ihr bespricht, einschließlich Soziologen. –

Natürlich hatte Hilda recht. Marie trug einen Traum von einem Hut. Erik und ich warteten in der feierlichen Halle des Bonnard in Mayfair. Marie ist so unpünktlich wie Natalya. Ihre Mutter warf sie deswegen aus ihrer Ballettschule in Paris hinaus. In ihrer Schule versteht Natalya Bonnard keinen Spaß.

Wo immer meine Kusine Marie mit ihrer zarten Eleganz und ihrem starren Blick erscheint, drehen sich sämtliche Leute nach ihr um. Die Frauen wollen ihrer Schneiderin erzählen, wie sie Maries Kleid kopieren kann, und die Männer starren sie einfach an: ein Blickrausch, aus dem ihre Begleiterinnen sie aufrütteln müssen. –

Marie ist mittelgroß, aber sie kann groß wirken, wenn sie will. Sie kann auch klein und hilflos aussehen. Das richtet sich ganz nach dem Mann, der gerade in Frage kommt. – Ich muß leider gestehen, daß Marie bezaubernd aussah. Sie trug einen weiten, grünkarierten Tweedmantel mit passendem schmalem Rock und einen weißen Pullover. Der Mantel war weiß gefüttert. Der Hut war aus weichem weißem Leder. Ihr silberblondes Haar schimmerte kostbar unter dem Hut, dessen Rand sich bei der kleinsten Bewegung des Kopfes sanft bog, wie ein Weidenblatt im Wind. Dadurch veränderte sich ihr Profil jeden Augenblick, und Erik hatte immer wieder etwas Neues anzusehen. Marie trug ihre Ohrringe und ihre Halskette aus grüner Jade und schwarze Lederhandschuhe. Der Pullover und der schmale Rock betonten ihre enge Taille, die ein breiter schwarzer Ledergürtel vor dem Zerbrechen bewahrte. Ich weiß für gewöhnlich nicht, was Frauen in unsern Hotels tragen, aber dieses Bild hat sich mir eingeprägt. Maries Eleganz war ein Zerstörungsmittel.

Unsere Pariserin schritt langsam neben Paul in die Halle, damit jeder sie verstohlen bewundern konnte. Engländer blicken niemals jemandem so ungeniert ins Gesicht, wie es auf dem Kontinent üblich ist. Aber sie sehen trotzdem alles, was sie sehen wollen. Marie! Ganze zweiundzwanzig Jahre, bildschön, elegant und kapriziös – so stand sie plötzlich vor Erik und lächelte ihr langsames Lächeln. Sie begrüßte mich so flüchtig, daß ich rot wurde. In ihren starren Blick kam ein Flimmern, als sie zu Erik aufblickte. Vielleicht hatte Marie niemals einen baumlangen Schweden mit einem strengen Gesicht näher betrachtet. Erik ist nicht streng, aber man könnte ihn im ersten Augenblick dafür halten, weil er wie ein verschlossenes Haus wirkt. Hilda sagt, Marie wäre in einfacheren Zeiten wahrscheinlich als Nummer-Eins-Hexe (Spezialität: böser Blick) verbrannt worden. Leider leben wir im komplizierten Jahr 1959, und bei Bonnards in Mayfair wird sowieso nichts verbrannt . . .

Ich hatte Erik gerade ein gutes Abführmittel empfohlen, da er sich nicht wohl fühlte. Die Bonnards in Singapore haben das Zeug in der

Familie eingeführt. Es ist ein englisches Rezept, aber die Chinesen machen es in billig nach. Sie würden die Nelsonsäule auf dem Trafalgar Square in billig nachmachen, wenn es sich lohnte.

Paul Bonnard übernahm die Vorstellung. Er war ziemlich stolz auf unsere junge Pariser Schönheit und auf die Harris-Tweeds, die Marie so elegant trug. Man sieht leicht rundlich in den karierten Mustern aus. Marie wirkte aber dadurch noch zarter.

»Was hast du für einen merkwürdigen Hut auf?« fragte Marie und musterte mich so ungeniert, als ob sie eine Wachspuppe bei Madame Tussaud vor sich hätte.

»Das letzte Modell aus Paris«, murmelte ich und verschluckte mich am Sherry.

»Es muß das Allerletzte gewesen sein«, sagte Marie sanft. »Die Kaiserin Eugénie hat es seinerzeit verauktioniert, weil Napoleon III. Krämpfe bei dem Anblick bekam.«

Erik lachte in seiner Unschuld. Mir war so dumpf im Kopf, als ob die ganze Hutabteilung von Harrods zusammen mit der Katze Cleopatra auf meinem Kopf hockte. Maries Augen – diese hellen, steinernen Augen – begannen zu flimmern wie glühende Polarsterne. Ihr Gesicht war glatt und reglos wie weiße Jade. Erik lachte immer noch über die Kaiserin Eugénie in meinem Hut ...

»Nicht doch«, murmelte Marie und legte ihre Hand sacht auf Eriks Hand. Ihre Hand ist ein Kunstwerk, darüber gibt es keine Diskussion.

»Sie sind nicht sehr galant zu Ihrer Braut«, sagte Marie mit ihrer dunklen, leicht heiseren Stimme und zog ihre Hand zurück. Sie nahm mir den grünen Hut vom Kopf und quetschte ihn trotz des hohen Preises wie Kartoffeln in der Presse. Der Hut war jetzt ein Dreimaster. Käpten Cook muß so etwas getragen haben, als er den Stillen Ozean befuhr. Marie schüttelte ihre Locken und setzte sich das Ding auf den Kopf. Wir saßen mittlerweile in Pauls gelbem Salon mit Maries Portrait des *Kavaliers* und aßen gebackenen Hummer.

»Wie sehe ich aus?« fragte Marie. Sie fragte nicht etwa Paul oder mich. Sie fragte Erik.

»Sie sehen bezaubernd aus.« Erik sagte es widerwillig, das muß ich zu seiner Ehre sagen. Aber er sagte es. – »Sie können sich einen Kochtopf aufsetzen, und alles fällt Ihnen zu Füßen.« Dies mußte ein Nachgedanke sein, und Erik äußerte ihn ebenfalls. Paul Bonnard, der sonst nie etwas merkt, weil er sich nur für Herzoginnen interessiert, goß mir einen edlen Wein ein. Ich trank. Es war das einzige Mittel, um Haltung zu bewahren. Paul kannte Frauen – er hatte Marie nie leiden können, er zeigte sie nur gern in seinem distinguierten Laden herum. Aber Paul kannte eben auch Maries Geheimnis . . . Wenn man das kannte, war es schwer, Marie Bonnard gern zu haben. – Ich hatte mich nie weiter um Marie und ihre Geheimnisse gekümmert. Paris ist meilenweit entfernt, und wir haben in Haverstock Hill alle Hände voll zu tun. Wir telephonieren manchmal mit Natalya, und so erfuhren wir später Maries Geheimnis. Natalya kann nichts für sich behalten. Sie bespricht mit vollkommen fremden Leuten ihre intimsten Angelegenheiten. Es ist ihr ein großer Trost, wenn möglichst viele Leute die Affairen der Bonnards kennen.

»Fühlst du dich nicht wohl, Louise?« Marie heftete ihren starren Blick auf mich.

Erik blickte mich besorgt an. »Wollen wir gleich nach dem Lunch fortfahren? Du bist überanstrengt, Louise!«

»Es geht mir gut. Vielen Dank.« Ich hielt Paul mein Glas hin. Er blickte mich prüfend an. In seinen kalten blauen Augen war etwas, was ich niemals bei Paul gesehen hatte. War es möglich, daß Paul Bonnard – »Eisschrank« genannt – fühlte, was vorging?

»Du hast genug getrunken, Louise«, sagte er ruhig. »Iß erst einmal etwas von den Hühnern à la Marengo.«

Marengo erinnerte mich an die Familie Bonaparte. Ich konnte keinen Bissen herunterbringen. Paul tat, als ob er nichts merkte. Erik merkte wirklich nichts. Er blickte Marie an. Ich glaube noch heute, er wollte sie nicht ansehen. Aber ihr glühender Polarsternblick zwang ihn wohl dazu.

Maries Hände lagen reglos in ihrem Schoß, aber ich hatte das unheimliche Gefühl, daß diese überzarten, kühlen Hände Erik streichelten. Die Hände waren nackt. Marie trug niemals Ringe. Sie saß nackt in ihren herrlichen Harris-Tweeds und starrte Erik an. Sie erweckte wahrscheinlich Visionen in ihm: »Strahlender Frost in irrsinnigem Mondlicht.« Ein Pariser Maler sagte das von Marie, und Natalya teilte es uns auf telephonischem Weg mit . . . Marie war damals siebzehn Jahre. Auf jeden Fall gelang es ihr in diesem Augenblick, Erik zu hypnotisieren und seinen Protest lächelnd zu ersticken. Erik hatte mich ein ganzes Jahr geliebt. Es gibt mindestens dreihundertzwanzig

Arten von Liebe, und eine davon war seine Liebe zu mir gewesen. Vielleicht liebte er mich immer noch, aber dann war diese Liebe in wenigen Stunden kraftlos und blutlos geworden. Wenn plötzlich ein Derwisch in Paul Bonnards Luxuswüste herumgetanzt wäre, hätte Erik nicht in tieferen Trance verfallen können. Es war sehr unbehaglich für Paul und mich. Das stumme Spiel dauerte vielleicht nur einige Sekunden oder Minuten. Marie wurde unruhig. Sie wird immer unruhig, wenn niemand spricht. Als ob sie verborgene Feindseligkeit spürte und nicht genau wüßte, aus welcher Richtung der schneidende Wind weht. Wenn Marie feindliche Schatten auftauchen sieht, werden ihre Augen leer. Sie sieht plötzlich aus wie ein kleines, harmloses, verängstigtes Mädchen – ohne List und ohne Busen –, und jeder Mann will sie beschützen. Ich könnte mich auf den Kopf stellen und würde immer noch nicht schutzbedürftig wirken. Das ist ein Unglück für eine Frau.

Paul Bonnard hat stumme Spiele nicht gern. Er sprach, und wir hörten zu. Paul ist natürlich nicht Louis Bonnard. Maries Vater ist ein Virtuose des Gesprächs. Alle Zuhörer freuen sich an den glitzernden Bällen, die Louis mühelos in die Luft wirft und wieder fängt. Paul tat sein Bestes. Er erzählte seinem neuen Verwandten – Erik würde ja in der Familie bleiben, wenn er Marie heiratete – vom alten Mayfair. Sein Vater hatte es noch erlebt. Bis 1918 war Mayfair das vornehmste Wohnviertel von London gewesen. Heut gab's dort zu viel Geschäfte, Mädchen in *blue jeans* und Büros. Paul hatte sich einmal bei Marble Arch an einer Säule festhalten müssen, weil ihm bei dem Anblick der neuen Damen elend wurde. Er fing an, über Stockholmer Hotels zu sprechen, und Erik mußte sich endlich von Maries Anblick losreißen. Marie hatte ihre Schrecksekunde überwunden. Sie sah aus wie die Katze, die den ganzen Rahm aufgeschleckt hat. Ihr Appetit ließ übrigens nichts zu wünschen übrig. Sie aß sogar den warmen Pudding – Eriks Lieblingsgericht, das ich Paul verraten hatte. Marie verabscheut warme Puddings . . .

Ich habe mich später oft gefragt, wieso ich schon an diesem Tag wußte, daß Erik mich nach einigem Hin und Her nicht heiraten würde. Ich hätte ihn wahrscheinlich ziemlich glücklich gemacht. Ein glückliches Leben ist zum großen Teil ein ruhiges Leben. Das hätte ich Erik trotz seines Berufes als Kultur-Reisender geschaffen. Ich wollte nichts von ihm haben. Ich hätte versucht, ihm etwas zu geben, was er gebrauchen kann . . . Aber ich wußte bei jenem Lunch mit Sicherheit, daß ich Erik an Marie verlieren würde. Ich hätte mir natürlich sagen können, daß selbst kokette Ungeheuer wie Marie eines Tages wieder abreisen und daß Erik schließlich wußte, was er an mir hatte. Das sagt sich jede verkaufte Braut oder verlassene Ehefrau. Man vergißt nur, daß der Mann *nicht* weiß, was er an der Neuerscheinung hat. Das scheint ihm eben doch besser zu gefallen . . . Ich meine, dieses kindische Rätselraten! Wissen Männer wirklich nicht, daß die meisten Frauen sich viel rätselhafter geben, als sie sind? Und daß sie es lediglich dem Mann zuliebe tun? Sobald sie ihn an der Kette haben, ist's aus mit den erotischen Kreuzworträtseln. – Dann ist jede Frau wie jede andere Frau . . . Wenn die Männer nicht immer wieder auf die Sphinx aus dem Kosmetiksalon hereinfielen, gäbe es nur glückliche Ehen. Die Londoner Scheidungsanwälte könnten dann auch an Wochentagen in ihrem Garten arbeiten und sich über den Zaun hinweg mit dem Nachbaranwalt über den Verfall der Romantik unterhalten. –

Paul und Erik sprachen angeregt über Schweden, da Marie und ich bescheiden schwiegen . . . Paul Bonnard war öfters in Stockholm gewesen und konnte genau sagen, was und wo er jedes Mal gespeist hatte. Er ist ein erstklassiger Hotelier. Daher sitzt sein Gedächtnis im Magen. Man kannte ihn im *Grand-Hotel* genausogut wie in dem berühmten historischen Keller-Restaurant *Gyldene Freden*. Dort hatte Paul einen unvergeßlichen Wein getrunken. Die Kerzen und der Schatten des Dichter-Komponisten Carl Mikael Bellman hatten keinen Eindruck auf Paul Bonnard gemacht. Er reist nie zum Vergnügen . . . –

*

Plötzlich war unsere kleine Feier zu Ende. Marie gähnte. Sie riß nicht etwa den Mund auf, wie Naturkinder wie ich das tun. Marie machte eine Ballettstudie daraus – eine ermüdete Nymphe in Harris-Tweeds . . .

Marie wohnte bei Paul, wo sie auch hingehört. Im übrigen hat unsere Großtante längst auf die Ehre verzichtet, unsere Berufsnymphe in Haverstock Hill zu beherbergen. Sehr zum Bedauern unserer alten Dauergäste, die wir die »Eingeborenen« – im Gegensatz zu den Touristen und Eintagsfliegen – nennen. Marie ist großes Gesprächsthema in Haverstock Hill. Mrs. Bellingham schüttelt den Kopf über ihre extravagante Eleganz; Mrs. Pollitt findet Marie hochnäsig und nicht ein bißchen »nett«; Mrs. Biggs fragt sich, ob Marie regelmäßig zur Kirche geht, und Major Waterhouse sieht sie verstohlen von der Seite an und wundert sich über gar nichts ... Da Marie unsere Großtante höchstens alle Jubeljahre einmal besucht, haben die Eingeborenen jetzt nur noch Fernsehen nach dem Dinner, eine Unmenge Fragen an Hilda und Madams barmherzige Teenachmittage. – Madam lädt manchmal einige einsame Hühner am Sonntag in ihre Privaträume. Sie fühlt es, wenn Mrs. Pollitt ihr das Neueste über ihren gleichgültigen Schwiegersohn erzählen muß oder wenn Major Waterhouse es nicht mehr mit seinen Erinnerungen aushält. Madam weiß auch, wann Rosalind Bellingham zum Tee fällig ist. Sonntags geht sie doch nicht in die Universität ...

*

Paul fuhr mich persönlich nach Haverstock Hill zurück. Es war alles so schnell gegangen, und andrerseits war es eine Ewigkeit her, daß wir alle zusammen aßen und tranken und Fremde wurden. Wer kennt das Herz eines Fremden? Ich hatte Erik falsch beurteilt und würde ihn auch weiter nicht richtig sehen. Zuerst war zuviel Zuneigung und jetzt zuviel Abneigung in meinem Blick. Ich blickte aus dem Fenster von Pauls riesigem Wagen. Eben waren wir noch in Brook Street gewesen. London war wieder eine nüchterne Stadt. Ich hatte nie ein Mirakel in Piccadilly erlebt. Ich würde schon mit der Enttäuschung fertig werden. Ich mußte nur einige Nachhilfestunden bei Madam nehmen. Sie hatte Mut und Würde und war ohne Bitterkeit. Allerdings war sie etwas älter als ich. –

In Oxford Street wurde mir schwindlig, und ich schloß die Augen im richtigen Augenblick. Denn *Selfridges* zeigten ein ganzes Schaufenster mit Hochzeitskleidern, Blumen und allen Details, die sich die kommerzielle Phantasie ausdenken kann ... Brautschleier gingen mich wirklich nichts an. – Paul diskutierte mit Erik über *Djurgardsbrunns Wärdshus.* Hohe kosmopolitische Klasse! Vielleicht nicht ganz so viele Herzoginnen wie bei Paul in Mayfair, aber ein unvergeßliches schwedisches Restaurant. Das kleine Stück über die Herzoginnen gab Paul nicht zum besten. Man diskutiert sie nicht. Man hat sie ...

Endlich waren wir in Haverstock Hill. Paul und Erik fuhren nach Brook Street zurück. Paul nahm es gern auf sich, einen schwedischen Gast aus einer berühmten Familie über das Fehlen des heimischen *Smörgåsbord* hinwegzutrösten. Und dann gab's Marie als Dessert ... Ich würde Eriks Familie nun nicht kennenlernen. Alles Juristen. Erik sagte einmal, bei Ekelunds herrsche eine Luft wie beim Jüngsten Gericht ... Ich hatte ihn angestarrt. Ich muß Maurice Bonnard fragen, ob das Anstarren fremder Leute eine schlechte Angewohnheit oder ein neurotisches Symptom ist. Wozu haben wir einen weltbekannten Psychiater in der Familie? Maurice weiß sicherlich auch, warum Marie so nervös wird, wenn alles schweigt. Mein Gott, wie ich sie verabscheute! –

Ich sah Erik noch einmal an. Morgen fuhr er nach Stockholm. Wie blaß er war! Seine Augen stehen etwas zu dicht zusammen. Maurice Bonnard sagt, solche Augen ließen auf Schlauheit schließen. Wenn Erik nur einen Funken Schlauheit hätte, dann ... Aber was geht mich das an? –

*

In Haverstock Hill ruhte alles. In einer halben Stunde würde es Tee geben. Nur Hilda war in der Rezeption.

»Ich hab's dir gleich gesagt, Louise! Du hättest den grünen Hut nicht tragen sollen!«

Unsere Hilda blickte mich an. In ihren großen, dunklen Augen war unwilliger Kummer. Hilda hat immer alles vorher gewußt. Das ist ihr einziger Webefehler. –

Ich betrachtete den Vogel *Garuda*, als ob ich ihn niemals zuvor gesehen hätte. Dabei steht dieser mythische Bronzevogel in allen unsern Hotels auf einem Sockel in der Eingangshalle. Selbst Paul hat den Vogel Garuda nicht durch eine Statue aus Adelskreisen ersetzt ... Prinz Rama bestieg diesen Legendenvogel, als er seine Braut verließ, um angeblich mit Riesen zu kämpfen. Auf jeden Fall reiste Prinz Rama ab.

»Hilda«, sagte ich so leise, daß selbst der Vogel Garuda seine Bronzeohren spitzte.

»Mary kann dir den Tee ins Zimmer bringen.«

»Ich möchte nichts trinken. Nur schlafen!«

»Nach heißem Tee schläft man wunderbar«, sagte Hilda streng. »Ich habe niemals erlebt, daß jemand sich nach einer netten Tasse Tee nicht besser fühlte. Was hast du, Louise? Fall uns hier nicht um!«

In diesem Augenblick betrat ein breitschultriger Herr in mittleren Jahren die Halle. Er hing dem Vogel Garuda seine Reisetasche um den überlangen Hals und sammelte mich mit Hilda vom Teppich auf.

»Grüetzi«, sagte mein Vetter Dominik Bonnard. Sein Hotel in Zürich ist für die reichlichen Portionen berühmt. Mit Karotten geben sich Dominiks Gäste nicht zufrieden. Die bekommen sie bei Professor Maurice Bonnard im Sanatorium, wo es noch mehr kostet als bei Paul in Mayfair. Maurice und Dominik schicken sich gegenseitig ihre Kunden zu . . .

Wenn Dominik bei uns auftaucht, will er meistens etwas. Einmal will er Madam sehen, die er sehr liebt. Zweitens will er Londoner Luft atmen wie in seiner Junggesellenzeit. Und dann möchte er unsere Hilda in der Rezeption in Zürich haben. Hilda ist mit allen Bonnards in Ost und West befreundet. Dominik denkt im stillen, daß Hilda wegen der Freundschaft mit einem lächerlichen Gehalt zufrieden wäre . . . Er lehnt Geldausgaben ab, die sich bei einiger Vorsicht vermeiden lassen. — Trotz seiner englischen Anzüge sieht Dominik immer aus, als ob er gerade das Matterhorn bestiegen oder wieder verlassen hätte.

»Was ist mit Louise los?« fragte er und leuchtete mit seinen scharfen Augen mein Gesicht ab.

»Nichts ist mit ihr los«, sagte Hilda grimmig, während ich mich benommen umblickte. »Louise hat ein Fest bei Herrn Paul gefeiert. Sie trug einen grünen Hut.«

»Deswegen fällt man doch nicht in Ohnmacht«, meinte Dominik. »Seid ihr alle hier verrückt geworden? Paul benahm sich am Telephon wie ein Trappist. Wann gibt's Tee? Ich möchte nur Sandwiches, Sandtorte, Buttertoast und natürlich eure Muffins. Und Wasserkresse. Bitte alles in angenehmen Mengen! Ich bin bei Paul zum Dinner . . . Ich habe zwei Leidenschaften«, sagte Dominik in unser Schweigen hinein. »Frische Wasserkresse und natürlich eure Hilda.«

»Wie geht es Ihrer Frau?« fragte Hilda.

»Danke verbindlichst«, sagte Dominik. Er beantwortet niemals Fragen. Und schon gar nicht Fragen nach Ellen Bonnard . . . »Verbreiten Sie etwas mehr Sonnenschein, Miss Sunshine!« —

Hilda zupfte an ihrem Pullover herum. Sie war wütend, daß sie den Panzer aus der Grosvenor Street nicht anhatte ...

»Wo ist Madam?« fragte Dominik.

»Neuerdings hält sie Mittagsruhe im Bett«, sagte Hilda. »Immer noch der einzige Ort, wo einem bestimmt nichts passiert.«

II

Am Telephon

»Meine liebe Louise«, sagte Madam zögernd, »ich fürchte, du machst einen Fehler!«

Ich blickte sie an und wunderte mich wieder einmal über ihre leuchtenden Augen: Irisches Blau ...

»Ich mache *nur* Fehler«, murmelte ich. »Da kommt es auf einen mehr nicht an.«

»Du strengst dich zu sehr an, mein Kind! Denke ruhig an Erik! Es wird dir von selbst langweilig werden ... Im übrigen ... Entschuldige, *dear*! Ich werde am Telephon verlangt.«

Bei uns finden alle wichtigen Unterhaltungen einen vorzeitigen Abschluß durchs Telephon. –

Einige Wochen nach dem Freudenfest in Brook Street erhielt ich einen Brief. Er mußte von Erik sein. – Ich riß den Brief auf. Ich war gespannt, was Erik zu seiner Entschuldigung vorzubringen hätte. Madam findet, daß ich in der Tiefe meines Wesens selbstgerecht bin. Sie versucht mir beizubringen, daß ich kein Monopol auf die feineren Gefühle habe. Sie findet es lächerlich, daß jemand sich bei mir entschuldigen soll, weil der Blitz eingeschlagen hat ... So etwas lasse ich mir nur von der alten Dame sagen. Ich glaube, ohne Madam und Hilda könnte ich nicht weitermachen, aber Madam sagte gestern, auch das wäre blühender Unsinn. Das Leben ginge unter einer Bedingung weiter: wir müssen mitgehen!

Ich wollte also Eriks Brief lesen, als Mr. Tomlinson erschien. Mr. Tomlinson können wir so wenig warten lassen wie den Präsidenten der Vereinigten Staaten. – Mr. Tomlinson ist nämlich ein Klempner. Das ist in London eine Persönlichkeit, die mit seidenen Handschuhen angefaßt werden muß. Sonst tropfen die Hähne weiter und nachher muß neu dekoriert werden ...

Mr. Tomlinson, der seit Jahrzehnten den Wasserhähnen im Bonnard gut zuredet, schüttelte den Kopf. Er und sein Gehilfe hatten soeben ihre 11 Uhr-Morgenmahlzeit in der Hotelküche eingenommen und wären gern nach getaner Arbeit wieder nach Haus gegangen. Deshalb schüttelte Mr. Tomlinson den Kopf. Entsetzlich, was man alles von ihm verlangte! – Dennoch machte er die passende Einleitungsbemerkung über die Junisonne, und wie schlecht es vorigen Sommer mit der Sonne gewesen wäre, und wie famos die Sonne im Jahr 1951 geschienen hätte, als er und sein Hund und Mrs. Tomlinson in Blackpool gewesen wären. – Und welche Hähne es denn nun eigentlich wären? Im linken Flügel *müßte* alles in Ordnung sein. Es könne aber auch 1949 gewesen sein, als sie in Blackpool ...

»Es *sind* die Hähne im linken Flügel, Mr. Tomlinson«, sagte ich fest. »Major Waterhouse hat sich beklagt. Und er sagt seit Jahren keinen Ton, wenn etwas nicht funktioniert.«

Mr. Tomlinson erhielt von Major Waterhouse gelegentlich Marken aus fremden und seiner Ansicht nach heidnischen Gegenden. Tja – dann mußte er sich wohl die Sache ansehen! Er brummte zu seinem Gehilfen gewandt: »Komm!« und verschwand. Ich wußte, daß er verstimmt war. Ich hörte, wie Mr. Shelley, sein Freund und Gehilfe, vom letzten Fußballspiel in Kilburn berichtete und wie Mr. Tomlinson sich mit einem Nachtrag zur Biographie seines Hundes revanchierte. – Mr. Shelley war ein erstklassiger Fußballer und war sehr gekränkt, wenn man Rückfragen nach einem Dichter gleichen Namens stellte, von dem er nie etwas gehört hatte. Er selbst war der Stolz von Kilburn – das genügte ihm. Ich fühlte in jedem Knochen, daß die Herren sich anschließend über mein »Pech« unterhalten würden. Es hätte doch im Mai Hochzeit sein sollen, und hier war ich im Bonnard und belästigte jeden Menschen wegen der Wasserhähne! »Er war Ausländer«, sagte Mr. Tomlinson bestimmt in diesem Augenblick. »Das *mußte* ja schief gehen.« Mr. Shelley würde zustimmen. Londoner waren wohl nicht gut genug?

*

Erik schrieb, wie schwer ihm dieser Brief fiele. Wie sehr er mich schätzte und bewunderte, und wie bekümmert auch Marie wäre, daß sie mir soviel Unannehmlichkeiten bereitet hätte. Es klang, als hätte ich eine Verabredung mit unserm Friseur getroffen und Marie wäre mir zuvorgekommen . . . Erik ließ nicht eine einzige Konvention aus, die zu Abschiedsbriefen gehört. Selbstverständlich bliebe er mein Freund, an den ich mich immer wenden könne; selbstverständlich wolle er den Smaragdring nicht wiederhaben. Und selbstverständlich danke er mir sehr aufrichtig für alles . . .

Hier sparte Erik sich alle Einzelheiten. Der Brief war ein Dankbrief an eine nette, tüchtige Sekretärin, die Erik zu seinem aufrichtigen Bedauern wegen ihres hohen Alters nicht heiraten wollte. Ein ehrendes Andenken war ihr sicher.

Ich stand auf und blickte in den Hotelgarten, weil die Natur angeblich beruhigt. Aber ich sah nur Mrs. Pollitt und den kleinen Amor am Springbrunnen, der seit Jahren Mrs. Pollitts Mißfallen erregt. Warum hatte der Bengel nichts an?

Ich ging zu Hilda in die Rezeption. Sie zog mich in den kleinen Salon links von der Empfangshalle, in dem niemals jemand saß. Aber Mrs. Bellingham könnte sich einmal dorthin setzen, dafür mußte man den Salon haben. Louis Bonnard hatte uns die Empire-Möbel besorgt und zur Hälfte geschenkt. Der Salon hatte auch einen Spiegel aus der Empirezeit. Ich blickte hinein und sofort wieder weg.

Hilda las den Brief so aufmerksam wie eine schwedische Speisekarte, die sie nicht verstand. Dafür verstand Hilda mich um so besser . . .

»Wie gefällt dir der Brief?«

Gegen ihre Gewohnheit schwieg Hilda. Sie zündete sich eine Zigarette an und steckte mir auch eine in den Mund. Ich begann, den Brief in kleine Stücke zu zerreißen.

»Nicht doch, Louise. Ich meine, der Papierkorb ist in der Halle.«

Nach dieser interessanten Eröffnung stand Hilda auf und räusperte sich.

»Vielleicht ist er ein ganz Schlauer! Vielleicht schreibt er so idiotisch, weil er annimmt, daß du mir den Brief zeigen wirst!«

In diesem Augenblick raste Miss Stevens herbei und meldete, Louis Bonnard sei in Paris am Apparat und wolle mich sprechen. Ich habe Maries Vater sehr gern. Er ist wie ein chinesischer Geschichtenerzähler. Man bezahlt seine Pfennige, und Louis liefert Liebe, die Ballade vom Goldfisch, Schurken, Mondlicht und Intrigen . . . Aber jetzt wollte ich nichts hören.

»Ich denke, er ist noch in Bangkok«, erwiderte ich stumpfsinnig. Miss Stevens blickte mich aus hellen, kühlen Augen an – auch sie erinnerte sich, daß ich letzten Monat heiraten sollte. Miss Stevens ist zweiundzwanzig Jahre, genauso alt wie Marie, und versteht es mit den Männern. Sie hat eine zu niedrige Stirn und einen flachen Hinterkopf, den sie durch prächtige Locken verbirgt. Maurice Bonnard mag sie besonders gern. Er sagt, Stirn und Hinterkopf deuteten an, daß die höheren Geistesgaben fehlten, und das findet Maurice erholsam.

»Es tut mir leid – das Gespräch kommt aus Paris.« – Miss Stevens konnte schwer ihre Ungeduld verbergen. Sie las den ganzen Tag entweder Kriminalromane oder Liebesbriefe von ihrem Verehrer – einem angegrauten Don Juan aus der City, der mit einer Jammertante verheiratet war und um die Ecke in Belsize Park wohnte. Sie aßen jede Woche zweimal bei uns im Restaurant, weil die Jammertante nicht kochen wollte. – Miss Stevens ließ sich ungern im Briefelesen stören. Sie wartete so unverkennbar, daß die Luft knisterte. Während sie mich anstarrte, fühlte ich, wie ich rot wurde und ein enges Gefühl in der Brust bekam. So weit war es mit mir gekommen! Ich wurde rot, weil Miss Stevens mich ansah. Mein Minderwertigkeitskomplex blühte wie die Rosen in Regents Park . . .

»Was will er wohl?« fragte ich Hilda. Miss Stevens war abgetreten. Ihre steifen weiten Unterröcke hatten majestätisch gerauscht. Wie hübsch sie war! Und wie sicher! Unsere Zwanzigjährigen sind alle so sicher. Vielleicht wissen sie schon zuviel vom Leben oder noch zu wenig.

»Ich kann nicht mit Louis sprechen«, sagte ich heiser. »*Bitte*, Hilda! Sprich du mit ihm! Er mag dich so gern!«

»Er kann mich nicht riechen«, sagte Hilda. »Und was so nett dran ist, es beruht auf Gegenseitigkeit.«

Sie schob mich in unser privates Telephonzimmer und schloß die Tür. – Vorsicht ist die Mutter der Porzellankiste. –

*

Louis Bonnard hat uns längst verboten, ihn Onkel zu nennen. Er behauptet, er fühle sich sonst als der alte Herr, für den Natalya ihn ausgebe. Aber Natalya ist einfach auf Fräulein Pao Pei (Kleiner Schatz) eifersüchtig. Sie führt Louis den Haushalt in Bangkok und überwacht das chinesische Restaurant, das er dem Hotel angegliedert hat. Pao Pei rührt französische Küche nicht an, was Louis viel Spaß macht. Er amüsiert sich auch über ihre großen Ohren, die sie nicht durch Haar verdeckt. Pao Pei ist wahnsinnig neugierig und denkt, große Ohren hörten mehr als kleine. Sonst ist sie selbstlos, bescheiden und zartfühlend. Marie kann sie nicht ausstehen, weil Pao Pei sie bei ihrem einzigen Besuch in Paris bat, ihr nicht den chinesischen Charakter zu erklären. Sie wäre mehrere tausend Jahre Chinesin gewesen ... Pao Pei hat in Louis' Pariser Familie nichts zu suchen. Natalyas Freunde sind gräßlich. Und Maries künftiger Ehemann kann mir auch gestohlen bleiben ... Ich nahm resigniert den Hörer in die Hand. Was hatte Louis Bonnard mir noch zu sagen? Kondolenzbesuche hatte ich mir verbeten ...

»Hier Louis! Wie geht es, Louise?«

»Danke, gut.«

»Du sprichst, als habest du den Staub der ganzen Welt in der Kehle.«

»Das macht das Telephon.«

»Das machst du, meine Gute! Habt ihr Hustensyrup in London? Ich schicke dir lieber welchen aus Paris.«

Gegen meinen Willen mußte ich lachen. Louis Bonnard kennt die ganze Welt, denkt aber wie alle Franzosen, es gäbe nur in Paris das Richtige zu kaufen ...

»Bist du meiner ungeratenen Tochter sehr böse? Marie sagte mir am Telephon, wie unglücklich sie deinetwegen wäre.«

»Du erwartest, daß ich das glaube?«

»Du lieber Himmel, du willst doch nur recht behalten, Mädchen! Laß mich doch *auch* etwas sagen! Ich verstehe dich, Louise! Aber ich möchte diese ärgerliche Affaire aus dem Weg schaffen. Wie bitte? Ich will Marie *nicht* entschuldigen! — Ich muß zu deinem eigenen Wohl einen Irrtum berichtigen. Du beurteilst die ganze Sache falsch.«

»Das ist großartig«, sagte ich laut. Der Staub der Welt saß nicht mehr in meiner Kehle. »Du bist einzig, mein Lieber! *Deine* Tochter stiehlt mir ...«

»Sag nichts, Louise! *Ich* werde dir etwas sagen! *Marie und euer*

Schwede lernten sich schon vor drei Jahren kennen. – Marie war damals neunzehn.«

»Sie lügt wie gedruckt. Sie hat dir wieder einmal ein Märchen erzählt. Ihr liegt etwas an deiner guten Meinung.«

»Ich lasse mir niemals Märchen erzählen, meine gute Louise! Und meine Tochter bemüht sich nicht um meine Bewunderung. Sie hat seit Jahren trotz größter Mühe keinen einzigen Fehler in sich entdekken können und glaubt, ich teile ihre Meinung. Übrigens – du hast kein Monopol auf die Tugend, wir lügen alle, wenn es sein muß.«

»Ist das alles, was du mir dringend zu sagen hast?«

»Warum solche Eile? *Ich* zahle doch dies Gespräch! – Also – Marie hat mir die Sache überhaupt nicht erzählt. Sie war schon – pardon – in Stockholm, als ich jetzt in Paris ankam. Madeleine erzählte mir, wie lange Marie diesen Schweden schon kennt.«

»Wer ist Madeleine?«

»Madeleine Boussac natürlich.« – Louis wurde bereits ungeduldig. Er denkt immer, die ganze Welt kenne seine kostbaren Bekannten ...

»Madeleine singt ohne Stimme irgendwo in einem Ausschank in Saint-Germain-des-Prés«, erklärte Louis noch ungeduldiger. »Sie lebt mit Marie im Atelier – das heißt seit dem ›Großen Krach‹ zwischen Marie und meiner Frau. Natalya hat natürlich keine Ahnung von irgend etwas. Marie und sie sehen sich niemals.«

»Gut für deine Frau!« – Es war gemein und unwürdig, dem lieben Louis so etwas zu sagen. Niemand kennt das Ausmaß der eigenen Gemeinheit.

»Sprich dich ruhig aus, wenn es dich erleichtert.« Ich sah Louis' zynisches Lächeln durchs Telephon. »Die Tatsache bleibt bestehen, daß *du* meiner Tochter diesen Schweden ausgespannt hast! Madeleine erzählte mir die ganze Geschichte für ein gutes Diner. Nicht bei uns im Haus, natürlich! Die junge Dame sieht leicht verkommen aus. Hat eine gewisse Ähnlichkeit mit Marie. – Kurz und gut – sie verloren sich aus den Augen.«

»Wer verlor wen aus den Augen?«

»Marie natürlich diesen Schweden! Oder umgekehrt. Marie nennt nie ihren Nachnamen bei neuen Bekanntschaften. Ganz diskret, nicht wahr?«

»Ich nehme an, Marie will sich nicht anpumpen lassen. Sie gibt doch so ungern Geld aus.«

»Die einzige vernünftige Haltung für eine Erbin! Außerdem weiß ich nicht, wann *ich* sie anpumpen werde . . . Du hast jetzt etwas gegen Marie, meine gute Louise! Vielleicht heiratet sie den Burschen gar nicht. Meistens sind ihre Abenteuer ja aus Luft gewebt. Was sagst du? Gewiß – ihre erste Affaire war ernster. Eine Jugendsünde. Marie war siebzehn, und Natalya versteht soviel von Erziehung wie jede Russin . . . Im übrigen – es war ziemlich undurchsichtig. Vielleicht hatte Marie keine Schuld . . . *Sie* hat diesen jungen Idioten ja nicht erschossen, das steht einwandfrei fest.«

»Wo lernten Marie und Erik sich kennen?« – Ich fragte gegen jeden Instinkt und gegen jedes bessere Wissen.

»Ich schicke dir morgen den Hustensyrup!« – Louis Bonnard schien wegen meiner plötzlichen Tonlosigkeit ganz besorgt zu sein. Aber die Sache mit »unserem« Schweden nahm er nicht ernst. Ich kenne seine Auffassung von der Liebe oder, was er so nennt . . . Louis glaubt an das flüchtige Vergnügen, an angenehme Melancholie, wenn er wieder eine Zuhörerin losgeworden ist – und an die französische Vernunft. – »Wo lernten sie sich kennen?«

»Sie trafen sich auf der Autostraße zwischen Paris und Chantilly, wenn ich nicht irre«, sagte Louis merkwürdig zögernd. »*Mon Dieu*, Erik muß es dir doch erzählt haben! Nicht einmal ein Schwede kann die Zurückhaltung so weit treiben. Hast du es vergessen, Louise?«

»Ich habe es nie gewußt. Also – was spielte sich ab?«

»Neugierig sein ist ein unbehagliches Vergnügen, meine gute Louise! Aber euch Briten gefallen ja traurige Belustigungen! Kurz und gut – auf der Autostrecke passierte doch das Unglück mit Ulrika.«

»Mit wem:«

»Hast du ein Teebrett vorm Kopf, Louise? Ich sagte: Ulrika! Warum bleiben diese Schwedinnen nicht in Stockholm? Es soll eine entzückende Stadt sein! – Marie war doch Zeuge bei der Bescherung. Erik war kopflos. Wirklich merkwürdig, daß Marie bei jedem Unfall in der Gegend dabei sein muß . . . Natalya sagt, daß unsere Tochter das Unglück anlocke . . . Aber Natalya macht aus allem ein Melodrama mit Tanz! Wovon sprachen wir noch?«

»Von Ulrika!«

»Es kommt mir so vor, als sprächen wir schon eine ziemlich lange Zeit von Ulrika! Wie gesagt – Marie sah die Katastrophe. Ihr jungen Leute rast alle wie die Verrückten in euren Wagen herum! Ich staune immer, wieviel Überlebende es unter Autofahrern gibt ... Tja — du *mußt* dich doch an Ulrika erinnern, Louise! Schließlich war sie doch Eriks ... Hallo, hallo! Ich spreche noch! Bist du noch am Apparat, Louise? Warum sagst du nichts? Louise! — Louise!! —«

ERSTES BUCH

Die Gärten des Adonis

»Die Gärten des Adonis waren mit Erde gefüllte Töpfe oder Körbe, in denen die Frauen alle möglichen Gemüse und Blumen gesät und acht Tage lang gepflegt hatten. Durch die Sonnenglut schossen die Pflanzen rasch in die Höhe, doch da sie keine Wurzeln hatten, welkten sie ebenso rasch dahin. —
Nach acht Tagen wurden die Pflanzen mit dem Bildnis des Gottes Adonis zusammen für tot erklärt und in die See geschleudert.«

Sir James Frazer »Studien über Magie und Religion«

ERSTES KAPITEL

Hotel Bonnard, London N. W. 3

I

»Miss Louise wird am Telephon verlangt«, sagte Miss Stevens und gähnte. Sie hatte gestern abend Soho unsicher gemacht. »Ist das Telephon bei Miss Louise abgestellt?«

»Sie ruht jetzt und darf nicht durch Anrufe gestört werden«, erwiderte Miss Sunshine. »Wer ist am Apparat? Etwa wieder Mr. Louis Bonnard? – Bitte, Monica, geben Sie mir den Apparat.«

Miss Stevens war es durchaus recht. Sie wandte sich ihrem Kriminalroman zu.

»Es tut mir leid, Sir«, sagte Hilda durchs Telephon. »Ich kann Ihren Namen nicht verstehen. Wie bitte? Miss Bonnard ist leider im Augenblick nicht zu sprechen. Nein, nein – sie ist in London! Hier spricht die Rezeption. Kann ich etwas ausrichten?«

»Vielen Dank«, sagte eine harte Stimme. »Ich komme nach dem Essen ins Hotel. Wo ist Haverstock Hill? In N. W. 3? Soso . . . Ich bin in London W. 1! Also: den Bus bis Swiss Cottage und dann eine Taxe! Nett, daß Sie für mich sparen wollen . . .! Übrigens, Miss Bonnard erwartet mich. Guten Abend!«

»Komisch«, sagte Hilda zu Miss Stevens. »Der Herr sprach so hart wie ein Russe. Miss Louise kennt keine Russen hier.«

»Sie muß Ihnen doch nicht alles erzählen!« Miss Stevens stand auf und gähnte nochmals. Ihre Unterröcke rauschten verächtlich. »Ich kann mich nur wundern! Sie machen alle ein Theater um Miss Louise, als ob ihr Gottweißwas passiert wäre! Es gibt doch mehr Männer auf der Welt! Nach einiger Zeit ist sowieso einer genau wie der andere.«

»Ich bin ganz Ihrer Meinung, Miss Stevens.«

Miss Stevens warf Hilda einen verfassungswidrigen Blick zu. »Sie glauben wohl, daß ich Unsinn rede?«

»Ich glaube es nicht – ich weiß es«, sagte Miss Sunshine.

II

Eine Stunde später saßen die Gäste des Bonnard beim Abendessen. Madam pflegte die »Eingeborenen« von den Fremden zu scheiden, die kamen und gingen. Die alte Garde saß im Kleinen Speisesaal, dessen Wände Szenen aus der griechischen Mythologie schmückten. Diese Fresken erregten Mrs. Pollitts Mißfallen, da die Damen zu knapp bekleidet waren. Sie war einmal mit ihrem verstorbenen Mann in Griechenland gewesen und hatte gefroren. Es war pure Ungezogenheit, sich nicht anständig anzuziehen. Gegen den Gott Adonis, dessen Geschichte die Mittelwand hinter dem Büfett schmückte, hatte Mrs. Pollitt eine Abneigung. Er erinnerte sie an ihren Schwiegersohn, der ihr eine gehorsame Tochter gestohlen hatte und sich nun am Badestrand von Blackpool wie Adonis benahm . . . Mrs. Pollitt ging niemals nach Blackpool, sondern erholte sich Jahr für Jahr in Suffolk. Sie verabscheute die Abwechslung.

Hilda und Louise verbrachten ihre Ferien regelmäßig im Ausland. Sie waren jung und wollten die Welt statt Mrs. Pollitt oder Mr. Moffat sehen. – Mr. Moffat gehörte ebenfalls zur alten Garde. Er war pensionierter Staatsbeamter und Junggeselle. Er beklagte sich ständig über das Essen im Bonnard, zog aber nie in ein anderes Hotel. –

Auf einer Ferienreise hatte Hilda vor einigen Jahren Dominik Bonnard zufällig in Lugano getroffen. – Seine Erholungsreisen machte er ohne seine Frau. – Louise hatte im vorigen Jahr eine Reise nach Schweden gemacht. Paul Bonnard hatte ihr viel von den schwedischen Vorgerichten erzählt. – Im Grillroom des *Riche* hatte Louise einen Eingeborenen kennengelernt: Dr. Erik Ekelund erholte sich in seiner Heimatstadt von einem langen Studienaufenthalt in Indien. – Der formelle Schwede wurde beredt, als er Louise von den »Gärten des Adonis« in Indien erzählte. In den Dörfern um Calcutta hatte Adonis sich in den Karma-Baum verwandelt, den die Reisbauern zusammen mit den mit Blumen und Getreide gefüllten »Gärten« ins Meer werfen. Adonis war ein Baumgeist – aber die Menschen des Westens brauchten eine menschliche Form ... Adonis blieb übrigens niemals an einem Ort. Er tauchte auf und verschwand wieder. Sein Schicksal war hohe Blüte und ein plötzlicher Tod in den Elementen. –

Louise hatte niemals solche Dinge gehört. Sie lauschte mit großen Augen. Sie traf den Schweden jeden Tag. Sie hatten sich schließlich in Drottningholm ganz vertraut unterhalten. Die königliche Sommerresidenz auf einer Insel im Mälarsee erschien Louise von magischer Schönheit – aber sie war bedrückt. Sie war nicht für Zwischenspiele geschaffen. Sie brauchte eine einfache und klare Zuneigung. – Was wußte sie von diesem Mann? Sie schritt stumm durch den Park und die Räume des Schlosses – alles war fremd und feierlich in der stillen Perlmutterluft von Drottningholm. Im Park fand Louise etwas Vertrautes – den chinesischen Pavillon. Rokoko-Grazie des achtzehnten Jahrhunderts und die zeitlose Heiterkeit Chinas ... Windglocken tönten aus der Vergangenheit. Louise erzählte Erik stockend von ihrer Kindheit in Hongkong. Dort gab es Geschäftspaläste wie in der *Kungsgatan* und Pavillons wie in Drottningholm ...

Sie fuhren in die Stadt zurück und aßen Weißbrotschnitten mit geräuchertem Hering und tranken Schnaps dazu. Das moderne Stockholm brachte Louise mit einem Ruck in die Wirklichkeit zurück. Morgen ging es nach London. Morgen abend würde Mr. Moffart sich über das Essen beklagen und Mrs. Pollitt würde wissen wollen, ob man in Stockholm Roastbeef mit Yorkshire-Pudding bestellen könne. Louise hatte sich verlaufen – das durfte nicht sein! – Sie blickte Erik verstohlen an. Sein verhängter Blick sagte ihr nichts. Louise fand sein Schweigen bedrückend. Sie fragte, ob Dr. Ekelund Paris kenne? Dort lebten Verwandte von ihr. Dr. Ekelund machte sekundenlang ein Gesicht, als habe er Zahnschmerzen. Dann gab er zu, daß man sich in Paris unter Umständen recht angenehm die Zeit vertreiben könne. Danach gab es eine Kunstpause. Paris war offenbar das verkehrte Gesprächsthema gewesen.

Am späten Abend bummelten sie noch auf der *Kungsgatan* herum, obwohl sie sich nichts mehr zu sagen hatten. Trotzdem schien Dr. Ekelund Louisens Gesellschaft immer noch seiner eigenen vorzuziehen ... Sein Talent, von einem Augenblick zum anderen eine Atmosphäre der Unbehaglichkeit zu schaffen, grenzte an Magie ... Die *Kungsgatan* war unpersönlich – eine rastlose internationale Hauptstraße mit Filmpalästen, elektrisch beleuchteten Reklametexten und unentdeckten Passanten. Der *Stureplan* war die letzte Station. Louise und Erik standen isoliert zwischen fröhlichen Nachtschwärmern unter dem »Regenschirm« – einem runden, steinernen Schutzdach und wurden von substanzlosen Lichtquellen angestrahlt. Es waren natürlich die Neonlichter des Zeitalters, aber die hektischen Strahlen und die flatternden Schatten erfüllten die nordische Nacht mit quälender Unrast. Louise war erschöpft. Sie war zu langsam für dieses Erlebnis. Ein heller Morgen, Vertrautheit am Mittag und Abschied im Nachtwind. – Adonis war tot. Seine Gärten waren verdorrt. Lag der rastlose Marmorgott im Mälarsee? Starrte sein Auge in eine nächtliche Unterwelt? Zu welchen Ufern trieben die Körbe mit der toten Frucht der Erwartung?

Was war geschehen? – Was verursachte Eriks Schweigen, die plötzliche Kälte, die Folter der Höflichkeiten? Madam hatte recht: man sollte keine Reisebekanntschaften machen! Sie müsse in Schweden ihren gesunden Menschenverstand verloren haben, dachte Miss Bonnard. Oder die Stockholmer Luft enthielt ein Fluidum heimlicher Erregung. Unsinn! Stockholm war eine moderne Metropolis! Filmpremieren und ›Neues Wohnen‹ waren die Sensationen; genau wie im restlichen Nachkriegs-Europa. Oder gab es doch ein schwedisches Mysterium? Louise dachte verwirrt an die treibenden Wasser, die Felsenklippen, die endlosen Wälder des Gottes Pan, die das reiche, geschäftstüchtige Stockholm umgaben. Und dann die steinerne Inzucht der Altstadt! Erik hatte sie festgehalten, als sie in den dunklen Abgrund der *Mårten Trotzig-Gasse* gestarrt hatte. – Diese Straßenschlucht – ein Alpdruck am Tag – war ein Teil von Eriks Kindheit. Aber das wußte Louise nicht. Dort war er als Knabe die steilen Stufen hinuntergesprungen, erfüllt von geheimer Lust an Abgründen. Doch seine schwedische Sucht nach Licht und greifbarer Schönheit hatte ihn mit Louise in die *Milles-Gärten* getrieben, wo Steingötter sich in maßlosem Höhenrausch in den Himmel warfen . . . Erik hatte Louise einen Einblick in Kontrastwelten gegeben, die sie verwandelt hatten. – Erik Ekelund war ein Produkt der dualistischen nordischen Existenz. In ihm waren Bellmans klingender Rausch und Strindbergs dunkler Frauenhaß. Sie hätte diesen Eindruck nicht formulieren können, aber er saß in ihrer Seele und ließ sie nicht los.

Sie kannte damals Dr. Erik Ekelund erst seit zehn Tagen.

III

»Du bist blaß, Louise«, sagte Hilda beim Wiedersehen in Haverstock Hill. »Ist Stockholm dir nicht bekommen?«

»Ich muß mir den Magen verdorben haben.«

»Kann ich mir denken«, sagte Miss Sunshine. »Diese hinterlistigen Vorgerichte! Laß mich zwei Stunden mit dem *Smörgåsbord* allein, und schon habe ich zwei Kilo zugenommen. Niemals nach Stockholm! – Und wie war's sonst und überhaupt und so?«

»Ich habe einen Schweden getroffen.«

»*Einen?*« fragte Miss Sunshine. »Du bist ein fauler Tourist! Die Stadt hat 725 714 Einwohner ... War er wenigstens nett?«

»Er hat mir die Sehenswürdigkeiten von Stockholm gezeigt.«

»Wie entsetzlich! Nach zwei Stunden denkt man nur noch an Fußbäder und Ruhe im Hotelbett. War er unerbittlich, Louise? War seine Frau mit dabei?«

»Ich habe keine gesehen ...«

»Dann konntest du ihn doch von den Sehenswürdigkeiten ablenken, Liebling! Sag mal, liegt dieser Schwede dir etwa im Magen?«

»Unsinn«, sagte Miss Bonnard. Plötzlich begann sie zu lachen.

»Was ist so komisch?«

»Sei nicht böse, Hilda! Wir haben ja ein Kavaliersabkommen, niemals über Dominik Bonnard zu sprechen. Aber ich stellte mir eben vor, Dominik zeigte einer Dame die Sehenswürdigkeiten von Zürich, und Ellen Bonnard wollte durchaus dabei sein.«

»Man muß sich nicht gleich das Schlimmste vorstellen«, sagte Miss Sunshine. »Wie ist's mit Tee und trockenem Toast?«

»Genau, was der Doktor verordnet! – Du, Hilda ... Du weißt doch so gut über Stockholm Bescheid! Die Einwohnerzahl und so weiter ... Hast du mal gehört oder gelesen, daß die Schweden launenhaft sind?«

»Launenhafter als Mrs. Biggs können sie auch nicht sein«, sagte Miss Sunshine. »Da kommt sie! Sie will sich erkundigen, ob es in Schweden englisches Hammelfleisch, Coldcreme von ›Boots‹ und Spiritisten gibt. Sonst bleibt sie leider in Haverstock Hill.«

IV

Einige Wochen nach ihrem Besuch in Stockholm erhielt Louise zum Frühstück einen Brief von Dr. Erik Ekelund. Sie war so erstaunt, daß ihre Füße und ihre Haferflocken kalt wurden. Erik kündigte seinen Besuch in London an. Er hätte ein Meeting mit Soziologen und würde bei Freunden im Diplomatenviertel Belgravia wohnen. – Louise lernte diese Freunde niemals kennen. Erik stellte sie ihr auch nicht vor, nachdem sie sich in Haverstock Hill verlobt hatten. Sein Privatleben war und blieb privat. Louise erfuhr nichts von seinen Pariser Tagen mit ihrer Kusine Marie, sie erfuhr nichts von Ulrika, nichts von den Ekelunds in Stockholm, um die angeblich die Luft des Jüngsten Gerichts wehte ... Sie erfuhr nichts von Ulla, der seltsamen Wirtschafterin der Ekelunds, mit der man sich nicht unterhalten durfte. –

Und nun war alles zu Ende, und Louise blieb diesen Sommer und alle künftigen Sommer in Haverstock Hill. Der Gott Adonis lächelte von der Mittelwand des Speisesaals auf sie herab. Er stand abwesend und melancholisch zwischen Aphrodite und Persephone, die sich in regelmäßigen Abständen um seinen Besitz zankten ...

Oberkellner Albert Nightingale schüttelte in diesen Wochen den Kopf über Miss Louise. Sie hatte immer einen gesunden Appetit gehabt. Jetzt stocherte sie lustlos im Essen herum. Es gefiel Mr. Nightingale ganz und gar nicht. Er war Miss Louise stets ergeben gewesen. So eine nette vernünftige junge Dame, die viel von Hotelführung und der Behandlung von Gästen verstand ... Jetzt war ihr alles ziemlich einerlei.

Mr. Nightingale war seit einer Reihe von Jahren Oberkellner in Haverstock Hill. Er war sehr groß und dünn, trug seinen Frack mit Eleganz, hatte viel Sinn für Trinkgelder und ließ das Personal nicht aus den Augen. Er schnupperte mit seiner langen Nase die Trinkgeldgeber und die unzulänglichen Kellnerinnen heraus. Sein Personengedächtnis war berühmt im Bonnard. – Vor drei Jahren war Mr. Nightingale eine Saison lang bei Bonnards in Zürich gewesen. Seitdem hielt er es für einen Denkfehler, die Welt sehen zu wollen. Mr. Nightingale war aufatmend nach Haverstock Hill zurückgekehrt. Er hatte nichts Besonderes an der berühmten *cuisine* im Züricher Haus entdecken können. Er wollte sein Roastbeef, sein Wassergemüse und seinen warmen Pudding oder sein Lamm mit Minzsauce, sein Wassergemüse und seinen Apfelpie. Da hatte er Abwechslung ohne Albernheiten.

Mr. Nightingale hatte von Anfang an gefunden, daß Miss Louise und der schwedische Adonis in keiner Weise zusammenpaßten. Er mißtraute blendend aussehenden Männern aus Prinzip und hatte recht behalten. Natürlich hatte Mr. Nightingale dem Ausländer *schweigend* mißtraut.

Er wunderte sich über Miss Louise. Wie konnte sie sich so aufregen? Man verlobte sich öfters und heiratete selten. Mr. Nightingale hatte selbst mehrere Liebesdramen mit hübschen Kellnerinnen hinter sich, hatte aber deswegen niemals seine Pflichten im Speisesaal vergessen oder sein verbindliches Lächeln in der Rezeption abgegeben. Miss Marie hätte sich so einen Ausreißer nicht so zu Herzen genommen! Mr. Nightingales Ehefrau konnte Marie Bonnard nicht leiden. »Sie sieht wie ein kleiner Engel aus und ist ein Biest«, sagte Rosie Nightingale. Ihr Mann hatte die Achseln gezuckt. Alle Frauen versuchten, wie Engel auszusehen, nur daß es ihnen meistens nicht gelang ... Merkwürdig war es schon, daß keiner im Bonnard die schöne Miss Marie wirklich gern hatte. Sie waren alle für Miss Louise und bemühten sich jetzt besonders um sie, ohne den geringsten Dank zu ernten. Aber das nahm niemand übel. Es hatte Miss Louise eben »gepackt«. Die anständigen, bescheidenen Mädchen hatten meistens Pech mit den Männern.

Einmal – lange Zeit vor Miss Louisens Verlobung – hatte Oberkellner A. Ninghtingale eines Nachts geträumt, seine Frau sei durch schmerzlosen Unfall verstorben. Er selbst hatte im Traum – nach Madams Ableben natürlich! – Miss Louise geheiratet und war Direktor des *Bonnard* in Haverstock Hill geworden. In Mr. Nightingales Karriere-Träumen wurden alle Störenfriede durch schmerzlosen Tod aus dem Weg geräumt. Er wachte manchmal ganz betroffen über sein Nachtleben auf ... In solchen Fällen war er am Tag besonders korrekt. So war er am Tag nach diesem Traum sehr streng mit Kellnerin Mary Pike aus Camden Town, die in ihrem knappen schwarzen Servierkleidchen und ihrer Tändelschürze wahrhaftig zum Tändeln aussah. –

»Servieren Sie endlich Mrs. Bellingham den Fisch«, zischte Mr. Nightingale mit liebenswürdigem Lächeln. Miss Pike tat, als lausche sie gebannt, beobachtete aber aus einem Augenwinkel Major Waterhouse, den sie stets mit seelenvollem Augenaufschlag bediente. Nicht, als ob der Major die geringste Notiz davon genommen hätte, seine Zeitung interessierte ihn mehr. – Mr. Nightingale, dem so leicht nichts entging, war Marys Blicken gefolgt.

»Major Waterhouse hat alles, was er braucht. Wenn Sie morgen wieder in seiner Ecke festkleben, muß ich es leider Madam melden.«

Miss Pike – ein Engel gegenüber einzelnen Herren und die Gleichgültigkeit selbst gegenüber den Damen – warf dem Oberkellner einen koketten Schmollblick zu. »Tisch 25 wartet auf das Fleisch«, teilte er der Zimmerdecke mit. »Und bitte etwas schneller servieren, wenn es nicht zuviel verlangt ist!« –

Mr. Nightingale hatte sechs Monate mit sich gekämpft, ob er mit dem Pike-Mädchen nicht gelegentlich ins Kino »und so weiter« gehen sollte. Hübsche Krabbe! Aber er hatte das Gefühl, daß Mrs. Nightingale von dem Plan nicht begeistert sein würde. – »Los«, sagte er streng zu Miss Pike, »wie lange wollen Sie hier noch herumstehen?« Er stand steif und unnahbar am Tisch mit den Vorspeisen und Früchten. Er hatte niemals versucht, Miss Pike in den freigebigen Ausschnitt zu sehen.

»Blöder Hund«, dachte Miss Pike, »du wirst noch auf den Knien vor mir rutschen!« – Diese Vision war rein theoretisch, da Mr. Nightingale an kühlen Tagen an steifen Gelenken litt und niemals rutschte.

Plötzlich reckten einige Gäste den Kopf. Draußen in der Halle gab es etwas, was es im Bonnard einfach nicht geben konnte: *Krach!* Man hörte Mrs. Biggs' schrille Stimme. Es war erstaunlich, wie laut Mrs. Biggs reden konnte, obwohl sie von Beruf Invalidin war. Sie hatte offenbar einen Disput mit Louise Bonnard, die ebenfalls lauter antwortete, als es landesüblich war. Mrs. Pollitt wäre am liebsten hinausgestürzt, aber auf den Käse wollte sie doch nicht verzichten. Plötzlich erscholl hinter der Flügeltür ein schriller Ton – sollte Mrs. Biggs ihren legendären Schreikrampf liefern? Leider herrschte sofort danach Stille. Nun säuselte nur noch Madams ruhige Stimme wie Wind über einem reglosen See. – Mrs. Pollitt war ärgerlich. Sie hatte etwas Unangenehmes vorausgesehen, was nicht eingetroffen war. Sie hätte sich genauso über etwas Angenehmes geärgert, was sie nicht vorausgesehen hatte.

Als schließlich alle Gäste den Speisesaal verließen, betrat ein auffallender Herr die Hotelhalle. Er war grauhaarig, breitschultrig, trug einen großen schwarzen Schlapphut und darunter ein viel fotografiertes Gesicht mit Doppelkinn und durchdringenden Augen hinter einer goldgefaßten Brille. Der Gast erblickte als erstes Mrs. Pollitt in ihrem fahlen Abendkleid und dem abgeschabten Pelzcape, das sie Sommer und Winter trug. Madam hatte wahrhaftig Ausstellungsstücke um sich versammelt! – Professor Maurice Bonnard hatte mit einem halben Blick Mrs. Pollitts rasende Neugierde registriert.

Hilda eilte herbei und wurde herzlich begrüßt.

»Stets eine Freude, Sie zu sehen, liebe Hilda! Wie geht es Louise? Immer noch so reizbar?«

»Sie hatte gerade eben großen Ärger, Herr Professor! Leider bekommt sie noch Besuch heut abend. Sie schläft miserabel.«

»Das schadet gar nichts, wenn es nicht chronisch wird. Es werden einem zusätzliche Lebensstunden geschenkt . . . Tja – wo ist Madam?«

»Sie erwartet Sie oben. – Wie ist's mit Dinner, Herr Professor?«

»Erst einmal meinen Whisky und Soda, bitte! Wie immer. – Übrigens, ich soll Ihnen einen schönen Gruß von Dominik ausrichten. Er fragt an, wann Sie uns in Zürich besuchen werden?«

»Wir halten es in Haverstock Hill für einen Denkfehler, die Welt sehen zu wollen«, erwiderte Miss Sunshine freundlich. –

*

»Das war doch Professor Bonnard aus Zürich«, sagte Mrs. Pollitt in durchdringendem Flüsterton. Mrs. Bellingham – groß, elegant, gelangweilt – blickte auf den zerfransten Pelzkragen hinab. Das Cape war abscheulich, aber es war immer noch ein netterer Anblick als Mrs. Pollitts Dekolleté.

»Ich kenne ihn nicht«, erwiderte Mrs. Bellingham.

»Sein Bild war vorige Woche in *Modern Woman.* Eine Weltberühmtheit, meine Liebe! – Seelenkrankheiten.«

»Mir genügt mein Rheumatismus«, sagte Mrs. Bellingham. »Und wenn ich mich über meine Tochter ärgere, kann Professor Bonnard auch nichts daran ändern . . . Glauben Sie, daß der Fisch heut abend ganz frisch war? Ich habe Mr. Nightingale schon lange im Verdacht, daß er uns alten Gästen alte Fische servieren läßt . . .«

»Professor Bonnard hielt in Glasgow einen Vortrag«, verkündete

Mrs. Pollitt, die niemals zuhörte. »Über Psychosen bei alternden Mädchen.«

»Was ist *darüber* zu sagen?« Mrs. Bellingham sah unbeschreiblich gelangweilt aus. »Man wird eben alt – damit ist *alles* gesagt! So leicht möchte ich auch mein Geld verdienen! Ich kann Ihnen eines verraten, Mrs. Pollitt: je mehr die Frauen heutzutage über sich nachdenken, desto weniger denken die Männer über sie nach.«

Mrs. Bellingham wußte, wovon sie sprach. Ihre Tochter Rosalind hatte Geist, eine Hornbrille, keinen Sinn für Kleider und mit ihren vierzig Jahren keinen Ehemann.

»Professor Bonnard hat, glaube ich, eine Art Hotel für Leute, die nicht alle Tassen im Schrank haben«, sagte Mrs. Pollitt. »Ob jemand hier im Bonnard verrückt geworden ist? Was meinen Sie?«

»Bei soviel alten Mädchen in einer einzigen Hotelhalle wäre es kein Wunder«, erwiderte Mrs. Bellingham beinahe animiert. »Miss Louise hat den Autobus wohl endgültig verpaßt. Und Nancy Biggs ist nach Büroschluß die Gefangene ihrer hysterischen Mutter.«

»Nancy ist eine prachtvolle Tochter«, erwiderte Mrs. Pollitt tugendhaft. »Das ist sehr viel mehr, als ich von meiner Tochter sagen kann . . .«

»Nancy macht mich krank!« – Mrs. Bellingham musterte Miss Biggs aus der Entfernung. Das magere, dunkelblonde, resignierte Mädchen unterhielt sich mit Miss Lund, die auf die Leinenschränke aufpaßte. Nancy hatte die Augen wie üblich gesenkt. Sie bat Miss Lund um Entschuldigung, daß sie existierte . . . Mrs. Biggs hatte in ihrem Zimmer doch noch ihren Schreikrampf geschafft . . . Louise Bonnard war so unfreundlich neuerdings! Mrs. Biggs erwartete Honig, gutes Zureden und viel Geduld von der Welt. –

»Nancy ist ein stilles Wasser«, schloß Mrs. Bellingham. »Sie würde morgen mit Major Waterhouse davonlaufen, wenn er sich dazu aufraffen könnte.«

»Er ist doch nicht seine Frau . . .«, sagte Mrs. Pollitt.

»Sehr vernünftig, daß er sich von *dieser* jungen Dame endgültig trennte! Soviel Entschlußkraft hätte ich ihm gar nicht zugetraut. Aber was kann man von einem Modell erwarten?«

»Genau das . . .«, sagte Mrs. Pollitt. Penny strahlt. Sie findet es wunderbar, mit Papa im Hotel zu wohnen! Allerhand, wie so ein zwölfjähriger Fratz im Fernsehsalon alle Familienangelegenheiten mit uns bespricht! Aber der Major schickt sie noch nicht in die Boarding-School. Kann sich von Penny nicht trennen . . .«

»Eine traurige Gesellschaft – diese Männer heutzutage«, sagte Mrs. Bellingham. »Keinen Funken Initiative! Meine Tochter wird auch sitzenbleiben. Allerdings bemüht sie sich keine Spur um die Burschen! Rosalind ist hoffnungslos.«

»Aber Mrs. Bellingham«, rief Mrs. Pollitt mit heuchlerischem Entsetzen. Sie konnte Dr. Rosalind Bellingham nicht leiden. »Ihre Tochter ist doch besonders interessant!«

»Davor haben die Männer Angst, und ich kann sie nicht tadeln! Wer möchte eine Frau haben, die nie etwas von Elizabeth Arden gehört hat, alles besser weiß und mit einem Lehrbuch zu Bett geht? Können Sie mir das sagen, Mrs. Pollitt? Man kann in der *London School of Economics* studieren, wenn man zehn Jahre glücklich verheiratet ist und etwas Abwechslung braucht.«

»Finden Sie nicht, daß Miss Louise schrecklich unfreundlich ist?« fragte Mrs. Pollitt. »Sie läßt ihre Wut an uns aus.«

»An mir nicht«, sagte Mrs. Bellingham.

In diesem Augenblick betrat ein Unbekannter die Rezeption und fragte nach Miss Bonnard. Mrs. Bellingham schenkte dem Herrn einen einzigen Blick und wußte Bescheid.

»Ein Ausländer!« sagte sie. »Man sieht's sofort.«

V

»Es tut mir leid, Maurice! Du hast dir einen mageren Abend ausgesucht! Der Ärger im Betrieb heute ist einfach nicht zu überbieten.«

Catherine Bonnard seufzte. Sie war sehr müde und wollte es Maurice nicht zeigen. Statt irgendwo in der Schweiz Ferien zu machen, flog er nach London und mußte alles mitansehen: Louisens gereizte Haltung gegenüber Gästen, die ihr immer wohlgesonnen gewesen waren, die gespannte Stimmung im Haus und den Hoteldiebstahl, den Madam ihm noch nicht berichtet hatte.

Sie saßen in ihrem Privatsalon mit den Ölgemälden Antoine Bonnards aus seiner gesunden Zeit. Maurice hatte nur schwer den Schock überwunden, daß er seinem jüngeren Bruder die geistige Gesundheit nicht hatte wiedergeben können. Schusters Kinder hatten eben keine

Schuhe ... Seit jener Periode zuckte Maurice Bonnard resigniert die breiten Achseln, wenn sein Name immer größer in den Zeitungen gedruckt wurde und Rundfunk und Fernsehen sich um ihn rissen. »Dieser Fall hat mir unsere Grenzen gezeigt«, hatte er nach Antoines tragischem Ende zu Fräulein Dr. Brunner, seiner jungen Assistentin, gesagt.

Sie hatte die vollen Lippen zusammengepreßt und ihr mürrisches Bauerngesicht abgewendet ...

Seit Antoines Tod in Zürich betreute Maurice die ganze Gesellschaft in Haverstock Hill. Er war mindestens jedes halbe Jahr in London. Wenn er Konferenzen »in der Nähe« hatte, kam er auf ein langes Wochenende herüber.

»Ich freue mich immer, dich zu sehen, Cathy.« Er blickte Madam an. Niemals wieder hatte er solche tiefblauen Augen gesehen! ›Sie liebt diese alten Frauen und Männer tatsächlich‹, dachte er. Madam hatte die ganze Zeit Entschuldigungen für die alte Garde vorgebracht. Gewiß, die Leutchen waren manchmal neugierig und klatschten und beklagten sich, aber sie waren eben alt und einsam.

»Die armen Dinger haben nur mich«, schloß Madam.

»Da haben sie allerhand, meine Liebe!«

Maurice Bonnard hatte Catherine durch seinen Bruder Antoine kennengelernt. Später hatte er sie in der Oper singen hören. Er war der einzige Bonnard, der die Musik liebte. Nach dem psychischen Jammer des zweiten Weltkrieges waren Konzerte und Oper seine beste Entspannung. Natürlich hatte der unmusikalische Antoine die junge schöne Irländerin geheiratet. Antoine mit seinem beweglichen, eigenartigen Gesicht, seiner geistreichen Nase, seinem sanften knabenhaften Charme stach den soliden, bereits korpulenten Bruder überall aus. Antoine war bezaubernd gewesen. Maurice hatte es stets gewußt und zugegeben. Man konkurrierte nicht mit einem zarten, unweltlichen und sorglos rücksichtslosen Liebhaber wie Antoine Bonnard! Maurice hatte niemals jemanden bezaubert. Aber er flößte seinen Kranken heilsames Vertrauen ein. Die Gesunden fanden ihn formell, unzugänglich und manchmal auch langweilig. Nur Catherine hatte immer gewußt, was Maurice Bonnard wert war.

Heute abend hatte Mrs. Pollitt ihn zur Erheiterung der Hotelgäste auf der Treppe zum ersten Stock erwischt und ihm mit lauter Stimme Fragen gestellt. War die Abneigung ihres Schwiegersohnes, die

Wochenende mit ihr zu verbringen, ein Zeichen von Geistesgestörtheit?

Catherine Bonnard lächelte nachsichtig. Es war doch nicht leicht für so eine alte freundlose Frau, die Wochenende im Hotel Bonnard zu verbringen, wenn ihre Familie in Knightsbridge lebte. Es war so still dann im Hotel, und die Filme hatte Mrs. Pollitt schon am Sonnabend gesehen. Es gab erst montags wieder ein neues Programm. Sie konnte nicht immer ins Westend fahren, wo neue Filme liefen. Es war zu teuer. Außerdem hatte Mrs. Pollitt Angst vor fremden Umgebungen und Menschen. Im *Odeon* in Haverstock Hill kannte sie die Kassiererin, die Mädchen mit den Lämpchen, die sie freundlich an die Hand nahmen, wenn es schon dunkel war, und das nette Fräulein mit der Eiscreme, das ihr immer eine besonders große Packung heraussuchte. Mrs. Pollitt war vorigen Monat sechsundsechzig Jahre geworden. Tja . . .

»Was hältst du von Mrs. Biggs?« fragte Madam besorgt. »Sind ihre Anfälle ernsthaft? Braucht sie einen Arzt? Sie sagt, sie hätte ein schwaches Herz. Nancy ist immer in einer Panik wegen ihrer Mutter.«

»Ich habe Nancy Biggs getröstet und ihrer Mutter ein Beruhigungsmittel verschrieben. Leider nicht das richtige.«

»Ich verstehe dich nicht, Maurice!«

»Was Mrs. Biggs braucht, gibt's nicht in der Apotheke. Sie braucht einen Mann, meine Gute! Sie ist immer noch eine hübsche, kokette Blondine, die offenbar von ihrem Mann sehr verwöhnt worden ist. Sie sagte mir übrigens, sie gehöre einem Spiritistenklub an. Konversiert sie da mit dem seligen Mr. Biggs?«

»Ich bin nicht dabei«, sagte Madam. »Spiritisten grassieren hier seit dem Krieg. Du machst dir keinen Begriff davon!«

»Doch . . .«, sagte Professor Bonnard. »Aber bei Mrs. Biggs kann ich noch etwas dazulernen.«

»Wenigstens ist sie nicht wirklich krank. Das erinnert mich an Natalya Bonnard. Sie hat stets drei unheilbare Leiden auf einmal.«

»Wie geht es Maries Mutter?«

»Seit Marie sich mit Louisens Freund verlobt hat, telephoniert Natalya nicht. Auch Louis schweigt sich aus. Ich weiß gar nicht, ob er noch in Paris ist. Ach — es ist eine böse Sache!«

»Marie ist unberechenbar. Vielleicht heiratet sie euren Schweden gar nicht.«

»Auch dann wird unsere Louise sich bedanken, Maurice! Meinst du, sie wird den Lückenbüßer spielen?«

»Ich meine gar nichts. Louise beehrt mich nicht mit ihrem Vertrauen. – Übrigens was hast *du* eigentlich heute abend? Du bist unruhig.«

»*Ich* will dich mit meinem Vertrauen beehren, Maurice! Hier ist ein scheußlicher Diebstahl vorgekommen. Louisens Smaragdring ist bei Mrs. Biggs im Zimmer gefunden worden.«

»Ist da kein Zweifel?«

»Es ist erwiesen. Wir haben unter unseren Dauergästen eine Privatdetektivin. Sie hat längere Zeit mit Scotland Yard zusammengearbeitet. Eine erstklassige Person. Alle halten sie für einen Hotelgast. Nur Louise, Hilda, unsere Miss Lund von den Leinenschränken und ich wissen Bescheid.«

»Meinst du, daß Mrs. Biggs den Ring gestohlen hat? Sie sieht mir nicht nach einer Kleptomanin aus ...«

»Unsere Detektivin hatte Mrs. Biggs nicht einen Augenblick im Verdacht, Maurice! Sie kennt sie recht genau ... Der Dieb muß überrascht worden sein und den Ring ins erstbeste Zimmer unters Bett geworfen haben. Es war Mrs. Biggs' Zimmer. Sie war den ganzen Nachmittag und Abend bei ihren Geistern in Belgrave Square. Sie hatten einen neuen Hellseher da. Mrs. Biggs erzählte am nächsten Tag im Hotel, seine Aura sei blaßblau gewesen – das Zeichen eines auserwählten Geistes mit einer erhabenen Seele.«

»Das ist doch sehr nett«, sagte Professor Bonnard. »Warum nimmt Mrs. Biggs sich nicht ein Beispiel daran? Nancy hätte dann endlich ihre Ruhe ... Haben eure Gäste eine Ahnung von dem Vorfall?«

»Natürlich nicht. Diebstahl wird im Hotel so diskret behandelt wie ansteckende Krankheiten und plötzlicher Tod. Geht alles nachts durch die Hintertür hinaus! Hotelbewohner sind zart beseitet – besonders die Dauergäste. Diese Leute erwarten auch vom Schicksal tadellose Bedienung ...«

»Ist das nicht sehr anstrengend für euch?«

»Die meisten im Bonnard sind alte Frauen, Maurice! Ich *muß* sie betreuen! Der Ehemann ist tot, oder sie hatten niemals einen. Die Kinder sind verheiratet und haben ihr eigenes Leben. Wenn sie noch ins Büro gehen könnten, müßten sie sonst abends in eine lautlose Wohnung heimkehren oder in ein liebloses, dunkles Zimmer mit einer mürrischen Vermieterin und dem elektrischen Kocher, den sie heimlich für Teewasser benutzen. Die Sandwiches haben sie bei Lyons gekauft . . . Jeden Abend dasselbe. Nirgends sind Leute so allein wie in dieser Riesenstadt. Hier bei uns ist noch etwas Leben. Oder es kommt ihnen so vor . . . Hilda ist einfach süß mit der alten Garde . . . Sie gibt doch so gern Ratschläge.«

»Prächtiges Mädchen – eure Hilda«, sagte Maurice Bonnard. »Dominik hätte sie gern in der Rezeption in Zürich! Wieviel Sprachen spricht sie eigentlich?«

»Bis auf Chinesisch alles Erdenkliche. – Dominik soll sich das Mädchen aus dem Kopf schlagen«, sagte Madam mit ungewohnter Schärfe. »Unsere Hilda weiß, was gut für sie ist. Ich möchte Ellen Bonnard sehen, wenn Hilda in Zürich erscheinen würde.«

»Ich möchte sie nicht sehen. Ellen glaubt immer noch nicht, daß Dominik und Hilda sich zufällig in Lugano trafen.«

»Gräßliche Person«, sagte Madam friedlich. »Wann hat Ellen noch Geburtstag? Wir müssen gratulieren.«

»Am 11. Februar – wie immer.«

»Dann ist sie ein *Wassermann*, das erklärt alles. Die Wassermänner – eigentlich ja Wasserfrauen, nicht? – lassen das persönliche Element überall eindringen! Ellen Bonnard sieht in jedem Winkel des Hotels nach, ob Dominik dort nicht sein Liebesleben versteckt.«

»Woher hast du das ›persönliche Element‹? Bist du unter die Sterndeuter gegangen?«

»Miss Lorimer, Zimmer 45. – Sie hat es mit den Sternen. Sagt uns allen, was mit uns los ist. Seitdem spricht Mrs. Bellingham kein Wort mehr mit ihr.«

Maurice Bonnard lächelte. Niemand war so entspannend wie Madam. Sie blieb niemals bei einem Thema, hüpfte von Mrs. Biggs zu Miss Lorimer mit den Sternen und brachte Wärme und Privatleben zu jedem Inselbewohner in Haverstock Hill. –

Plötzlich seufzte Madam. Wohin waren jetzt ihre Gedanken gesprungen?

»Hilda ist augenblicklich die einzige, die mit Louise fertig wird«, murmelte sie. »Ich bin zu alt. Louise meint wohl, ich hätte vergessen, wie weh es tut . . . Sag mal, Maurice, hättest du gedacht, daß Louise eine Enttäuschung so schwer nehmen würde?«

»Ja«, sagte der Professor ohne Zögern. Er runzelte die hohe Stirn.

»Louise ist ziemlich unerfahren in Gefühlsdingen – wie jede Realistin. Sie hatte wahrscheinlich alle ihre schüchternen Hoffnungen auf diesen Mann gesetzt.«

»Sie hatte aber einige Erlebnisse. Sie ist schließlich zweiunddreißig Jahre!«

»Dieses Mal erwartete sie die Ehe! Das macht den ganzen Unterschied. Es gibt entweder eine Flugreise an einen Vergnügungsort oder eine langsame gemeinsame Fußwanderung zum Gipfel eines Berges. – Tja . . . Was hattest du eigentlich für einen Eindruck von Dr. Ekelund?«

»Er gefiel mir. Vielleicht gehört er zu den Männern, die Frauen gefallen. Sieht blendend aus, intelligent, distinguiert – Allerdings . . .«

»Nun . . .?«

»Er war ungewöhnlich verschlossen. Ich meine, er erzählte mir natürlich ziemlich viel über seinen Beruf, seine Finanzen und die Familie in Stockholm, aber nichts über sich. Ich hatte das Gefühl, dieser Mann wolle für sich allein bleiben.«

»Ich denke, er wollte Louise heiraten? Und jetzt wird er Marie heiraten, wenn nichts dazwischenkommt. Eigentlich kein Zeichen für den Wunsch, allein zu bleiben.«

»Ich kann mich nicht so ausdrücken wie du, Maurice! – Es gibt doch Leute, die sich für andere interessieren und die sich auch anderen mitteilen wollen. Du lieber Himmel, was ist denn sonst am Leben dran? Es ist ein Frage- und Antwortspiel, nicht wahr? Aber Erik Ekelund war eine Insel für sich.«

»Kein Mensch ist eine Insel! Das hat schon der alte John Donne gewußt.«

»Sicher hat er recht. Du hast recht, alle haben recht. Und trotzdem war Erik eine Insel. Mir war er manchmal direkt unheimlich, Maurice! Louise sah und hörte nichts. Aber Hilda denkt wie ich . . . Es war merkwürdig! Wir öffneten Erik alle Türen in Haverstock Hill, aber er wollte im Garten stehen und durch die Fenster sehen. Weißt du nun, was ich meine?«

»Ich glaube, ja.«

»Er wollte einfach nicht in andere Schicksale verwickelt werden«, sagte Catherine Bonnard heftig. »Das ist Fahnenflucht . . . Ich freue mich für Louise. Er soll auf den Mond gehen.«

»Erst einmal geht er nach Bangkok. – Übrigens, wenn Dr. Ekelund keine Verwicklungen wünscht, kommt er bei Marie an die falsche Adresse. Marie hat ja ein bemerkenswertes Talent, Leute in irgendwelche Sackgassen zu locken.«

»In dieser Angelegenheit gibt es nur Rätsel. Louise sagte mir wiederholt, wie ausgezeichnet Erik und sie sich verstanden hätten.«

›Verstehen ...‹, dachte Maurice Bonnard. Das glaubten verliebte Leute immer. Aber man lebte niemals das Leben des anderen, man dachte nicht seine Gedanken und teilte nicht seine Gefühle. Man wußte nicht, was der andere vorher – die ganzen Jahre vorher – gedacht, gefühlt und getrieben hatte. Und man wußte nichts über die gemeinsame Zukunft ... Man sah den andern nur unter dem Aspekt eines Augenblicks – des Augenblicks des gegenseitigen Kennenlernens. Man saß und blieb im Gefängnis des eigenen Körpers, des eigenen Geistes und der eigenen Sensitivität. Man küßte und umarmte eine Illusion ... Wer sich das sagte, der hatte Spaß an der Liebe ...

»Erik hat Louise belogen«, sagte Madam in Maurice Bonnards Gedanken hinein. »Er hat ihr nicht einmal gesagt, daß Marie und er sich in Paris kennengelernt hatten – lange bevor er Louise den Kopf in Stockholm verdrehte. Dafür gibt es keine Entschuldigung und keinen Grund.«

»Es kann doch einen Grund dafür geben. Sagte Louis Bonnard nicht etwas von einem Autounglück zwischen Paris und Chantilly?«

»Das ist doch kein Geheimnis. Das passiert jeden Tag dreihundertsechzigmal. Hast du heute früh den *Daily Telegraph* angesehen? – Schön, Marie kam dazu, als Dr. Ekelund und diese Unbekannte auf der Landstraße gestrandet waren. Das ist doch nichts, was er Louise nicht hätte erzählen können?«

»Das möchte ich nicht ohne weiteres sagen. Vielleicht war das Unglück so einschneidend, daß Dr. Ekelund die ganze Sache vergessen wollte – ein neues Kapitel anfangen. Mit Louise! Dagegen ist nicht das geringste zu sagen! Wir alle versuchen zu vergessen, was zu stark und zu quälend für unser Bewußtsein ist. Wir müssen ja weiterleben, meine Liebe! Darum versuchen wir eben, es uns seelisch so bequem wie möglich zu machen. Ich nehme beinahe an, daß dieser Schwede Louise geliebt hat. Gerade ihre Klarheit und gradlinige Anständigkeit müssen es ihm angetan haben.«

»Dann mußte er ihr die Wahrheit sagen«, sagte Madam starrsinnig.

Maurice Bonnard sah Madam kopfschüttelnd an.

»Du bist ungerecht, Cathy! Wußte dieser Dr. Ekelund denn das, was du ›die Wahrheit‹ nennst? Marie macht doch tolle Sachen — das wissen wir alle! Dieser Mann hatte keine Ahnung, daß ›Madeleine Boussac‹, die den Autounfall mit ansah, in Wirklichkeit ›Marie Bonnard‹ hieß. Louis hat es selbst am Telephon gesagt, daß Marie für ihre Abenteuer den Namen ›Boussac‹ gebraucht. Warum sollte Erik Ekelund seiner zukünftigen Frau von einer Madeleine Boussac erzählen? Er hat doch erst hier in London erfahren, daß dieses Mädchen Louisens Kusine Marie ist. So ist es doch, oder nicht?«

»So ist es. — Deswegen brauchte er Louise nicht zu verlassen.«

»Wir kennen seine Motive nicht.«

»Ihr modernen Seelenapotheker habt für jede Schlechtigkeit eine Erklärung und eine Pille. Du würdest auch erklären, warum einer unserer Gäste an Major Waterhouse jenen anonymen Brief schrieb, der seine Ehe zerstört hat. Der arme Briefschreiber! Was er alles durchgemacht hat, bevor er andere Leute ruinierte . . . Aber schließlich haben wir es alle schwer und benehmen uns trotzdem nicht wie . . . wie Marie!«

»Marie ist noch so jung! Sie kann noch ganz passabel werden.«

»Ich würde mich freuen«, sagte Madam kurz. Sie liebte Louise wie eine Tochter. Sie hatte nie eigene Kinder gehabt. Und sie fühlte alles, was man Louise angetan hatte, wie eine eigene Demütigung und einen eigenen Schmerz.

»Ich machte Louis am Telephon bittere Vorwürfe«, fuhr sie fort. »Wie konnte er Louise etwas über diese Ulrika sagen? Wir wissen immer noch nicht, wer sie ist. Aber wir sind nicht mehr neugierig . . .«

»Louis hat es gut gemeint, Cathy!«

»Vielleicht. Louis ist eben ein Vernunftsmensch. Er dachte, es wäre Louise mit der Wahrheit über Erik und Marie am besten gedient. Ihm selbst hätte so etwas nicht das geringste ausgemacht.«

»Woher weißt du das so genau? — Tja, die Wahrheit hilft nur dem, der sie hören will. Das ist wie mit der Musik . . .«

»Ob du Louise einige Zeit ins Sanatorium nimmst, Maurice? Sie muß ihre Nerven erholen. Sie ist schrecklich reizbar. — Ich meine natürlich zu Léon!«

Professor Bonnard streckte beide Hände abwehrend aus. »Léon ist ein junger Esel«, sagte er scharf. Er hielt nicht allzuviel von seinem Sohn. – Dr. Léon Bonnard leitete den Betrieb für Erholungsbedürftige und »Managerkranke«, während Maurice dem berühmten Hospital für Geisteskranke vorstand. Die »Klapsbude«, wie Léon das Hospital nannte, war eine riesige weiße Villa mit vielen kleinen »Schweizer Häuschen« in einem Park am Züricher See. Dort – an einem der lieblichsten Flecken Europas – vegetierten die schweren Neurotiker, die Psychopathen, die Menschen, die nach dem zweiten Weltkrieg in moralische und geistige Unordnung geraten waren. Sie kamen aus allen Ländern, aus allen Nationen und Rassen. Dort hatte Maurice Bonnard auch seinen Bruder Antoine betreut, nachdem Antoine nach den Bombenangriffen auf London in religiösen Wahnsinn verfallen war. Antoine hatte mit einem Kardinalshut aus Pappe auf dem Kopf unbeweglich auf den Züricher See gestarrt, wenn er nicht den Vögeln Bußpredigten hielt . . . Wenn man ihm den Hut am Abend abnehmen wollte, wurde er tobsüchtig.

»Louise hat nichts bei Léon zu suchen«, sagte Maurice Bonnard ruhig. »Die Arbeit im Hotel ist ihr Heilmittel. Wer unglücklich ist, muß zu tun haben, Cathy! Nur die Glücklichen brauchen Ruhe . . .«

Es klopfte. Eine Dame betrat den Privatsalon Catherine Bonnards. Maurice hatte sie bei jedem Besuch in Haverstock Hill unten mit der alten Garde gesehen.

»Ich weiß nun, wer den Smaragdring von Miss Louise bei Mrs. Biggs versteckt hat«, sagte die Dame im unmodernen Abendkleid.

»Tatsächlich?« Madam war aufgesprungen. »Hat niemand etwas gemerkt? Ich meine, sind die Gäste ruhig?«

»Selbstverständlich, Mrs. Bonnard!«

Die Detektivin sprach mit einer völlig anderen Stimme. Sie hatte einen anderen Gesichtsausdruck und eine andere Haltung. Nur ihr Abendkleid war dasselbe wie unten im Speisesaal oder im Fernsehsalon.

»Die Diebin ging vorhin mit einem Tablett mit Tee und Toast zu Mrs. Duffy ins Zimmer 73. Im Anbau, Mrs. Bonnard! – Mrs. Duffy war noch im Bad. Ich öffnete leise mit meinem Privatschlüssel, gerade als die Diebin die Schmuckkassette auf dem Toilettentisch öffnete. Warum geben die Gäste den echten Schmuck nicht ins Safe! Man bittet sie doch immer wieder darum.«

»Wer war es?« – Madam war weiß im Gesicht.

»Die Kellnerin Mary Pike.«

»Das ist ja unglaublich! – Außerdem hat Mary doch oben nichts zu suchen! Sie bedient im Speisesaal bei Mr. Nightingale.«

»Mr. Nightingale hält nichts von Mary Pike. Aber das nebenbei . . . Es fiel mir eben auf, daß Mary mit einem Tablett nach oben ging. Das macht doch immer Peggy, nicht wahr? – Ja, da stand das dumme Mädchen mit Mrs. Duffys Perlen in der Hand!«

»Wo ist Mary jetzt? Doch nicht im Haupthaus, wo die ganzen Leute kommen und gehen?«

»Natürlich nicht, Mrs. Bonnard! Bitte, beruhigen Sie sich! Ich nahm Mary zu Miss Lund ins Zimmer. Dort ist sie noch. Sie ist völlig zusammengebrochen. Miss Lund kümmert sich um sie.«

»Was wird nur Marys Vater sagen?«

»Er hat schon etwas gesagt, und zwar eine ganze Menge. Er wurde sehr heftig mit Mary.«

»Mr. Pike ist über zwanzig Jahre Hausdiener bei uns, eine Seele von Mensch. Er würde nicht einen halben Penny nehmen. Ein wahres Unglück . . . Wie konnte Mary so etwas tun?«

»Die Versuchung, Mrs. Bonnard! Ich beobachtete Mary viele Tage im Speisesaal. Sie ist ungewöhnlich hübsch und hat nur Männer im Sinn. Das sagt auch Mr. Nightingale . . . Es ist nicht so schlimm, Mrs. Bonnard! Mary hat sofort gestanden. Sie wollte Miss Louisens Ring zu einem Ausgehabend mit ihrem jungen Mann tragen. Und sie dachte, Mrs. Duffy hätte so viel Schmuck, daß sie die Kette nicht entbehren würde . . . Die jungen Leute sind heut so! Leichtsinnig, labil, luxusliebend. – Vorbestraft ist Mary ja nicht.«

»Können wir sie nicht behalten? Ich meine, wegen Mr. Pike?«

»Ich würde nicht dazu raten, Mrs. Bonnard! Das Milieu ist ungünstig für dieses Mädchen. Sie würde besser in einer Fabrik aufgehoben sein, wo sie das alles nicht sieht wie hier im Bonnard.«

»Ich danke Ihnen«, sagte Catherine Bonnard. Der Professor starrte immer noch. Dieses Mal hatte seine Menschenkenntnis ihn im Stich gelassen. Das war ja ganz unglaublich. *Diese* Dame – eine Detektivin?

»Übrigens – Miss Louise hat eben Besuch bekommen. Der Herr rief nachmittags an. Miss Sunshine war am Telephon und sagte es mir vorhin. Der Herr kommt aus Paris.«

Madam war blaß geworden. »Wenn es nur keine neuen Aufregungen gibt!«

»Miss Louise ist mit dem Herrn im gelben Salon im Hauptgebäude. Mr. Nightingale hat soeben Getränke serviert. Ich setze mich nebenan in den dunklen Palmengarten. Wenn jemand von den Gästen kommt, habe ich meine Abendzeitung gesucht. Ich gehe lieber jetzt gleich.«

»Wer ist der Herr?« fragte Catherine Bonnard schwach. Der Professor hatte sich auf den Balkon zurückgezogen. Eine herrliche Spätsommernacht. Die Luft war klar und sanft wie in einem Dorf. Hampstead war ein Dorf. Es hatte alle Tugenden der Idylle behalten . . .

Ein großer Mond beschien die alten Bäume, die fremde Erosstatue und die Büsche und Rasenflächen. Es war kein Park, eher ein mittelgroßer Garten. Zu dem ursprünglichen »Privathotel Bonnard« waren viele Gebäude hinzugekommen. Während des zweiten Weltkrieges hatten die Bonnards die Nachbargrundstücke billig erworben.

Aber auch dieser Garten hatte englische Tugenden, dachte Maurice Bonnard. Er war unauffällig lieblich, zufrieden mit dem Lebensraum, der ihm zugeteilt war, und er war still und grün. Der Garten war genau das, was man von ihm erwartete, und er war es in anspruchsloser Perfektion.

Drinnen im Zimmer sprachen Catherine Bonnard und die Detektivin über den Besucher aus Paris.

»Er ist Bühnenmaler«, sagte die Detektivin. »Sehr häufig in internationalen Kunstzeitschriften genannt. Er macht Décors für Balletts und entwirft Kostüme. Ich weiß zufällig etwas darüber, da ich meine knappen Freistunden im *Sadler's Wells Theatre* zubringe. Ballett war immer meine einzige große Liebe, Mrs. Bonnard! Nicht etwa, daß ich selbst tanzen wollte . . . Nur sehen, wie ein Mensch schwebt . . .«

Catherine Bonnard blickte das tüchtige, weltkluge Mädchen erstaunt an. Man kannte sich in Menschen nicht aus. Nie hätte sie erwartet, daß gerade Nancy Biggs . . .

»Ist er Franzose?« fragte sie müde.

»Er ist Russe, Graf Alexander Tsensky.«

»Russe? Und aus Paris? – Er muß ein Bekannter von Natalya Bonnard sein. Sie ist mit allen Ballettleuten ein Herz und drei Seelen . . . Aber was will er von Louise? Ich fürchte, es hängt mit Marie zusammen . . . Sagen Sie, wird man im Fernsehraum Ihr Verschwinden nicht bemerken?«

»Ich sagte, ich suchte meinen *Evening Standard*. Es ist ja bekannt, daß ich überall meine Zeitungen und Magazine liegen lasse.«

»Louise hat genug Aufregungen gehabt.« Ein unbestimmtes Angstgefühl hatte die alte Mrs. Bonnard überfallen. »Es gefällt mir nicht.«

»Mir auch nicht«, sagte Nancy Biggs und verließ lautlos das Zimmer.

ZWEITES KAPITEL

Wechsel, Leid und Illusion

»Ich möchte Miss Bonnard sprechen!« –

Der Fremde blickte Louise aus dunklen, sehr leuchtenden Augen an, die eine Neigung zum Tränen hatten. Er wischte sich die Tränen sorgfältig mit einem seidenen Taschentuch ab. »Lästig«, sagte er mit seiner harten Stimme, »sehr lästig!«

Louise Bonnard starrte den Besucher an. Wo in aller Welt hatte sie dieses knochige, vornehme Gesicht mit dem dunklen Spitzbart gesehen? Sie kannte diesen länglichen Schädel, die Augen mit den schweren Lidern und der verengten Pupille, die ein intensives Licht ausstrahlten. Sie kannte die geschwungenen Augenbrauen, den sonderbar kleinen Mund mit der vollen, glänzenden Unterlippe, die Hemmungslosigkeit oder latente Grausamkeit verriet. Sie kannte sogar das flache, egoistische Kinn und die großen, abstehenden Ohren, die einem anderen Mann zu gehören schienen. Louise Bonnard hatte diesen Fremden in einer vergessenen Situation so intensiv betrachtet, daß sie ihn unter einer Menschenmenge mühelos erkannt hätte. Wie war das möglich? Sie hatte ihn nicht im Traum erschaut. Sie hatte ihn gesehen und erkannte ihn einfach wieder. So wie man manchmal eine fremde Stadt oder Landschaft sieht und sich sagt: »Hier bin ich schon einmal gewesen. Aber wann?«

Der Fremde strömte Kälte, versteckten Hohn und eine eigentümliche Unweltlichkeit aus, als ob er ein Gastspiel in der Wirklichkeit gäbe. Als ob er zufällig oder aus Versehen in dieses Hotel in London N. W. 3 geraten wäre und Louise und die Gäste als Marionetten betrachtete, die sich von selbst bewegten und sogar Reden führten. Er hatte Mrs. Bellingham und Mrs. Pollitt mit einem ungläubigen Blick gestreift.

Tatsächlich hatte er solche Figurinen niemals zuvor gesehen ... Sie schliefen in kalten Betten und aßen warme Puddings. Sie hatten Rheumatismus und keine Visionen. Sie waren Engländerinnen. – Wie dieses große unfreundliche Mädchen, das ihn stumm anstarrte, lebten sie auf einem anderen Stern. –

Der Fremde war etwa vierzig Jahre alt, oder viel älter, oder viel jünger. Louise Bonnard erschien seine überschlanke Gestalt und sein zeitloses Gesicht unfaßbar drohend. Er blickte unpersönlich und doch forschend umher. Vielleicht stammte er vom Mond oder aus Sphären, wo man heftiger lebte und litt.

»Mein Name ist Tsensky.« – Der Fremde sagte es in der festen Überzeugung, daß man diesen Namen kennen müsse. Zu seinem Erstaunen bemerkte er, daß Louise ihn anscheinend nie gehört hatte.

»Miss Bonnard hat mich hierherbestellt«, erklärte er ungeduldig. Er schien nicht gewöhnt zu sein, daß man ihn nicht kannte und dann noch warten ließ. Er strich sich mit einer ungestümen Bewegung das schwarze Haar aus der Stirn. Die Stirn war glatt und rein und gewölbt – sie gehörte dem Knaben, der einmal in diesem Mann gesteckt hatte. – »Würden Sie bitte Miss Bonnard benachrichtigen! Bestellen Sie einfach: Tsensky wartet.«

»*Ich* bin Miss Bonnard, Monsieur!« Louise antwortete in tadellosem Französisch.

Es schien Herrn Tsensky milder zu stimmen. Er hatte es augenscheinlich von dieser britischen Bohnenstange nicht erwartet.

»*Ich* habe Sie nicht nach London bestellt«, sagte Louise. – Der Fremde starrte sie wie ein Meerwunder an, obwohl sie eine Stadtratte war. – »Es muß ein Mißverständnis sein. Was kann ich für Sie tun, Monsieur?«

Alexander Tsensky betrachtete ungeniert das Mädchen mit dem reinen Profil und dem bitteren Mund. Marie hatte ihm nie erzählt, daß es in London auch eine Dame Bonnard gab. Marie erzählte nie etwas. Diese Miss Bonnard hatte so starre Mundwinkel, daß ihr Gesicht verkrampft aussah. Trotzdem sah sie aus, als ob sie alles besser wüßte und ihre Mitmenschen nicht ungern belehrte. In jedem Fall war mit diesem Fräulein Bonnard nicht gut Kirschen essen! Sie war nüchtern wie eine Schreibmaschine. Aber sie gefiel ihm nicht übel. Sie war so anders als die Frauen in Paris. –

»Sie sehen mich an wie etwas, was die Katze auf Ihrem Teppich gelassen hat«, bemerkte Graf Tsensky. »Ein scheußliches Muster übrigens – pardon! Sehen Sie, ich meine *diese* Miss Bonnard! Man kann sie nicht verwechseln! Sie wird nicht in Serien hergestellt!« Er zog eine Skizze aus seiner Ledermappe. »Dies ist Mademoiselle Bonnard! Für meinen Privatgebrauch natürlich.« Er lachte dem Vogel Garuda durch die Glastür zu. Er schien mit Fabelwesen vertraut zu sein.

Louise blickte stumm die Skizze an. Das Gefühl der Unwirklichkeit, das sie von Anfang an gehabt hatte, verstärkte sich beim Betrachten der Skizze. War es eine Karikatur von Marie Bonnard, eine Vision oder ein vernichtendes Urteil?

»Gefällt Ihnen das Portrait?« Graf Tsensky sah dieser Miss Bonnard auf zehn Seemeilen an, daß sie viel von Hotelrechnungen und nichts von Kunst verstand. Man mußte sie respektieren – arme Person!

Louise antwortete nicht. Sie streckte ihren Kopf lauschend empor. Draußen in der Halle, von der sie durch einen Abgrund getrennt war, ertönten bekannte Stimmen. Dort gab es Gelächter, Gläserklirren, Klingeln und andere Attribute der Wirklichkeit. Hilda erklärte dort gerade einem chinesischen Gast, daß Hampstead keine andere Stadt wäre, sondern ein Teil von London. »Warum?« fragte der Gast. Es wäre eben so, sagte Hilda friedlich. Sie hätte es nicht eingerichtet. »Alles in Peking ist Peking«, sagte der Chinese. »Eine Stadt, eine große Familie, eine Politik.« Er hielt eine kleine Propagandarede und blickte Hilda erwartungsvoll an. Ob er demokratischen Protest erwartete? »Gewiß«, sagte Hilda freundlich, »das habe ich in der Zeitung gelesen. Der Speisesaal ist rechts bitte! Ich lasse Sie hinbringen, *Sir*! Natürlich können Sie Reisgerichte bei uns bestellen! Wir haben viele Gäste aus dem Fernen Osten.«

Louise sah durch die Glastür die beiden Gestalten wie in einer Pantomime. Wieder blickte sie die Skizze an. Der Besucher sah ihr über die Schulter und weidete sich an seinem Meisterwerk.

Zwei Gestalten, die beide Marie Bonnards Züge trugen, hielten sich umschlungen. Die linke Figur war in tiefes Schwarz gehüllt. Sie hatte ein kalkweißes Gesicht. Auf ihrem Kopf saß ein hoher, schwarzer Hut. Ein schwarzer Schleier wehte um die Gestalt und das Gesicht mit dem leblosen Blick und dem verkniffenen Mund. Sie umarmte ein bezauberndes Geschöpf: die wirkliche Marie Bonnard! Blonde Locken, ihr rätselhafter Polarsternblick und ein rosa Tüllkleid, das ihren Körper mehr enthüllte als verbarg. »Die Unterwäsche hat der Maler vergessen«, dachte Louise mißbilligend. – Aber vielleicht hatte Marie vergessen, sich etwas anzuziehen? Louise traute es ihr ohne weiteres zu. Maries Ebenbild im rosa Kleid schien zu schweben. Sie war wohl auf der Jagd nach einem neuen Mann oder einem neuen Unglück. Das rosa Geschöpf lächelte die Sklaven der Realität spöttisch an.

Die schwarze hagere Gestalt hielt die junge Marie fest umschlungen. Ihre knochige Hand lag auf der Schulter des schönen, lächelnden Geschöpfs. Aber eigentlich lächelte die Marie im rosa Kleid gar nicht – durch irgendeinen Trick des Malers sah es nur so aus . . .

»Wie gefällt Ihnen das Portrait?«

Louise murmelte: »Sehr interessant.«

»Nur sehr wahr«, bemerkte der Maler. »Die beiden Tänzerinnen sind Goldmarie und Pechmarie. Sie sind natürlich ein und dieselbe Person; aber das fällt den primitiven Völkerschaften unserer Zeit nicht auf. Ich meine . . .«

Graf Tsensky brach ab und wischte sich die tränenden Augen. Er blickte sich nach Zigaretten um; da aber keine angeflogen kamen, bediente er sich aus seinem Etui. Dies Mädchen war anscheinend Nichtraucherin – wie konnte es anders sein? Diese Bohnenstange mit dem strengen Gesicht vermied alles, was sie aus dem Hotel Bonnard in den Bezirk der Träume oder Ideen befördern könnte. Graf Tsensky rauchte gierig und fragte zwischendurch zerstreut, wer Louise eigentlich sei.

»Ungleiche Kusinen«, bemerkte er dann. »Warum blicken Sie so mißbilligend, Miss Bonnard? Kaufen Sie sich doch bei Boots eine rosa Brille!«

Woher kannte der Mann die Drogerien von Boots? Dann mußte er London ganz gut kennen.

»Sie gefallen mir viel besser als Marie«, sagte Graf Tsensky. »Ich bete Marie natürlich an – aber eigentlich kann ich sie nicht leiden. Ist das nicht komisch?«

»Zum Totlachen«, sagte Miss Bonnard. »Übrigens – Marie ist nicht hier.«

»Geht das kleine Scheusal im Hyde Park spazieren? Nein, nein!

Marie interessiert sich nicht für Bäume oder Freiluftapostel. Sie malt . . . Ich male auch. Ich gab ihr Unterricht.«

»Sie hat viel bei Ihnen gelernt!«

»Dies und das.« Graf Tsensky lächelte merkwürdig. »Ich selbst male Décors fürs Ballett und entwerfe Kostüme.« Er sprach weiter, um das Schweigen zu besiegen. Beim Sprechen kamen ihm Ideen. Er war dabei, neue Décors und Kostüme für das klassische Ballett *Coppélia* zu entwerfen. Hoffmanns gespenstische Erzählung hatte es ihm von jeher angetan. *Coppélia* war schon 1870 in der Pariser Oper aufgeführt worden. – Tsensky stellte sich Marie Bonnard vor, wenn er Coppélias Kostüme entwarf.

»Lieben Sie das Ballett, Mademoiselle?« Graf Tsensky schloß die Augen. »Mich reizen die tausend Möglichkeiten eines künstlichen Universums . . . die Abwesenheit der Anarchie! Sie herrscht sonst überall in unserer Zeit.«

»Bei uns im Hotel herrscht keine Anarchie, das kann ich Ihnen versichern«, sagte Miss Bonnard.

»Sie sind sehr witzig! Darf ich ›Louise‹ sagen? Wenn Sie wollen, können Sie mich ›Sascha‹ nennen!«

Miss Bonnard hatte nicht diese Absicht und schwieg.

»Ich bin eine Einrichtung in Ihrer Familie«, erklärte Graf Tsensky. »Natalya und ich sind Russen und beide in Paris zu Haus. Jetzt fällt mir ein, Natalya erzählte mir von Ihnen.«

Louise wurde rot. Wie mußten die beiden über sie gelacht haben!

»Darf ich mich vielleicht setzen? Marie ist gräßlich unpünktlich.«

»Entschuldigen Sie bitte!« Louise war noch röter geworden. »Sie warten umsonst, Monsieur! Marie ist nicht in London.«

Louise fuhr sich über die schmerzende Stirn. Sie sehnte sich buchstäblich nach Mrs. Pollitt und ihren Brot- und Butterlegenden. Mrs. Pollitt erschien ihr in diesem Augenblick wie eine Sendbotin der Normalität – ein schwatzhafter Beweis für die Echtheit der Existenz. Dieser Fremde entzog den Dingen und Menschen den Boden. Marie und dieser Mann waren in der Finsternis zu Haus.

»Wo ist Marie? Man muß ihr alles verzeihen. Sie hat die Schönheit von Coppélia – Sie wissen doch: das Mädchen mit den Emaille-Augen! Kein Überfluß an Seele in der süßen Puppe! Weiß nicht, was Liebe ist . . .«

Graf Tsensky schien Louise vergessen zu haben. *Wo* war Marie?

Sie war ihm zum erstenmal in sechs Jahren entwischt. Der Kuckuck sollte sie holen! –

Graf Tsensky hatte sich Geld von Marie leihen wollen. Trotz seiner großen Einnahmen hatte er stets Schulden. Er kannte Maries Abneigung, sich vom Geld zu trennen, und nannte sie eine steinerne Quelle. Aber wenn sie streikte, würde er ihr keine Gefälligkeiten mehr erweisen. Eine Hand küßt die andere ... Marie würde ihn bald wieder um Gefälligkeiten bitten, auch wenn sie augenblicklich auf einem Berggipfel stand und auf ihn herabblickte. Glück bläht eine Person auf – die Not krümmt sie ... Bei diesem Gedanken kam ein scharfer Glanz in Graf Tsenskys Augen. Sein langes, vornehmes Gesicht mit der schmalen Nase, dem herrischen Mund und dem galanten Spitzbart belebte sich beunruhigend.

Marie würde seine Schulden bezahlen. Sie war eine reiche Erbin und hatte am Ende immer gezahlt. Sie war auf geheimnisvolle Weise an ihn gefesselt. Niemand, der Marie näher kannte, würde sie heiraten. Einen solchen Esel gab es auf der Welt nicht! Nach jedem Seitensprung kam Marie zu »Onkel Sascha« zurück – ausgeleert, verhungert nach Genüssen, die nur er ihr verschaffen konnte. Er schenkte Marie kompletten Szenenwechsel, einen Zwischenakt Leid und eine gigantische rosa Illusion ...

»Wo ist Marie?« fragte Alexander Tsensky.

»In Stockholm.«

Graf Tsensky sprang so heftig auf, daß er ein Glas mit Whisky und Eiswürfeln umstieß. Louise sah es mit Mißfallen. Der Teppich würde einen Fleck behalten. Gestern hatte sie ein neues Fleckwasser bei Boots entdeckt. Dort verkaufte man keine Illusionen. Ein rosa Toilettewasser blieb bis zum letzten Tropfen rosa. Wie beruhigend war der Gedanke an Kosmetika, Mottenkugeln, Hustenpastillen und Salben gegen Frostbeulen oder Hitzepickel! Alle Artikel bei Boots waren greifbar und mit Gebrauchsanweisungen versehen. Boots hatte recht, und die Künstler hatten unrecht.

»Marie lief mir schon als sechzehnjähriger Fratz in Paris nach«, bemerkte Graf Tsensky. Er war ein Wunder an Diskretion. »Einmal mußte ich sie aus meinem Studio hinauswerfen. Sie hatte es sich in meinem Bett bequem gemacht. Wie finden Sie das? Dieses Mädchen ist schief zugeschnitten.«

Draußen in der Halle kamen und gingen die Leute. Mr. Pike, der

Hausdiener mit einer ungeratenen Tochter, schleppte Koffer und Reisetaschen von den Taxen durch die erleuchteten Korridore zum Aufzug. Er war weißhaarig, war immer zum Gottesdienst in Camden Town gegangen, und nun hatte seine Mary einen Ring gestohlen! Mr. Pike war so stolz auf Marys Schönheit gewesen. – Er beugte sich tief zu einem nagelneuen Koffer hinab. Er erkannte die Gäste an ihrem Gepäck. Der Koffer war zu neu . . .

Louise sah den weißhaarigen Kopf von Joseph Pike. Auch er war ein Stück Realität und trotz seines Kummers beruhigend. Denn Mr. Pikes Kummer war real, und man konnte ihn anpacken wie einen schweren Koffer . . . Man konnte solchen Kummer hochheben und irgendwo absetzen. – Louise verstand Mr. Pike und seine Leiden.

»Kann ich noch etwas für Sie tun?« fragte sie ihren Besucher.

Graf Tsensky zog die Augenbrauen in die Höhe. Das Londoner Bonnard-Mädchen war nicht übermäßig liebenswürdig. Aber er war blind gegen Winke mit dem Zaunpfahl.

»Marie war ein liebes Kind«, sagte er nachdenklich. »Vor sechs Jahren klebte sie alle meine Kritiken in ein Buch ein und las sie jedem vor. Damals war sie gerade sechzehn Jahre alt. Ich entwarf Décors für Diaghilevs Nachfolger. Ballett ist und bleibt die Antwort auf alle Krankheiten unserer Epoche: Massenzivilisation, die Mechanisierung des Gefühls und das Atom-Rührei der Zukunft . . . Ballett ist Heilung – finden Sie nicht auch?«

»Das kann ich nicht finden«, sagte Louise Bonnard. »Mir wird schwindlig beim bloßen Zusehen.«

»Gestatten Sie, daß ich Sie bemitleide, Miss Bonnard! Aber ich fürchte, ich bin vom Thema abgekommen – ein russisches Laster! Unser Thema ist Marie Bonnard. Sie scheinen Ihr Kusinchen nicht zu lieben! Dabei hat Marie ihre ausgesprochenen Vorzüge. Sie verhindert ihre Freunde, vor Zufriedenheit stupide zu werden.«

Wie konnte man nur diesen Zeitgenossen loswerden? dachte Louise. Sie haßte Ironie, und in allem, was dieser Mann sagte, schwang ein Unterton von verwirrender Ironie mit. Liebte oder haßte er Marie Bonnard? Auf jeden Fall war er viel zu alt für sie! Bei elektrischem Licht besehen, war er den Fünfzig näher als den Vierzig. *Das* war also der Zeitgenosse, der bei Natalya Bonnard und ihrer Tochter »eine Einrichtung« war! Seinetwegen mußte Marie vor einigen Jahren die

Beziehungen zu ihrer Mutter abgebrochen haben. Und nun hatte sie Erik diesem »Onkel« vorgezogen.

»Was macht Marie in Stockholm?« – Graf Tsensky zündete sich eine zweite stark duftende Zigarette an und betrachtete den Vogel Garuda.

»Sie heiratet.«

»*Wie* bitte?« Tsensky blickte Louise ungläubig an. Dann begann er leise zu lachen. »Marie heiratet? Das ist das Komischste, was ich seit langem gehört habe. In Paris hat mir niemand etwas gesagt. Natalya ist seit Wochen verreist. Und Madeleine Boussac ist ebenfalls unsichtbar. Das ist so bei den Frauen! Entweder sie erscheinen in Haufen, und man weiß nicht, wohin mit ihnen, oder sie sind plötzlich alle verschwunden. Ein außerordentlich albernes Geschlecht! – Pardon! – Wer ist der Glückliche? Aber vielleicht ist er gar nicht glücklich? Vielleicht hat er die dunkle Marie erwischt? Man sagt in Rußland, das Unglück stehe schon mitten im Hof, wenn man es am wenigsten erwartet.«

»Ich schließe mich dieser Ansicht an«, sagte Miss Bonnard.

»Wann heiratet Marie?«

»Sie heiratet in einigen Wochen Dr. Erik Ekelund aus Stockholm.« Louise war erschöpft. Das Leben schien ihr in letzter Zeit so anstrengend, als ob sie dauernd einen Sack mit Herbstäpfeln auf den Gipfel von Primrose Hill schleppen müsse. Wenn die Äpfel den Hügel herunterrollten, mußte sie sie aufsammeln und wieder hinaufschleppen. Jeden Morgen hoffte sie, der Sack mit den Äpfeln wäre verschwunden – aber da stand er in der Ecke ihres freundlichen Schlafzimmers und wartete auf Beförderung . . . Sie hatte soviel im Hotel zu tun. Die Zentralheizung mußte nachgesehen werden. Der Oktober kam so schnell angelaufen . . .

»Ekelund?« fragte Graf Tsensky. Seine Augen waren offene Fenster, hinter denen sich Schatten der jüngsten Vergangenheit bewegten. »Den schwedischen Adonis? Und so rasch nach dem Unglück mit Ulrika! Sie wissen doch, daß Ekelund . . . Sie haben sich verhört, Mademoiselle! Alle Schweden heißen ›Lund‹ oder ›Lind‹. Nichts kann die Phantasielosigkeit skandinavischer Adreßbücher überbieten.«

Louise spürte, wie eine dunkle Flut ins Hotel Bonnard stürzte. Die Strömung verschluckte das Inventar, stieg den Gästen bis an den

Hals und wollte nun sie selbst verschlingen. In ihren Ohren war das Brausen der Sintflut. Es gab auf der ganzen Welt nur noch diesen fremden Mann, der Erik, Marie und Ulrika kannte, und Louise selbst, die keinen von diesen Dreien jemals gekannt hatte . . .

Jetzt brach die Sintflut in den leeren Speisesaal. Es gab in der finsteren Wasserwüste nur noch das Wandgemälde mit Adonis und den beiden Göttinnen, die sich in regelmäßigen Abständen um seinen Besitz zankten. »Wer ist Ulrika?« fragte Louise Bonnard.

Graf Tsensky hätte beinahe leise gepfiffen. Er hatte plötzlich hinter der Lady die Frau entdeckt. Selbst hinter britischen Pullovern verbarg sich Leidenschaft . . . Miss Bonnard mußte sich dem Platzregen der Liebe ausgesetzt haben. Ihre Lippen bebten.

»Lesen Sie keine Zeitungen, Mademoiselle? Ekelund ist Ulrikas Mörder, auch wenn kein Gericht es bestätigt hat.«

Louise zuckte die Achseln. Sie kannte die Übertreibungen der Künstler. Sie war nicht umsonst mit Natalya Bonnard verwandt! Ihre Bekannten waren immer entweder Engel oder Teufel, Heilige oder Mörder. Sie waren nur nie, was sie wirklich waren . . .

»Übertreiben Sie nicht ein bißchen?« fragte Louise resigniert.

Graf Tsensky lächelte unbestimmt. »Ich habe Ihnen sofort an der Nasenspitze angesehen, daß Sie alles besser wissen! Vielleicht können Sie mir dann erklären, warum Marie mir schrieb, ich solle ihr in London die Langeweile vertreiben, wenn sie in Stockholm heiratet? Der Brief ist allerdings einige Wochen oder Monate alt. Ich hatte vergessen, ihn zu öffnen. Er lag zwischen den Entwürfen zu der Neuaufführung des *Wunderbaren Mandarin.*«

»Da lag der Brief ja gut«, sagte Miss Bonnard. »Im übrigen — Marie leidet an Gedächtnisschwäche. Sie muß auch vergessen haben, daß es *mein* zukünftiger Ehemann war, mit dem sie sich verlobte.« —

In diesem Augenblick kam eine Dame aus dem halbdunklen Wintergarten ins Empfangszimmer. Sie stutzte, als sie Louise und den Fremden sah.

»Ich bitte vielmals um Entschuldigung«, sagte die Dame verlegen. »Liegt mein *Evening Standard* vielleicht hier? Es ist schrecklich — ich lasse überall meine Zeitungen liegen! Man will doch wissen, was am Abend in London passiert ist, nicht wahr?«

»Ich nicht«, sagte Miss Bonnard.

»Aber — Miss Louise! Das ist doch die einzige Abwechslung außer den Fernsehprogrammen! Hier im Hotel passiert niemals etwas – zu dumm! Ich schlafe viel besser, wenn ich noch mein Quantum Aufregung aus der Abendzeitung gehabt habe! – Mord im Westend, Diebstähle in ganz London, oder: ›Elektrische Rührmaschine bringt wandernden Ehemann an den häuslichen Herd nach Golders Green zurück.‹ Das freut einen doch, nicht wahr?«

»Er zieht ja doch wieder los«, sagte Miss Bonnard.

»Warum so pessimistisch?« Die Dame sah sich im Zimmer um, als ob der Ehemann aus Golders Green im Bonnard Zuflucht vor dem Familienleben gesucht hätte. »Man *muß* wissen, was vorgeht, Miss Louise!«

»Warum?« fragte Miss Bonnard.

»Es geht uns doch alle etwas an, wenn sie im Parlament oder im Auto zusammenstoßen! Oder wenn wieder eine Herzogin mit dem Milchmann durchbrennt! Es gibt in diesem Land keine Standards mehr – abgesehen vom *Evening Standard*! Und der ist auch verschwunden.«

»Komisch, daß Sie stets Ihre Zeitungen verlegen«, sagte Miss Bonnard. »Warum legen Sie Ihre Abendzeitung nicht immer auf denselben Platz?«

»Das tue ich ja«, erwiderte die Dame beleidigt. »Ich vergesse aber den Platz! – Meinen Sie nicht auch, daß die Unordnung im Universum ansteckend ist? Die Politiker nehmen zu wenig Beruhigungspillen ein – daran liegt das ganze Unglück.«

»Im Gegenteil! Wir nehmen heutzutage die empörendsten Vorfälle viel zu ruhig hin«, sagte Miss Bonnard. »Aber wir wollen uns deswegen nicht streiten! Wir können beide nichts ändern.«

»Es wäre Zeit, sich auf die alten britischen Tugenden zu besinnen! Dann könnten wir allerhand ändern!« entgegnete die Dame. »Aber nach dem letzten Krieg gähnen die Leute bei dem bloßen Gedanken an Tugend! Wir glauben heute alles, was diese unmoralischen Ausländer uns einreden wollen. Dabei fällt mir ein: man schrickt in London direkt zusammen, wenn jemand Englisch spricht! Du meine Güte – ich rede wieder zuviel! Was wollte ich eigentlich noch? Ach so, meine Zeitung! Hier ist sie also auch nicht. Es tut mir leid, daß ich Sie gestört habe, Miss Louise!«

Graf Tsensky hatte fluchtartig den Raum verlassen, als der Redeschwall begonnen hatte. Louise sah seine hohe, gebeugte Gestalt durch die Drehtür verschwinden. Warum hatte er ihre Frage nach Ulrika nicht beantwortet? Auch Louis Bonnard hatte Louise nicht aufgeklärt. Er hatte sich damals am Telephon nur gewundert, daß Louise nicht wußte, wer Ulrika war ... Was sollten diese Ausflüchte? Aber vielleicht gab es gar kein Geheimnis um Ulrika? Vielleicht fanden Louis Bonnard und dieser Herr Tsensky es zu anstrengend oder zu langweilig, sich an Ulrika zu erinnern? Wieviel Zeit mochte seit dem Autounglück vergangen sein? Wieviel Wechsel, Leid und zerplatzte Illusionen hatte es indessen gegeben! Lief die Zeit so schnell davon, weil ihr niemand mehr das rechte Vertrauen entgegenbrachte? Wer immer Ulrika gewesen sein mochte, heute war sie ein machtloser Schatten. Genau wie Louise Bonnard! Adonis lauschte nun einer Nachtigall. Louise war eine von den vielen Londoner Ameisen. Ameisen singen nicht ... Aber richtete Gott sein großes Auge nicht auch auf die stimmlose Kreatur? –

»Die alte Mrs. Bonnard wurde unruhig«, sagte die Hausdetektivin. Louise riß sich zusammen. Die zeitungsuchende Dame, deren Redeschwall den Fremden vertrieben hatte, war wieder die ruhige, nüchterne Nancy Biggs. Sie bückte sich blitzschnell. Graf Tsenskys Portraitskizze von Marie Bonnard verschwand in ihrer großen, braunen Ledertasche.

Louise Bonnard sah weder die Hausdetektivin, der niemand im Hotel den geringsten Scharfsinn zutraute, noch sah sie die Zeichnung mit den beiden Marien in der Tasche verschwinden. Sie blickte blicklos ins Westend. Sie wußte nun, wo sie den Grafen Tsensky gesehen hatte. Er war der *Kavalier* im Kostüm des siebzehnten Jahrhunderts. Marie hatte das Portrait gemalt. Es hing in Paul Bonnards Privatsalon in Brook Street. Der *Kavalier* hatte in seinen steifen Spitzenkragen hineingelächelt, als Marie ihrer Kusine den Mann gestohlen hatte.

»Sprach Ihr Besucher nicht von einem Mörder?« fragte Miss Biggs.

»Da haben Sie sich verhört, meine Liebe«, sagte Louise Bonnard. »Der Herr erkundigte sich nur, wann das nächste Flugzeug nach Stockholm geht.«

DRITTES KAPITEL

Das Fest der hungrigen Geister

I

Hotel Bonnard, Haverstock Hill, London N. W. 3

28. Mai 1959

Lieber Erik,

vielen Dank für Deinen Brief vom 20. Mai! Er war ziemlich überflüssig. Was in aller Welt geht Dich meine Gesundheit an? Aber da Du es durchaus wissen möchtest: es geht mir gut.

Ich kann, offen gestanden, nicht verstehen, weswegen Du Dir Vorwürfe machst! Wenn der Blitz einschlägt und das Haus einstürzt, entschuldigt sich das Haus doch nicht bei der Baukommission! – Du kannst ruhig schlafen: ich habe zweiunddreißig Jahre recht angenehm ohne Dich gelebt und werde es weiterhin tun. Um eine *Sache klarzustellen, die Dir offenbar Kopfschmerzen macht:* Du *brauchst Dir wirklich nicht dumm vorzukommen! Gewiß, Du hast mir allerhand versprochen, was Du nun nicht in die Tat umsetzen kannst! Das ist das übliche! Die meisten Männer versprechen den Frauen in der ersten Hitze alles mögliche . . . Wenn überhaupt von Dummheit die Rede sein soll – dann kann es sich in diesem Fall nur um meine handeln! Ich habe Dir alles geglaubt, nur weil Du es gesagt hast! Ich gebe zu, daß derartige Einfalt bei einer erwachsenen Person kriminell ist. So leicht kann mir derartiges nicht mehr passieren. Meine kritischen Fähigkeiten sind aus ihrem süßen Schlummer erwacht und funktionieren nun wieder in alter Frische. Außerdem gehen wir bald in den Winter. Da hat man in London sowieso einen kühlen Kopf. Man röstet sich nur die Füße oder den Rücken an den elektrischen Öfen.*

Selbstverständlich wünsche ich Dir alles Gute zu Deiner bevorstehenden Hochzeit! Für wen hältst Du mich eigentlich? Schließlich bin ich eine zivilisierte Person und obendrein hoffnungslos undramatisch. Da bist Du bei Marie besser bedient! Sie kann ohne Szenen nicht existieren. Allerdings war sie bis jetzt bei Bühnenleuten in der Schule: Ihre Mutter macht aus allem ein Ballett, und Maries väterlicher Freund zeichnet die Décors dazu. Ich nehme an, daß Graf Tsensky Dir aus Deinen Pariser Tagen ein Begriff ist? Ich lernte Maries Zeichenlehrer zufällig hier in London kennen und muß gestehen, daß eine Unterhaltung mit ihm mir für die nächsten zwanzig Jahre langt ... Monsieur Tsensky denkt sicherlich dasselbe von meiner Konversation. Ein Punkt, in dem wir übereinstimmen!

Was für Gedanken soll ich mir wegen Deiner Hochzeit machen? Hast Du vergessen, daß ich von früh bis spät im Hotel beschäftigt bin? Du hast offenbar zu viel freie Zeit – da kommt man immer auf komische Ideen! Im übrigen bin ich kein chinesischer Geist. Vielleicht interessiert es Dich, daß die Chinesen spaßige Hochzeitslegenden haben? Wahrscheinlich glauben sie auch heimlich in der Volksrepublik daran. Also die Chinesen behaupten, daß bei gewissen Hochzeitsfeiern hungrige Geister aus der Vergangenheit des Bräutigams oder der Braut auftauchen, um ihnen in die Haifischsuppe zu spucken und das Fest im allgemeinen zu stören. Es gibt eben nichts, worauf die Chinesen nicht kommen, wenn es sich um Hochzeiten oder Beerdigungen handelt.

Bei Beerdigung fällt mir ein: Betty Bonnard ist plötzlich in Hongkong gestorben. Mein Onkel Daniel hat dringend um mein Kommen gebeten, bis er sich ohne seine Frau etwas arrangiert haben wird. Betty war großartig im Hotel und im Privatleben. Ich will versuchen, meinem Onkel zu helfen. Ich kenne Hongkong ja und spreche ganz nett Chinesisch, was beim Personal wichtig ist.

Bitte suche mich nicht im Bonnard auf, falls Deine Arbeit Dich und Deine Frau nach Hongkong führen sollte! Ich erinnere mich, daß Du Studien in Hongkong und Macao machen möchtest. Im Prinzip habe ich gegen Verwandtenbesuche nichts einzuwenden, aber es ist unter diesen besonderen Umständen besser, wenn wir uns aus der Ferne gratulieren oder kondolieren.

Madam und Hilda geht es gut — vielen Dank für die Nachfrage! Sie verbringen natürlich den Winter in London N. W. 3. Sie halten es für einen Denkfehler, Reisebekanntschaften zu machen.

Es ist sehr nett von Dir, Dich nach allem im Bonnard zu erkundigen! Aber ich würde Dich bitten, es bei diesem Brief bewenden zu lassen! Antworten sind immer viel taktloser als Fragen — ich weiß nicht, woran das liegt.

Mit freundlichen Grüßen von uns allen,

Deine

Louise Bonnard.

II

»Wer hat dir aus London geschrieben?« fragte Marie Ekelund geborene Bonnard. Erik hob den Brief auf, der ihm aus der Manteltasche gerutscht war. Er verlor immer irgend etwas aus seinen Taschen und suchte immer seinen Hut. Er sagte stirnrunzelnd, der Brief wäre von Louise.

»Was hat sie dir noch zu schreiben? Oder hast du ihr etwa geschrieben?«

»Ist das ein Verhör?« — Dr. Ekelund zog die Augenbrauen in die Höhe. Er hatte bereits auf der Hochzeitsreise festgestellt, daß Marie auf die Luft, die er atmete, eifersüchtig war ... Marie hatte ihrerseits festgestellt, daß Eriks Abneigung gegen die Beantwortung harmloser Fragen an Fanatismus grenzte. Marie war eine hartnäckige Ausfragerin und wurde in dieser Kunst nur von ihrer Mutter Natalya und Staatsanwalt Gustaf Ekelund übertroffen. Ferner hatte der frischgebackene Ehemann festgestellt, daß seine bezaubernde junge Frau niemals eine Kränkung vergaß, ganz gleich, ob sie wirklich oder eingebildet war. Marie war nicht so selbstsicher, wie sie sich gab. Erik war sehr erstaunt gewesen, als er ihre enorme Empfindlichkeit entdeckte. Warum taten die Frauen immer, als ob sie allen Männern turmhoch überlegen wären?

Marie strich sich langsam über die Stirn. Es war eine Geste von erlesener Anmut.

»Fühlst du dich nicht wohl, Kleines?« fragte Erik besorgt.

»Ich bin seit Tagen todkrank. Ich wartete nur ab, *wann* du dich nach meiner Gesundheit erkundigen würdest! Ich dachte immer, ein bißchen Fürsorge gehöre bei der Ehe dazu ... Wir sind jetzt vierzehn Tage verheiratet, und heute fällt dir endlich auf, daß ich langsam zugrunde gehe.«

»Gestern abend ging es dir aber gut, Liebling! Du warst überhaupt nicht nach Hause zu bekommen! Was hast du denn heute?«

»Einen bohrenden Schmerz in der linken Schläfe. Meine Augen schmerzen mich auch. Es wird mein Stirnhöhlenkatarrh sein! Auf den kann ich mich wenigstens verlassen. Er erscheint prompt und kümmert sich um mich.«

Erik lachte.

»Ich machte keinen Witz«, sagte Marie kalt. »Stockholm ist die zugigste Stadt der Welt! Bei mir wird jede Krankheit sofort ernst! Das habe ich von meiner Mutter . . . Die Ärzte sagen, ich sei sehr anfällig.«

»Ich glaube, du kannst allerhand aushalten, wenn es dir Spaß macht.«

»Glaubst du?« – Marie warf ihrem Mann einen undefinierbaren Blick zu. Ihre Emaille-Augen waren halb geschlossen. Sie rückte mit somnambuler Sicherheit ihren Hut zurecht. »Du mußt mich mit Louise verwechseln, Liebling! Sie ist so robust, weil sie vollkommen phantasielos ist. Arme Person! Sie erinnert mich an einen Staubsauger! Sie macht ein eintöniges Geräusch, und niemand hört zu.«

Erik schwieg.

»Was schreibt Louise? Oder darf ich es nicht wissen?«

»Sie fliegt nach Hongkong«, erklärte Erik ziemlich widerwillig.

»Reist sie dir jetzt schon nach? Wir sind doch noch Turteltauben.«

»Es hat nichts mit uns zu tun, Äffchen! Louise besucht Daniel Bonnard. Seine Frau ist plötzlich gestorben. Hat dein Vater es dir nicht mitgeteilt?«

»Papa erinnert sich nur alle sieben Jahre an meine Existenz. Er hat seine Prinzipien.« Maries Gesicht hatte sich verzerrt.

›Ein Produkt entfremdeter Eltern‹, dachte Dr. Ekelund. Er war manchmal nicht nett genug zu diesem wunderschönen Produkt – woran lag das nur? Ihre Schönheit bezauberte ihn immer wieder, aber Maries Wesen war ihm fremd.

»Traurig, daß Betty Bonnard gestorben ist«, sagte Marie ungerührt. »Sie sah aus wie ein Plättbrett. Schwamm darüber! Wenigstens kann sie keinen Stirnhöhlenkatarrh kriegen! Manchmal beneide ich die Toten! Sie haben alles abgeschüttelt wie die Gans das Wasser.«

»Du bist viel zu klein und jung für solche Gedanken!«

»Jugend ist ein Fehler, der sich täglich mindert«, sagt Papa immer. »Schade, daß du ihn nicht kennengelernt hast! Er ist viel jünger als ich.«

»Wir werden ihn ja in Bangkok besuchen.«

»Vielen Dank! Meine Mutter besucht ihn augenblicklich.«

Natalya und Marie vermieden ein Zusammentreffen. Sie sahen sich niemals in Paris. Natalya war mit Betty Bonnard in Hongkong befreundet gewesen, obwohl die ruhige, praktische Engländerin kaum zu ihr paßte. Maries Mutter hatte bei der Nachricht von Bettys plötzlichem Tod eine Absinth- und Tränenorgie gefeiert.

»Betty Bonnard war eine Heuchlerin«, sagte Marie. »Sie war zu jedem nett. Lache nicht, Erik! Die meisten Leute sind so hassenswert, daß man einfach nicht nett sein kann. Jedenfalls sind meine Bekannten in Paris gräßlich.«

»Du bist eine antisoziale kleine Person, Marie! Wer hat dir etwas getan? Alle Leute beneiden dich.«

»Weswegen?«

»Du bist strafbar schön. Kannst dir kaufen, was du willst, und . . .«

»Und hast den wunderbarsten Ehemann zwischen Westen und Osten«, ergänzte Marie. Erik lächelte. Sie lächelte nicht zurück.

»Ich fürchte, ich liebe dich«, murmelte sie. »Das wäre sehr lästig.«

III

Marie Bonnard hatte Eriks Mutter ungünstig beeindruckt. Es mußte eine Abneigung auf den ersten Blick gewesen sein. Marie spürte, daß diese große gemessene Frau mit dem herben Gesicht ihre Feindin war.

Frau Ekelund trug ein antikes silbernes Halsband, das ihren Hals wie eine Eisenfessel umschloß. Zunächst war sie so schweigsam gewesen, daß Marie unruhig wurde. Sie waren allein im Empfangsraum des großen, eleganten Hauses. Das war gestern abend gewesen. Frau Ekelund fand, dieses wandelnde Modejournal passe nicht zu ihrem einzigen Sohn. Sie hatte Louise nie kennengelernt, war aber bereit, sie Marie auf jeden Fall vorzuziehen. Erik schien sich auf

Bonnard-Damen spezialisiert zu haben . . . Die Sache mißfiel ihr. Wenn eine Sache Eriks Mutter mißfiel, ließ sie niemanden in ihrer Umgebung im Zweifel darüber.

Maries Eleganz, ihre kleinen Bosheiten und ihre große Schönheit hatten ihre Schwiegermutter schon bei den Vorgerichten in ein Eismeer der Ablehnung gestürzt. Dabei trug Marie ein schlichtes schwarzes Kleidchen mit weißem Kragen und Manschetten. Aber sie trug auch den unermeßlich kostbaren Schmuck der Pariser Bonnards, ein Nerzcape und ein aus Tüll und Diamanten komponiertes Nichts auf dem silberblonden Haar. Oscar Ekelund – Eriks Vater, ein berühmter Stockholmer Strafverteidiger – hatte seine Schwiegertochter eine Sekunde benommen angeblickt. Sie war das schönste Mädchen, das er jemals gesehen hatte. Als er den Blick seiner Frau spürte, hatte er seine Goldbrille geputzt, als habe die Brille sich beim Anblick dieser Pariser Aphrodite vor Schreck beschlagen . . .

Dann hatte das Verhör begonnen. Im Hause Ekelund wehte wirklich die Luft des Jüngsten Gerichts. Die Wirtschafterin Ulla, mit der niemand sprechen sollte, servierte das feine Essen mit zusammengezogenen Augenbrauen und unheilvollem Blick. Ulla war eine junge Frau von etwa fünfundzwanzig Jahren. Ihre blonden Haare fielen ihr auf die Schultern. Sie servierte den Fisch, als ob die Tafelrunde dem Untergang geweiht wäre. Nur wenn Oscar Ekelund ihr freundlich zunickte, entwölkte sich Ullas Stirn. Sie schien Elin Ekelund zu hassen, und die Dame des Hauses quittierte die Abneigung durch kalte, mißbilligende Blicke. Zum erstenmal im Leben war Marie Bonnard beinahe schüchtern. Ihr Instinkt sagte ihr, daß Madame Ekelund ihre Heirat mit Erik, falls sie davon gewußt hätte, auf jeden Fall verhindert haben würde. Warum hätte Erik sie sonst in aller Heimlichkeit geheiratet?

»Sind Ihre Eltern geschieden, Marie?«

»Natürlich nicht, Madame! Wir haben Hotels im Fernen Osten. Meine Mutter konnte das Klima auf die Dauer nicht vertragen.«

Frau Ekelund hatte Marie nicht aufgefordert, sie vertrauter anzureden. Sie thronte in ihrem Sessel an der kostbar gedeckten Tafel und stellte ihre Fragen in hartem, aber fehlerfreiem Französisch.

»Gingen Sie in Paris zur Schule?«

»Ich besuchte eine Klosterschule in der Nähe von Paris, ein berühmtes Institut.«

Frau Ekelund sah aus, als hielte sie wenig von der Schule, seitdem sie eins ihrer Produkte zu Gesicht bekommen hatte.

»Ist Ihre Mutter Ballettänzerin?«

»Sie ist Ballettmeisterin und hat eine Schule.«

»Lernten Sie auch tanzen?«

»Nein«, sagte Marie. »Ich kam immer zu spät zum Unterricht, und meine Mutter komplimentierte mich daher aus ihrer Klasse hinaus. Seitdem male ich von Zeit zu Zeit.«

»Hatten Sie Unterricht?«

»Ich habe immer noch Unterricht. Mein Lehrer ist ein bekannter Bühnenmaler in Paris. Er ist oft böse, weil ich faul bin. Ich habe gar keinen Ehrgeiz. Ich bin mehr der häusliche Typ.«

Frau Ekelund schwieg zu diesem Scherz. Ihr Talent, eine unbehagliche Atmosphäre zu schaffen, grenzte an Zauberei. Erik hatte gelacht. Bei diesem ungewohnten Laut ließ Ulla die Salatschüssel fallen. »Paß doch auf«, sagte Frau Ekelund scharf. Sie erntete einen stumpf erbitterten Blick von dem sonderbaren Geschöpf.

»Ist Paris ein günstiger Boden für häusliche Interessen?« erkundigte sich Frau Ekelund.

»Paris hat viele Böden, Madame! Niemand kocht so gut und sparsam wie die französische Hausfrau.«

Dies war so allgemein bekannt wie der Eiffelturm oder der Wald von Chantilly, aber Maries Information hatte eine weitere Eisscholle in das Speisezimmer gespült.

»Sie sind doch sicher aus Paris viel Geselligkeit gewöhnt, Marie! Wie wird Ihnen die Einsamkeit des Dschungels zusagen?«

Erik unterbrach das Verhör: »Mach dir keine Sorgen, Mutter! Marie kann in Chiengmai und Bangkok alle Geselligkeit der Welt haben.«

Marie warf ihrem Mann einen schmelzenden Blick zu. »Ich liebe die Einsamkeit«, verkündete sie dann. »Ich bin heilfroh, von Paris wegzukommen.«

»Warum?« – Die Frage kam wie ein Pistolenschuß. Frau Ekelund beobachtete Marie. Sie machte stets geistige Momentaufnahmen von Menschen. Etwas stimmte nicht mit diesem Mädchen, aber Frau Ekelund wußte nicht, was es war. Allein schon die eigentümlich starren und doch strahlenden Augen, mit denen Marie ihren Mann fixierte, als ob sie Eriks Gedanken ausspionieren wollte . . . Dies erschien

Frau Ekelund besonders anstößig, da sie sich niemals für die Gedanken ihres Mannes interessiert hatte.

Marie wurde blaß unter dem Blick dieser intelligenten und schroffen Frau, die ihre Schwächen durch ein Vergrößerungsglas wahrzunehmen schien. Aber Madame konnte Marie bis zum jüngsten Gerichtstag inspizieren – nie würde sie ihr ihre Geheimnisse entreißen! – Marie hatte nicht einmal ihrer Freundin Madeleine Boussac von ihrer heimlichen Hochzeit Mitteilung gemacht und niemanden aus Paris zu dem großen Empfang geladen, den Eriks Eltern morgen in *Berns Salonger* für das junge Paar gaben. Man wußte nie, was die Pariser ausplaudern würden . . . besonders wenn der scharfe schwedische Schnaps ihre Zunge löste. Marie Bonnard war für ihre jungen Jahre bemerkenswert vorsichtig, wenn es sich um ihre eigene Person handelte.

In diesem Augenblick fühlte sie die Augen ihres Schwiegervaters auf sich ruhen. Es versetzte ihr einen Schock. Oscar Ekelund, Stockholms berühmter Strafverteidiger, hatte sich den ganzen Abend unbemerkbar gemacht. Er war so still, bescheiden und mausgrau, daß Marie ihn in ihrer jugendlichen Arroganz ignoriert hatte. In diesem Moment sah er seine Schwiegertochter zum erstenmal aufmerksam an. Sein Blick drang jedem Menschen in die Tiefe der Seele, wo die heimlichen Ängste, die sündhaften Gedanken und das hilflose Bedauern hocken. Und doch war irgend etwas in diesen blauen Augen, das die Angeklagten weicher machte, als wenn Oscar Ekelund scharf und kalt geblickt hätte. War es sein Mitleid mit der irrenden, hilflosen Kreatur? War es seine unausrottbare Überzeugung, daß er auf dieser Welt war, um zu verteidigen, was alle Welt anklagte? Um zu schützen, was alle Welt verfolgte? Was war in diesem unansehnlichen, grauhaarigen Mann, das den Schuldigen die Zunge löste und durch den Rost der Seele drang? – Marie hielt die Augen unter diesem forschenden Blick gesenkt. Ihr Schwiegervater konnte den Leuten mühelos jedes Geheimnis entlocken. Ein Schauer lief Marie über den Rücken. Sie war zu intelligent, um nicht zu erkennen, daß Oscar Ekelund viel gefährlicher war als seine unfreundliche Frau.

»Sie essen so gut wie nichts, mein Kind! Unsere Luft müßte Ihnen doch Appetit machen!« sagte Oscar Ekelund freundlich. Er hatte sich wieder in den anspruchslosen, leicht resignierten Familienvater verwandelt. Sein volles, blasses Gesicht mit den dunklen Schatten unter den bebrillten Augen sah im grellen Lampenlicht müde aus: sackendes Fleisch, zerbröckelnde Konturen, verwischte Züge . . .

Marie bat ihren Schwiegervater um eine Zigarette, um ihre Nerven zu beruhigen. Herr Ekelund reichte ihr Feuer und studierte dabei das handgewebte Tischtuch. Das Muster des Damasttuchs war in den Webstühlen der Provinz Hälsingland komponiert worden. — »Ein Geschenk von Ingrid«, murmelte er. »Wie schade, daß Sie Eriks Schwester nicht kennenlernen können!«

»Es tut mir auch so leid«, sagte Marie. Eriks einzige Schwester, die in ihrem Studio in Stockholm kunstgewerbliches Gerät schuf, war auf ihrer jährlichen Urlaubsreise im hohen Norden. Von diesen Fahrten nach Island und Norwegen, die stets in Schwedens entlegenen Provinzen endeten, brachte Ingrid Ekelund Eindrücke alter schöner Hausgeräte und Ideen für ihre moderne Gestaltung mit. Ihr Bild hing über dem Schreibtisch in Oscar Ekelunds Arbeitszimmer. Marie hatte das schmale, feine, blutlose Gesicht mit den intensiv blauen Augen, das weiches blondes Haar umrahmte, flüchtig angeblickt. Sie hatte nicht den Wunsch, Ingrid Ekelund kennenzulernen. Man heiratete einen Mann, nicht seine Familie.

»Ingrid war Ulrikas beste Freundin«, bemerkte Frau Ekelund. Sie erhob sich aus ihrem geschnitzten Sessel. Ihr Gesicht war vollkommen ausdruckslos. Das Leben war ein langes Mißvergnügen — Ulrika aber hatte es verstanden, aus der Monotonie des Alltags gelegentlich etwas Heiterkeit aufblühen zu lassen. Sie war die personifizierte Lebensfreude gewesen. Frau Ekelund hatte Ulrika geliebt. —

*

»Marie ist eine Lügnerin und Komödiantin«, erklärte Frau Ekelund spät am Abend im ehelichen Schlafzimmer. Sie hatte ihre silberne Halsfessel bereits abgelegt und entspannte sich langsam. Doch ihr Argwohn gegen die schöne Frau ihres Sohne saß zu tief, um sich zu lösen. —

»Sie ist noch sehr jung«, erwiderte Oscar Ekelund nachdenklich.

»Viel zu jung für Erik!« — Selbst Maries Jugend wurde in den Augen ihrer Schwiegermutter zu einem Fehler.

»Hat Ulla die Tür zum Eisschrank geschlossen, Oscar?«

»Es ist alles in Ordnung. Ich habe nachgesehen.«

»Bitte, überzeuge dich noch einmal!«

Frau Ekelund hatte stets eine Reihe von Aufträgen für ihre Umgebung. Ein Instinkt sagte ihr, daß Marie ungern Aufträge ausführen würde. – Herr Ekelund erhob sich gehorsam aus seinem alten Sessel und ging leise bis ans Treppengeländer. Dort rauchte er fünf Minuten in aller Ruhe und kehrte ins Schlafzimmer zurück.

»Alles in Ordnung, meine Liebe! Wie ich dir sagte.«

»Erik muß von Sinnen gewesen sein, als er diese Abenteuerin heiratete. Er wird sein Wunder mit der kleinen Person erleben.«

»Oder sie mit Erik! Er ist ein schwieriger Bursche. Hast du das vergessen?«

»Ich habe nichts vergessen«, sagte Frau Ekelund unfreundlich. »Du weißt genau, daß er nicht schuld an dem Unglück mit Ulrika war!«

»Wir wissen gar nichts«, sagte Strafverteidiger Ekelund langsam. »Und du solltest etwas freundlicher zu deiner Schwiegertochter sein, Elin! Was hast du eigentlich gegen Marie?«

»Nicht das geringste.«

»Das hat man gemerkt!« – Wenn Oscar Ekelund sarkastisch wurde, war er sehr ärgerlich. Er mißbilligte prinzipiell eine Verurteilung ohne Verhandlung. – »Alles hier ist fremd für das junge Geschöpf«, sagte er ruhiger. »Marie kommt aus einer völlig anderen Umgebung und hat meiner Meinung nach ein überempfindliches Nervensystem. Armes, kleines Ding!«

»Du bist nicht auf dem Gericht«, sagte Frau Ekelund. »Du brauchst sie nicht zu verteidigen!«

IV

Der Tag vor dem Empfang in *Berns Salonger* war ein strahlender Sommertag. Erik beschloß, seiner jungen Frau vor ihrem Flug in den Fernen Osten *Gamla stan* – die Altstadt von Stockholm – zu zeigen. Er machte während seiner seltenen Aufenthalte in der Heimat dem Herzen seiner Vaterstadt stets einen Abschiedsbesuch. Das letzte Mal war er mit Louise in *Gamla stan* gewesen. – Erik hatte ein Talent, die Vergangenheit ruhen zu lassen, bis sie vor Entkräftung starb.

Erik hatte nach den Pariser Tagen die Theorie entwickelt, daß das Vergessen ein aktiver Prozeß ist, der einen ganzen Mann verlangt. Denn jeder Narr hat seine eigenen Späße, jeder Tod sein eigenes Beil und jede Vergangenheit ihr eigenes Gift. Wenn man den hungrigen Geistern des Gestern nur die Hintertür des Bewußtseins öffnete, dann erwürgten sie alles Lebendige in einem. Erik hatte es erfahren und hatte seine Lektion gelernt. Sein Brief nach London war sein letzter Denkfehler gewesen, darauf konnte Louise Bonnard sich verlassen!

Marie schritt auf hohen Absätzen durch *Gamla stan*. Sie wäre bedeutend lieber auf der *Kungsgatan* herumgebummelt, um mit den Blicken die eleganten Geschäfte zu plündern. Sie kaufte nichts – sie fand überall in der Welt die Preise empörend.

Die engen Gassen mit den uralten Häusern bedrückten sie. Sie atmete beklommen und schritt in einem Dämmerzustand durch die Gassen und über die Plätze, die soviel schwedische Geschichte erlebt haben. Die Abenddämmerung kroch heran. Hier und dort warfen uralte Laternen ihr Licht auf mittelalterliche Paläste, auf eine Barockkirche, auf holpriges Straßenpflaster und Antiquitätenläden. Herrliches Kupfergerät schimmerte durch schmale Scheiben in die Dämmerwelt der Altstadt: feuriger Glanz in einem Distrikt im Greisenalter. Das moderne Stockholm existierte nicht mehr – wie sollte Marie dort jemals wieder Einlaß finden? *Gamla stan* hatte ihr eine magische Schlinge um den Hals geworfen. Sie wollte fort. Sie blickte stumm zu Erik auf: er unterhielt sich schweigend mit den Kirchtürmen der Altstadt und gab Marie den Blick nicht zurück. ›Ladenschluß‹, dachte Marie. Sie würde Erik seine Abwesenheit von ihrer Anwesenheit abgewöhnen müssen. – Marie hatte keine Ahnung, wie schwer es war, Erik etwas abzugewöhnen.

Er schwieg so beharrlich wie die Fassaden der Häuser in Prästgatan oder wie der »Heilige Georg mit dem Drachen« auf dem Köpmantorget (Kaufmannsplatz). – Der Drachen erinnerte Marie in seiner versteinten Haltung an ihre Schwiegermutter, die von ihren Fenstern in Strandvägen in die Vergangenheit blickte und sich mit dem Gespenst Ulrika unterhielt . . . Marie hatte sofort gespürt, daß Frau Ekelund die Toten den Lebenden vorzog.

Marie freute sich, in einigen Tagen das Letzte von Familie Ekelund zu sehen. Erik war ihr Besitz. Sie trennte sich niemals von irgendeinem ihrer Besitztümer, selbst wenn sie keine Verwendung mehr dafür hatte. Alles kostete Geld auf dieser Welt – auch Zuneigung! Besonders Zuneigung . . . Marie warf dem Drachen einen stechenden Blick zu.

Schweigen. – In Köpmangatan warteten die Antiquitätenläden. In der Luft von Stockholm war schon die Vorahnung von Herbst und Winter. Wie warm glühten die Kupferschalen und Kessel hinter den Fensterscheiben! Aber selbst die leuchtenden Geräte schienen in die tiefen Fenster zurückzuweichen – wie alles in Stockholm . . . Die kalten zeitlosen Arme der Altstadt wehrten ab . . . Marie erkundigte sich bei Erik nach den Preisen der Kupferkannen und Schalen.

»Viel zu teuer«, sagte sie sofort. »Kein Wunder, daß in Stockholm alles im Geld schwimmt. Du kriegst ganz ähnliche Kupferkessel für die Hälfte auf dem Portobello Markt in London.«

»Dies ist Stockholm.« Dr. Ekelund sah so abweisend wie seine Mutter aus. »Du brauchst ja nichts zu kaufen, Marie! Außerdem sind die Läden jetzt geschlossen.«

»Gib mir einen Kuß! Wozu sollen wir uns streiten?«

»Wir streiten uns doch nicht, mein Kind!« Es klang sehr kühl. –

*

Vor Stockholms ältestem Torweg in *Staffan Sasses gränd* drehte Marie sich heftig um.

»Jemand folgt uns«, flüsterte sie. »Hast du ihn gesehen?«

Dr. Ekelund war erstaunt, wandte sich aber seinerseits um und blickte scharf nach allen Seiten. »Uns schleicht niemand nach – beruhige dich!«

»Es war ein Seemann! Ich habe ihn genau gesehen. Er will uns anbetteln.«

»Aber Kind! Er sucht die nächste Wirtschaft! Oder er hat sich in dich verliebt! So ein schönes Mädchen sieht ein Matrose nicht in allen Häfen.«

»Mach keine Witze, Erik! Ich habe ihn gesehen.«

Dr. Ekelund zuckte die Achseln. In diesem Augenblick dachte er lebhaft an Louise Bonnard. Wie vernünftig war sie! Und wieviel Interesse hatte sie für die Altstadt von Stockholm gezeigt. Allerdings hatte sie keine Bleistiftabsätze getragen, sondern solide Sportschuhe, und sie war zehn Jahre älter als Marie. In zehn Jahren würde Marie genauso vernünftig sein – bis auf die Sportschuhe natürlich! Marie bevorzugte hohe Absätze, um größer zu erscheinen. Obwohl sie Louise als »Bohnenstange« bezeichnete, wäre sie wahrscheinlich gern auch so groß gewesen. Erik wußte, daß Marie im Augenblick überreizt war. Die Luft von Stockholm und seine Mutter bekamen ihr nicht. Aber ihre exquisite Schönheit und ihr rätselhafter Blick bezauberten ihn.

Marie schritt in angespanntem Schweigen neben Erik. Die Altstadt dehnte sich und krümmte sich bis ans Ende der Welt. Zweimal blickte Marie sich verstohlen um. Sie hatte sich wohl doch getäuscht. Die engen Gassen im flackernden Licht hatten ihr einen Streich gespielt. Die stummen Schreie, die erstarrten Tränen, das tote Gelächter in den alten verschlossenen Häusern hatten sie in Angst versetzt. Schließlich blickte sie die Mårten-Trotzig-Gasse hinunter: am Ende dieser Straßenschlucht wartete der Tod! – Alles schien zu schwanken und zu stürzen, wenn man in den steinernen Abgrund starrte! Marie zitterte plötzlich. Sie wußte, daß sie diese geisterhaften Straßen, die stummen Paläste, die flackernden Lichter und die Kupferkessel in der Köpmangatan schon einmal im Leben gesehen hatte. War es im Traum oder in einer früheren Existenz gewesen? »*Déjà vu* . . .«, flüsterte ihr eine Stimme zu. In Maries Sinnen und Nerven war ein Wissen, daß sie vor vielen gesichtlosen Jahren in dieser beklemmenden Gasse gelebt hatte und daß es keinen Ausweg in die Welt der Gegenwart gab. Keine Flucht zu Erik – einem Bewohner des modernen Stockholm! Ja, sie hatte das alles schon einmal gesehen: die fühllosen Pflastersteine, die grinsenden Kupferkessel hinter den schmalen, spiegelnden Scheiben und den sich langsam schließenden Horizont, der die Altstadt in wenigen Minuten zumauern würde . . . Sie hatte schon einmal gefühlt, wie die Dämmerung ihr wie eine graue Dusche über Kopf und Schultern stürzte. Marie hatte nur nicht geahnt, daß diese Geisterwelt in *Gamla stan* war . . . Auch damals – im Angsttraum – war jemand hinter ihr hergeschlichen, und der Horizont hatte die Gasse geschlossen. Niemand konnte gegen einen Horizont anrennen – er wich nur scheinbar zurück. Auch damals war ein Hafen in der Nähe gewesen – man brauchte nur eine Straße hinunterzugehen, und schon waren da Schiffe, Lichter, Menschenstimmen, Kräne – alle Attribute der Wirklichkeit und alle Möglichkeiten zur Flucht. Aber zur Stunde der bösen Wunder gab es keine Flucht – nur ohnmächtige Versuche und erstickt tönende Kirchenglocken . . .

»Hier bin ich schon einmal gewesen«, flüsterte Marie Bonnard. Sie drängte sich näher an Erik heran. Ihre Angst wich. Sie hatte sich Erik mit persönlichen Zaubermitteln herangelockt. Nun würde sie sich lebenslänglich an ihn klammern . . .

»Was hast du?« Er legte den Arm um ihre Schulter.

»Nichts . . .«, erwiderte Marie.

Sie hatte ausnahmsweise die Wahrheit gesagt. –

*

Sie beschlossen den Abend wieder in dem berühmtesten Kellerrestaurant von *Gamla stan*. Der *Gyldene Freden* in der Österanggatan hatte schon um das Jahr 1721 Gäste bewirtet. Dort hatte Bellman seine Lautenlieder gesungen, und auch im Jahre 1959 gab es in diesem von Kerzenlicht erhellten Keller Lieder, Gespräche, Lebenslust, junge Frauen und alte Weine.

Erik und Marie küßten sich auf der Kellertreppe. Eriks Küsse scheuchten alle Geister von dannen. Sie waren Maries Speise, ihr Wein, Pfand ihres gebrechlichen Friedens . . .

»Ich liebe dich, Erik!«

»Was verstehst du Baby von der Liebe?«

Marie warf den Kopf zurück. »Ich verstehe genug, um mich in acht zu nehmen!«

»Genug ist immer zu wenig«, sagte Erik Ekelund.

Marie starrte ihn an. In ihrem Blick lauerte leere Erfahrung.

V

Berns Salonger strahlte in festlichem Glanz.

In dem riesigen Lokal, das die feierliche und sorglose Atmosphäre der neunziger Jahre bewahrt hatte, gaben Dr. Oscar Ekelund und seine Frau einen Empfang für das junge Paar, das in wenigen Tagen nach dem Fernen Osten fliegen würde.

Bei *Berns* wurde schwedisch, französisch und chinesisch gekocht. Man hatte sich für Haifischflossen-Suppe, Bambussprossen, Peking-Ente und Lichifrüchte entschieden. Es waren nämlich eine Anzahl Gäste aus dem Fernen Osten anwesend, die ihren Europa-Urlaub mit diesem Fest in Stockholm abschlossen. Die Amerikaner blickten erstaunt umher. Sie hatten nirgends sonst in Europa etwas wie *Berns Salonger* gesehen. Die pompösen Kronleuchter, die langen Galerien, die soliden Sofas, von denen man nicht wieder aufstehen mochte, die ganze *old-world* Atmosphäre bildeten einen verblüffenden Kontrast zu dem neuen Stockholm, dem Flughafen, dem Weltstadtverkehr am Stureplan, den neuen Wohnvierteln in den südlichen Vorstädten, die das Letzte an lichter und maßvoller Eleganz des Wohnens zeigten. – *Berns Salonger* war das schwedische Schlaraffenland, eine Insel des Behagens und der materiellen Genüsse, die zwischen der mythischen Altstadt und dem modernen Stockholm lag. Es war übrigens ein großbürgerliches Schlaraffenland. Die Genießer, die unter den feierlichen Kronleuchtern speisten, waren Träumer mit Bankkonto.

Wie stets war Strafverteidiger Oscar Ekelund die Unauffälligkeit in Person. Er betrachtete aus übermüdeten Augen seine junge Schwiegertochter in ihrem schulterfreien, schwarzen Abendkleid: Außergewöhnliche Schönheit war auch ein Verbrechen . . . Ekelund senior hatte einmal im Gerichtsgebäude einen oft zitierten Ausspruch getan: »Wenn ein Mitglied meiner Familie in Schwierigkeiten käme, ich müßte die offizielle Verteidigung ablehnen. Ich habe sie allzulange *täglich* verteidigt . . .«

Von Marie Bonnard wußte er nichts. Er sah nur ihre Besonderheit, nicht ihre Persönlichkeit. Oscar Ekelund – der tiefe Menschenkenner – stand verblüfft vor diesem jungen Geschöpf, das instinktiv oder vielleicht raffiniert seine Gedanken und Gefühle hinter einem leeren Blick verbarg. Oder hatte Marie kein Zentrum? War sie nur ein bezaubernder Widerschein in den Augen der Männer und ein sehr reales Ärgernis für andere Frauen? Sah Marie sich jemals ohne Maske? Oder gewann sie wirklich nur Leben durch die schöpferische Phantasie eines Liebhabers? Wurde sie eine Marionette, wenn der Mann schließlich nach einer warmherzigen Gefährtin hungerte und sich von dem Phantom abwandte? Oscar Ekelund studierte verstohlen Maries Züge und ihre seltsamen Augen. Er hatte einmal das Ballett *Coppélia* gesehen, weil Ulrika darin getanzt hatte. Aber Ulrika war zu lebendig für die animierte Puppe gewesen. Marie Bonnard war die wahre Coppélia – »das Mädchen mit den Emailleaugen«, das die Männer anlockte . . . Oscar Ekelund schüttelte den

Kopf über sich selbst. In welche Regionen hatte der Anblick von Marie Bonnard ihn versetzt? –

»Bitte, kümmere dich *etwas* mehr um unsere Gäste, Oscar!« Elin Ekelund stand neben ihrem Mann und folgte seinem Blick. »Maries Kleid ist viel zu tief ausgeschnitten!«

»Das ist jetzt die Mode, meine Liebe!«

»Man macht nicht jede Mode mit«, erwiderte Frau Ekelund und preßte die feinen Lippen zusammen. »Ach, bitte, suche meine Handtasche! Und willst du mir auch meine Stola holen? Es ist mir kalt.«

»Wo ist Ulla?« fragte Oscar Ekelund.

»Zu Haus natürlich! Sie putzt das Silber und stopft Kissenbezüge.«

»Sie hätte so gern einmal so ein Fest gesehen – ich meine natürlich von weitem! Ulla hätte niemanden gestört.«

»Eine Mörderin hätte uns heute abend gerade noch gefehlt! *Du* hast Ideen, Oscar!«

Ekelund senior hatte Ulla Andersson verteidigt. Sie hatte einen Mord aus Leidenschaft begangen, nachdem der Mann sie bis zur Ausschaltung aller moralischen Hemmungen provoziert hatte. Nun war das frühere Kindermädchen zum Ärger von Frau Ekelund Wirtschafterin bei ihnen. Ulla hatte keine Stellung bei Familien mit Kindern in Stockholm finden können.

»Ich will nichts über Ulla hören«, sagte Oscar Ekelund scharf. Seine Nasenflügel verengten sich, und seine Lippen zogen sich herab. Seine Oberlippe verschwand beinahe – er sah so streng aus, daß seine Frau einen anderen Ton anschlug.

»Schon gut«, murmelte sie. »Es ist ganz unwichtig.«

Dies war Elin Ekelunds Formel der Entschuldigung. Ihr Mann winkte einen Kellner heran und gab ihr ein Glas Sekt. »Trink«, sagte er freundlich, »wir spielen hier die fröhlichen Gastgeber!«

Er entschuldigte sich mit keinem Wort für seine Schärfe. Er entschuldigte sich niemals bei seiner Frau. Es bekam ihr nicht. –

In diesem Augenblick sagte ein Gast zu einem Bekannten: »Wie ich höre, ist Oscar Ekelund ein berühmter Strafverteidiger. Er sieht eigentlich gar nicht danach aus – was meinen Sie?«

Dr. Francis Littlewood schwieg einen Augenblick. Dann fragte er, während er Ekelund senior intensiv betrachtete: »Können Sie mir sagen, wie ein berühmter Strafverteidiger aussehen soll? Bei solchen Leuten sitzt die Kraft doch innen!«

Vicekonsul Fuller aus Tokyo betrachtete daraufhin Dr. Francis Littlewood aus Ohio, USA, der augenblicklich im Lepra-Hospital in Chiengmai in Nord-Siam arbeitet. Dr. Littlewood war Eriks bester Freund. Sie hatten sich in Asien kennengelernt.

»Sie sehen zum Beispiel wie ein Staatsanwalt aus, Littlewood«, sagte Konsul Fuller lächelnd. »Ich möchte Ihrem Blick nicht im Gerichtssaal ausgesetzt sein.«

»Mein lieber Fuller! Ich kann keinem Moskito etwas zuleide tun. Ich bin ein simpler Dschungeldoktor. Aber reden wir nicht von mir. – Wie gefällt Ihnen Eriks junge Frau?«

Er blickte den lustigen Konsul Fuller aus Washington an, als ob viel von seiner Antwort abhinge. Fuller sah viele Leute und kannte sich angeblich mit Frauen aus.

»Die schönste junge Frau, die ich in den letzten zwanzig Jahren von weitem bewundert habe. Beinahe zu schön, um wirklich zu sein.«

Dr. Littlewood blickte den Konsul erstaunt an. Aber er erkannte an dem vergnügten Lächeln, daß keine hintergründige Anspielung beabsichtigt gewesen war. – Littlewood hatte einige Jahre Psychiatrie studiert und witterte manchmal hinter einem Scherz eine tiefere Bedeutung. Da er Ähnliches über Marie Bonnard gedacht hatte, war er so überrascht gewesen, daß Fuller die Formulierung gefunden hatte, auf die er selbst nicht gekommen war . . . Er fixierte Marie Bonnard mit unbewegtem Gesicht – eine Eigentümlichkeit, die ihm die Zuneigung asiatischer Patienten sicherte – und sagte schließlich:

»Ich würde die schöne Marie nicht für eine Million Dollar heiraten.«

»*Ich* hätte mit mir reden lassen.« – Konsul Fuller war sehr glücklich verheiratet und konnte sich solche Späße leisten. »Haben Sie jemals solche Augen gesehen, Littlewood?«

»Ja«, erwiderte der Arzt kurz. Er sagte nicht, wann und wo er solche Augen gesehen hatte. »Die junge Medusa muß ähnlich geblickt haben!«

Der Konsul lachte herzlich. Wo Littlewood nur diese Vergleiche hernahm! Er schien sich auf mythologische Damen besser zu verstehen als auf Mädchen von Fleisch und Blut.

»Wie gefällt Ihnen *Berns?*« fragte der Konsul, um das Thema zu wechseln.

»Absolut pompös. Ein Filmintérieur aus dem neunzehnten Jahrhundert, wie man sie in Hollywood aufbaut, wenn eine Verkäuferin aus Brooklyn in ein historisches Kostüm gesteckt wird und der Produzent nun annimmt, sie könne Geschöpfe jener Zeit verkörpern ... Hier bei *Berns* ist wenigstens alles echt. Übrigens soll Strindberg unter solchen Kronleuchtern gespeist haben.«

»Das wundert mich nicht! Frauenhasser schätzen die Tafelfreuden. Da brauchen sie sich nicht anzustrengen und wissen genau, wo ihre Gallenleiden herkommen ... Übrigens hatte ich in Indien den guten Erik Ekelund im Verdacht, ein Frauenhasser zu sein.«

»Das ist nur ein Liebender mit umgekehrtem Vorzeichen! Ich glaube, die Gastgeber blasen zum Angriff! Wie ist's mit Ihnen, Fuller? Smörgåsbord oder chinesisch?«

»Ich bin für Lachs, Hering, Salate und Berge von Mayonnaise. Zu Hause muß ich Diät halten, sonst bekomme ich es mit meiner Frau zu tun! Tja – ich kann mir Erik als Ehemann schwer vorstellen!«

»Es geschehen Zeichen und Wunder – besonders im Land der Laos! Die Luft ist voll von Geistern und Zauberei. Nichts für nervöse Leute, würde ich sagen.«

»Seit wann ist Erik Ekelund nervös?«

»Ich meine seine junge Frau«, erwiderte Dr. Littlewood kurz.

»Marie ist doch besonders sanft. Ein kleiner Pariser Engel!«

»Sie haben offenbar noch wenig Engel inspiziert, Fuller! Aber ich lasse mich gern eines Besseren belehren ... In Chiengmai werde ich Eriks Frau ja näher kennenlernen.«

»Junggesellen haben eben alles Glück auf der Welt!«

»Wenn Sie das glauben, dann sind Sie besonders gutgläubig«, erwiderte Dr. Francis Littlewood.

*

Gegen Ende des Festes machte sich Staatsanwalt Gustaf Ekelund mit Marie bekannt. Er war der einzige Bruder von Eriks Vater und hatte den Ruf, durch Wände zu blicken und einen Angeklagten durch anfängliche Liebenswürdigkeit und einen sanften Ton in Sicherheit zu wiegen. Wo Staatsanwalt Ekelund dann richtig zupackte – da gedieh kein Plädoyer mehr ... so hieß es in Gerichtskreisen. Daher wurde er von Gerechten und Ungerechten gleichermaßen gefürchtet. Marie hatte den großen, überschlanken Mann mit den hellen Augen und der hohen Stirn einige Male verstohlen betrachtet. Es war ihr aufgefallen, daß Staatsanwalt Ekelund ziemlich grimmig aussah. Er lächelte in der Tat niemals, konnte aber bei Gelegenheit ein Lächeln ausgezeichnet imitieren. Wenn Staatsanwalt Ekelund diese kleine Vorstellung im Gerichtssaal gab, dann konnte ein Angeklagter schlafen gehen und mit sechs Jahren Zuchthaus wieder aufwachen. Im großen ganzen ließen hübsche Verbrecherinnen ihn genauso kalt wie häßliche — aber er beurteilte hübsche Mädchen milder. Sie waren größeren Versuchungen und Gefahren in einer Welt ausgesetzt, in der Schönheit und Jugend kommerziell ausgebeutet und kritiklos angebetet wird, bis das Mädchen in der Tinte sitzt. Es saß zum Schluß meistens in der Tinte — wie Ulrika! Staatsanwalt Ekelund hatte sich vorgenommen, nicht mehr an Ulrika zu denken — aber das war schwierig.

»Ich freue mich, Sie kennenzulernen!« Gustaf Ekelund trat an Marie heran. Er fand sie sehr schön in ihrem schulterfreien Kleid mit der echten Spitze um das tiefe Dekolleté. Marie trug ein großes Abendkleid mit besonderer Anmut. Alle ihre Tageskleider und Kostüme waren nur Andeutungen, wie sie am Abend wirken konnte.

Marie warf dem auffallenden Mann einen koketten Blick zu. »Ich weiß nicht . . .« Der Fremde erinnerte sie ein wenig an Erik, nur daß er soviel bestimmter wirkte. Viel älter natürlich und . . . Marie wußte nicht, was den eigentlichen Unterschied ausmachte. Alles war scharf an diesem Mann: sein Jägerauge, sein Profil, die Falten, die sich zu den Mundwinkeln herunterzogen. Dynamische Kraft ging von ihm aus und eine leise Strömung intellektuellen Mißtrauens. Es gab auf den ersten Blick keinen größeren Gegensatz zwischen Brüdern als den zwischen Oscar und Gustaf Ekelund. Sie wirkten wie ein scharfer und ein leicht verwischter Abzug von ein und derselben Kupferplatte. Ihr Vater war schon ein berühmter Jurist und Gesetzesausleger in Stockholm gewesen . . .

»Ich bin Gustaf Ekelund, Ihr neuer Onkel!«

Marie lächelte bezaubernd. »Ich wünschte schon den ganzen Abend, Sie kennenzulernen! Sie erinnern mich so an Erik!«

Falls der Staatsanwalt erstaunt war, dann zeigte er es nicht. Seit seinem Eintritt in die Familie Bonnard hatte sein Lieblingsneffe an Ansehen bei Gustaf Ekelund verloren. Man verlobte sich nicht hintereinander mit Kusinen. Schade, daß es noch kein Gesetz dagegen gab!

»Ein solches Kompliment von einer so reizenden jungen Dame habe ich lange nicht bekommen«, sagte er verbindlich. »Erik ist der professionelle Herzensbrecher in unserer Familie. Was gibt's da zu lachen, schöne Marie?«

Staatsanwalt Ekelund war liebenswürdig wie selten. Ob Maries delikate Schönheit selbst diese Säule der Gerechtigkeit ins Wanken brachte? In diesem Augenblick beugte sich der Staatsanwalt von seiner imponierenden Höhe zu der elfenhaften Marie hinunter. »Wir sind ja nun höchst angenehm miteinander verwandt!« Er hatte schon lange nicht eine so perfekte Imitation eines Lächelns geliefert. »Wie schade, daß niemand von Ihrer Familie heute abend zugegen ist.«

»Ich bin auch untröstlich.«

»Irre ich mich, oder war Ihr Herr Vater kürzlich in Paris? Von dort wäre es ein Katzensprung nach Stockholm gewesen.«

»Papa mußte nach Bangkok zurück! Sonst wird unsere Chinesin größenwahnsinnig.«

Staatsanwalt Ekelund hatte so viele merkwürdige Antworten im Lauf seiner Karriere bekommen, daß er »unsere Chinesin« nicht weiter kommentierte.

»Pao Pei leitet das chinesische Restaurant«, erklärte Marie. »Allerdings spuckt Mama ihr gelegentlich in die Haifischsuppe. Mama weiß alles besser.«

»Sie ist eine Russin, nicht wahr?«

»In Paris geboren. Ist das ein mildernder Umstand?«

»Das hat Ihre Frau Mutter nicht nötig«, sagte Staatsanwalt Ekelund mit solcher Bestimmtheit, daß Marie ihn erstaunt anblickte.

»Ich habe ein Bild von ihr in einer Kunstzeitschrift gesehen. Der Maler ist Alexander Tsensky. Ein interessantes Portrait und ein interessanter Maler!«

»Kennen Sie den Grafen Tsensky?«

Staatsanwalt Ekelund revanchierte sich mit einer Gegenfrage. Es mußte eine Berufskrankheit sein. – »Sie werden ihn doch sicher kennen, wo Ihre Frau Mutter so eng mit dem Ballett verbunden ist?«

»Ganz flüchtig! Mamas Freunde sind Greise.«

»Also in meinem Alter!«

Marie wurde rot. »Entschuldigen Sie, so war es absolut nicht gemeint.«

»Unter Verwandten kann man sich schon die Wahrheit sagen! Wir müßten uns eigentlich alle unsere Geheimnisse anvertrauen – was meinen Sie?«

Marie lachte. »Was hat man mit zweiundzwanzig Jahren zu verbergen, Herr Staatsanwalt?«

»Das müßten *Sie* mir schon verraten, mein Kind. Ich hörte immer, junge Damen fingen mit sechzehn Jahren mit ihren Geheimnissen an.«

»Das sind komische junge Damen. Haben sie es Ihnen erzählt?«

»Ein Geheimnis werden Sie mir aber sicher verraten, Marie! Ist dies eine französische Spitze an Ihrem Kleid? Ich bin ein Liebhaber alter Spitzen.«

Staatsanwalt Ekelund kannte die Spitze und die Antwort. Manchmal erschien ihm das Leben eintönig, weil er so wenig Neues erfuhr.

»Ich habe die Spitze geerbt«, erklärte Marie geschmeichelt. »Ich glaube, Urgroßmutter Bonnard trug sie schon in Paris. Die Spitze wird heute nicht mehr hergestellt. Es ist *Chantilly*.«

»*Chantilly?*« Gustaf Ekelunds helle kalte Augen schienen Marie zu durchbohren. Die senkrechte Falte über seiner Nasenwurzel vertiefte sich. Solch eine Falte verrät die Fähigkeit zur Konzentration. Sie ist ein Kompaß, mit dessen Hilfe feste Ziele angesteuert werden. Marie war zu jung, um solche Gefahrensignale zu erkennen.

»Ihre Spitze erinnert mich an den Wald von Chantilly! Vielmehr an ein Autounglück zwischen Chantilly und Paris.«

»Ich weiß nicht, wovon Sie sprechen!«

»Ich spreche von Ulrika«, sagte Staatsanwalt Ekelund. »Sie war meine Tochter.«

Marie starrte ihn an. Ulrika Lundquist, die Ballerina des schwedischen Königlichen Balletts, war die Tochter dieses Mannes? Erik hatte diese Tatsache niemals erwähnt. Er hatte nach dem Unglück überhaupt nichts erwähnt, denn er war am gleichen Abend von Paris abgereist, ohne Marie noch einmal zu sehen. So hatten sie sich sofort aus den Augen verloren. Das Leben lieferte viel unwahrscheinlichere Situationen als ein Roman. Aber Marie hatte sich Erik nun auf Umwegen gesichert.

»Haben Sie damals in Paris das Ballett *Das Mädchen vom Berge* gesehen?« fragte Ulrikas Vater gedankenverloren. »Alexander Tsensky hatte Ulrikas Kostüme entworfen.«

»Davon hat er mir kein Wort gesagt!«

»Ich denke, Sie kennen Herrn Tsensky kaum?«

»Ich meine, Mama hat mir nichts davon erzählt«, sagte Marie schnell. »Ich gehe niemals ins Ballett. Ich hasse es.«

»Warum?«

»Weil nicht gesprochen wird! Es ist gräßlich, mit anzusehen, wie stumme Personen sich im Kreise drehen! Wie geschminkte Geister.«

Marie sah in diesem Augenblick einen Geist, der lebenshungrig durch *Berns* tanzte: Ulrika Ekelund, die den Bühnennamen »Lundquist« getragen hatte. Sie war tot. Niemand konnte sie wieder zum Leben erwecken. Sie mußte tot bleiben . . . Obwohl die Toten der Zahl nach überwogen, konnten ihre hungrigen Geister sich nicht mehr an den Tafeln der Lebenden satt essen. Die Geister waren Oktobergeschöpfe — stolz, traurig, nicht mehr neugierig und tanzten im kalten Wind. Auch Ulrika — besonders Ulrika!

Erik trat zu Marie und blickte sie erstaunt an. Eben hatte sie noch Gustaf Ekelund bezaubert, und jetzt war sie weiß im Gesicht. Tiefe Schatten lagerten um ihre Augen. Ihre Erschöpfung machte sie um Jahre älter. Sie war plötzlich älter als das älteste Haus, das mit frostigen Geheimnissen bis zum Dachboden angefüllt ist.

»Was ist dir, Marie? — Wovon habt ihr euch so lange unterhalten?«

Erik bemühte sich, ein leises Mißtrauen aus seiner Stimme zu bannen. Nach Ulrikas tragischem Tod auf der Landstraße war ihm nie recht wohl in Gegenwart ihres Vaters. Obwohl er keine Schuld an dem Unglück hatte! Das stand fest. Nicht einmal Staatsanwalt Ekelund konnte ihm eine Schuld in die Schuhe schieben. Übrigens hatte er niemals diesen Versuch gemacht. Er hatte sich Eriks Bericht regungslos angehört und wohl oder übel die Akten über den Unglücksfall geschlossen.

»Wir sprachen über alte Spitzen«, antwortete Gustaf Ekelund. »Mein Kompliment, Erik! Deine Frau sieht bezaubernd aus.«

Ein später Gast betrat den Festsaal und steuerte direkt auf Marie, Erik und den Staatsanwalt zu. Er war im Reiseanzug und ein Bewohner anderer Welten. Er wirkte distinguiert und trotzdem von innen her leise verrottet.

»Wer ist das?« fragte Erik. »Kein Stockholmer! Die kenne ich alle von früher her.«

»Graf Tsensky«, flüsterte Marie. »Du weißt doch, Liebling: der berühmte Bühnenmaler! Mamas alter Freund!«

»Na und . . .?« fragte Dr. Erik Ekelund mit unsichtbar hochgezogenen Brauen. »Ich kann mich nicht erinnern, daß wir ihn eingeladen hätten.«

»*Ich* habe ihn eingeladen«, sagte Marie hastig. »Bei soviel Gästen kommt es wohl auf eine Person mehr nicht an. Ich dachte es mir nett, weil doch niemand von meiner Familie . . .« Sie brach ab, weil Gustaf Ekelund sie unverwandt betrachtete. »Es sollte eine Überraschung sein«, fügte sie tonlos hinzu.

»Die ist Ihnen gelungen!« – Staatsanwalt Ekelund erhob sich. Er hatte sich von etwas überzeugt, was er mit sicherem Instinkt vermutet hatte: Marie Bonnard war eine Lügnerin. Sehr geschickt für einen so jungen Menschen, aber nicht gut genug, um Gustaf Ekelund zu täuschen . . . Er witterte irgendein Geheimnis. Wie war es Marie gelungen, seinen Neffen wieder einzufangen? Erik war doch ganz offenbar nach dem Autounglück in einer Panik aus Paris geflohen. Seine überraschende Verlobung mit Louise Bonnard war gar nicht so überraschend, wenn man die psychologischen Umstände bedachte. Erik hatte ein neues Kapitel anfangen wollen. Es war jedoch nur eine Fortsetzung zu dem Kapitel »Marie Bonnard« geworden . . . Nicht einmal ihren richtigen Namen hatte sie ihm in Paris verraten! Aber er stand unter ihrem Einfluß. Ihre außergewöhnliche und ätherische Schönheit hatte ihn in Bann geschlagen. Es gefiel Gustaf Ekelund ganz und gar nicht.

Er schenkte Marie Bonnard einen letzten Blick. Schade, daß man die Leute immer nur für das bestrafen konnte, was sie taten, und niemals für das, was sie waren . . . Das Strafrecht und das innere Tribunal waren getrennte Abteilungen. Die modernen Schwesterwissenschaften der Psychologie und Soziologie gaben nur Gastrollen im Gerichtssaal. Gustaf Ekelund verurteilte in diesem Augenblick die junge bezaubernde Marie Bonnard wegen eines unbekannten und ungreifbaren Verbrechens. Er schritt hochaufgerichtet aus dem Festsaal, in dem ein babylonisches Sprachengewirr herrschte.

Marie Bonnard starrte ihm nach. Sie wußte nicht, wieviel er von ihr wußte. Sie wußte nur eins: um Staatsanwalt Ekelund wehte die Luft des Gerichts. –

VI

Gegen ein Uhr nachts verließ Eriks Vater das eheliche Schlafzimmer und betrat auf Zehenspitzen sein »Rauchzimmer«. Es war ein länglicher Raum, dessen Wände bis an die Zimmerdecke mit Buchregalen voll juristischer Literatur bedeckt waren. Oscar Ekelund war sehr müde und trotzdem sehr wach. Er dachte über Marie nach. Würde Erik mit ihr glücklich werden?

Es war ihm nicht entgangen, wie blaß Marie während des Gesprächs mit seinem Bruder geworden war. Wie verwirrt hatte sie seiner Frau und ihm den Grafen Tsensky vorgestellt! Armes kleines Ding!

Sein Bruder Gustaf hatte stärkere Naturen um die Fassung gebracht. Der Staatsanwalt hatte sich über das Gespräch ausgeschwiegen, und Oscar Ekelund hatte keine Frage gestellt. Marie war ein nervöses junges Menschenkind – und sein Bruder war eine Persönlichkeit ohne Baldrianzusatz. Wie traurig war es für Marie, daß nicht ein einziges Mitglied ihrer riesigen Familie zu diesem Fest gekommen war! Sie schien vollständig isoliert in einem Kreis zu sein, in dem man offenbar zwischen Westen und Fernem Osten in engem Kontakt lebte. Oscar Ekelund hatte herausgefunden, daß freiwillige oder auferlegte Isolierung zu einem Mangel an Selbstvertrauen führte, den die Leute durch Arroganz oder Angriffslust auszugleichen suchten.

Er seufzte und nahm von einem Regal ein bestimmtes Buch herunter: Bjerres *Scheinleben*. Der bekannte schwedische Wissenschaftler hatte hauptsächlich »den kleinen Verbrecher« erforscht. Er hatte viel mit der isoliert lebenden schwedischen Landbevölkerung zu tun gehabt und beschrieb ein Phänomen, das er den »radikalen Mangel an Selbstvertrauen« nannte; eine besondere Art von Lebensuntauglichkeit, die Bjerre bei nervösen Naturen festgestellt hatte. Alle diese Menschen neigten dazu, sich an Stärkere anzuklammern. Aber war Marie Bonnard lebensuntauglich? »Wir kennen sie alle nicht genug«, dachte Oscar Ekelund. Ein Unbehagen erfüllte ihn und machte ihn rastlos. War dieser russische Bühnenmaler, den Marie »Onkel Sascha« nannte, wirklich nur ein harmloser Freund der Pariser Bonnards? Und warum hatte Marie ihren Schwiegereltern seine Existenz verschwiegen? Sie hatten ihr die Liste der Eingeladenen vorgelegt und ausdrücklich um Namen und Adressen gebeten. Marie mußte doch Freunde haben, wenn schon die Verwandten einstimmig abgesagt hatten. Etwas stimmte da nicht. Aber man durfte nicht vorschnell urteilen. Jedes junge Ehepaar mußte seine Probleme selber lösen. Vielleicht würde alles gut gehen.

Als er das Schlafzimmer leise betrat, fragte seine Frau, was er so lange unten gemacht hätte.

»Ich habe nachgesehen, ob alles in Ordnung ist! Nun brauche ich nicht mehr hinunterzugehen!«

»Wir haben morgen nachmittag Besuch, Oscar! Bitte, sei zu Haus!«

»Tut mir leid, meine Liebe! Ich habe eine dringende Besprechung.«

Frau Ekelund zuckte die Achseln. Nichts würde ihren Mann bewegen, zu Hause zu bleiben.

»Das hätte ich mir denken können«, sagte sie schroff. »Deine Verbrecher sind dir immer wichtiger als deine Familie! Uns würdest du erst deine Zeit und Aufmerksamkeit widmen, wenn wir etwas anstellten!«

»Sei nicht so sicher, daß ich meiner Familie nicht alle meine Zeit und Aufmerksamkeit widme«, erwiderte Dr. Oscar Ekelund. –

Er hatte keine dringende Besprechung am nächsten Nachmittag; aber er hatte gehört, wie Marie sich mit dem Grafen Tsensky in flüsternder Hast verabredet hatte. Sie wollten sich in den Milles Gärten auf der Felseninsel Lidingö treffen. Erik war mit seinen beiden amerikanischen Freunden zu einer Abschiedsstunde im *Grand* verabredet. Konsul Fuller und Dr. Littlewood wollten am Tag darauf in den Fernen Osten zurückfliegen.

In Lidingö schienen die steinernen Engel auch zu fliegen. Diesen Statuen schenkte Oscar Ekelund seine volle Aufmerksamkeit – genau wie seiner Familie.

Und die Engel auf Lidingö wußten es ebenfalls nicht . . .

VIERTES KAPITEL

Die Engel von Lidingö

Tsensky wartete . . .

Marie hatte sich wieder einmal verspätet. Man mußte hoffen, daß ihr Ehemann nach den Flitterwochen, wenn das Blut kälter und die Ungeduld heftiger wurde, der lieben Kleinen etwas Pünktlichkeit und Rücksicht auf ihre Mitmenschen beibringen würde. Beide Tugenden gingen den Pariser Bonnards völlig ab.

Graf Tsensky hatte bereits eine halbe Stunde in den Milles-Gärten zugebracht und wurde merklich mißgestimmter, da er mit niemandem von sich selbst reden konnte. Er brauchte ein Publikum. – Wie die meisten Sklaven des Theaters verlangte er strikte Aufmerksamkeit von seiner Umgebung. Er hatte sich zum ersten Mal näher mit Marie Bonnard befaßt, nachdem sie allen möglichen unwilligen Zuhörern seine Kritiken von A bis Z vorgelesen hatte. Damals war sie ein Teenager gewesen. In den letzten sechs Jahren hatte sie sich sehr verändert. Marie sah nun ihr eigenes Portrait in jedem Spiegel . . .

Wann zum Kuckuck würde sie endlich hier erscheinen? Tsensky hatte versucht, sich mit den Statuen, die ihm in diesem nordischen Elysium auf Schritt und Tritt über den Weg liefen, zu unterhalten. Verlorene Liebesmüh! Einmal waren die Statuen in den Milles-Gärten trotz ihres klassischen Stammbaums schwedischen Geistes und hingen daher schweigend ihren Gedanken nach. Und dann interessierten sie sich nicht im geringsten für den Grafen Tsensky aus Paris. Niemand in Stockholm interessierte sich für ihn. Das war eine ganz neue Erfahrung. Verlasse dein Haus, deine Straße, deine Stadt, und du bist ein Tourist, eine Null mit einer Brieftasche, ein Eindringling und ein kultureller Außenseiter! So war es, und so blieb es – auch wenn alle Reisebüros der Welt einem das Gegenteil einreden wollten . . . Auch die Vereinten Nationen der Hotelbesitzer begrüßten nur die Brieftaschen.

Tsensky wartete . . .

Kein bekanntes Gesicht, kein Boulevard ringsum! Der riesige, von dem Bildhauer Carl Milles angelegte Felsengarten auf der Insel Lidingö war Tsensky wesensfremd. Er selbst arbeitete mit künstlichen Himmeln und Gärten, und seine Götter trugen *seine* Kostüme. Wie Tsenskys Ballettänzer ignorierten die gigantischen Statuen unter dem schwedischen Himmel allerdings die Gesetze der Schwerkraft, aber sie schwebten auf der Stelle. Ein statisches Ballett beunruhigte Alexander Tsensky. Obendrein war die Atmosphäre in diesem nordischen Olymp so faszinierend in ihrer strengen Träumerei, daß Tsensky sich im Augenblick mehr für den »Europa-Brunnen« interessierte als für die unpünktliche Marie. Wie konnte er einem durchtriebenen jungen Ding, das ihm einfach davongelaufen war, zürnen, wenn Orpheus stumme Lieder sang oder Poseidon den dürren Boden des Felsengartens mit strömenden Wassern tränkte? Die Engel, Götter, Fabelwesen und Menschenbilder umgaben Alexander Tsensky, ohne ihn zu sehen. Eine fremde Ekstase, ein ewiges Schweigen und ein schwedischer Durst nach Licht und Vollendung erfüllte die Luft im herbstlichen Lidingö. Die wenigen Besucher, die staunend und verloren zwischen den Granittreppen, der italienischen Loggia und dem Studio von Carl Milles herumwanderten, waren Ameisen zu Füßen von Giganten und Fabeltieren. Die Giganten schauten von den weiten, leeren Terrassen über das schwermütige Wasser zum modernen Stockholm hinüber. Keine Barkasse konnte die Götter von Lidingö nach der Hauptstadt bringen.

Tsensky wartete . . .

Es war kinderleicht für ihn gewesen, gestern abend in *Berns Salonger* aufzutauchen. Er hatte sich im Hotel die Adresse der Ekelunds geben lassen, und das weitere hatte eine junge Person mit langen blonden Haaren und verstörtem Blick ihm verraten. Es war eine Überraschung für die liebe Marie gewesen! So leicht wurde sie ihre alten Freunde nicht los! Sie konnte vielleicht auf diese Weise mit Madeleine Boussac umspringen! Wer war schon Madeleine? Eine Pariser Kellerratte, die eine Rose an einem Halsband von Schnürsenkeln trug und nachts in einem Lokal in Montparnasse Liebeslieder winselte! Marie konnte doch mit ihm nicht so verfahren! Aber wie verängstigt war sie trotz ihrer Dreistigkeit gewesen! Sie hatte gezittert, als sie ihn ihren Schwiegereltern vorstellen mußte . . . Er bedeutete keine unbekannte Gefahr für sie – er war eine bekannte. Er hatte es in der Hand, Maries frisch gekauftes Glück zu zerschlagen und die Stücke in eine einzige Reisetasche zu packen. So winzig war das Glück und so zerbrechlich . . . Tsensky lächelte bei diesem Gedanken dem »Mann auf dem Pegasus« zu, der mit ausgestreckten Armen dem Himmel entgegenflog . . . Tsenskys Pupillen weiteten sich, während er die Skulptur intensiv betrachtete. Nur ihre Fußspitze balancierte noch auf dem Flügel des Rosses! Gleich würde der Jüngling abfliegen oder herunterstürzen! Er war in derselben Position wie Marie. Tsensky biß sich unbewußt in die volle glänzende Unterlippe, die Hemmungslosigkeit oder latente Grausamkeit verriet. Sein vornehmes, knochiges Gesicht war sehr blaß – Graf Tsensky hatte schlecht geschlafen und war schlechter aufgewacht . . . Plötzlich mußte er an Madam Ekelund denken. Sie war auch eine Statue und hätte vorzüglich in die Milles-Gärten gepaßt! Nur war sie viel unzugänglicher als die Bronze-Tänzerinnen und die poetischen Seejungfrauen . . . Maries Schwiegervater hatte sich allerdings sehr freundlich mit Tsensky unterhalten und hatte ihn keinen Augenblick fühlen lassen, daß er ein ungeladener Gast war . . . Dr. Oscar Ekelund war nett, aber unbedeutend. –

Tsensky wanderte ungeduldig umher und prallte plötzlich heftig zurück. Er wäre beinahe gegen einen Dämon aus Granit gerannt. Der Meergott, ein plumpes, ironisches Ungeheuer, das behaglich auf einem breiten Sockel thronte, riß sein riesiges Maul auf, um Touristen und Kunstfreunde zu verschlingen. Obwohl der Meergott ganz Granit und gräßliche Vision war, war er trotzdem Fleisch und Sinnenlust. Animalische Schläue spiegelte sich auf seinem breiten Gesicht mit den Froschaugen, der flachen Nase und den Lachfalten. Kein Zweifel, der Meergott lachte Tsensky unverhohlen ins Gesicht! Nur ein kompletter Narr konnte sich von Marie Bonnard in den Olymp von Lidingö locken lassen. Aber Tsensky hatte die Abrechnung in der Tasche seines eleganten Mantels, und Marie würde sie angesichts der Götter und Faune begleichen müssen.

Tsensky wartete . . .

Die Milles-Gärten wurden immer menschenleerer und unglaubwürdiger. Wie im Traum weilte Tsensky beim Europa-Springbrunnen und der Folkungafontäne. Er betrachtete mit einer gewissen Erschütterung den »Fisch mit den Emigranten«, der ein steingewordener Ausdruck des Zeitalters war. Er starrte verloren »Jonas mit dem Walfisch« an und nickte dem Faun vom Sankt Martinsbrunnen zu. Wider Willen geriet Tsensky immer tiefer in den Bann der Milles-Gärten. Das lebenslustige geschäftstüchtige Stockholm mit *Berns Salonger*, den Neonlichtern und dem Flughafen existierte nicht länger. Und wenn diese mythische Landschaft im 20. Jahrhundert nur ein Labyrinth war, aus dem kein Ausweg ins Heute führte? Wo war überhaupt der Ausgang? Wo waren die anderen Besucher? Wo waren die Aufseher und Führer? Tsensky blickte um sich. Er war zwischen den Terrassen herumgewandert und sah sich plötzlich in *Lilla Oesterrike*, dem »Kleinen Österreich«. Es war eine bezaubernde und intime Ruheinsel auf der Insel Lidingö: eine Terrasse mit zwei kleinen Kapellen, die Carl Milles für seine Frau geschaffen hatte. Die Terrasse sollte Olga Milles an ihr geliebtes Steiermark erinnern.

Tsensky wischte sich den Schweiß von der Stirn. Hier in *Lilla Oesterrike* war Ruhe und Beruhigung. Tsensky hatte das große Geschenk – die Ruhe der Liebe – niemals erlebt. Er hatte manchmal gedacht, Ulrika würde ihm diese Ruhe schenken können. Sie war in seiner dunkelsten Periode in Paris aufgetaucht – eine Tochter der schwedischen Sonne und eine Tänzerin auf dem Weg zum Weltruhm. Aber Ulrika war tot. Tsensky strich sich über die Stirn und verließ fluchtartig die von schlanken Säulen flankierte Terrasse der Liebe.

Wo blieb Marie? Ob ihr etwas passiert war? – Es dunkelte bereits. Eine rasende Wut packte den einsamen Wanderer in den Milles-Gärten. Er lief von der oberen zur unteren Terrasse, um zu sehen, ob er Marie verfehlt hatte. Sie war nicht da. Er stand stockstill und blickte von der windigen Terrasse über die grauen Wasser nach Stockholm hinüber. Wie sollte er ins Hotel zurückfinden? Er hatte seine Taxe sorglos fortgeschickt.

Tsensky wartete . . .

Er mußte die Gärten verlassen. Er stand jetzt auf der ›Unteren Terrasse‹. Schlanke Säulen trugen musizierende Engel. Das Wasser war steingrau. Die Engel von Lidingö balancierten auf einer Fußspitze und warfen sich schräg und ekstatisch in den Abendhimmel. Drei, fünf, sieben Engel – ein steinerner Jubelchor von kühner

Schönheit. Tsensky wollte fort. Lidingö attackierte nicht nur das Auge und das Gleichgewicht der Ameisen – die Seele wurde angegriffen. Tsenskys Phantasie hatte einen Stoß erhalten. Wenn nun die Götter und Fabelwesen von ihren Säulen herabstiegen und ihm den Ausgang verstellten? Die Engel würden ruhig weitermusizieren – sie spielten für Gott.

Ein Mann kam im Dämmerlicht die Stufen zur Terrasse herauf, wo Tsensky seine Schreckvision bereits in eine Ballettszene umwandelte. Es war ein mittelgroßer Stockholmer in Paletot und weichem Filzhut. Er sah aus wie jeder andere mittelgroße, respektable Stockholmer, der den goldenen Mittelweg den Abenteuern der Landstraße vorzieht. Der Herr betrachtete durch seine Goldbrille erstaunt den letzten Besucher von Lidingö.

»Was machen *Sie* denn hier bei meinen Engeln?« fragte Dr. Oscar Ekelund in tadellosem Englisch.

»Ich habe mich verlaufen und kann den Ausgang nicht finden.«

»Falls Sie die Nacht nicht in der Gesellschaft von Poseidon verbringen wollen, müssen wir uns beeilen!«

Oscar Ekelunds milde Vernunft und große Freundlichkeit brachten Tsensky im Nu auf die konventionelle Erde zurück. Die musizierenden Engel entschwebten bereits in den nächtlichen Himmel.

»Diese Engelstatuen sind wunderbar«, murmelte Graf Tsensky.

»Ich besuche sie regelmäßig«, erwiderte Maries Schwiegervater. »Es ist erfrischend zu sehen, wie die Engel nur noch mit der Zehenspitze die Säulen unserer Welt berühren! Es gibt mir zu Zeiten ein bescheidenes Glücksgefühl. Geht es Ihnen auch so, Graf Tsensky?«

»Mich verstimmt dieser Anblick! Die Engel bringen mir noch deutlicher zum Bewußtsein, wie hoffnungslos wir selber an dieser ekelhaften Erde kleben. Wenn es nicht zu paradox klänge, würde ich sagen: der Teufel hole diese Engel!« –

»Sagen Sie, Graf Tsensky, wer hat Ihnen einen Besuch in Lidingö empfohlen? Jeder hat seine eigene Meinung über unsern Olymp – aber ich hoffe, daß Sie Ihren Besuch nicht bereuen?«

Bildete Tsensky sich ein, daß der Blick dieses netten Mannes ihm auf den Grund der Seele drang? Das wäre ja lächerlich. Er war einfach übermüdet. Aber ein Instinkt warnte ihn trotzdem vor einer Lüge.

»Marie wollte mir die Milles-Gärten zeigen, Dr. Ekelund! Aber leider ist die Kleine so unzuverlässig wie ihre liebe Mutter. Marie hat Ihnen vielleicht erzählt, daß ich ein alter Freund der Pariser Bonnards bin?«

»Selbstverständlich! Alle Freunde der Familie Bonnard sind in Stockholm willkommen! Ich habe viel Gutes über Ihre Bühnenarbeit gehört und gelesen, Graf Tsensky! Es ist uns eine Ehre. Darf ich fragen, ob Sie vielleicht eine Inspiration durch die Milles-Gärten empfangen haben? Gerade wenn man hier allein herumgeht, wirkt der Zauber von Lidingö.«

»Ich habe selten Großartigeres gesehen!«

Sie hatten die Terrassen verlassen und gingen dem Ausgang entgegen. Oscar Ekelund hatte Maries väterlichen Freund die ganze Zeit unauffällig betrachtet. Die Melancholie in dem vornehmen knochigen Gesicht mit den glänzenden Augen und den tiefen Furchen war ihm nicht entgangen. Oscar Ekelund hatte manchmal im Gerichtssaal zur Verteidigung eines Angeklagten daran erinnert, daß alle guten und bösen Begegnungen und Kontakte einen Menschen entscheidend formen. Graf Tsensky mußte eine Reihe fataler Begegnungen gehabt haben — so bitter sah sonst ein erfolgreicher Mann nicht aus. Oscar Ekelund war beinahe bereit, Herrn Tsensky zu verteidigen. Er konnte es wenigen Leuten klarmachen, daß eine Verteidigung nicht erst auf ein Verbrechen zu warten brauchte — sie setzte eigentlich bei der Geburt eines Menschen ein . . .

»Haben Sie Augenschmerzen?« fragte er den Russen geistesabwesend.

Tsensky wischte sich die tränenden Augen. »Ein kleiner Bindehautkatarrh — sehr lästig! Ich muß übrigens morgen nach Paris zurückfahren.«

»So eilig? Wir wollten Ihnen noch Skansen zeigen.«

»Vielen Dank! Aber die Arbeit wartet. — Wäre es sehr unbescheiden, wenn ich darum bäte, heute abend noch kurz bei Ihnen vorsprechen zu dürfen? Ich möchte mich von Marie verabschieden und ihr noch Grüße von gemeinsamen Freunden in Paris ausrichten.«

»Essen Sie bitte bei uns zu Abend, Graf Tsensky!«

»Das ist außerordentlich liebenswürdig! Herzlichen Dank! — Um welche Zeit darf ich kommen?«

Oscar Ekelund schien angestrengt darüber nachzudenken, um welche Zeit in Strandvägen zu Abend gegessen wurde. Er betrachtete seinen Begleiter beinahe grüblerisch. Und wieder war der Blick so forschend, daß Tsensky verlegen hustete. Ein sonderbarer Herr, dieser Schwiegervater von Marie! Der Blick war nicht nur forschend, sondern beinahe streng. Die Lidspalte hatte sich verengt wie bei jemandem, der ausspäht und dabei selbst nicht beobachtet werden möchte. Doch in der nächsten Sekunde blickte Oscar Ekelund wieder freundlich:

»Verzeihen Sie, ich muß jedesmal lange nachdenken, bis ich mich auf die häusliche Routine besinne! Das bringt meine arme Frau manchmal zur Verzweiflung! Ich bin so zerstreut.«

»Wahrscheinlich denken Sie an wichtigere Dinge?«

»Wie man es nimmt«, erwiderte Strafverteidiger Ekelund zurückhaltend. »Wissen Sie — ich bin ziemlich gegen voreilige Gutachten! Man findet immer erst später oder zu spät heraus, was wichtig oder unwichtig war . . . Ich meine bei der Beurteilung von . . .« Er brach ab und sagte abrupt: »Wir essen um acht Uhr!«

»Verbindlichsten Dank, Dr. Ekelund! Ich freue mich sehr!«

»Ich freue mich auch sehr, daß Sie mit uns zwei alten Leuten vorliebnehmen wollen! Das heißt, wenn Sie wirklich nichts Besseres vorhaben?«

»Ich verstehe nicht . . .«

»Unser junges Paar ist heute mittag abgereist. Es geschah ganz plötzlich. Wir sind sehr enttäuscht, aber Erik und Marie wollen noch irgendwo Freunde besuchen, bevor sie nach dem Fernen Osten fliegen.«

Oscar Ekelunds Gesichtsausdruck entmutigte jeden Versuch, Fragen zu stellen. Er blickte freundlich wie stets — aber sein Ausdruck sagte, daß die Verabredung endgültig war. Ein wohlerzogener Mann wie Alexander Tsensky konnte sich nicht in letzter Minute bei Ekelund senior unmöglich machen.

Oscar Ekelund verabschiedete sich mit großer Höflichkeit. Er hatte Tsensky eine seidene Schlinge um den Hals geworfen . . . War Maries Schwiegervater nur höflich gewesen, oder wollte er Tsensky weiter ausfragen? Wer konnte es wissen? Tsensky wußte nicht einmal, ob Herr Ekelund den Engeln von Lidingö einen zufälligen oder geplanten Besuch abgestattet hatte. Er wußte überhaupt nichts. Die Engel hatten ihn nicht gewarnt. Tsensky hatte eben bei Engeln nichts zu melden . . .

Hatte Marie diese plötzliche Abreise betrieben? Oder war es ihr Schwiegervater gewesen? Wer kannte sich bei schwedischen Göttern und Strafverteidigern aus? Jetzt konnte Tsensky nur warten ...

Wohin war Marie Bonnard vor ihm geflohen?

FÜNFTES KAPITEL

Marie Bonnard - Selbstbildnis

(Erster Monolog)

I

... Schade, daß man nicht zu gleicher Zeit an zwei Orten sein kann! Diese Begrenzung unserer Möglichkeiten hat mich schon als Kind deprimiert. Ich wollte immer bei Mama in Paris und gleichzeitig bei Papa in Saigon sein. Aber ich war in der Schule in Neuilly, und das war der einzige Ort, wo meine Eltern mich haben wollten ...

Ich hätte viel darum gegeben, wenn ich vor einigen Wochen Tsenskys Gesicht in den Milles-Gärten hätte sehen können! Er haßt es, auf jemanden zu warten. Und außerdem hatte er an jenem Nachmittag nur Statuen zur Unterhaltung. Schlimmeres kann Tsensky nicht passieren. Er braucht weder Frauen noch Freunde. Tsensky braucht *Zuhörer*! Gelegentlich vielleicht ein schwaches Echo ... Er hat keine Ahnung, wie beleidigend seine Konversation für seine Gesprächspartner ist. Ich dumme Gans habe ihm genau sechs Jahre gelauscht. Ich war gerade sechzehn Jahre, als Tsensky mich als ergebene Zuhörerin ohne Kündigungsrecht engagierte. Endlich bin ich ihm entwischt. Nie wieder will ich ihm auch nur eine halbe Stunde zuhören! Er ist ein Gesprächsmörder ...

Erik und ich schwimmen seit Tagen dem Fernen Osten entgegen. Für mich kann der Osten gar nicht fern genug sein. Ich möchte ewig auf diesem Schiff leben: man ist so unerreichbar! Nur die See, Wolkenbilder, unbekannte Passagiere, wechselnde Ufer und meine kleine Kabine, in die ich mich einschließen kann. Wenn Erik auf Deck Spiele spielt oder gelehrte Unterhaltungen mit Tropenforschern führt, wühle ich in meiner abgeschlossenen Luxuskabine in meinem Erinnerungskoffer. Wenn ich kein Skelett in dem Koffer mitführte, dann wäre ich jetzt so glücklich wie niemals vorher im Leben.

Eigentlich sollte ein Mädchen von zweiundzwanzig Jahren nur Gegenwart kennen und die Zukunft sich selbst überlassen. Es ist ziemlich komisch – aber ich habe nur eine Vergangenheit. Ich habe sie mir so wenig ausgesucht, wie Erik sich seine Zukunft mit mir ... *Ich* habe Erik natürlich geheiratet. Neunundneunzig Prozent aller Frauen heiraten die Männer ihrer Wahl – und die Männer denken immer noch, wir hätten ihnen die Wahl überlassen. Das war vielleicht einmal der Fall, als die Männer noch als »das starke Geschlecht« galten. Wir haben niemals Angst vor ihrer Stärke, nur vor ihrer Unberechenbarkeit. Heute lieben sie uns und sagen es uns – morgen lieben sie eine andere und sagen es uns nicht ...

Meine Vergangenheit stürzte sich auf mich, als ich vierzehn Jahre geworden war. Niemand kann einen Tiger abschütteln, ohne Wunden davonzutragen. Leider versuchte ich das Abschütteln zu spät. Nun werde ich Tsensky schwer wieder los. Er wird aufpassen, daß ich Erik nicht etwa glücklich mache. Das würde dem lieben Onkel Sascha nicht gefallen.

Erik hält mich für jung und unerfahren, nur weil ich zehn Jahre jünger als Louise Bonnard und vierzehn Jahre jünger als er selbst bin. Ich war immer ein Idiot in Mathematik; aber ich weiß, daß die Zahl der Jahre nicht selten im umgekehrten Verhältnis zu der Zahl der Erfahrungen steht. Demnach hätte ich vorige Woche in Port Said meinen 122. Geburtstag gefeiert ... Alle älteren Leute behaupten, daß sie das Leben genau kennen. Ich finde das urkomisch! Die meisten Leute bleiben Schulkinder – sie wechseln nur die Lehrer und die Lehrfächer. Wie in der Schule warten sie auf Versetzung in eine höhere Klasse. Und wenn sie graue Haare haben, dann merken sie plötzlich, daß sie jahrelang sitzengeblieben sind. Wie meine Kusine Louise in Haverstock Hill ... Ich zählte bei Louise vierzehn graue Haare, als wir den denkwürdigen Lunch bei Paul Bonnard in Brook Street hatten. Ich werde niemals begreifen, was Erik in Louise Bonnard gesehen hat. Er muß vorübergehend geisteskrank gewesen sein. Sie hat nichts, was Männern gefällt, und alles, was sie langweilt. Ich habe kein Mitleid mit Louise – ich hasse sie. Ich habe sie schon als Kind verabscheut, als ich zwei Jahre in Haverstock Hill lebte, um

Englisch zu lernen. Bonnards in N. W. 3 ist auch etwas, was ich nie wiedersehen möchte.

... Als meine Mutter mir das erste Mal gute Ratschläge geben wollte, hätte ich ihr beinahe ins Gesicht gelacht. Ich möchte nicht sagen, daß Mama ohne Erfahrung ist – sie hat nur immer die falschen Erfahrungen gemacht. Das hat ihr Bild von der Welt verzerrt. Da ist die Welt, und Mama ist ihr Mittelpunkt, und danach kommt gleich das Ende der Welt ... So naiv ist Mama! Ich meine, ich bewundere mich auch manchmal, aber Mama betet sich an. Diese Beschäftigung füllt sie neben ihrer Ballettschule vollkommen aus. Mama hat außerdem eine Manie für Verallgemeinerungen. »Männer sind so und nicht anders.« »Wie man sich bettet, so liegt man.« Und »Morgenstunde hat Gold im Munde.« Mama meint auch, eine Party sei um so lustiger, je mehr Leute eingeladen sind. Kurz und gut, es ist schwierig, in einer Wohnung mit Mama zu leben. Papa hat das schon vor Jahren herausgefunden.

Mamas wirkliches Handicap ist ihre Gutgläubigkeit. Sie hat jahrelang alles geglaubt, was Tsensky ihr über ihre Einmaligkeit sagte. Unsere Generation ist anders. Wir verbergen uns am liebsten in einem netten kleinen Kollektiv ... Jetzt endlich hat Mama erkannt, daß ihr Freund kein Felsen an Zuverlässigkeit und kein Springbrunnen des Lobes ist. Da mußte er aber erst sehr deutlich werden. Was ihre Anbeter anbelangt, leidet Mama an langer Leitung ...

Der liebe Erik hat keine Ahnung, daß Tsensky mir alles beibrachte, was ich vom Leben weiß. Leider würden meine Kenntnisse keinem anständigen Mann gefallen. Man muß sehr vorsichtig in der Wahl seiner Mentoren sein. Ich hätte sicherlich auch manches Gute und Lobenswerte bei Tsensky lernen können – er steht an Geist und Originalität haushoch über den meisten Leuten. Aber die feineren Sachen standen nicht in Tsenskys Lehrplan für mich. Natürlich lernte ich malen – aber das hätte ich auch ohne Tsensky gelernt ... Er fing selbst als Portraitist in Paris an, schwenkte dann aber auf künstliche Welten über. Natürlich konnte Tsensky nur Figurinen malen. Er interessiert sich ja nicht für lebendige Menschen. Und wie sollte er ihren Charakter erfassen, wenn er niemals ein Modell zu Worte kommen läßt? Sein Bildnis »Goldmarie und Pechmarie« ist eine niederträchtige Kostümskizze. Er wollte mich damit erschrecken, weil er zwei Stunden vergeblich auf mich gewartet hatte. Leider hat er es heraus, mich in Angst zu versetzen. Ich kann meine Reaktionen noch so fleißig rationalisieren – ich habe gräßliche Angst vor Tsensky. Er ist die verhängnisvollste Vaterfigur aus dem Zirkus von Freud bis Jung. Wenigstens sagt das meine Freundin Madeleine Boussac. Sie war vor einiger Zeit mit einem Studenten der Psychologie befreundet und hat den ganzen Jargon aufgeschnappt.

Erik darf nicht erfahren, daß ich immer noch Angst vor Tsensky habe. Es würde ihn ungeduldig machen. Er ist ganz furchtlos. Es macht ihm nichts aus, durch dunkle enge Straßen zu gehen. Ich war ganz krank in Gamla stan. Mir scheint aber, mein Schwiegervater glaubt nicht an das sorglose kokette junge Ding, das Erik etwas herablassend liebt. Oscar Ekelund hat einen Röntgenblick. Vor dem muß man sich in acht nehmen. Beinahe hätte ich ihm gesagt, warum ich so schnell abreisen wollte. Ich hatte einen Augenblick das Gefühl, er kenne den Grund. Aber woher sollte er wissen, daß Tsensky mich in den Milles-Gärten erwartete? Erik sagte gestern beim Dinner, Angst wäre ein archaischer Seelenzustand. Da ich keinen blassen Schimmer hatte, wovon er sprach, erkundigte ich mich bescheiden bei meinem gelehrten Adonis, was »archaisch« bedeutet. – Tsensky nannte Erik zuerst »den schwedischen Adonis«. Aber das ist eine andere Geschichte. – Erik meint also, nur primitive Völkerstämme aus vorgeschichtlichen Zeiten hätten Berechtigung zur Angst gehabt. Schließlich mußte Soziologe Ekelund zugeben, daß es auch im Jahr 1959 noch Angstgefühle gäbe – beispielsweise die Atomangst, die veraltete Angst vor dem Tod und die zeitgemäße Angst vor der Steuerbehörde. Die fand Erik besonders atavistisch. Das wäre eine Erinnerung an »Ali Baba und die vierzig Räuber«. So etwas kann nur jemand sagen, der wie mein Ehemann keine nennenswerten Steuern zu zahlen hat. Alles lachte, als ich das sagte. Erik warf mir einen eisgekühlten Blick zu. Er war mir angenehm. Wir waren im Roten Meer, und es war selbst um die Abendstunde glühend heiß . . . Der Kapitän versicherte mir, die Temperatur im Roten Meer wäre nichts gegen die richtige Tropensonne in Singapore oder Bangkok. Die Wetterberichte des Kapitäns sind außerordentlich deprimierend.

Nach dem Dinner stand ich allein auf dem Oberdeck und versuchte, meine archaische Angst ins Rote Meer zu werfen. Leider verschwindet eine Beklemmung nicht, nur weil man einen griechischen Namen dafür erfindet . . . Mir wurde immer elender. Zu beiden Seiten dehnte sich die Wüste. Hin und wieder sah ich den schleichenden Schatten eines Kamels. Der Treiber ritt unbeweglich ins violette Dunkel. Dann wieder Sand. Die lustlosen Palmen machten die Szene nicht verlokkender. Kein Laut ringsum. Die Stille entnervte mich. Ich wischte mir den Schweiß von der Stirn und suchte Erik. Er saß mit anderen Denkern beim Whisky. Sie redeten alle durcheinander von Politik, Soziologie und den Tanzmädchen in Hongkong. Es ging ihnen großartig – wie allen Regierungsbeamten. – Ich starrte Erik an. Ich hatte ihn nie im Leben gesehen. Er ging mich nicht das geringste an. Aber ich hatte ihn ja nicht geheiratet, um ihm meine Seele auszuschütten. Im Gegenteil ... »Lege dich hin, mein Kind! Du bist ermüdet«, sagte Erik. Dann wandte er sich wieder seinen Freunden zu. – Ich ging zu den Kamelen in die Wüste zurück und fragte sie übers Rote Meer hinweg, ob sie mich als zahlendes Mitglied in ihren Klub aufnehmen wollten ... Plötzlich hatte ich Sehnsucht nach Tsensky, obwohl ich ihn doch verabscheue! Aber er ist jahrelang alles gewesen, was ich hatte. An dieser Bindung haftet immer noch Klebstoff. Natürlich war »Onkel Sascha« nicht meine erste Liebe. Aber immerhin mein erster Liebhaber ... Er war kein Sklave der Realität – sowenig wie ich und mein Freund »Zweikopf« es waren. Wenn Erik wüßte, weswegen ich ihn geheiratet habe! ... Ich würde unter seinem Blick erfrieren. Erik versteht es, Nachtfrost am hellichten Tag zu verbreiten.

Ich möchte nicht beschwören, daß Soziologen besonders amüsante Liebhaber sind. Sie beschäftigen sich so eingehend mit den Reaktionen von Gruppen oder einer Gesellschaft, daß die Reaktion einer einzigen Frau sie nur mäßig interessiert. Da ist Tsensky anders. Er glaubt an Beeinflussung unter vier Augen. Sechs Augen sind ihm bereits zwei Augen zuviel ...

Aber Erik hat andere Vorzüge. Er sieht fabelhaft aus. Er kann küssen, wenn er sich darauf konzentriert. Er liebt die Schönheit in jeder Form. Er langweilt mich nicht mit Rede-Orgien. Er macht keine Schulden auf meine Kosten. Seine Familie lebt in Stockholm. Und die Hauptsache ist: er weiß *nichts* von meinem Leben in Paris. Das ist sein größter Vorzug. Sein zweiter Vorzug ist sein Beruf, der ihn zu einem rollenden Stein macht. Ich suchte zufällig einen rollenden Stein und war bereit, einen großen Preis dafür zu zahlen. Übrigens lebe ich nicht mit Erik in Gütergemeinschaft – das wollte auch er von Anfang an nicht; aber ich lasse einiges springen, um ihm das

Leben freundlich zu machen. Erik hat keine Ahnung, was Geld alles kaufen kann. Da könnte er etwas von Tsensky lernen.

Tsensky ist irrsinnig witzig, das muß ihm jedes Kamel lassen! Wenn er guter Laune ist, denkt man, man sei im Zirkus . . . Leider ist seine Stimmung zum großen Teil vom Stand seiner, pardon, meiner Finanzen abhängig. Er denkt, das Vermögen der Bonnards wüchse auf Bäumen. Man brauche nur einen Baum zu schütteln, und sofort falle ein Scheck für den Grafen Tsensky herunter! Das ist die übliche Ansicht von Leuten, denen ihre Vorfahren nur einen adeligen Namen, viel Arroganz und etwas Kleingeld hinterlassen haben. Tsensky ist ein archaischer Typ, glaube ich. In Paris laufen zwischen Montparnasse und dem Faubourg immer noch solche Typen herum. Ich hätte gern gewußt, was Tsensky mir im umgekehrten Fall an Wertsachen gegeben hätte. Das einzige wäre ein entrüsteter Blick gewesen, der mich von der Rue de Rennes nach Neuilly geschleudert hätte . . . Tsensky ist nur auf anderer Leute Kosten großzügig. Er lädt alle möglichen Leute ins Bonnard ein und bewirtet sie fürstlich, weil er denkt, dort kostet es nichts . . . Eine einzige Anfrage könnte die Situation klären, aber Tsensky ist nicht neugierig. Das ist eine seiner guten Seiten.

Das erste Mal auf dieser Reise sah ich Tsensky in Sizilien wieder. Er tauchte finster lächelnd aus dem nichtsahnenden Mittelmeer auf und verdunkelte die lateinische Landschaft. Das ist auch eins von seinen vielen Talenten: Er macht aus der Welt eine Dunkelkammer. In dieser Dunkelkammer entwickelt er nicht Photographien, sondern macht Gelegenheitsgeschäfte, die mit Recht das Tageslicht scheuen. –

Ich habe das Mittelmeer immer geliebt. Leider nahm Mama mich nie auf eine Mittelmeerreise mit. Jetzt habe ich endlich in Erik einen fest engagierten Reisebegleiter. Ich spiegele mich in seinen Augen. Er hat ein helles und ein dunkleres Auge – so sehe ich immer verschieden aus. Das macht Spaß. Richtige Spiegel vermeide ich möglichst. Sie sind unbehaglich. Man weiß nicht genau, wer einem aus dem Glas entgegenstarren wird. Wenn ich lange in meine Pupillen blicke, verliere ich meine Identität. Ich argwöhne dann, daß die Person im Spiegel die wirkliche Marie Bonnard ist. Das wäre nicht nett. Die Person blickt so beziehungslos.

Als Tsensky mir die ersten Malstunden gab, nannte er mich »Coppélia«. Ich war nicht mit Balletts vertraut. Tsensky erklärte, Coppélia sei eine Puppe mit Emailleaugen, die tue, als sei sie ein lebendiges Mädchen. Sie stehe auf dem Balkon der Puppenwerkstatt und versuche, sich einen jungen Burschen heranzulächeln.

»Ein lächerliches Ballett«, sagte ich. »Ich will nicht ›Coppélia‹ genannt werden! Ich heiße Marie.«

»Besten Dank für die Auskunft«, sagte Graf Tsensky. Niemals vorher oder nachher war er so einsilbig.

Wenn Tsensky etwas auf der Welt aufrichtig liebt, dann ist es sein Wortschatz. Zunächst hat er mich mit seinen Redensarten betrunken gemacht. Außerdem hat er magnetische Augen. Sie saugen sich fest und haben nach einiger Zeit jeden Widerstand und jede Kritik absorbiert. Wenn Tsensky mich so ansah, verschwammen die Grenzen seines Studios und der Zeit. Die Wände lösten sich auf. Ich lebte in einer Periode, die nie etwas von Fernsehen und Soziologie gehört hatte. Die Gegenwart war ein farbloses und anachronistisches Anhängsel der Zeitlosigkeit. Zuerst lehnte ich diesen Zustand ab — dann wollte ich ihn immer öfters herbeiführen. Tsensky kannte alle Tricks, die Phantasie zu aktivieren.

Ich weiß nicht, ob ich Tsensky die ganzen sechs Jahre lang die Hand küßte oder ob ich ihn haßte. Es war wohl ein Mischgefühl. Als ich sein Portrait malte, liebte ich ihn gerade. Ich beneide alle Leute, die keine Mischgefühle kennen. Entweder man liebt jemanden, und dann ist ein Ende abzusehen. Oder man haßt ihn, und eines Tages ist der Haß in Gleichgültigkeit versandet. In jedem Fall gibt es ein Ende, und man kann ein neues Kapitel lesen . . .

Tsenskys Portrait hängt heute in Paul Bonnards Salon in Brook Street. Ich nannte es *Der Kavalier* wegen des altfranzösischen Kostüms. Der Kavalier lachte, als ich Erik beschlagnahmte. Louise Bonnard trug den komischen grünen Hut. Für den als Zierde geplanten Federbusch mußte ein unschuldiger Vogel sein Leben lassen . . . Louise hätte lieber ihren alten Bambushut aus Hongkong tragen sollen. Chinesische Kulimoden sind zeitlos. Louise schleppte den Bambushut von Hongkong nach London. Ihre Eltern waren bei einem Unfall ums Leben gekommen. So wurde sie ein Teil vom Bonnard in Haverstock Hill.

Louisens grüner Hut, der *Kavalier* und Erik mit seinem geheimen Wissen um unsere Pariser Begegnung — es war beinah zu gut, um wahr zu sein. So etwas kann man sich nicht ausdenken. Louise Bonnard ist sehr intelligent. Sie mußte fühlen, daß Erik keine Frau heiraten würde, die so lächerliche Hüte trug ... Männer können es nicht leiden, wenn man über ihre Bräute oder Frauen lächelt oder Witze macht. Es ist eine Besonderheit des Mannes, nicht auf sich selbst, sondern auf die Frau eitel zu sein ... Erik hat keine Ahnung, wie blendend er aussieht. Er würde sich nichts daraus machen, wie ein schielender Kater auszusehen, aber er findet es wunderbar, wenn alle Männer mir nachschauen und ihn beneiden. Hier verläßt jeder Soziologe genau wie jeder Schafskopf den Boden der Tatsachen ...

Louise Bonnard, ihre Hüte und ich – das war eine Grundsituation, aus der sich manches Dilemma entwickelte.

Ich probierte Louisens chinesischen Bambushut vor Jahren in Haverstock Hill auf. Ich war zwölf Jahre alt, und Louise war über zwanzig. – In der zivilisierten Welt gilt das als volljährig. Aber mir gegenüber benahm die liebe Louise sich besonders unmündig. Vielleicht macht heftige Abneigung kindisch ... Als Kind wundert man sich nur, warum gewisse Leute so unfreundlich sind. Die rechthaberische Louise näherte sich mir grundsätzlich mit gezücktem Schwert. Ob sie eifersüchtig war, weil Madam mich besonders freundlich behandelte? Alles an Louise Bonnard mißfiel mir: ihr ordentlicher Haarknoten – im Jahr 1947, wo alles Dauerwellen trug –, ihre pedantische Handschrift, ihre Selbstbeherrschung, die sie jeden Morgen wie eine zweite Haut überstreifte, und ihre Besserwisserei. Louise prunkte nicht mit ihrem besseren Wissen, sie entschuldigte sich sozusagen dafür ... Sie war eben britisch bis zur Lust an zugigen Zimmern, an Gesellschaftsnachrichten in der *Times*, an Wollwäsche und »vernünftigem« Schuhwerk. Sie versuchte, meine Locken auszukämmen, und riß mir dabei beinahe den Kopf ab. Ihre Konversation war schon damals zum Steinerweichen: Der Milchmann, die Angestellten, die Familie Bonnard und die Königliche Familie, Steuern, der Klempner und was Hilda fand und meinte ... Miss Sunshine und Louise waren unzertrennlich. Die beiden waren Sklavinnen der Realität.

Was ist dabei, wenn ein Kind einen alten Bambushut aufprobiert? Oder war Louise noch so wütend darüber, daß ich ihr einen Frosch in ihren Schrank gesetzt hatte? – Kurz und gut, ich war mit Madam in Louisens Zimmer, wo Madam mir Nachhilfestunden in englischen Manieren gab. Es waren Schulferien. Ich lief wie ein verlorenes Schaf im steifen runden Hut in Haverstock Hill herum. Jedesmal, wenn ich französisch sprach, entzog Louise mir die Nachspeise. Ich war in London, um Englisch zu lernen. Mr. Nightingale, der junge Kellner, grinste verstohlen, wenn er mir statt des Puddings einen Apfel servierte. Er hatte stets drei Spazierstöcke verschluckt – aber er grinste innen . . . Ich haßte sie alle.

Bis auf Madam. Sie ist menschenfreundlich und dehnte diese Angewohnheit sogar auf mich aus . . . Madam warf manchmal die Schicksale ihrer Gäste durcheinander. Ich glaube, die Leute taten ihr alle so leid, daß die Unterschiede sich ihr verwischten . . .

»Starre die Leute nicht so an, Marie«, sagte Madam.

»Warum nicht?«

»Man tut es hier nicht!« – Dies war ein englischer Glaubensartikel.

Da waren nun also Madam und ich und der Hut aus Hongkong in Louisens Kleiderschrank, einem Ungetüm aus der Zeit der Königin Victoria. Louise war im zweiten Stock bei den Leinenschränken. Madam sagte: »Lüge mich nicht immer an, mein Kind! Das ist ganz zwecklos. Ich weiß die Wahrheit meistens. Oder ich finde sie heraus. Im übrigen wollte ich dich bitten, Liebling . . .« Ich weiß bis heute nicht, worum Madam mich bitten wollte – sie wurde ans Telephon gerufen. Wahrscheinlich wollte sie mich bitten, nicht an den Türen zu lauschen. Sie hatte mich gerade gestern dabei ertappt. Leider waren Lügen und an den Türen horchen meine Lieblingsbeschäftigungen.

Meine dritte Lieblingsbeschäftigung war das Herumwühlen in fremden Schränken und Schubladen. Dafür hatte ich bereits mit zehn Jahren eine wahre Leidenschaft. Ich war immer so isoliert. »Ein hübsches kleines Ding«, sagten die Leute und wandten sich wieder ab. Das geht sicherlich vielen einsamen Kindern so. Und ich war so böse auf die Welt, weil ich Eltern hatte und trotzdem im Waisenhaus lebte . . . Das ist dumm, und ich wußte es. Madam wäre eine richtige Mutter gewesen, aber sie hatte keine Kinder. Sie hatte nur den halb wahnsinnigen Antoine Bonnard und die widerlich vernünftige Louise. Ich war in Haverstock Hill ein minderjähriger Hotelgast. Vielleicht verwechselte Madam mich manchmal mit einem lieben kleinen Mädchen und behandelte mich deshalb so nett. Vielleicht war ich sogar in Madams Gegenwart ein liebes kleines Ding. Ich wühlte wenigstens niemals in ihren Schränken herum, horchte nicht an ihrer Tür und belog sie höchstens zweimal in der Woche.

Ich war allein in Louisens Zimmer. Es war kahl bis auf ein chinesisches Bild an der gräßlich geblümten Wand. Louisens Geschmack in Tapeten ist beklagenswert. Das chinesische Bild machte mir Angst. Es war fein gezeichnet und sehr geheimnisvoll, obwohl Madam es mir geduldig erklärt hatte. Es war ein altertümlicher Holzschnitt. Ein fröhlicher Greis, der genau wie mein russischer Großvater mit chinesischer Haartracht aussah, saß behaglich neben seinem *Athanor* (alchimistischer Ofen), so wie Großvater vergnügt am Samovar saß, wenn er nicht gerade Ikonen fälschte . . . Der chinesische Ahnherr auf dem Holzschnitt sei Lao-Tse, sagte Madam. Zu seinen Füßen standen die zwei Kürbisflaschen mit den Unsterblichkeitspillen. Der alte Herr fächelte sich, während der Rauch aus seinem entzückend verzierten Öfchen aufstieg. Es war alles urgemütlich bis auf das Tier mit zwei Köpfen, das die Kürbisse bewachte. Das Tier hatte vier Hörner; seine Köpfe blickten in die beiden entgegengesetzten Richtungen — sie sahen alles. Der rechte Kopf des Fabeltieres hatte ein sehr großes Auge und ein lächelndes Maul. Das große Auge glotzte, und das Maul lächelte. Gräßlich! Der linke Kopf hatte ein kleines, mattes Auge und ein trübseliges Maul. Das Tier war so uralt wie Lao-Tse. Niemand in Haverstock Hill wußte seinen Namen oder hatte es jemals gesehen. Nur ich kannte das Tier! Es war eines Nachts auf seinen schwarzen Hufen an mein Bett getänzelt, und ich hatte geschrien, als es nickte und lächelte und den rechten Kopf immer näher an mein Kissen schob. Madam gab mir heiße Milch. Aber ich sagte ihr nicht, wer mich erschreckt hatte. Es war ein Geheimnis zwischen Zweikopf und mir . . . Unser erstes Geheimnis! — Ich schlich mich von da ab täglich in Louisens Zimmer, bis ich mich an das Tier mit den zwei Köpfen gewöhnt hatte. Ich fragte Madam, ob es auch Menschen mit zwei Köpfen gäbe. Meine Großtante meinte aber, die meisten Leute hätten noch nicht einmal einen gebrauchsfertigen Kopf . . . Dann wollte ich wissen, ob Zweikopf Kartoffeln äße, aber Madam meinte, Reis wäre die Antwort. — Ich nannte das Tier *Bijou* — der nette Name nahm ihm alles Erschreckende. Bijou und ich führten sogar noch Zwiegespräche, als ich Tsensky kennenlernte. Danach versetzte ich Zweikopf in den vorläufigen Ruhestand. Tsensky hatte zwar keine vier Hörner, aber er hatte mehrere Gesichter. Dadurch war er mir sofort vertraut. Ich hatte so lange mit dem chinesischen Zweikopf geliebäugelt, daß ich mit regulären Zeitgenossen wenig anfangen konnte. Tsensky hatte ein helles, ein dunkles, ein spöttisches und ein grausames Gesicht und konnte es mit Bijou in jeder Hinsicht aufnehmen.

Immer, wenn ich an Bijou denke, verwirren sich meine Erinnerungen. Ich habe lange nicht an ihn gedacht. Aber wahrscheinlich taucht er jetzt in der Kabine auf, weil wir nun bald in Bangkok sind. Dort soll es Chinesen und viele seltsame Haustiere geben.

Für mich hängt Zweikopf mit einer Entdeckung zusammen, die ich in Haverstock Hill machte. (Im Gegensatz zu bezahlten Erfindern und Soziologen behalte ich meine Entdeckungen grundsätzlich für mich . . .) Ich hatte mich mit Bijou unterhalten, nachdem Madam ans Telephon gerufen wurde, da Louise weit vom Schuß war. Ich wollte ihren Chinesenhut aufsetzen, weil ich damit besser zu Zweikopf passen würde. Vielleicht würde er mir sogar eine Pille aus dem Kürbis schenken! Ich meine, weil er mich für eine Chinesin hielt. Als ich zwölf Jahre alt war, hatte ich nämlich noch den Wunsch, niemals zu sterben. Ich war noch neugierig.

Gerade als ich den Bambushut aufgesetzt hatte, kam Louise ins Zimmer zurück. Sie sah den offenen Schrank, einen grauen Wollschal auf dem Fußboden und mich in angeregter Unterhaltung mit Zweikopf. Ich streichelte seine beiden Köpfe und sprach französisch. Das ist die Höflichkeitssprache. Ich fand, man müsse Zweikopf als chinesisches Juwel mit großer Höflichkeit anreden, wenn man ihn dazu bringen wollte, eine Unsterblichkeitspille zu stehlen . . .

Louise geriet in Wut, als sie mich mit ihrem alten Chinesendeckel sah. Sie riß ihn mir vom Kopf und schüttelte mich. »Was fällt dir ein?« schrie sie. »Unverschämtes Geschöpf!« Sie schüttelte mich heftiger. Sie war vollkommen außer sich wegen eines verbeulten Bambushutes, der höchstens zwei Schillinge wert war. Er hatte ein Loch und war von der Tropensonne verfärbt. Ich hatte von Madam gehört, daß Louise diesen Hut auf einer Dschunkenfahrt mit ihrem verstorbenen Vater getragen hatte. Aber deswegen war er keine Reliquie, und das hätte Father Banning der lieben Louise auch gesagt. Ich sagte nichts. Ich war erst zwölf Jahre alt.

Louise wurde immer wütend, wenn ich ihre Sachen anfaßte oder ihr aus Spaß etwas wegnahm . . . Sie hat es sich selber zuzuschreiben, daß ich ihr Erik wegnahm.

Während ich versuchte, mich aus Louisens Griff zu befreien, machte ich meine Entdeckung. Ich blickte Louise starr in die Augen. Sie hat für gewöhnlich klare graue Augen – jetzt waren sie verschleiert und rotgerändert, als ob eine Pechfackel im Londoner Nebel loderte. Ich hatte solche Angst vor ihr, daß ich einen Druck in meinem Kopf spürte. Dann hörte ich eine Stimme, die mir etwas zuflüsterte. »Geh fort«, sagte die Stimme. Das war meine Entdeckung. *Ich konnte weggehen.* Dann würde Louise nur noch ein Schulkleid schütteln. Ich wäre nicht mehr vorhanden! Ich dachte dies alles nicht artikuliert – *es* dachte in mir. Im nächsten Augenblick fühlte ich tatsächlich nichts mehr. Ich hörte auch nur noch schwache Laute. In einem Hotel redet immer irgend jemand in den Korridoren. Ich machte mich vollkommen steif in Louisens Arm, so daß ich ihre Hände nicht mehr spürte. Ich hatte mein Asyl im leeren Raum gefunden. Ich weiß nur noch, daß Zweikopf mir zunickte und sein rechtes Auge immer größer wurde. Es war ein See von einem Auge, in dem sich eine fremde Welt spiegelte. So kommt es mir in der Erinnerung vor. Zweikopf muß mich hypnotisiert haben. Ich spielte scheintot, aber ich beobachtete noch alles. Dann wurde es dunkel, und jemand schrie. Ich lag in Madams Zimmer auf ihrer Couch. Dr. Watkinson, der in einer altmodischen, niemals renovierten Villa in Adelaide Road praktizierte, wenn er nicht mit seinen Patienten in *Ye Olde Swiss Cottage* Bier trank, beugte sich über mich. Dr. Watkinson hatte einen roten Bart, kleine lustige Kieselsteinaugen und eine tiefe Stimme. Alles klang komisch, was er sagte, auch wenn er Ernstes mitzuteilen hatte. Er war sehr schlau. Ich traute ihm nicht. Ob er herausfinden würde, daß ich scheintot gespielt hatte?

»Was machen wir für Scherze, junge Dame?« fragte Dr. Watkinson und durchbohrte mich mit seinen scharfen Blicken. Da ich nichts sagte, brummte er: »Es ist nichts, Mrs. Bonnard! Die Kleine hat einen Schreck bekommen. Ich schreibe ein paar Pillen auf.«

Madam sah mich besorgt an und streichelte mich geistesabwesend. Ich hätte öfter gestreichelt werden müssen, dann wäre ich ein nettes Kind gewesen. Louise war nicht da. Ich war Hauptperson bei Madam – ein großartiger Zustand. Ich überlegte bereits, wann ich – ohne Mißtrauen zu erwecken – diesen Zustand wieder herbeiführen könnte. Madam war klug. Übrigens mußte sie mit ihrer lieben Louise ein ernstes Wort geredet haben, denn Miss Lund frisierte mich bis zum Ende der Ferien. Louise ging mir aus dem Weg. Sie behandelte mich wie ein Stück Porzellan, das ihr nicht gefiel, das aber trotzdem mit Vorsicht gehandhabt werden mußte. Am nächsten Tag machten Madam und ich ganz allein den lange versprochenen Ausflug nach Heath Street, wo die Maler von Hampstead im Sommer in einer Freiluft-Ausstellung ihre Bilder verkaufen. Madam zeigte mir Romneys Haus in Holly Bush Hill, und dann tranken wir unseren Tee in High Street. Ich war niemals wieder so zufrieden wie an jenem Tag. Ich aß drei Kuchen mit rosa Zuckerguß, und Madam unterhielt sich süß mit mir. An dem Tag beschloß ich, malen zu lernen und später irgendwo in der Nähe der »Heide« zu leben. Das wäre so schön weit weg von Paris und so nahe bei Madam ... Wir sprachen nicht mehr über meinen Scheintod, sondern Madam erzählte mir viele lustige Sachen aus dem alten Hampstead mit den Dichtern und Malern. Es dämmerte. Ich wollte gern mit Madam in der Heide spazierengehen, aber sie sagte, wir müßten jetzt nach Haus fahren. Wir fuhren durch Well Walk, wo der Dichter Keats gelebt hatte. Es war sehr friedlich in Well Walk. Ich sagte Madam, daß ich sie »schrecklich, schrecklich liebte«, und sie sagte: »Schon gut, Kind!« und strich mir über das Haar.

In Haverstock Hill lag ein Telegramm: Mama wünschte meine sofortige Rückkehr nach Paris. Ich weinte und schrie, weil ich wieder mit Madam zu den Malern wollte. Mama behauptete am selben Abend am Telephon, sie wäre todkrank. Louise flog mit mir am nächsten Tag nach Paris. Wir sprachen kein Wort während der Reise. Ich vergoß meine Suppe. Louisens Tweedjacke war ganz naß und fleckig. »Es tut mir sooo leid«, murmelte ich höflich. »Das kann ich mir denken«, erwiderte Louise.

Mamas Laune war umgeschlagen. Sie blickte mich so erstaunt an, als ob sie nicht wüßte, was ich in Paris wollte. Es blieben nur noch zehn Tage Ferien. Wir zankten uns die ganze Zeit. –

*

Ich habe niemals herausgefunden, warum Abneigungen länger leben als die sogenannte Liebe. Sie müssen aus stärkerem Stoff gemacht sein. Nach meinen beiden Schuljahren in London hatte sich meine Zuneigung zu Madam so weit beruhigt, daß ich es ohne sie aushalten konnte. Eine Großtante liebt man wahrscheinlich nur als einsames Kind. Aber meine Antipathie gegen Louise behauptete sich in alter Frische. Wann immer ich an sie dachte, wurde mir schlecht ... Sie verdiente es nicht, daß Bijou mit seinen zwei Köpfen ihr Zimmer bewohnte ...

Louise hat Tsensky vor einigen Monaten in London verraten, daß ich in Stockholm heiraten würde. Diese Indiskretion werde ich ihr niemals verzeihen. Ich habe ein wunderbares Gedächtnis für Kränkungen und kandierte Beleidigungen. Ich habe nichts von dem vergessen, was meine Familie mir seit meiner Geburt zugefügt hat. Ich war sehr unsicher als Kind, und die Bonnards machten mich noch unsicherer. Seitdem meine russische Großmutter in Paris starb, hatte ich niemanden mehr. Wir nannten sie die Feldmaus. Sie war klein und grau und arbeitsam und hat meine Mutter sinnlos verwöhnt. Sie betete für uns alle und besonders für meinen Großvater. Sie bat Gott, ihm zu verzeihen, daß er Ikonen fälschte. Davon lebte eben die Familie. Die Feldmaus kam niemals auf die Idee, daß ihr herrlicher Ehemann auch auf andere Weise Geld verdienen könnte. Warum gab er keine Malstunden? Warum spielte er nächtelang Karten? Schwamm drüber. Die Feldmaus erzählte mir in gebrochenem Französisch viele russische Heiligenlegenden und gab mir Tee mit kandierten Früchten. Ich wünschte, Mama hätte etwas von ihr geerbt – ich meine außer dem mit Rubinen besetzten Kreuz, das irgendwo auf dem Dachboden in unserem Pariser Haus verstaubte. Mama ging niemals zur Messe – wahrscheinlich weil sie nicht die Hauptperson in der Kirche war.

Ich sah Graf Tsensky zum ersten Mal in Mamas Schlafzimmer in Paris. Ich war vierzehn Jahre alt und wurde aus meiner Schule »Sainte Marie« in Neuilly fortgeschickt, um die Osterferien im Elternhaus zu verleben. Das wäre ganz vernünftig von der Schule gedacht gewesen, wenn ich ein Elternhaus besessen hätte ... Wir hatten im Faubourg Saint-Germain feierliche hohe Zimmer und einen Dachboden für Erinnerungsstücke, da Mama das Hotel Bonnard verabscheute. In der Rue de Varenne konnte Mama empfangen, wen sie wollte. Sie brauchte auf den Namen Bonnard nur äußerlich Rücksicht zu nehmen. Mamas Besucher waren meistens ziemlich berühmte Männer und Frauen – und sie selbst war eine bekannte Ballettmeisterin. Aber drinnen in der feierlichen Wohnung schmeckte es nach Verfall – das weiß ich heute und ahnte es als vierzehnjährige Klosterschülerin. Ich hatte immer das Gefühl, mir drohe dort eine Gefahr.

Ich wünschte als Kind, Mama wäre nicht so schön und auffallend und unberechenbar, sondern eine etwas strenge, in solides Schwarz gekleidete Bewohnerin des Faubourg, mit einem großen Namen und einem kleinen Horizont. Wir wurden niemals in Häuser geladen, in denen solche Damen ihre Gäste empfingen. Es ging heiter und maßvoll in diesen Häusern der alten feinen Familien zu. Ich hatte Mitschülerinnen in »Sainte Marie«, die mir davon erzählten, Töchter hoher Beamter und Militärs. Sie hatten lange feine Nasen und waren in aller Bescheidenheit unendlich hochmütig oder einfach reserviert. Sie waren aber auch sehr höflich und hilfreich – nur luden sie mich niemals in ihr Elternhaus ein . . . Ich hörte in »Sainte Marie« von Geburtstagsfeiern und Weihnachtsfesten, und wie lustig der Papa General gewesen wäre, und wieviel Spaß sie alle – in ihrer steifen Manier – gehabt hätten. Ich hatte niemals etwas zu erzählen. Ich war nur mit »Zweikopf« befreundet. Niemand im »Sainte Marie« interessierte sich für meinen chinesischen Freund. Ich hütete mich, seinen Namen zu nennen. Zweikopf war doch ein Heide . . .

Ich hatte allerdings einen Serviettenring mit meinem eingravierten Namen in Mamas Wohnung im Faubourg – immerhin ein Zeichen, daß ich dort gelegentlich zu Mittag aß. Das Essen wurde stets von unserer alten Victorine serviert. Unsere Wirtschafterin war eine große knochige Frau mit dem sauersten Gesicht der Welt. Victorine mußte als Zitrone zur Welt gekommen sein. Sie zeigte mir einmal ein Foto von ihrer ersten Kommunion in ihrem Heimatdorf. Sie sah damals schon genauso aus wie bei uns in der Rue de Varenne . . . Sie hatte kleine mißtrauische Augen, eine enorm lange Nase, die sich zur Spitze hin verdickte, und aufgeworfene, mürrische Lippen. Victorine sah meistens aus, als ob sie schliefe, was keinesfalls der Fall war. Sie paßte in ihrer mürrischen wortkargen Art auf Mama und mich auf und war die einzige respektable Figur in unserem Haushalt – das heißt, wenn Papa nicht gerade in Paris war und Ordnung schaffte. Er unterhielt sich besonders gern mit Victorine, wahrscheinlich, weil sie so riesige Ohren hatte wie unsere Pao Pei, die auch so zuverlässig ist. – Ich sehe zunächst bei Leuten immer heimlich nach, ob sie große Ohren haben; wenn ja, habe ich Vertrauen zu ihnen. – Victorine hatte immer Schnupfen und hielt dies für eine Auszeichnung. Sie sprach stets von »ihrem Schnupfen«, erwartete ihn ungeduldig und kochte Kräutertee, wenn er endlich da war. Ich mußte als Kind immer den Kräutertee mittrinken, obwohl ich keinen Schnupfen hatte. Wenn ich an Victorine denke, rieche ich heute noch den beißenden Geruch der Kräuter.

Als ich den Grafen Tsensky zum ersten Mal in der Rue de Varenne sah, war ich erstaunt, ihn im Schlafzimmer meiner Mutter vorzufinden. Ich hatte Halsschmerzen. Victorine war einkaufen gegangen und erwartete mich erst am nächsten Tag. Ich war ohne Anmeldung nach Haus gekommen, da die Osterferien an diesem Tag begannen. Die Schule war leer, und zu Haus hatte ich Victorine und ihren heißen Tee. Ich wollte mir Mamas Halspillen holen und stürmte, ohne anzuklopfen, in ihr Zimmer. Da Mama stets drei lebensgefährliche Krankheiten auf einmal hat, besaß sie eine große Hausapotheke, die sie in einem Empire-Schrank aufbewahrte. Auf dem Schrank stand eine von Großpapa angefertigte uralte Ikone – ein wahres Museumsstück, wenn es echt gewesen wäre . . . Ich sehe alles noch heute: den Staub auf dem Empireschrank, Mamas erstauntes Gesicht und den Grafen Tsensky in einem Sessel. Er trug Papas chinesischen Hausrock, und hatte einen Spitzbart und eine Meerschaumpfeife. Das gefälschte Heiligenbild war das einzig Echte in dem Raum. Es roch nicht nach Kräutertee sondern nach Likören, für welche die arme Mama trotz ihrer Neigung zur Korpulenz eine Schwäche hatte. Es war alles wie in einer leicht angestaubten Operettenszene, obwohl wir im Jahr 1951 lebten. Frankreich war mitten in der industriellen Rekonstruktion, das hatte jedenfalls Monsieur Liotard, unser Geschichtslehrer, vor einer Woche erklärt. M. Liotard langweilte mich mit seiner verliebten Schilderung der elektrischen Wasserwerke an der Rhône beinahe zu Tode. Ich war überzeugt, daß Graf Tsensky sich mit Mama nicht darüber unterhalten hatte. Mama war verwirrt – selbst ich vierzehnjähriger unschuldiger Spatz fühlte es. Mama bestand immer noch auf ihren altmodischen Leidenschaften, obwohl man in Paris Sartre und die Existentialisten und so etwas wie Beatniks in den Cafés in Montparnasse und Saint-Germain-des-Prés hatte . . . Ich war auch eine Art Beatnik, wie ich dastand und Mama und Tsensky anstarrte. Ich war mager wie eine verhungerte Katze, hatte kurzes, wirres Haar und ein schlecht sitzendes Schulkleid. Unter der Bluse trug ich jetzt das mit Rubinen besetzte Kruzifix meiner Großmutter. Mein Hals brannte wie Feuer, und trotzdem war mir kalt. Am sonderbarsten fand ich Papas Hausrock in Verbindung mit einem

Fremden. Ich wünschte leidenschaftlich, Mama wäre wie andere Mütter im Faubourg – aber sie war es eben nicht.

Mama war vor acht Jahren noch sehr schön. Nicht so schlank und sentimental wie auf dem Portrait *Une jeune femme russe*, das Tsensky gemalt hatte und das bei Papa in Asien war. – Mama war aber sehr gepflegt und kleidsam melancholisch. Erst heute ist sie unangenehm lustig ... Sie hatte vor acht Jahren dramatisches schwarzes Haar und einen schönen, etwas mürrischen Mund mit vollen roten Lippen. Bei meinem Anblick hatte sich auf ihrer glatten gewölbten Stirn eine Denkerfalte gebildet. Und ich gebe zu, daß Mama in dieser Situation Grund zum Nachdenken hatte ... Ihr volles Gesicht war sehr weiß. Es sah wie getrockneter Kalk aus ... Ich sehe noch heute die Schweißtropfen auf ihrer Stirn, ihren offenen Mund und ihr dummes eigensinniges Kinn. – Es wurde in ein paar Jahren ein Doppelkinn. – Mama trug ein Hauskleid mit weitem Ausschnitt und die dreireihige Perlenkette von Großmutter Bonnard ... Der Ausschnitt war mit Spitze besetzt, und das ärgerte mich besonders. Es sah so festlich aus.

»Geh sofort in dein Zimmer, Marie«, sagte Mama so streng, als hätte *ich* mich schlecht benommen. »Trinke deine Milch!«

Weil ich Mama nicht länger anblicken konnte, fiel mein Blick auf eine Reproduktion von Chagalls »Selbstportrait«. – Es war Weihnachten noch nicht dagewesen. Später sagte mir Victorine, daß es ein Geschenk des Grafen Tsensky wäre. Es ist ein ziemlich unheimliches Bild bis auf die kleine Leinwand auf der Staffelei mit der roten russischen Kuh ... Ich starrte fasziniert auf die Hand mit den sieben Fingern, die Chagall sich auf dem Selbstbildnis zugelegt hat. Die sieben Finger weckten eine Erinnerung. Sie waren mir vertraut. Auf dem Bild fehlte nur noch Zweikopf. Ich blickte von den sieben Fingern zu dem gemalten Fenster mit dem Eiffelturm dahinter.

»Gefällt dir das Bild?« fragte Graf Tsensky. Er sah mich zum ersten Mal genau an, und ich gab ihm den Blick zurück.

»Verschwinde«, sagte Mama. Ihr harter Ton und die zärtliche Spitzenblende um ihr makelloses Dekolleté waren so komisch, daß ich zu lachen anfing.

»Die Hand mit den sieben Fingern ist so komisch«, kicherte ich und drehte Meister Chagall, dem Grafen Tsensky und meiner Mutter den Rücken zu. Es war höchste Zeit. Ich begann heftig zu weinen.

Victorine war in der Küche und ärgerte sich, daß ich so kurz vor Ostern mit roten, tränenden Augen herumlief. Erst als sie hörte, daß ich mir auf der Fahrt von Neuilly nach Paris einen Schnupfen geholt hatte, wurde sie glänzender Laune. »Ich koche dir sofort Kräutertee, Lämmchen«, sagte sie entzückt. »Geh schon ins Bett!«

Victorine gab mir den schrecklichen Tee, und ich versuchte, ganz langsam zu schlucken, damit sie länger bei mir blieb. Ich legte einen Augenblick meinen Kopf an ihre derbe Bäuerinnenbrust, und Victorine rührte sich nicht. Sie hatte viel Zartgefühl in ihrem alten robusten System. Als ich ihre Schritte nicht mehr hörte – sie schlief unter einem Verschlag auf dem Dachboden –, schlich ich mich zu Mamas Schlafzimmertür zurück. Ich blickte durchs Schlüsselloch, sah aber nur den Schlüssel. Die Tür war abgeschlossen.

Ich lauschte also.

»Was wird geschehen, wenn Marie etwas gemerkt hat?« fragte Mama den Grafen Tsensky. Sie ist groß im Ausmalen unangenehmer Situationen . . .

»Marie ist ein Schulkind. Sei nicht lächerlich, Natalya!«

Dann sprachen sie russisch, und ich konnte nichts mehr verstehen.

Die Osterferien schleppten sich hin. Ich sagte kaum etwas, und Mama machte sich unsichtbar. Am Morgen meiner Abreise brachte Victorine mir eine riesige Konfektschachtel mit einem rosa Seidenband. Ich schickte sie durch Victorine an den Grafen Tsensky zurück und schrieb dazu:

»Besten Dank für das Konfekt, das ich zu meinem Bedauern zurücksenden muß. Ich esse nur bittere Schokolade. Es war sehr freundlich von Ihnen. Wollen Sie sich nicht einen Hausrock kaufen? Der Mandarinmantel gehört nämlich meinem Papa.

Mit besten Grüßen

Ihre ergebene

Marie Bonnard
Schülerin
Sainte Marie, Neuilly.«

*

Ich hoffe, der Brief fiel Herrn Tsensky auf die Nerven. Mama sagte einmal, ich hätte ein bemerkenswertes Talent, den Leuten auf die

Nerven zu fallen. Damals schluchzte ich in meinem Zimmer. Ich war elf Jahre alt und wollte Mama gefallen. Sie sollte mich küssen und umarmen. Ich fand sie schön, und sie duftete so gut. Sie lächelte so zärtlich. Ich wußte noch nicht, daß Mama niemals für mich gelächelt hatte . . .

Mit sechzehn Jahren kam ich nach Paris zurück. Die Mutter Oberin hatte nach meinem denkwürdigen Osterbesuch an Mama geschrieben, ich entwickelte eine gewisse Aggressivität und sie alle beteten für mich. – Mama hatte mir daraufhin geschrieben, ich solle nicht aggressiv sein, sonst würde ich keinen Mann abbekommen. Mama lebte schon damals in panischer Angst, daß ich ihr lebenslänglich Gesellschaft leisten würde.

In den zwei Jahren hatte sich manches in Paris geändert. Mamas Ballettschule war jetzt sehr bekannt. Tsensky hatte den letzten Sprung zur großen Karriere als Bühnenmaler gemacht. Victorine war dieselbe geblieben. Sie sah nur älter und noch mißtrauischer drein . . . Ich experimentierte mit Kleidern und trug Baretts. Ich wollte Malerin werden und bei Tsensky Unterricht nehmen. Das würde Mama ärgern . . .

Tsensky und ich entdeckten zufällig mein Maltalent und mein Talent, Abendkleider zu tragen. Meine Baretts warf Tsensky in die Seine. Er wußte offenbar nicht, daß Kopfbedeckungen Geld kosten . . . Aber er meinte es gut in diesem Fall. Er nannte mich den »fatalen Teenager« und lachte über meine Bemerkungen. Ich amüsierte ihn, was die arme Mama niemals fertiggebracht hat. Dabei ist es so wichtig im Umgang mit Männern. Wann hat es jemals Zeiten gegeben, wo Schönheit allein genügt hätte? Die »Schöne Helena« muß entweder noch andere Vorzüge besessen haben, oder sie ist eine Erfindung wie die Unsterblichkeitspillen der Chinesen . . .

Mir sagten schon dumme Jungen, daß ich schön wäre. Ich war nun sechzehn Jahre und wollte es von Tsensky hören. Ich machte keinen Eindruck auf ihn. Er unterrichtete mich und entwarf meine Kleider. Bis auf mein Hochzeitskleid, das ich zu dem Empfang in Stockholm trug, hat Tsensky alle meine Kleider entworfen. Er hätte sicherlich auch ein Brautkleid entworfen, wenn er etwas von meinen Heiratsplänen geahnt hätte. Aber er hatte mir auch nichts von seinen Heiratsplänen in Paris verraten. Er wollte Ulrika heiraten. Er leugnete es mir gegenüber, als ob eine höfliche Anfrage die kostbare Ulrika beschmutzt hätte ... Tsensky war völlig verändert, nachdem Eriks Kusine in Paris aufgetaucht war.

Er durfte Ulrika nicht heiraten.

*

Ich liebte und haßte ihn abwechselnd. Er war mein böser Geist, mein guter Lehrer, mein väterlicher Freund. Er hob die Grenzen von Ort und Zeit auf, und ich durfte mit ihm fliegen ...

Tsensky war ein Erpresser, ein falscher Fünfziger und ein Hund. Aber er war alles, was ich jemals gehabt hatte.

*

Erik ist alles, was ich niemals haben werde ... Das ist ziemlich wenig, wenn man es bei Licht besieht.

Ich darf nie mehr an Ulrika denken.

Ich freue mich, daß sie tot ist. Sie hat selber schuld an ihrem Tod. Louise hat auch selbst schuld an ihrem Unglück. Sie haben alle schuld.

II

Tsensky war oft böse, daß ich so faul war. Er selbst war trotz seiner Launen und Laster ein unermüdlicher Arbeiter. Nur solche Leute bringen es weit im Büro und in der Kunst. Aber in der Liebe bringen sie es nicht weit. Das sieht man an Mama. Sie bemühte sich im Schweiß ihres Angesichtes darum, zeitlebens *une jeune femme russe* zu sein. Eine Verführerin mit Doppelkinn hat es nicht leicht. Tsensky hat ein scharfes Auge für jede Unregelmäßigkeit. Er ist an die klassische Perfektion der Ballerina gewöhnt. Und an ihre Schweigsamkeit. Mama war enorm gesprächig. Sie paßte überhaupt nicht zu Tsensky. Was sollen zwei Leute miteinander anfangen, die alle beide nur von sich selber reden? *Ich* hörte Tsensky zu, ob es mir Spaß machte oder nicht. Ich wußte schon als Teenager, daß es die einzige Möglichkeit war, wenn ich mich weiter in seinen Augen spiegeln wollte ...

Tsensky ärgerte sich über mich, weil ich für mein Quantum Talent nicht genug Enthusiasmus mitbrachte. Er behandelte mich wie ein Kind. Er besuchte uns niemals mehr im Faubourg, nachdem ich die Schule verlassen hatte. Mama und er trafen sich wohl irgendwo, wenn er sie absolut nicht loswerden konnte. Sie kam niemals in sein Studio in der Rue de la Grande Chaumière, wo Modellmarkt ist und wo Tsensky meine Freundin Madeleine Boussac entdeckte. Ich dachte damals, Madeleine wäre meine Freundin. Aber sie war wohl nur verhungert und liebte mein Geld und meine Geschenke. Obwohl ich ungern Geld ausgab, kaufte ich für Madeleine Boussac viele Geschenke. Ich wollte so gern eine Freundin haben . . .

Der Teufel soll Madeleine Boussac holen! Sie ließ sich jede Überstunde, die sie in meiner Gesellschaft zubrachte, doppelt und dreifach bezahlen. Der Umgang mit einer Erbin ist unleugbar demoralisierend.

Mama übersah mich geflissentlich. Sie konnte mir nicht gut Wohnung, Bett und Essen verweigern, da ich immerhin als Papas Tochter ein legales Recht auf Unterkunft und Verpflegung im Elternhaus hatte. Zu einem Sohn wäre Mama wahrscheinlich reizend gewesen und hätte ihn schon in den Windeln zu ihrem Anbeter erzogen.

Mama blickte in jenen Jahren schon beim Frühstück über mich hinweg. Das Zimmer in unserm Sommerhaus in Auteuil war freundlich, aber das nützte nichts. Das Haus war aus dem achtzehnten Jahrhundert und noch nicht der Spitzhacke zum Opfer gefallen. Im Vorgarten blühten altmodische Blumen. Victorine hatte auch einen Platz, wo sie Kräuter pflanzte. Ich hätte dort glücklich sein können.

Aber wenn Mama so über mich hinwegblickte und stumm ihre Briefe und Rechnungen las, fühlte ich mich wie ein Möbelstück, das versehentlich in Auteuil abgegeben worden war. Es gab mir ein Gefühl unbeschreiblicher Überflüssigkeit. Man ist mit sechzehn Jahren so verwundbar und unsicher. Kein Kind mehr, das sich bei der Mutter versteckt, und noch keine Frau, die Trost bei einem Mann findet . . . Ich war immer noch etwas mager, aber der kleine Armand von nebenan fand mich bildschön. Mama mußte bereits eine Diät halten und war daher beständig in ekelhafter Laune. Leider kümmert kein Modearzt sich darum, in welchem Maß Abmagerungskuren ein Familienleben zerrütten. Die arme Mama liebte alles, was dick macht, trank Wodka und Kaffeelikör und verabscheute Salate und mageres Fleisch. Wenn sie mit mir zu sprechen geruhte, verriet sie mir ihr augenblickliches Gewicht. Aus lauter Verlassenheit fing ich den Flirt mit dem dummen Armand de P . . . an, der sich gegen Ende des Sommers aus heiterem Himmel eine Kugel durch den Kopf schoß.

Armand stammte aus einer berühmten Familie von Politikern und hatte eine Zukunft vor sich. Er sprach niemals von sich – dazu war er zu gut erzogen. Er studierte Volkswirtschaft und las Voltaire und Sartre. Ich stotterte niemals, wenn ich Arm in Arm mit ihm spazierenging. Er war zart und schlank und hatte große, geduldige Kalbsaugen. Er war schrecklich freundlich und bewunderte mich schüchtern. Ich zeigte ihm meine Skizzen, und er zitierte Sartre. Leider war Armand heimlich ein Romantiker, der kein Wort vom Existentialismus glaubte. Er wollte eine Heckenrose besingen und kam bei mir an die falsche Adresse. Das ist nicht meine Schuld.

Wir machten weite Spaziergänge. Armand stöberte immer in alten Chroniken herum. Das alte Château seiner Familie mußte voll davon sein. Er vertraute mir an, daß Ludwig XIII. in Auteuil Wölfe gejagt und Marie Antoinette dort ihre Schwester Elisabeth besucht hatte. Es interessierte mich nicht. Die Herrschaften hätten Mama und mich so wenig eingeladen wie die Baronin de P . . ., Armands Mutter. – Plötzlich fiel ich dem sprachlosen, heftig errötenden Armand um den Hals und küßte ihn ungeschickt, aber unerbittlich. Ich wollte ihn verhindern, mir weitere Verse von Boileau vorzusprechen, der selbstverständlich auch in Auteuil gelebt hatte. Armand lispelte etwas und schob nach jedem Vers seine Unterlippe vor. Zu Racine ließ ich es nicht mehr kommen. Dem guten Armand blieb die Puste weg, als ich ihn küßte. Das war nicht in seinem Programm. Er wollte von mir träumen, sich über Auteuil unterhalten und in zehn bis fünfzehn Jahren eine Frau heiraten, die Maman aussuchen würde. Meine Küsse änderten seine Pläne. Wenn Ludwig XIII. und der ganze Rest dem verdammten Auteuil ferngeblieben wären, hätte die kleine Unterbrechung niemals stattgefunden. Leider hat sie Armand seinen Geschmack an seiner großen Zukunft genommen. Er wollte ein kleines Vergnügen mit mir . . . Seine Mutter und ich waren absolut dagegen. Natürlich gab ich mich dem jungen Studenten nicht hin. Ich fand es nur amüsant, wie Armand stöhnte und pustete und zum Schluß wie ein Baby weinte, bevor er mir einen Heiratsantrag machte. Er wollte mich eben in jedem Fall haben. Seine Familie ordnete mit Recht seine sofortige Abreise auf die Universität an. Es war das Ende des Sommers und das Ende von Armand. Am Morgen seiner Abreise erschoß er sich. Er war zu rücksichtsvoll, es in seinem Zimmer oder in dem Saal mit den Gobelins zu tun. Er ging in den Wald. Er tat mir sehr leid – aber es war sehr dumm von ihm gewesen.

Es gab einen hübschen kleinen Skandal. Mama war kopflos. Ich raste nach Paris zu Tsensky. Glücklicherweise war er in seinem Studio – er machte Sommerferien, wenn er wollte. Das konnte auch im Januar sein. Er telegraphierte Papa nach Saigon. Papa flog sofort nach Paris und brachte die Sache in Ordnung. Unser Name blieb aus den Zeitungen heraus. Dergleichen konnte das Hotel Bonnard sich in Paris nicht leisten. Ich heulte wie ein Schloßhund, weil Papa nicht ein bißchen nett zu mir war. Er dankte Tsensky für seine Geistesgegenwart und fuhr mit mir in unsere Stadtwohnung, wo Mama sich – intelligent wie immer – in ihrem Zimmer eingeschlossen hatte, um meinen Anblick zu vermeiden. Victorine sagte, die Baronin de P . . . erzähle überall in Auteuil, ich sei schuld am Tod ihres Sohnes. Aber Papa klopfte Victorine auf die Schulter und fragte, wie groß schon Auteuil wäre . . .

Mama reiste mit Papa nach Nizza, um ihre Nerven zu beruhigen. Vorher sagte ihr Papa, sie wäre eine lausige Mutter. Ich lauschte an der Tür. Leider kam Victorine mit der Morgenschokolade, und ich rannte weg. Ich blieb allein mit Victorine in der feierlichen Wohnung und weinte, weil Mama gesagt hatte, ich locke das Unglück an . . . Sie hatte sich wohl nicht viel dabei gedacht – Mama sprach immer erst und dachte nachher – aber es kränkte mich.

Einige Tage später erschien Graf Tsensky im Faubourg, wo er sich zwei Jahre lang nicht hatte sehen lassen. Er fand mich in Tränen und versuchte, mich zu trösten. Es gäbe wenig kleine Mädchen, die das Unglück anlocken können – es wäre ein großes Talent, sagte er, aber es wäre gottverdammter Unsinn. Victorine brachte Kräutertee, weil Tsensky Schnupfen hatte. Sie stand wie eine Schildwache an der Tür des Empfangszimmers und bestaunte unseren Besucher, dessen Bild sie in einer Illustrierten entdeckt hatte. Tsensky feierte gerade einen Triumph mit neuen Décors und Kostümen. Ich klebte die Zeitungsbesprechungen über ihn in ein rotes Buch und las sie jedem vor. Zuerst Victorine, die darüber einschlief. Sie interessierte sich nur für Brathühner, Kräutertee und ihren Sohn Philippe, der auf Papas Kosten an der Sorbonne studierte. Papa wurde sehr verlegen, weil ich es durch Victorine erfahren hatte. Er ist der Ansicht, seine guten Taten seien eine Schande für die Bonnards. Er fürchtet wahrscheinlich, sein Ruf als Zyniker stehe auf dem Spiel.

Als ich achtzehn Jahre alt war, bat Mama mich, sie vor Fremden mit »Natalya« anzureden. Sie hoffte, sie würde dadurch jünger und ich älter wirken. So kindlich ist Mama! Ich tat ihr den kleinen Gefallen nicht.

Ich hatte ihr nichts verziehen. Vor allem nicht, wie sie sich vor zwei Jahren nach Armands Tod in ihr Zimmer eingeschlossen hatte, um nicht vom Unglück belästigt zu werden. Sie ist eine großzügige, fleißige und charmante Frau, aber eine schlechte Mutter. Sie sagte mir einmal, ihr Herz sei so weich und mitfühlend, daß sie den Anblick fremder Leiden meiden müsse . . . Aber vielleicht hatte sie in einem recht: vielleicht locke ich das Unglück an? Wo ich auftauche, da passiert irgend etwas. Louise Bonnard verlor Erik. Nicht etwa, daß ich ihn besitze, aber Louise hat ihn verloren, als ich in Brook Street auftauchte. – Mama verlor Tsensky durch mich, das darf ich ohne Übertreibung sagen. Armand erschoß sich. Ulrika ist tot . . .

Ich bin ganze zweiundzwanzig Jahre alt.

Was soll ich tun, wenn das Unglück eines Tages *mich* umarmt? . . . Ich werde dann versuchen müssen, dem Unglück eine andere Person zuzuschanzen, damit es mich übersieht.

ZWEITES BUCH

Mohn in den Bergen

INDISCHE WARNUNGSTAFEL

Wer Mohnblüten sammelt, statt Reis zu pflanzen, der wird die sieben Verwandlungen der Posato-Mani durchmachen:

Er wird wie eine Katze schmeicheln und schnurren.
Er wird giftig wie eine Schlange werden.
Er wird die schmutzigen Gewohnheiten der Affen annehmen.
Er wird wie ein Tiger in Wut geraten.
Er wird vor Angst wie ein Straßenköter heulen.
Er wird stumpf wie ein Elefant werden.
Er wird den Verstand einer Mücke bekommen. –

ERSTES KAPITEL

Siesta

I

»Warum ißt du nichts, Marie?«

Louis Bonnard betrachtete erst die Peking-Ente und dann seine Tochter. Die Ente gefiel ihm besser.

»Bangkok nimmt mir den letzten Rest Appetit, Papa! Die Luft liegt mir wie ein Sack auf der Brust. In den Bergen kann man wenigstens atmen.«

Marie Ekelund spielte mit ihrer *lu kit*, einer kleinen Rechenmaschine. Sie hatte die chinesische Art des Rechnens sofort begriffen. Der mit senkrechten Stäben versehene Holzrahmen enthielt pro Stab zehn kleine Kugeln, die man beim Zusammenzählen hin- und herbewegte. Maries schlanke, nervöse Finger schoben die Holzkugeln mit unterdrückter Heftigkeit umher.

»Kannst du nicht mit dem Geklapper aufhören, Marie?«

»Rechnen ist zur Zeit mein einziger Zeitvertreib. Was hast du gegen Rechenmaschinen, Papa? Sie faszinieren die klügsten Männer. Dein Lieblingsautor *Pascal* hat sogar eine Rechenmaschine erfunden.«

Louis Bonnard zog die Augenbrauen in die Höhe. Seine lange französische Nase mit den verengten Flügeln drückte Mißbilligung aus.

»Jetzt rechnest du sogar beim Essen, Mädchen! Du bist doch kein Pfandleiher.«

»Ich bin eine Erbin. Das ist ein Pfandleiher mit Phantasie.«

Marie begann leise zu lachen. Es klang nicht angenehm.

Sie betrachtete ihren eleganten Vater mit halbgeschlossenen Augen. Er sah jugendlich und doch erschöpft aus. Marie schob die kleinen Kugeln eilig hin und her und machte sich Notizen in ihr Taschenbuch. »Die indischen Seiden in Prahura sind viel zu teuer«, bemerkte sie und stürzte ein Glas Eiswasser herunter. »Nach der ersten Wäsche wird man obendrein Fetzen in den Händen haben. Bei den Heiden kostet eben alles ein Heidengeld . . . Blick nicht so düster, Papa! Du siehst wie Franz I. aus, wenn er Jagdpech gehabt hatte.«

»Was weißt du Grashüpfer von Franz I.?«

»Ich sah sein Bild im Museum Condé in Chantilly. Ich war mit Ulrika dort.« Ein merkwürdiger Ausdruck kam in Maries helle Augen. »Chantilly ist ein reizender Ort, aber Erik kann ihn nicht leiden. Es ist zu komisch – unser Geschmack ist grundverschieden.« Marie gähnte. »Wirklich, Papa! Du hast eine lächerliche Ähnlichkeit mit Franz I.«

»Ich verbitte mir Vergleiche mit den Valois, mein Kind! Sie haben die französische Kultur zu Grabe getragen.« Louis Bonnard legte seiner Tochter mit den Eßstäben ein saftiges Entenstück auf den Teller. Marie schüttelte sich beim Anblick der fetten gerösteten Haut, die östlich von Suez als große Delikatesse gilt. Sie zündete sich eine Zigarette an, die einen süßlichen Duft verbreitete. Ihr Vater nahm sie ihr aus der Hand.

»Nach dem Essen, meine Kleine! Du wirst allmählich eine Barbarin.«

»Nachahmungstrieb!« – Marie gähnte. Sie war blaß, hatte dunkle Ringe unter den Augen und riß an ihrem winzigen Spitzentaschentuch herum. Ihre angespannten Nerven offenbarten sich in heftigen kleinen Bewegungen. Louis Bonnard, der diese Anzeichen kannte, zuckte die Achseln.

»Entschuldige, Papa, ich bin todmüde. Mir fehlt die Siesta in den Bergen.«

»Du kannst hier ruhen, soviel du willst.«

»Das ist nicht dasselbe.« Marie blickte starr vor sich hin. Ihre Lidspalte hatte sich verengt, und ihr Blick wurde gläsern – wie vor Jahren in Haverstock Hill, als sie zum ersten Mal *fortging* und Louise Bonnard nur ein Schulkleid schüttelte. Maries Blick war so entrückt, daß ihr Vater sie erstaunt musterte. Ihre herabgezogenen Mundwinkel erstarrten. Das Taschentuch war zu Boden gefallen. Die Kulisse des Bonnard in Bangkok wich zurück. Marie hielt Siesta auf *Doi Sutep*, dem Granitberg hoch über der alten Stadt Chiengmai. Auf der Spitze des Berges stand ein berühmter buddhistischer Wallfahrtstempel – zwischen Hügelketten, Urwaldbäumen und Rosengärten lagen kleine Bungalows umrahmt von wilden Orchideen, Farnkraut und Palmen. Einen dieser entlegenen Bungalows hatte ein chinesischer Freund von Erik – ein reicher Apotheker in Lampang – ihnen zur Verfügung gestellt. Marie sah hinter halb geschlossenen Augenlidern die goldene Pagode des *Wat Sutep* in der Morgensonne. Sie sah in der kristallklaren Luft Pilgerzüge, Mohnfelder zwischen Bergreis und ein buddhistisches Totenlicht. Miao-Männer und ihre Frauen in indigoblauen Jacken und silbernen Halsreifen arbeiteten in den Feldern. Sie beugten ihre turbangeschmückten Häupter tief zu den Mohnpflanzen hinab. Aus den Samenkapseln zapften die chinesischen Bergvölker des Nordens einen dunklen, klebrigen Saft – das Elixier der Träume! Marie atmete schwer. Sie zündete sich mit zitternden Fingern eine neue süßlichriechende Zigarette an. Während sie den Duft langsam einsog und ihren Vater zu vergessen schien, verwandelte sich die tödliche Symmetrie des Alltags in abstrakte Gebilde, die Marie eines Tages malen würde: Ur-Vögel, kosmische Portraits – Tsensky in einem feurigen Mohnfeld vor einem fahlen Himmel mit Geistervögeln. Nur Energie brauchte man, um diese Visionen auf die Leinwand zu werfen ...

»Wach auf, Marie!« – Louis Bonnard schüttelte seine Tochter ziemlich unsanft.

»Ich will lieber nach Doi Sutep zurückfahren«, sagte die junge Frau. »Dann bleibt dir mein Anblick auf weiteres erspart.«

»Was willst du allein in dem Bergnest?« fragte Louis gereizt. Er biß sich auf die volle Unterlippe, da seine Geduld versickerte. »Diese Dschungeldörfer sind kein Platz für eine kleine Pariserin! Warum bleibst du nicht in eurem Haus in Chiengmai?«

»Mir gefällt es in der Einöde. Ich war in Paris auch in einer Einöde. Aber woher solltest du das wissen? – In jedem Fall bin ich in Doi Sutep dem Himmel näher und den Klatschbasen von Chiengmai ferner.«

Marie preßte die Lippen zusammen, als ob sie jedes weitere Wort am Entschlüpfen hindern wollte.

»Du hast dich nie um Klatsch gekümmert, Marie! Neuerdings witterst du überall Feinde! Das schadet der Schönheit! – Was zieht dich eigentlich nach Doi Sutep? Ich kenne diese Gegend. Nichts als chinesische Pferde, Mohnfelder, Naturgeister und dazwischen die Miao-Leute! Es ist einfach lächerlich. Ich werde an deinen Mann schreiben.« – Louis Bonnard hob die Hand mit einer charakteristischen Gebärde: »Sage nichts, Marie! *Ich* werde dir etwas sagen! Du zankst dich mit deinem Mann herum! Du warst immer entsetzlich zanksüchtig, meine Kleine!«

»Ich zanke mich niemals mit Erik. Ich ignoriere ihn.«

»Zu diesem Zweck brauchst du dich nicht in dem Bergnest zu vergraben! Deine Mutter ignorierte mich einmal drei Wochen lang in unserem Hotel in Paris. Es war sehr erholsam. – Dir fehlt Gesellschaft! Du denkst neuerdings zuviel nach. Das bist du nicht gewöhnt, *ma petite.*«

Marie schwieg.

»Ich werde einen Empfang für dich geben.«

»*Mir* brauchst du keine Einladung zu schicken, Papa! Ich verabscheue Gruppen – ich bin nicht umsonst mit einem Soziologen verheiratet. Was ist so komisch?« fragte Marie. »Ich mache niemals Witze. Im übrigen – ich fahre nach dem Norden zurück.«

»Sei nicht lächerlich. Du bist erst eine Woche hier.«

»Sträube dich nicht gegen dein Glück, Papa!«

»Meine liebe Marie!« – Wenn Louis Bonnard das sagte, war er ernstlich verstimmt. – Er wischte sich den Schweiß von der hohen Stirn. Feuchtes Feuer kroch vor der Regenzeit in der Tropenstadt umher. Im Bonnard in Bangkok wehte natürlich elektrisch gekühlte Luft. Dort gab es alles, was man brauchte. Es gab französische und chinesische Küche, der Vogel Garuda wachte in der riesigen Halle, und es gab trotz der Tropenhitze zivilisierte Gespräche, internationale Zeitungen und gepflegte Getränke. Dafür bürgte der Name Bonnard. Der Schöngeist Louis, der sich in seinen Freistunden mit Pascal und den französischen Moralisten des achtzehnten Jahrhunderts unterhielt, war ein erstklassiger Hotelier. Er war nicht so förmlich wie Paul Bonnard in Mayfair, nicht so persönlich wie »Madam« in Haverstock Hill, nicht so aktiv und unverblümt wie Dominik in Zürich und kein Whiskytrinker wie Daniel Bonnard in Hongkong. Sein Hotel hatte etwas von allen *Bonnards* und dazu sein eigenes von Geist und Höflichkeit bestimmtes Fluidum. Es war eine Oase im politisch zerrissenen Ostasien dieser Zeit. Zimmer mußten wochenlang vorher bestellt werden. Das Bonnard in Bangkok hatte Stammgäste zu einer Zeit, zu der Stammgäste Fabelwesen geworden waren. Was zum Teufel mißfiel Marie im Bonnard?

Louis hatte seine Tochter ziemlich plötzlich aus Doi Sutep nach Bangkok geholt, weil sie weder auf Briefe noch auf zwei Telegramme antwortete. Er hatte wenig Talent zum Kindermädchen und war ziemlich unliebenswürdig in Chiengmai angekommen. Die animistische Atmosphäre des Nordens ging ihm auf die Nerven. Man wanderte von einer Welt in die andere, wenn man vom siamesischen Flachland in die Berge der Lao-Völker fuhr. Louis Bonnard wechselte schon sehr ungern den Zug – er verabscheute den Wechsel von Welten. Er blieb ein Pariser, der im Klein-Paris von Saigon und nun im Klein-Amerika von Bangkok lebte ... Er hatte keinen Sinn für romantische Berge und wilde Flüsse. Wenn er irgendwo zwischen Asien und Paris eine Hotelterrasse mit herrlicher Aussicht entdeckte und eine Stunde Zeit hatte, bewunderte er die grandiose Naturkulisse fünf Minuten lang und studierte in der verbleibenden Zeit die Gäste und die Kellner auf der Terrasse. Die älteren Gäste zerbrachen sich das Rückgrat in diesen Stühlen – das war kein Berggipfel wert. Sie mußten zu lange auf das Essen warten – das konnte der See im Mondlicht nicht wieder gutmachen. Der Oberkellner schien schwerhörig zu sein – er sollte entweder eine unsichtbare Hörhilfe tragen oder Postbote werden. Das Blumenmädchen war zu tief dekolletiert – das war nur im Privatleben erwünscht. Nein, an diesem Hotel war so viel auszusetzen, daß Louis Bonnard der weltberühmten Aussicht keinen zweiten Blick schenkte ...

Die Berge von Chiengmai schienen Louis weit entfernt, und dennoch tauchten sie in die grünlichen Wasser des Salwin und des Mekhong Flusses. Nord-Siam war romantisch. Louis haßte die Romantik fast so sehr wie lieblos gekochtes Essen oder ansteckende Krankheiten. Konnte Erik Ekelund nicht ein vernünftigeres Hauptquartier in Siam finden? Chiengmai hatte fünfzigtausend Einwohner, von denen die überwiegende Mehrzahl im Jahre 1959 an Geisterbeschwörung glaubte. Louis, der sofort einen Professor holte, wenn der kleine Zeh ihn schmerzte, war entsetzt über den Aberglauben der Lao. Einer von Maries Dienern war krank geworden, und der »Geisterdoktor«

hatte eine erschreckende Vorstellung im Dienerhaus gegeben. Louis hatte sich die Ohren zugehalten, um die Gesänge, Schreie und Beschwörungen nicht zu hören. »Obwohl ein Elefant vier Beine hat, kann er hinfallen, und auch ein Doktor aus dem Westen kann sich irren«, sagten die Leute in Chiengmai.

Was wollte Marie in diesen unaufgeklärten Gegenden? Chiengmai hatte außer den Geistern nur noch die von amerikanischen Missionaren gegründete Lepra-Kolonie aufzuweisen. Bleichsüchtige Rosengärten träumten an den Berghängen vom fernen Europa. Es gab bildschöne, lächelnde Lao-Mädchen; aber Louis Bonnard hatte bereits das Stadium wohlwollender Gleichgültigkeit erreicht. Außerdem fand er die Laotinnen zu geschäftstüchtig. Sie benutzten das Lokalkolorit, um sich ein Konto in Dollars zu erlächeln ... Louis hatte sich in den Jahren der Indiskretion zu oft mit schönen jungen Frauen gelangweilt, um jetzt noch beeindruckt zu werden. Er zog schon geraume Zeit die Lektüre bestimmter Philosophen und eine perfekt gebratene Peking-Ente den hinterlistigen Vergnügungen der Sinne vor. Das war etwas, was keine Frau verstand und jeder Mann früher oder später erlebte ... Was ist Liebe? fragte sich Louis Bonnard und blickte seine Tochter verstohlen an. Liebe war fünfundsiebzig Prozent Eitelkeit, zwanzig Prozent Illusion, und der Rest war der Drang, dem Alleinsein zu entgehen. – Was war verkehrt in Maries Ehe? Louis fand es nicht sehr vergnüglich, seine dekorative, schwierige Tochter zur Vernunft bringen zu müssen. Er hatte sich stets eine Tochter gewünscht, die wie Louise Bonnard war und wie Marie aussah. Marie hatte zu wenig zu tun – solche jungen Frauen wurden eine Landplage für ihre Angehörigen. Warum zum Kuckuck malte sie nicht? Es gab genug alte Tempel und solches Zeug im Norden. Die Provinz Chiengmai wurde überall »der malerische Norden« von Hinterindien genannt. Da hatte Marie nun jahrelang bei Tsensky Malstunden gehabt und ... Hol ihn der Teufel! dachte Louis Bonnard. Marie war aus Tsenskys Bannkreis direkt in diese Ehegemeinschaft gerannt. Über eins war Louis Bonnard sich klar: Tsensky würde der lieben Marie nicht nachreisen.

»Warum malst du nicht, Marie?« fragte er. »Du *mußt* dich beschäftigen!«

»Ich male gelegentlich.« Marie gähnte ungeniert.

Louis Bonnard zuckte die Achseln. Marie war ein Faultier – das hatte auch Tsensky gesagt. Louis dachte plötzlich an Pao Pei, seine treue chinesische Hilfe im Restaurant, die, wie jede vernünftige Frau, stets in der Küche war. Sie überwachte schimpfend und zuverlässig »Bonnards Chinesisches Restaurant« in der lärmenden New Road. Louis war selten dort – auf Pao Pei mit den großen Ohren konnte er sich verlassen. Sie sparte für ihn, wie nur Chinesinnen es verstanden, und überwachte den Einkauf. Sobald die Köche zuviel Opium kauften und minderwertige Eßwaren brachten, gab es Krach. Pao Pei brauchte den Krach genau wie das Chinesische Neujahr, das Drachenbootfest und »Bonnards Chinesisches Restaurant« in Bangkok.

In Pao Peis Augen konnte Master Louis nichts falsch machen, was auch »Jüngerer Bruder« in Kanton gegen den Westen sagte. Jüngerer Bruder war ein alter Kommunist. Er schickte der altmodischen und eigensinnigen »Älteren Schwester« durch einen Agenten Nachrichten über den Zustand seines Magens und Material über die Volksrepublik. Wenn Pao Pei die Propagandaschriften las, röteten sich ihre Ohren. Warum ließ Jüngerer Bruder sie nicht in Ruhe? Sie war ganz glücklich, wo sie war. Er sollte glücklich sein, wo er war. Der Mond blieb auch im Himmel, und die Ente blieb im Teich. Pao Pei war ein einfacher Mensch. Das Schimpfen trug zu ihrer Zufriedenheit bei. Übrigens ging sie Marie Bonnard sorgfältig und höflich aus dem Weg. Miss Marie hatte eine gelbe Seele. Jede vernünftige Person ging dem Dämon Unzufriedenheit aus dem Weg . . . Master Louis tat Pao Pei leid. Töchter mußten ehrerbietig und bescheiden sein, auch wenn sie heutzutage in die Fabrik gingen und Auszeichnungen in Kanton erhielten. Miss Marie war wie ein Tiger – man sah das schillernde Fell, aber man konnte nicht die Rippen unter der Haut zählen. –

Louis Bonnard aß mit Vergnügen die Lichi-Früchte. »Warum verträgst du dich nicht mit Erik?« fragte er nebenbei. »Du hast ihn dir doch ausgesucht, Marie! Du hast ihn sogar deiner Kusine Louise weggenommen.«

»Das waren noch Zeiten!« erwiderte Marie. »Erik ist jetzt so leicht irritiert. Es fing mit unsern Dienern an. Ich kann doch nichts dafür, daß sie vor mir Angst haben.« »Angst? – Vor *dir*?«

»Vor mir«, erklärte Marie mit einer gewissen Befriedigung. »Ich brauche diese Laoten nur anzublicken, und sie lassen vor Schreck das Tablett mit dem Whisky fallen. Erik wird dann wütend.«

»Auf die Diener?«

»Auf *mich* natürlich! Das ist doch so in der Ehe, Papa! Erik hat hauptsächlich geheiratet, um seine Launen an jemandem auslassen zu können, der immer zur Verfügung steht.«

»Ich will dir keine Moral predigen, mein Kind, aber . . .«

»Das wäre auch zu komisch, Papa!«

»Du bist jetzt eine Reihe von Monaten verheiratet und lebst beständig von deinem Mann getrennt. Warum begleitest du Erik nicht auf seinen Studienreisen? Hast du so wenig Interesse für Ostasien? Oder für deinen Mann?«

Marie blickte ihren Vater sprachlos an. Eine unbehagliche Pause entstand. Schließlich sagte sie: »Das kann doch nicht dein Ernst sein! *Ich* soll Erik begleiten? Liest du keine Zeitungen? Erik erforscht im Augenblick mit einem Team von Wissenschaftlern die soziologische Situation in den Lepra-Kolonien. Er wird der WHO Berichte liefern und Vorschläge machen. Der Weise aus dem Abendland! Der hat den armen Teufeln noch gefehlt.«

Louis Bonnard war aufgesprungen. Der Teller mit den Lichi-Früchten fiel zu Boden. »*Lepra?*« fragte er heiser. »Das ist ja unglaublich. Da kann er sich und dich anstecken . . .«

»Erik behauptet, es wäre ein gefahrloser Job und er wäre mir dankbar, wenn ich nicht alle Ammenmärchen über die Lepra wiederholte. Sie wäre eine Krankheit wie jede andere . . .«

»Wer hat deinen Mann für diesen Job vorgeschlagen?«

»Ein Amerikaner in Chiengmai. Wenn du zu meiner Hochzeit nach Stockholm gekommen wärst, hättest du dieses Wundertier kennenlernen können! Aber meine Hochzeit interessierte dich nicht.«

»Unsinn! Du hast so plötzlich geheiratet, daß ich meine Dispositionen nicht mehr ändern konnte. Ich muß mein Hotel hier beaufsichtigen, sonst werde ich dich anpumpen müssen, meine Kleine!«

»Dann komm lieber niemals zu meinen Hochzeiten, Liebling! — Mach dir keine Sorgen! Angst vor der Lepra ist nicht mehr zeitgemäß.«

»Wer sagt das?«

»Der heilige Franziskus in Chiengmai, Dr. Francis Littlewood, Eriks bester Freund, Mitglied der *American Leprosy Missions, Inc.* — Möchtest du sonst noch etwas wissen?«

»So leicht hätte dieser Dr. Littlewood wohl keinen bekommen!«

»Im Gegenteil, Papa! Die Herren Soziologen stehen Schlange für

Ostasien. Da können ihnen die Leute zu Haus nicht so viel hineinreden.«

»Willst du nicht endlich ernsthaft sein?«

»Es gibt heutzutage viel mehr Soziologen als Studienobjekte«, erklärte Marie mit verstecktem Hohn. »Aber Erik ist wirklich eine Kanone auf seinem Gebiet. Die meisten Soziologen sind doch nur Touristen mit Protektion.«

»Hat Erik dir vor der Hochzeit erzählt, daß er Lepra-Siedlungen besuchen würde?«

»Vor der Hochzeit war meine zarte Schönheit Eriks einziges Gesprächsthema. Jetzt redet er niemals mehr *darüber*! Vielleicht bin ich deswegen so nervös.«

›Sie lügt wieder‹, dachte Louis Bonnard. ›Was tut sie in dem Bergnest?‹ »Hast du Freunde in Doi Sutep«, fragte er zögernd.

»Du kennst sie nicht, Papa! – Hast du vergessen, wie du dich langweiltest, wenn Mama stundenlang von unbekannten Leuten erzählte?«

»Deine Mutter wußte, daß ich mich für alles interessiere«, sagte Louis Bonnard steif. »Übrigens hättest du ihr ruhig ein Abschiedsgeschenk machen können. Du bist und bleibst ein kleiner Geizkragen, mein Kind.«

»Mama nimmt unter Smaragden keine Abschiedsgeschenke entgegen. Dein Gedächtnis läßt nach, Papa!«

»Wo ist dein Mann augenblicklich?«

»Erik ist in Südindien. Danach wird er die *Isle of Happy Healing* bei Hongkong besuchen. Die Chinesen machen selbst aus einem Lepra-Hospital eine Blumenwiese. Dann kommt Erik wahrscheinlich nach Chiengmai zurück und wird mit Dr. Littlewood in der Kolonie arbeiten. Ein großes Programm. Da will ich nicht stören.«

Louis Bonnard sah sich nach seinem an Aufregungen reichen Leben plötzlich vor eine Situation gestellt, die selbst Pascal oder den Abbé Galiani verwirrt hätte. Zunächst einmal hatte er sein Leben lang Angst vor Krankheiten gehabt. Und dann war er ein Hotelier und kein Wissenschaftler. So flößte dem klugen und skeptischen Louis Bonnard die Lepra einen alttestamentarischen und durch keine Sachkenntnis getrübten Schrecken ein. Das war der einzige Aberglaube dieses aufgeklärten Franzosen.

Louis räusperte sich. Seine Tochter Marie zeigte eine eigentümliche Passivität in bezug auf ihr Privatleben. Eriks neue Mission war eine nette Bescherung. Louis Bonnard zündete sich erregt eine Zigarette an. Er dachte plötzlich an Pater Damien, der im neunzehnten Jahrhundert die Kranken auf der Insel Molokai getröstet und sich dort angesteckt hatte. Auf dieser Insel gab es die »Kirche der Heilenden Quellen« — einen schlichten Gedenkbau für einen namenlosen Priester, der den Leidenden unter maßlosen Schwierigkeiten Hilfe gebracht hatte. Louis war jederzeit bereit, die Werke christlicher Barmherzigkeit mit gebührender Demut zu bewundern, aber sein Instinkt sträubte sich dagegen, daß sein Schwiegersohn in Lepra-Siedlungen arbeitete. Man ging den Kranken aus dem Weg, wenn man nicht Arzt war, das riet einem doch der gesunde Menschenverstand. Hatten Soziologen gesunden Menschenverstand? fragte sich Louis Bonnard. Er erinnerte sich, daß die Leprakranken im Mittelalter Klappern tragen mußten, die die Gesunden vor ihnen warnten. Aber er wußte nicht, daß die Lepra in jenen Zeiten sehr oft mit anderen Krankheiten verwechselt wurde. Natürlich gab es heutzutage keine Glocken und keine Klappern mehr. Aber es gab immer noch jene große und heute unberechtigte Furcht vor dieser Krankheit. Moderne Heilungsmethoden hatten eine neue Situation geschaffen, aber Louis Bonnard war zu erregt, um daran zu denken.

»Gebraucht Erik auch alle Vorsichtsmaßnahmen, wenn er dich in Chiengmai oder in Doi Sutep besucht?« Louis war irgendwie verlegen. Gewiß, Marie war launenhaft, verlogen und maliziös, aber sie war seine Tochter. Sie war blutjung und unerfahren in den Dingen des Ostens.

»*Ich* gebrauche Vorsichtsmaßnahmen«, sagte Marie hart, und ihr schönes zartes Gesicht verzerrte sich. »Eine Ansteckungsgefahr besteht natürlich bei einem intimen körperlichen Kontakt. Falls Erik sich Lepra holen sollte — was ich nicht hoffe —, so ist das seine private Angelegenheit.« »Wie meinst du das, Marie?«

»Ich halte meine Siesta in kompletter Isolierung in Doi Sutep. Erik hat sein Schlafzimmer in dem großen Haus in Chiengmai. Wir teilen das Haus mit einem anderen Schweden. Auch Dr. Littlewood wohnt dort, wenn er gelegentlich die Leprakolonie verläßt. Es ist ein großartiges Arrangement. Wir sind alle so vergnügt wie Teddybären.«

Louis Bonnard betrachtete seine Tochter schweigend und nachdenklich.

»Mir *graut* vor Erik«, sagte Marie plötzlich sehr heftig. Ihre schrille Stimme tat ihrem Vater weh. Maries Augen hatten sich geweitet. »Ich könnte ihn umbringen . . .«, flüsterte sie und schloß die Augen. Sie sah Erik vor sich: gekrümmt, verstümmelt, verunstaltet. Seine Klapper tönte Tag und Nacht in ihre Siesta hinein. Der schwedische Adonis – ein biblisches Schreckgespenst! Im tiefsten Innern hatte Marie instinktiv kein Wort von den wissenschaftlichen Erklärungen geglaubt, die Erik ihr geduldig in einfachen Worten gegeben hatte, während er Bilder und Tabellen vor ihr ausbreitete – sie war wortlos in ihr Zimmer gegangen. Soziale Bedingungen, strikte Hygiene, neue Heilmittel und Operationen – alles war an Maries Ohren vorbeigerauscht. Was kümmerte es sie, ob viele Ärzte des Westens jahrelang in Leprastationen arbeiteten, ohne sich anzustecken? *Wenn* Erik sich und sie aber ansteckte? Marie hörte die Klapper. Sie hatte den Kopfsprung ins Mittelalter vollzogen. –

Sie murmelte feindselig: »Ich bin so müde wie eine Greisin.«

»Das macht das Tropenklima. Das geht vorüber, mein Kind.«

»Manchmal habe ich das Gefühl, als hätte ich keine Vergangenheit und keine Zukunft mehr. Alles ist ausgelöscht. Ich liege auf der Veranda in Doi Sutep und bin uralt und verantwortungslos. Wie die Lao-Frauen auf dem Fruchtmarkt. Ist das nicht ulkig?«

»Du phantasierst, meine Kleine!«

»Keineswegs«, sagte Marie kalt. »Mein Gedächtnis hat sich tatsächlich in den Ruhestand begeben. Das ist ganz angenehm, wenn man so unangenehme Erinnerungen hat wie ich. Ich habe herausgefunden, daß . . .« Marie stockte. Niemand hatte sie jemals geliebt oder auch nur wirklich gern gehabt. ›Damit wäre ich auch schon ganz zufrieden gewesen . . .‹, dachte sie. Die Hölle mußte ein Hotel ohne Tischgespräche sein. Die Sünder saßen Rücken an Rücken und erkannten einander nicht . . .

»Bald wird Erik ein rührendes Wiedersehen mit Louise Bonnard in Hongkong feiern«, sagte Marie höhnisch.

»Du lieber Himmel, mache kein Drama aus einer kleinen Meinungsverschiedenheit! Du kannst dich ja eine Weile von Erik trennen, wenn du so überreizt bist, Kind! Falls du mit Erik öfters in dieser Tonart sprichst, dann darfst du dich über nichts wundern! Ehemänner vertragen keine Ironie.«

»Ich habe mir das Wundern abgewöhnt, Papa!«

»Du kannst eine Zeitlang hier bei mir bleiben oder nach Paris fahren! Das wird eine Abwechslung sein.«

»Ich bleibe hier«, sagte Marie Bonnard. Sie würde Erik niemals loslassen. *Den* Gefallen tat sie Louise und ihm nicht. Nicht in hundert Jahren!

»Warum machst du keine Ausflüge, Marie? Ein Hotelauto steht dir zur Verfügung! Es gibt hier viel alte Tempel und einzigartiges Kunsthandwerk.«

»Mir genügt der Vogel Garuda in der Halle. Ich verstehe immer Ausflüge! Das Fehlen von Straßenschildern und Ortsbezeichnungen außerhalb von Bangkok gehört zu den Wundern der unberührten Natur. Bitte gib mir keine Ratschläge, Papa! Das ist das einzige, was Erik mir gibt.«

Marie starrte in den sonneglühenden Hotelgarten. Der *Klong* (Kanal), der ihn an der Wireless Road nach Süden hin abgrenzte, war von lachenden, schwatzenden Siamesen und Chinesen in kleinen *Sampans* belebt. Asiens Fruchtbarkeit und Lebensfreude triumphierte in den zähen, goldbraunen Knirpsen, die im Kanal herumhüpften, sangen, Tropenfrüchte aßen und sich unter Jubelgeschrei mit den unhygienischen Wassern bespritzten. ›Wenn ich ein Kind hätte‹, dachte Marie flüchtig, ›dann wäre vielleicht manches anders.‹

»Es war sehr nett in Bangkok«, sagte sie brüsk. »Vielen Dank, Papa! Ich fahre heute mit dem Nachtzug in die Berge zurück.«

»Du bist gerade eine Woche hier, Marie!«

»Ich sehe die Dinge, wie sie sind! Das habe ich von dir gelernt, Papa! Ich falle dir von Sekunde zu Sekunde heftiger auf die Nerven. Mama sagt, das wäre mein wahres Talent.«

»Hast du überhaupt eine Fahrkarte?«

»Ich habe sofort nach meiner Ankunft in Bangkok gebucht.«

»Weshalb jagst du nach dem Norden zurück, Marie? Du hast dir niemals etwas aus Naturschönheiten gemacht!«

Marie schwieg.

»Vielleicht kann ich dir helfen«, sagte ihr Vater verlegen.

»Man freut sich später immer, wenn man den Mund gehalten hat«, erwiderte Marie. »Schweigen ist Gold, und Reden ist Blech. Du mußt zugeben, daß auch deine französischen Moralisten dieser Ansicht sind.«

Louis Bonnard gab es auf. Er sah seine Tochter forschend an. Er konnte nichts in diesem schönen, reglosen Gesicht mit dem süßen Mund und den gläsernen Augen lesen. Marie schien stets geheime und boshafte Hintergedanken zu haben, während sie ihm Rede und Antwort stand. Er würde nie begreifen, warum gerade er so eine unbegreifliche Tochter hatte.

»Pao Pei wird dich nach Chiengmai begleiten«, murmelte er.

»Das ist ganz überflüssig. Mein Chauffeur wartet am Bahnhof.«

»Du hast mich gehört«, sagte Louis scharf. »Du wirst *nicht* allein mit dem Nachtzug reisen.«

»Ich kann Pao Pei dort oben nicht brauchen«, entgegnete Marie heftig. Sie war rot geworden. »Der Bungalow in Doi Sutep ist winzig! Und die Laoten hassen die Chinesen.«

»Pao Pei wird sofort wieder nach Bangkok zurückfahren«, sagte Louis kühl. »Ich brauche sie im Restaurant.«

»Warum bist du auf einmal so besorgt?«

»*Jemand* muß sich ja schließlich um dich kümmern, da dein Mann es nicht tut«, erklärte Louis unfreundlich. Er stand auf. Ein großes Unbehagen hatte ihn gepackt. Marie hatte sicherlich viel Schuld an dem Ehezerwürfnis. Warum in aller Welt hatte dieser Schwede nicht Louise Bonnard geheiratet? Da wäre er glänzend bedient gewesen. Louise kannte keine Angst, war vernünftig und praktisch und außerdem eine erstklassige Sekretärin. Sie kannte das Wort *Siesta* nur vom Hörensagen ...

»Du mußt mich jetzt entschuldigen, meine Kleine!« Louis Bonnard küßte Marie leicht auf die Stirn. »Warum starrst du mich so an?« fragte er unbehaglich.

»Du tust dein Bestes, Papa«, sagte Marie langsam. »Aber du bist heilfroh, daß du mich heute loswirst!«

II

Marie lag in ihrem Berggarten in Doi Sutep und rauchte. Soeben hatte Pao Pei sich verabschiedet. Sie konnte den Zug nach Bangkok von Chiengmai aus erreichen. Maries chinesischer Fahrer wartete vor dem Eingangstor. Es war zu schmal für große amerikanische Wagen. — Marie beobachtete unter halbgeschlossenen Lidern, wie Pao Peis Gestalt in der weißen hochgeschlossenen Leinenjacke und den schwarzen Satinhosen zunächst eine Linie mit großen Ohren und Plattfüßen wurde, dann ein Punkt. Zum Schluß wurde Pao Pei ein Gegenstand des Vergessens . . . Marie war über Pao Peis schweigsame Begleitung ärgerlich gewesen. Ihr Vater hatte sich jahrelang nicht um sie gekümmert und ihre Erziehung dem Grafen Tsensky in Paris überlassen. Jetzt aber hatte er sie unter Polizeiaufsicht nach Doi Sutep zurückbringen lassen! Warum war Louis Bonnard plötzlich so besorgt? Ahnte er irgend etwas? Marie seufzte. Ihr Vater war zu klug. Alle Leute in ihrer Umgebung waren entweder zu klug oder zu neugierig. Bis auf ihren Ehemann. Erik war von steinerner Gleichgültigkeit. Er hatte es offenbar aufgegeben, eine vernünftige Ehefrau aus Coppélia zu machen. Selbst ihre Schönheit ließ Erik jetzt kalt. Er betrachtete sie wie einen Kunstgegenstand – bewundernd aber in großen Zeitabständen. Man sah sich ja auch nicht beständig die Mona Lisa an . . . Marie entzündete eine neue Zigarette. Erik hatte ihr vor seiner Abreise nach Indien mitgeteilt, sie wäre gefühlskalt, zu maliziös für einen einfachen, abgespannten Ehemann, und ihre Sexualfunktionen wären gestört. Marie hatte ihn angestarrt. Dieser frigide Blick einer Tiefseejungfrau hatte Dr. Ekelund so irritiert, daß er wortlos die Veranda verließ. Marie hatte gelächelt. Es bereitete ihr Vergnügen, die Leute zu ärgern. Ihre Fähigkeit, einen winzigen Pfeil in die offenen Wunden der Selbstliebe zu treiben, schenkte ihr einen flüchtigen Machtrausch. Sie entdeckte instinktiv die Wunden hinter dem Panzer der Konvention. Sie war ohne Mitleid geboren. –

Marie betrachtete die wilden Orchideen, die dem Berggarten den geheimnisvollen Reiz des Dschungels gaben. Die Orchideen erinnerten sie an Tsensky. Er hätte ebenfalls über ihre angebliche Frigidität gelächelt, aber Tsensky war eine Figur der Vergangenheit. Er hatte seinen Auftritt auf ihrer Bühne gehabt und stand nun endgültig in den Kulissen. Es hatte Zeiten gegeben, in denen Marie ihn freundlich und hilfsbereit gefunden und um seine Liebe gebettelt hatte. Dadurch hatte sie frühzeitig geheime Minderwertigkeitsgefühle entwickelt. Sie war schon mit siebzehn Jahren schön, witzig, wunderbar gekleidet, kokett und hatte sich alle Tönungen der Selbstsicherheit angeschminkt und selbst Tsensky getäuscht . . . Er sollte nicht ahnen, daß sie nicht gut genug für ihn war! Dann war Erik aufgetaucht. Seine offene Bewunderung war Balsam für ihr verwundetes Ego gewesen.

Marie blies den Rauch in Ringen in die klare Bergluft von Doi Sutep. Wie man sich doch immer wieder in Männern täuschte! Waren Frauen farbenblind? Erik war schlimmer als Tsensky. Er überließ sie nun ihrer einsamen Siesta in Doi Sutep, weil sie keine Lepra-Siedlungen mit ihm besuchen wollte. Sie schüttelte sich bei dem Gedanken. Erik arbeitete augenblicklich in einem »Lepradorf« im Staate Madras. Dort grassierte die Krankheit im ganzen Dorf — nicht nur in einzelnen Häusern. Das indische Kastensystem, das den engen Kontakt zwischen bestimmten Gruppen des Dorfes begünstigte, war die Antwort auf die Gebete eines Soziologen. Erik schrieb ihr Berichte, die vom Enthusiasmus des geborenen Wissenschaftlers zeugten. Marie zerriß die Briefe. Nur am Schluß erkundigte Dr. Ekelund sich nach dem Privatleben seiner Frau. »Dann und dann bin ich dort und dort. Telegraphiere, wo ich Dich abholen soll!« Er bildete sich im Ernst ein, seine Frau würde ihm doch noch nach Indien folgen.

Marie dehnte sich auf ihrem Bambusbett. Dünn, weiß und geschmeidig wie sie war, hatte sie etwas von einer Seidenraupe. — Ihre chinesische Freundin hatte sie mit einer Seidenraupe verglichen, weil Marie so starre Augen hatte und sich verkroch wie die Raupen unter Maulbeerblättern. Fräulein Kuang hatte in ihrem Haus in Lampang eine berühmte Kollektion von Seidenraupen aus Elfenbein, die sie mit dem chinesischen Entzücken an Miniaturwelten stundenlang betrachtete. Sie spielte mit den Elfenbeingeschöpfen und schob sie auf ihrem Lager von Maulbeerblättern hin und her. Wie nackt und schamlos die Raupen sich aneinander rieben! Wie gierig und verstohlen die winzigen Edelsteinaugen blickten! Wie wunderbar gefühllos waren Seidenraupen!

Tsensky hätte sich über diesen Zirkus köstlich amüsiert. — Marie gähnte . . . Sie liebte ihn nicht mehr und haßte ihn nicht mehr. Sie wußte kaum mehr, warum sie vor Tsensky geflohen war. *So* wichtig konnte das alles doch nicht gewesen sein? Wie hatte sie ihn verabscheut, als seine Freundschaft mit Ulrika begann! Gab es überhaupt Haß? Er war eigentlich nichts als die sauer gewordene Milch der Liebe, dachte Marie. Sie konnte sich auf Doi Sutep nicht einmal mehr an den Inhalt ihrer Gespräche mit Tsensky erinnern. Und doch waren diese Gespräche vor sechs Monaten ihr einziges Interesse gewesen. Niemand redete in dem Berggarten von Doi Sutep. Nur die Maulbeerblätter raschelten, und die Tropenvögel sangen. Die Vögel waren blau, oder leuchtend grün, oder schwarzgolden. Sie sangen so leise, daß nur die Stille zu tönen schien. Marie hatte sich so sehr an die Stille auf Doi Sutep gewöhnt, daß Tsenskys Redestrom sie beängstigt hätte. Marie mußte sich übergeben, wenn die Angst sie packte. Das war demütigend und unappetitlich. Diese Erfahrung verdankte sie Tsensky. Übrigens hatte er vor einigen Wochen nach Chiengmai geschrieben. Marie hatte den Brief nicht beantwortet. Tsenskys Magie war kein Exportartikel. –

Wie grau schien einem auf Doi Sutep die Pariser Vergangenheit! Die Stadt war ein verstaubter Schattenriß. Marie dachte jetzt ohne Erregung an ihre Mutter, die sie zuerst vergeblich geliebt und später kindisch gehaßt hatte. Wie Natalya nach Beleidigungen dürstete, um mit dramatischer Geste Verzeihung zu gewähren! Eigentlich ging es ihr nicht viel besser als ihrer Tochter. Sie litt nur unter einer anderen Art von Mißgeschick. Natalya Bonnard alterte. Niemand interessierte sich mehr dafür, ob sie Beleidigungen verzieh oder nicht. Männer zeigten ihr bereits unpersönliches Wohlwollen. Die Eiszeit nahte ... In Doi Sutep war auch Natalya Bonnard ein Schatten ohne Bedeutung geworden.

Marie stieß mit dem nackten Fuß einen neuen französischen Roman im gelben Papierumschlag beiseite. Die meisten Romane waren sentimentale Verfälschungen der Realität, Konstruktionen von Seite 1 bis 235! – Warum trafen sich vier oder fünf Leute, die sich liebten oder so taten, immer wieder? Warum wurde der Anschein erweckt, als stünden diese Personen im Mittelpunkt des Universums? ›Du lieber Himmel‹, dachte Marie. ›Man hatte seinen kleinen Auftritt – manchmal auch zwei oder drei Auftritte. Dann wurde man von der Bühne gestoßen und durfte zusehen, wie andere spielten ... Man bedeutete jemandem für eine kürzere oder längere Zeit eine ganze Welt; aber eines Tages wurde man ihm gleichgültig oder ein Ärgernis – wie sie es für den schwedischen Adonis geworden war.‹

III

Pao Pei fuhr mit Maries Chauffeur nicht direkt zum Bahnhof in Chiengmai. Sie fuhr zu den Mohnfeldern in den Bergen. Das in einem Talkessel gelegene Dorf des *Miao*-Volkes war auch Marie bekannt. Sie besuchte es hin und wieder mit ihrer chinesischen Freundin.

Der Chauffeur kannte Maries Freundin nicht. Niemand kannte sie auf Doi Sutep. Die Chinesin lebte in Lampang. — Dieses war für Pao Pei ein Ortsname. Sie blickte über die Küche von Bonnards chinesischem Restaurant in Bangkok nicht hinaus. Während sie den Berg hinabfuhren, berechnete Pao Pei den Preis von Hühnern auf dem Markt von Chiengmai im Vergleich zu dem der Hühner auf dem Bangrak Markt in Bangkok. Die Gebirgshühner waren magerer und teurer. —

Das Dorf der *Miao* (Chinesisch: Katzenmenschen) lag wie eine asiatische Spielzeugschachtel ein paar hundert Meter vom Berggipfel entfernt in einem tiefen Tal. Miao-Männer und -Frauen in verschmutzten indigoblauen Jacken und silbernen Halsreifen arbeiteten in den Feldern. Pao Pei konnte das Dorf dieses chinesischen Bergvolkes mit einem Blick übersehen: Sechs bis acht Holzhütten. Die roh gezimmerten Hütten standen nicht auf Pfählen, wie es in Siam üblich ist, sondern klebten nach chinesischer Bauweise am Boden. Hier und dort sah man ein Mongolenpony, sonst Schweine und Hühner, nackte Kinder. Einige Männer und Frauen arbeiteten in einem nahegelegenen Mohnfeld. Sie beugten ihre von hohen Turbanen geschmückten Köpfe tief zu den Mohnpflanzen hinab und zapften einen klebrigen Saft aus den Samenkapseln . . .

Der Chauffeur kannte das Dorf. Seine Großmutter war eine Miao-Frau — eine steinalte Nomadenfrau mit einem kühnen Profil. Sie saß unbeweglich in ihrer Hütte, nickte lächelnd und rauchte. Der Chauffeur und Pao Pei gingen hinein. In dem dunklen Raum standen ein chinesischer Herd, ein Webstuhl, ein roher Tisch und niedrige harte Hocker. Die Miao waren ein chinesisches Nomadenvolk, das seine Wohntradition im neunzehnten Jahrhundert nach Französisch-Laos und Nord-Siam mitgenommen hatte. Rings um die mit einem Reisstrohdach bedeckte Hütte wucherten die Wildnis und der Bergwald. In der Bergluft hing ein Duft von Mohn. Der Saft des weißen Mohns schenkte den Völkern Asiens ihren Ur-Rausch und war die kostbarste Schmuggelware zwischen Osten und Westen. Die Miao hielten einen Rest des Produkts für den eigenen Gebrauch zurück. Die Haupternte wurde bei Händlern aus Lampang gegen rote Wolldecken und Salz eingetauscht. Pao Pei sah einen großen verdeckten Korb in der Ecke stehen. Er enthielt Salz — das kostbarste Gut der Bergvölker, die es nicht selbst produzieren können. Der Korb war schön geflochten — eine Spezialität der Miao-Männer in diesem Dorf.

Die Zeit der Mohnblüte war vorbei. Auf dem großen Herd im Hintergrund stand ein alter Kupferkessel, in dem der aus den halbreifen Mohnkörnern gewonnene Saft kochte. Der Chauffeur zeigte Pao Pei die schwärzliche Masse, die zu harten Klumpen zusammenkochte.

»*Opium*«, sagte er mit seiner dünnen Raucherstimme.

Pao Pei nickte. – Ihr wurde auf einmal klar, warum Marie ihre Abreise aus dem Bonnard in Bangkok so plötzlich betrieben hatte: Die Opiumzigaretten waren zu Ende gegangen. Marie hatte nicht gewagt, sich nach einer Quelle für solche Zigaretten oder für den richtigen »Rauch« – die kleinen harten Opiumkugeln – zu erkundigen. Missie hatte Angst gehabt – deshalb war sie so rastlos und giftig gewesen. Deshalb wollte sie auch ihren Mann nicht sehen, sich dem Blick ihres Vaters entziehen, die stumme Frage in den Augen ihrer wenigen Freunde vermeiden . . .

Pao Pei kratzte sich hinter ihrem großen Ohr. Master Louis würde außer sich sein. Er wußte viel, aber er würde seine Tochter niemals verstehen.

Nur Pao Pei verstand sie. – Ihr Vater war in einem finsteren »Sterbehaus« in Bangkoks Chinesenstadt elend zugrunde gegangen. Er hatte sich als Rikschafahrer allmählich seine Lunge ausgehustet. Das »Haus der langsam Sterbenden« lag in einer Seitengasse, nicht weit vom Markt. Es war eine Höhle, in die arme Familien die alten Leute brachten, die langwierige, unappetitliche Krankheiten hatten. Wer konnte sie zu Haus pflegen? Sie husteten Blut, stanken, hatten eitrige Beulen, steckten die Kinder an. Pao Peis Vetter wusch in einem chinesischen Speisehaus von morgens bis abends Teller ab und hatte die Straßenhunde zu verjagen! Die Abfälle für die Hunde nahm Pao Pei lieber nach Haus. Ihr Vater lag auf der harten Bank und hustete und rauchte. *Der Große Rauch* – oder vielmehr der Abfall des Großen Rauches erlöste ihn auf Stunden von dem pustenden, stinkigen Dasein in der Tropenstadt. Wer kannte den Rikschafahrer Lin aus Taiwan? Oder seine häßliche großohrige Tochter Pao Pei? Oder seinen diebischen kleinen Sohn? Kleiner Sohn stahl Reis und Früchte auf dem Markt – er hatte Hunger und nichts zu essen. Ältere Schwester war den ganzen Tag fort, und der Vater rauchte abends auf der Bank – tot für die Familie! Er wollte keinen Reis, wollte nicht sprechen und fragte nicht, was aus den Kindern wurde. Manchmal war Ehrenwerter Vater schrecklich gesprächig, schauerlich lustig, oder er bat seine Kinder demütig um Verzeihung, daß kein Reis da war. Kein Reis, keine Hoffnung! Und Pao Pei so häßlich! Man konnte sie nicht einmal an ein Kinderbordell in Jawarad Road vermieten! Es blieb Ehrenwertem Vater nur der Rauch und seine siamesische Staatsbürgerschaft. In »Thailand« durften schon während des zweiten Weltkrieges nur Siamesen Rikschafahrer sein. Danach gab es noch mehr chinesische Siamesen in Bangkok. Sie blieben Chinesen in ihren Lebens- und Sterbegewohnheiten. Pao Pei hatte den Vater selbst ins Sterbehaus gebracht. Straßenschmutz, Opium und Husten hatten ihn fertiggemacht. Er brauchte nur noch zu sterben. Pao Pei freute sich, daß sie das bläuliche fleischlose Gesicht mit den glitzernden Augen nicht mehr sehen mußte, und das Blut und den Dreck und den Gestank der großen Eiterbeulen am Rücken. Der Besitzer des Speisehauses schoß das Geld fürs »Haus der langsam Sterbenden« vor. Pao Pei würde es abarbeiten. Sie hatte etwas gratis im Speisehaus gelernt. Der Koch rauchte auch – genau wie Ehrenwerter Vater. Der Koch hatte stets Geld und kaufte mittelgutes Opium. Pao Pei durfte seine Pfeifen auswischen. Dann kochte sie die an dem schmutzigen Lappen haftenden Reste des Opiums in Wasser aus und brachte den Opiumtrank für den Vater nach Haus. Sie war eine pflichttreue Tochter. –

Als sie nun – Jahre später – in dieser Miao-Hütte stand und den kochenden Opiumbrei anstarrte, sah sie plötzlich Missie Marie mit neuen Augen. Sie war ihr bisher aus dem Weg gegangen. Sie hatte sie nicht leiden können und hatte den Wechsel in Missies Stimmungen nicht begriffen. Heute liebenswürdig und lustig, morgen mißtrauisch, stumm wie ein Krokodil, oder wütend und giftig.

Jetzt begriff sie: Missie Marie litt am Leben wie ein hustender dreckiger Rikschafahrer in einer Bangrak-Bude. Master Louis' Tochter hatte Geld und Reis die Hülle und Fülle, war aber aus irgendeinem Grund genauso gierig nach dem Mohn des Vergessens wie Herr Lin mit seiner Armut, seinen Eiterbeulen und seiner Sterbepritsche.

Missie Marie war in die große chinesische Familie eingetreten und teilte ihre Siesta. – Pao Pei war ihre Schwester.

IV

Marie lag im Halbschlaf und wartete auf ihre Besucherin. Sie hatte den Boy mit dem Mittagessen weggeschickt. Sie hatte keinen Appetit. Sie rauchte langsam. Ihre Augen verschleierten sich. Wann kam die »Hüpfende Person« endlich nach Doi Sutep?

Sonst wollte Marie niemanden sehen. – Die anderen Leute starrten die junge Madame Ekelund neugierig an. Sie wollten wissen, warum eine schöne junge Europäerin sich auf dem Berge vergrub. ›Alle starren mich an‹, dachte Marie schläfrig. ›Am wohlsten wäre mir unter den Blinden . . . Was ich hier treibe? Ich ruhe mich von der Ehe aus. Ich verschwinde in blauem Dunst! Ich bezahle der ‚Hüpfenden Person' einen Scheck für meine Siesta!‹

Wenn die Preise für den Traumstoff wieder mal gestiegen waren, dann würde Marie unangenehm werden. Sie traute keinem. Sie hatte sich schon in der Wiege von allen übervorteilt und ausgenutzt gefühlt. Was wollte sie denn schon Großes? Korrekte Preise, pünktliche Lieferung und etwas Zuneigung von irgendeinem Menschen. Zuneigung bekam man nicht leicht in dieser Welt. Ob die Hüpfende vielleicht doch etwas Zuneigung für sie empfand? Marie drückte ihre Zigarette aus und betrachtete eine Skizze, die sie kürzlich gemacht hatte. Die Skizze nahm die Mittelwand des Ruhepavillons ein. Es war ein Portrait der Hüpfenden, ein *gutes* Portrait.

Die Hüpfende hatte eine hohe, gewölbte Stirn, kluge melancholische Augen und einen starken Mund mit vorgeschobenen lächelnden Lippen. Das magere, pockennarbige Gesicht war unverkennbar chinesisch. Das schwarze glänzende Haar war straff aus der Stirn gekämmt und am Hinterkopf mit einem Jadepfeil zu einem Knoten zusammengerafft. Marie hatte die Chinesin, eine Frau in mittleren Jahren, halb im Profil gemalt. Die flache derbe Nase mit den geweiteten Löchern deutete Hemmungslosigkeit und Neugierde an, aber das breite vorgebaute Kinn und die betonten Jochbeine gehörten einem Menschen, der sowohl Strapazen wie Schmerzen von beträchtlichem Ausmaß aushalten konnte.

›Man könnte die Hüpfende foltern‹, dachte Marie in ihrem Pavillon. ›Sie würde danach mit bestem Appetit ihren Abendreis essen.‹ Maries Instinkt täuschte sie nicht. Eine gefährliche und skrupellose Kraft ging im Leben und im Bild von dieser Unbekannten aus. Die

Kraft lag im Kinn. Diese Person war imstande, ihrer einzigen Hemmungslosigkeit Termine zu setzen. Die Hüpfende war Opiumraucherin und Händlerin. Sie kannte jedes Mohnfeld um Lampang herum, jeden Miao-Pflanzer und jeden siamesischen Zollbeamten.

Und nun kannte sie auch noch Dr. Ekelunds junge reiche Frau ...

Maries Pavillon lag von Büschen versteckt in dem Gebirgsgarten auf Doi Sutep. Sie konnte jeden durch die Büsche hindurch beobachten, der unten durchs Tor kam, aber niemand konnte sie sehen. Ringsum streckten sich Bergketten mit Wäldern und wilden Orchideen. Es war so still in dem Garten wie im *Wat Sutep* (Tempel von Sutep) auf dem Gipfel des Berges, wo brennende Kerzen und Blumen das große Buddhabild umrahmten. Die Zeit war für Marie konturlose Gegenwart und hing wie ein Ballon in der klaren Bergluft. Der Ballon war nicht mehr am Strick der Vergangenheit befestigt, sondern trieb einer vagen Zukunft entgegen. Maries Gedanken flogen mit dem magischen Ballon davon. Sie war immer ein Eigenbrötler gewesen – aber jetzt hatte sie sich sogar von der Wirklichkeit gelöst. Sie sah die Welt im Opiumdunst durch die bleiche Rosenhecke um ihren Pavillon. –

Eine große, knochige Nordchinesin stieg zum Pavillon hinauf. Sie kannte den Weg zu Madame Ekelund und hatte dem jungen Lao-Diener abgewinkt. Eine Anmeldung war in der Tat überflüssig. Dieser Bungalow im Sutep-Gebiet bei Chiengmai gehörte Herrn Kuang, einem steinreichen Apotheker in Lampang. Er vermietete ihn an Europäer oder Amerikaner – ein netter Nebenverdienst. Herr Kuang war so reich im Lande der Lao geworden, weil er keinen Nebenverdienst verschmähte. Er hatte seine ererbte Apotheke, seine große Villa in Lampang, zwei Bungalows auf den Berghängen von Doi Sutep und einige Mohnfelder im Norden des Landes. Seine Tochter stattete Marie Bonnard in diesem Augenblick einen Besuch ab. Sie war die einzige Freundin der jungen Ausländerin hier oben.

Violet Kuang bewegte sich mit Anstrengung vorwärts. Sie schob ihr starkes Kinn vor. Sie trug ein weißes Leinenkleid mit einem kindlichen Faltenrock, der wenig zu ihren zweiundvierzig Jahren paßte. Aber sie beabsichtigte nicht, mit einem Teenager zu wetteifern – sie trug den weiten unkleidsamen Rock, um beim Gehen nicht behindert zu sein. Sie ging nicht auf normale Weise. Sie hüpfte. Ihr chinesischer Name war »Sanfter Wind«, aber Miss Kuang und ein sanfter Wind paßten nicht zusammen. Auch in ihrem Leben hatte kein sanfter Wind geweht. Sie hatte einige Höllen durchhüpft und tröstete sich mit dem großen Rauch. Das Leben war bitter wie die Blätter des Kürbis. Wenn andere hüpften und hopsten, um ihrer Lebensfreude Ausdruck zu geben, hüpfte und hopste Miss Kuang mit einem Ausdruck des Ekels vor sich selbst. Sie war als junges Mädchen in ihrer chinesischen Schule eine preisgekrönte Schwimmerin gewesen.

Aber sanft war sie niemals gewesen. Sie hatte während des zweiten Weltkrieges einen Japaner erschossen, der in ihrem Haus in Lampang einquartiert gewesen war. Sie hatte sich über den erstaunten Ausdruck in seinen runden glänzenden Reisbauernaugen amüsiert. Die Politiker des Westens hatten während des zweiten Weltkrieges die Legende verbreitet, nur die Japaner wären falsch und grausam, ihre chinesischen Verbündeten dagegen sanft und treu. Die Kuangs hatten darüber gelacht. Und jetzt? Jetzt saßen nach der Meinung westlicher Politiker die bösen Chinesen in Peking und die guten Chinesen in Siam, in Malaya – bis auf die Banditen des Dschungels – und überall dort, wo die Amerikaner Geld gaben. Miss Kuang fand alle Ausländer komisch. Am komischsten fand sie die junge Frau Ekelund, die ihr Opium von ihr bezog . . . Wer jung und schön war und tanzen konnte, der brauchte den Großen Rauch nicht. Aber die Familie Kuang war stets der Meinung gewesen, daß die weißen Gäste in Asien komplette Narren waren. Je reicher, desto närrischer . . .

Miss Kuang hatte eine sanfte Stimme – ein Erbteil ihrer Mutter. Sie hatte dieses Erbteil stets nützlich gefunden. Selbst im Ärger erhob sie die Stimme nicht – daher wußten die wenigsten Leute, wann und ob sie ärgerlich war. –

Sie schleppte sich hüpfend an ihrem Stock zum Pavillon hinauf. Einen Augenblick stand sie stockstill und atmete tief. – Richtiges Atmen war ein Teil der chinesischen Kraft. – Die Kunst, ihr Körpergewicht auszubalancieren, hatte sie leider verlernt. Sie konnte ihr Gewicht nicht mehr mühelos von einem Fuß auf den anderen verlegen und sich auf diese Weise entspannen. Der Verlust dieser Kunst hatte Miss Kuang zugleich ihren Bräutigam und heimliche Tränen gekostet. Das war vorbei. Bis der böse Wind sie streifte und niederwarf, hatte Violet Kuang das goldene Kleid der Bewunderung getragen, aber auch nach dem Unglück war sie zu stolz, um das grüne Kleid des Jammers anzulegen. Sie hatte sich in der bitteren Wirklichkeit eingerichtet. Nach der dritten Pfeife trug sie wieder ihr goldenes Gewand. Dann saß sie in einer prächtigen Villa in Lampang und schenkte ihrem Gatten Söhne. Auf ihre Art und Weise entfernte sich Miss Kuang genauso weit von der Wirklichkeit wie Marie Bonnard, aber sie selbst bestimmte die Termine ihrer Flucht. Nach einer Periode des irrationalen Rausches hüpfte Miss Kuang erfrischt und noch schlauer als vorher zu ihren mannigfachen Tätigkeiten zurück. Die Miao hatten Angst vor ihr, und die sanften siamesischen Zollbeamten gingen ihr aus dem Weg. Sie wußten alle, daß Miss Kuang längst wegen Opiumschmuggels verhaftet werden müßte; aber sie wurde niemals ertappt. Ein armer Zollbeamter mit einer keifenden Ehefrau brauchte eben auch gelegentlich den Großen Rauch zu herabgesetzten Preisen. Miss Kuang wurde immer reicher, weil sie das Rezept des Geldverdienens in Hinterindien kannte. Man brauchte nicht gelehrt zu sein, man brauchte nicht zu arbeiten und zu schwitzen, man brauchte nicht einmal die Welt hinter den Mohnfeldern genau zu kennen. Man wurde reich und immer reicher, wenn man die Menschen kannte. Nicht ihre Vorzüge und Talente, die sie wie die Pfauen zur Schau trugen. Man mußte ihre Schwächen und ihre Not erforschen, dann hatte man sie in der Hand. Dann zahlten sie jeden Preis. Dann schwiegen sie sogar. Wenn sie den großen Rauch brauchten, dann winselten sie vor Miss Kuang und gaben ihr Fetzen für Fetzen das magische Goldkleid zurück. Da Miss Kuang in ihrer Gebrechlichkeit keine Liebe und keine Söhne haben konnte, hatte sie sich aufs Geldverdienen und auf regulierten Rausch verlegt.

Sie trug zu ihrem Besuch bei Madame Ekelund teure handgearbeitete Leinenschuhe mit Gummisohlen, die ihre verunstalteten Füße und die hammerförmigen großen Zehen verbargen. Sie stand wie eine Salzsäule in dem träumerischen Berggarten. Ihr Wagen wartete unten auf der Landstraße. Niemand sollte sie sehen, und Miss Kuang wollte auch niemanden sehen. Sie blickte auf ihre herrlichen Leinenschuhe. Ihre Füße waren zwei empfindungslose hölzerne Klumpen, die den Dienst des Gehens nur ungenügend versahen. Miss Kuang hüpfte auf ihren verkrümmten Senkfüßen bis zu Maries Liegestuhl und betrachtete die Eingeschlafene. Sie überlegte, wie sie die Ausländerin aufwecken könnte, und gab dann eine Stichprobe chinesischen Humors. Sie kitzelte die nackten rosigen Sohlen der Schlafenden, bis Marie mit einem Schrei auffuhr, der in nervöses Kichern überging. Sie kicherte, um ihre Wut zu unterdrücken, denn sie hatte es stets gehaßt, unvermutet berührt zu werden. Sie hätte ihre Besucherin, die den gelungenen Scherz belächelte, am liebsten hinausgeworfen, aber sie wagte es nicht. Sie brauchte diese Chinesin wie das liebe Brot. Marie war fremd in Hinterindien. Wer hätte ihr den Rauch verschafft, wenn nicht der Zufall sie in diesen Bungalow verschlagen hätte? Die Kuangs kannten Erik Ekelund und waren sofort bereit gewesen, der blassen jungen Frau das Landhaus zur Verfügung zu stellen, solange Dr. Ekelund in Ostasien herumreisen mußte.

»Mein Wagen steht draußen«, murmelte Miss Kuang in tadellosem Englisch. »Wollen Sie mit nach Lampang fahren?«

»Ich habe den ganzen Vormittag auf Sie gewartet«, sagte Marie in einem sonderbaren Klageton.

»Wer wartet, erhält Vorschuß auf seinen Genuß«, erklärte die Hüpfende und blickte scharf in den Garten. Marie folgte ihrem Blick und wurde weiß im Gesicht. Ein hochgewachsener schlanker Mann im Tropenhut hatte das Grundstück betreten. Er hielt den Kopf gesenkt, als ob er tief in Gedanken wäre oder hinter einem Sarg herschritte.

»Es tut mir leid«, sagte Miss Kuang ironisch. »Sie haben wichtigen Besuch bekommen, Madame!«

»Er hat uns noch nicht gesehen«, flüsterte Marie. »Ich laufe den Seitenweg zu Ihrem Auto hinunter. Hält es hinter dem Bungalow? Gut, sehr gut! Ich will ihn nicht sehen. Ich bleibe erstmal in Lampang. Gehen Sie ihm entgegen! Sie wissen nicht, wohin ich gefahren bin. *Sie wissen es nicht, Miss Kuang!*«

Marie sprach heiser und hastig. Es gefiel Miss Kuang nicht. Der Besucher gefiel ihr ebenfalls nicht. Sie war, so schnell es ging, hinter die Rosenhecke gekrochen und hockte auf dem Gras.

»Beruhigen Sie sich, Madame«, flüsterte sie. »Er kann uns nicht sehen. Ich komme langsam auf dem Seitenweg nach.« Sie blickte vorsichtig durch die Hecke. »Er ist ins Haus gegangen!« Marie lief den versteckten Weg zum Auto hinunter. Sie brauchte keine Spione aus Chiengmai. Sie fuhr jetzt zu den Traumverkäufern nach Lampang. Und ihr Besucher sollte sehen, wo er blieb.

Im Bungalow kam der Hausboy dem Besucher entgegen. »Missie weggefahren«, sagte er lakonisch. »Was möchten Sie trinken, *Sir*?«

»Nichts«, sagte Dr. Francis Littlewood aus Chiengmai. »Wohin ist Mrs. Ekelund gefahren?«

»Weiß nicht.«

»Wann kommt sie zurück?«

»Weiß nicht.«

Dr. Littlewood nickte, als habe er eine zufriedenstellende Auskunft erhalten. »Recht so«, sagte er freundlich und ließ einen Geldschein in die Hand des jungen Laoten gleiten. »Denke noch mal nach, wohin deine Dame gefahren ist.«

»Lampang«, flüsterte der treue Diener ungeniert. »Zusammen mit der Hüpfenden. Ich habe nichts gesagt, *Sir*!«

»Natürlich hast du nichts gesagt, mein Sohn«, erwiderte Dr. Littlewood. Er lebte schon viele Jahre in Hinterindien und verstand sich auf die Psychologie der Einwohner. »Wer ist die Hüpfende?«

»Weiß nicht.« Dieses Mal sagte der Boy die Wahrheit. Dr. Littlewood griff nochmals in die Tasche. Der Boy wies mit der schlanken braunen Hand in die Richtung des versteckten Pavillons. »Bild der Hüpfenden im Pavillon, *Sir*! Missie hat sie gemalt.«

Dr. Littlewood bedankte sich und schritt in die angegebene Richtung. Er blieb mehrere Male auf dem Weg zum Pavillon stehen, um die Aussicht zu genießen – wirklich ein Paradies! Schließlich setzte er sich auf eine Gartenbank, da der Boy Getränke brachte. – Dr. Littlewood trank langsam den eisgekühlten Ananassaft. Da er annahm, daß er jetzt Zeit hatte, konnten Miss Kuang und Marie ungestört die Landstraße nach Lampang erreichen. – Später dachte der Arzt, daß man keinen solchen Unterschied zwischen wichtigen und unwichtigen Handlungen machen sollte. Man erkannte nämlich manchmal zu spät, daß ein Glas Ananassaft – in Muße genossen – ein Schicksal beeinflußt hatte, während sogenannte lebenswichtige Entscheidungen selten irgend etwas entschieden . . . Eine von Lepra befallene Patientin hatte dem amerikanischen Arzt im Hospital plötzlich eine Lotusblüte aus weißem Papier geschnitten. Eine unwichtige Angelegenheit? Das Stück Papier war zu einem seelischen Wendepunkt geworden. Die von stumpfer Resignation befallene Laotin hatte zum ersten Mal seit der Krankheit wieder an andere gedacht und damit den entscheidenden Schritt ins normale Leben getan. Entweder war alles unwichtig oder alles war entscheidend. –

Dr. Littlewood stand auf und schlenderte zu Maries Pavillon hinüber. Er hatte Erik Ekelund versprochen, sich gelegentlich nach der jungen Ehefrau umzusehen. Marie war ihm auch jetzt genauso unsympathisch wie bei dem Hochzeitsempfang in Stockholm, aber das durfte man ihr nicht zum Vorwurf machen. Dr. Littlewood war reizbaren Wesens und besaß dabei den Durst nach Gerechtigkeit. Daher war er besonders nett mit Personen, die sein Mißfallen oder seine immerwache Kritik herausforderten. Er hielt es für seine Schuld, daß er so viele Leute ablehnte.

Das erste, was er im Pavillon sah, war das Portrait der »Hüpfenden«. Er starrte die Skizze an und sagte laut: »Das ist unglaublich!« Erik hätte seine junge Frau nicht allein im Norden dieses Landes lassen dürfen! Wer mit den Kuangs aus Lampang zu tun hatte, schwebte in Gefahr. Ekelund hatte einen schweren Fehler begangen. Aber die einzigen Leute, die niemals Fehler machten, waren eben tote Leute, dachte Littlewood.

Er lief den Weg zum Tor hinunter. »Nach Lampang«, rief er seinem Chauffeur zu.

»Großtante krank, Doktor! Muß zurück, muß pflegen.«

»Nach Lampang«, wiederholte Dr. Littlewood in einem Ton, der das Ende der Verhandlungen bedeutete. Das »Trostmädchen« des Fahrers konnte warten.

Marie Bonnard konnte nicht warten.

ZWEITES KAPITEL

Traumverkauf in Lampang

I

Auf der Fahrt nach Lampang war Dr. Littlewood in Gedanken versunken. Er schenkte dem romantischen Bergland und den immergrünen Regenwäldern keinen Blick. In diesen Dschungeln hausten die Geister der Berge, die von alters her gefüllte Reisschalen und Blumenarrangements von den Waldbewohnern erwarteten. Die Wälder standen unbeweglich am Horizont. Sie waren so undurchdringlich wie die junge Marie. –

Dr. Littlewood sah seinen Freund Ekelund vor sich – groß, kühl, und, nach seinem Ausflug in die Welt des Gefühls, wieder absorbiert von seinen Studien. Einmal hatte Littlewood seinen Freund bei der Lektüre von Swedenborgs Werken überrascht. Ekelund hatte den Band zugeklappt und war rot geworden wie ein Jüngling, der heimlich seine Angebetete besucht . . . Wie seltsam war dieser Dualismus: moderne Gesellschaftslehre und schwedische Mystik! Überdies hatte Littlewood seinen Freund Ekelund stets als geborenen Junggesellen betrachtet. ›Zur Ehe muß wenigstens einer der Partner Talent haben‹, dachte er plötzlich. Würde nicht sonst die intimste Verbindung zweier Menschen Zwang, Unfreiheit und Unfrieden? Littlewood hatte niemals eine Ehe für sich in Betracht gezogen. Und Ekelunds Ehe ermutigte ihn auch nicht gerade, ein solches Experiment mit seinen dreiundvierzig Jahren zu wagen. –

Littlewood besah sich nachdenklich den Rücken seines Fahrers. Er war gekrümmt, trotz der Jugend des Laoten. Der Fahrer rauchte und hustete beständig. In Thailand war ein Mann Anfang Dreißig ein älterer Herr, der fatalistisch in das Stadium der Krankheiten und des Nichtstuns hinübergleitet. Ein großer Prozentsatz der Bevölkerung ging an Lungenleiden zugrunde. Auch Littlewoods Leprakranke wurden öfters durch ein Lungenleiden von den Qualen vorgeschrittenen Zerfalls erlöst. Im Norden dieses Landes wohnten Schönheit der Natur und menschlicher Jammer dicht zusammen.

Dr. Littlewood liebte die Provinz Lampang und die uralte Stadt des gleichen Namens. Er hatte einmal ein Wochenende mitten zwischen Regenbäumen und den berühmten Seidenwebereien in dem Teakholzhaus der Familie Kuang verbracht. Die Kuangs waren überaus gastfreundlich. Sie hatten beständig Besucher aus Osten und Westen. Man konnte drei Tage oder drei Monate auf der großen Veranda des Hauses wohnen – niemand kümmerte sich darum. Der alte Dr. Kuang war den ganzen Tag in seiner Apotheke, wo er Familienmitglieder in der Kunst des Kräutermischens und der Menschenkenntnis unterwies. Miss Kuang hüpfte in ihren weißen Leinenschuhen von einem dunklen Geschäft zum anderen. Die Gäste bekamen nie etwas von diesen Geschäften zu sehen. Man rauchte auch nicht in aller Öffentlichkeit eine Opiumpfeife in der riesigen Villa am Flußufer. Dafür war das Restaurant »Drachenboot« im chinesischen Viertel der Stadt da, an dem die Kuangs finanziell beteiligt waren. Es gab wenige Unternehmen in Lampang, an denen sie nicht beteiligt waren. Viele kleine Geschäfte münden eben in ein großes Geschäft, so wie viele Nebenflüsse in den großen Strom münden. Die Kuangs waren chinesische Geschäftsleute und das Chinesische machte ihr Genie aus. Sie wären genauso geniale Generäle oder hohe Beamte in der Volksrepublik gewesen.

Francis Littlewood überlegte. – Sollte er zuerst dem alten Dr. Kuang einen Höflichkeitsbesuch in der Apotheke abstatten? Dort roch es nach Kräutern, Geheimmedizinen und Geldverdienen. Dr. Kuang sah jedem Käufer sein Leiden und sein Bankkonto an und mischte danach seine Pulver und Tinkturen. – Oder sollte er lieber Miss Kuang in dem Haus am Flußufer aufsuchen? Hatte sie Marie Ekelund dorthin mitgenommen? Oder rauchten die beiden in irgendeinem Restaurant des Chinesenviertels hinter verschlossenen, goldbemalten Türen? – Littlewood wischte sich den Schweiß von der Stirn. Was sollte er tun? Der alte Dr. Kuang – ein rüstiger Springinsfeld von zweiundsiebzig Jahren – war als Geldgeber für das Lepra-Hospital in Chiengmai von Bedeutung. Chinesen gaben niemals Geld ohne Grund. Dr. Kuang wußte genau, warum er die Station unterstützte, und Dr. Littlewood wußte es auch. Dr. Kuang hatte dankbare Freunde in allen Windrichtungen, und heutzutage blies ein scharfer Wind. – Auf jeden Fall mußten Dr. Kuang und seine Tochter »Sanfter Wind« mit seidenen Handschuhen angefaßt werden. Das fiel Francis Littlewood besonders schwer: er hatte die seidenen Handschuhe – ein Paar für eine fünfköpfige Familie – in Ohio gelassen ...

Dr. Littlewood blickte starr geradeaus. Sein mageres Gesicht mit der hervorspringenden Nase, den scharfen grauen Augen und dem schmalen, festgeschlossenen Mund war in seiner Art genauso undurchdringlich wie Marie Bonnards schöne Maske. Littlewood wirkte streng. Er hatte das Gesicht eines Mannes in mittleren Jahren, der ein schweres und arbeitsreiches Leben führt und es bejaht. Die Littlewoods in Ohio – alles Ärzte oder Geistliche – waren der Ansicht, daß das Leben von Anfang an Mühe und Arbeit versprach und dieses Versprechen bis zum Tode hielt. –

Der Arzt betrachtete geistesabwesend die breite Brücke über dem Mae Wang-Fluß. Die Regenzeit hatte eingesetzt. Auf dem angeschwollenen Fluß gab es nur einige Teakholz-Flöße und halbnackte Lao-Arbeiter. Es war sehr still um die Stunde der Mittagsruhe. ›Du lieber Himmel‹, dachte Littlewood gereizt, ›das ganze Lampang hat zwanzigtausend Einwohner, und da mußte Eriks Frau ausgerechnet Miss Kuang treffen! Gab es Gesetze, die das Treffen von Menschen bestimmten? Oder war alles blinder, tückischer oder gutgelaunter Zufall? Trieben unbekannte Wellen bestimmte Personen zu den Gefühlsmördern, oder zu den Hilflosen, oder zu gleichgültigen Hanswürsten? Warum trafen die einen geborene Unglücksbringer, und warum wurden andere unbedingt zu Glückspilzen getrieben, die ihnen unentgeltlich ein Teil Glück abgaben? Warum mußte Ekelund diese Marie Bonnard treffen, die ihm keine Häuslichkeit und keine Ruhe geben konnte? War sie ihm so schön erschienen, daß er sich nicht losreißen konnte? – Littlewood hatte Louise Bonnard nie getroffen; aber er war noch heute davon überzeugt, daß Erik bei ihr richtig bedient gewesen wäre. Arme kleine Marie! Sie hatte mit ihren dreiundzwanzig Jahren zu wenig Lebenserfahrung – sie war aggressiv und unausgeglichen und lebte in einer Traumwelt. Schon in Stockholm hatte Littlewood mit einem Blick gesehen, daß Marie Bonnard Bekanntschaft mit Rauschgift gemacht haben mußte. Er hatte es ihren Augen angesehen. Aber es war zu spät gewesen, seinen Freund Ekelund vor einer Heirat zu warnen. Die beiden hatten gerade geheiratet. — Vielleicht, wenn Ekelund dieses junge Geschöpf wirklich geliebt hätte . . . Dr. Littlewood hustete. Marie wollte heute nur den Großen Rauch! Der Kuckuck sollte sie holen! —

Schwarze Regenwolken standen am Tropenhimmel. Die Luft war drückend und legte ein bleiernes Band um Littlewoods Schläfen. Er sagte sich: »Ich bin nicht müde. Ich habe keine Kopfschmerzen. Ich bin niemals müde.« — Er fuhr aufrecht und zur Aktion entschlossen durch die von Mohn und Geisterglauben gezeichnete Landschaft — ein spätgeborener Duzbruder der Stoiker, der auf seinem Nachttisch in Chiengmai neben der Bibel seinen *Marcus Aurelius* liegen hatte. Die stoische Tugendlehre, die restlose Pflichterfüllung im Dienst der Menschheit predigte, animierte diesen Puritaner aus Ohio wie Champagner — den er niemals trank. Littlewood hatte erkannt, daß nur die Erfüllung der Menschenpflicht unserer flüchtigen Existenz eine gewisse Dauer gibt, und daß sie sogar dem Körper gelegentlich Widerstandskraft gegen den Verfall des Fleisches verleiht. Er hatte erfahren, daß man für den Rausch des Geistes weder Alkohol noch Nikotin braucht. Wie seine ganze Familie trank und rauchte er nicht. Er bejahte diese Disziplin. Er war nicht begrenzt genug, in einem Glas Wein oder in Zigaretten Sünde zu sehen — die Abstinenz war ihm ein Mittel zur Willensstärkung. Er haßte aus Prinzip den Opiumgenuß, diese Flucht vor dem Leben. Er haßte Marie Bonnard, die vor sich selbst zu retten er sich zur Pflicht machte.

Er preßte bei diesem Gedanken die Lippen zu einem Strich zusammen und legte die Stirn in ärgerliche Falten. Warum arbeitete diese junge Person nicht? Gott hatte ihr das Maltalent gegeben, und sie beschwindelte IHN und die Menschen um die Früchte dieser Gabe. Das Bild der Hüpfenden war eine großartige Arbeit — das hatte Littlewood widerwillig im Pavillon in Doi Sutep festgestellt. Aus welchem Elternhaus mochte Marie stammen? Ekelund hatte nur gesagt, Maries Vater wäre in Bangkok und die Mutter in Paris. — Was ging es ihn, Littlewood, an? Er ertappte sich zum zweiten Mal dabei, daß er über Marie Bonnard, die ihm seine kostbare Zeit stahl, nachdachte. —

Ein großer amerikanischer Wagen raste an ihm vorbei. Ein dicker

Mann mit einem roten fröhlichen Gesicht winkte ihm zu. Es war ein Bekannter aus dem *United States Information Service* in Lampang. Sein Wagen jagte an den Ochsenkarren vorüber: die Neuzeit auf der Flucht vor Asiens antiken Gefährten! – ›Wenn er weiter soviel Whisky trinkt, wird er nicht mehr lange fröhlich sein‹, dachte Littlewood. O'Connor war sein Privat-Patient. Er fragte ihn um Rat, wenn er Leberschmerzen hatte, und tat dann das Gegenteil. Sie trafen sich gelegentlich im amerikanischen Klub in Bangkok. Man hatte eben ein gewisses Gefühl der Zusammengehörigkeit in einem Erdteil, in dem die Amerikaner so unbeliebt geworden waren. – Dr. Littlewood allerdings war nicht unbeliebt. Seine Patienten im Lepra-Hospital verehrten ihn voll eigensinniger Demut.

Auf dem verlassenen Marktplatz tropfte der Regen von den Sonnenschirmen. Zwei Gestalten aus einem Dschungeldorf standen wie vergessene Statuen auf dem leeren Platz. Der Morgenmarkt war längst zu Ende, aber es schien den *Karen*-Händlern nicht aufgefallen zu sein. Dr. Littlewood hatte auf einer Studienreise ein Karen-Dorf im Meklongbergland besucht. Der Hauptstamm dieses Nomadenvolkes lebte in Burma. Sie hielten an ihren malerischen Trachten und an ihrer Angst vor Geistern fest. Ein alter Mann irrte damals im Dschungel herum. Sein Stamm hatte ihn verstoßen, und er hockte wie ein ängstliches fußloses Tier im Wald. Er hatte Lepra in einem fortgeschrittenen Stadium. Einer von den vielen Kranken aus den entfernten Dschungeldörfern, die zuerst von den Medizinmännern mit Amuletten und Geisterbeschwörungen behandelt und dann von der Dorfgemeinschaft verjagt werden. Der Alte war schließlich in Chiengmai im Hospital von seinen Leiden erlöst worden. Er war aber nicht an der Lepra, sondern an einer Tuberkulose gestorben.

Da standen die beiden »weißen Karen« auf dem Markt und blickten dem Auto nach, das den Ausländer nach Lampang brachte. Der Mann trug eine weite Kniehose, einen Turban und die langärmelige Jacke der Shan-Stämme. Die Frau stand reglos in ihrer dunkelblauen Baumwollbluse, die kunstvoll rot und braun gemustert war. Weiße Pflanzensamen, »Hiobstränen«, waren perlengleich zu einem herrlichen Muster an den Jackenrändern aufgenäht. Die Frau hatte große leuchtende Augen mit ganz leichtem Mongolenschnitt. ›Ein Modell für Marie Ekelund‹, dachte Littlewood. Dieses Mal fiel es ihm nicht auf, daß er schon wieder an diese lästige Person dachte. –

Vom Markt aus gleich um die Ecke war das Dorfkino, das einen Sexbombenfilm aus Hollywood ankündigte. Wenn die Ausländer sich auf der Leinwand küßten oder wenn jemand starb, gab es Gelächter unter den Lao-Zuschauern. Wie konnte man sich in einem Lokal küssen, oder wie konnte man weinen, wenn jeder Kellner die Tränen zählen konnte? Aber das Kino war stets voll.

Schönes, altes Lampang! — Francis Littlewood hätte sich über den Ausflug gefreut, wenn er nicht mit Marie zusammengehangen hätte. Lampang war heiter — selbst in dieser Nachkriegsperiode der Unruhe und Zerrissenheit. Die Stadt hatte so vieles, was andere Städte Asiens schneller oder langsamer vergaßen oder aufgaben. Lampang hatte seine alte Geschichte, sein einzigartiges Kunsthandwerk, seine Legenden und Mohnfelder. Es hatte seine statische und ornamentale Lebensanschauung noch nicht an Washington oder Peking verkauft und lebte gelassen in seiner urasiatischen Welt zwischen dem Reich der Ahnung und der Erfahrung. Die Gegenwart war nur eine Unterbrechung der Meditation, die buddhistische Tiefe und Fortdauer hatte. Kein Mensch des Westens und kein chinesischer Anhänger des Taoismus oder der Lehre von Peking betrat das Reich der Ahnung jenseits der Welt, in der Zeitungsschlagzeilen und Traktoren wichtig waren. Aber das geheime Leben von Lampang, die siamesisch-buddhistische Luft, beunruhigte die Ausländer. Die Glaubensartikel des chinesischen Geschäftslebens verloren ihre Überzeugungskraft, wenn die Dämmerung die alte Stadt in violette Schatten hüllte. Und die Angst vor der Nacht, die Urangst der Seele vor chaotischer Finsternis, wurde am besten durch die Opiumpfeife gelindert und verwandelt. Aus diesem Grund waren die Traumverkäufer von Lampang — mit Dr. Kuang und seiner gebrechlichen Tochter an der Spitze — die heimlichen Beherrscher der Ängstlichen und Heimatlosen. Die Kuangs spielten im Lampang des Jahres 1959 die gleiche Rolle, die ihre Vorfahren nach ihrer Einwanderung gespielt hatten. Sie pflanzten keinen Reis und auch keinen Mohn — sie verkauften ihn. Sie lebten heute, mit ihren alten von der Insel Hainan mitgebrachten Gebräuchen, mit ihren Rechenmaschinen, Eisschränken und Autos inmitten einer Kultur, die sie nichts anging. Sie hatten andere Tempel, andere Webemuster und andere psychische Realitäten. Sie verkauften legal zu Heilzwecken und illegal für private Traumorgien den geronnenen Saft der unreifen Mohnkapsel. Nur der Große Rauch stand trennend und einigend zwischen den Kuangs von Lampang und einigend zwischen Miss Kuang und Marie Bonnard, die ihre Nachtangst und den Liebeshaß, den sie für ihren Ehemann hegte, vor der Welt verbarg. Der Rauch war süßer als der Honig, den die Brüder der Gelben Robe aßen; er war milder als das goldgelbe Sesamöl und kostbarer als das Salz, das den Mohnpflanzern um Lampang im Austausch gegeben wurde. Und der Rauch war tödlicher als Schlangengift. Er höhlte langsam Leib und Seele aus. –

»Eine nette Geschichte«, sagte Dr. Littlewood so laut, daß der Fahrer sich umdrehte. Sie waren in Lampang angekommen. Der Arzt hatte sich entschlossen, sofort zu der Villa der Kuangs zu fahren – einem idyllisch gelegenen Besitz am Ufer des Mae Wang-Flusses. Das große schöne Haus war in der Gegend als »Geisterhaus« verschrien, Dr. Kuang hatte es daher für eine Schüssel Reis erworben. Ihn und seine Tochter störte kein bösartiger Hausgeist. Die Kuangs hatten in all den Jahren noch keinen laotischen Geist auf den Veranden getroffen. –

Dr. Littlewood sah zwischen Kokospalmen und Mangobäumen die überdachte Gästeveranda. Ein schwarzhaariger und ein heller Kopf beugten sich zueinander. Leises Gelächter drang durch die Gewitterluft zu dem Besucher aus Chiengmai. Eine Dienerin erschien mit einem Tablett, auf dem flache Schalen, eine Teekanne und harte farbenprächtige Süßigkeiten standen.

Francis Littlewood atmete tief. Seine Züge entspannten sich: Er war zur richtigen Zeit angekommen.

Er hörte Miss Kuangs Gelächter. Er hatte keine Ahnung, daß sie über ihn lachte. –

II

»Darf ich vorstellen«, sagte Miss Kuang. »Dr. Littlewood aus Chiengmai! Lady Melford.«

Littlewood nickte abwesend. Wo war Marie?

»Ich bin entzückt«, sagte Lady Melford ohne sichtbares Entzükken.

Dr. Littlewood betrachtete stumm die große überschlanke Frau mit dem rötlichen, unordentlichen Haar, dem lächelnden Mund mit den leicht vorstehenden Zähnen und den porzellanblauen Augen. Ein Auge war etwas kleiner als das andere. Lady Melford blickte scharf und doch zerstreut umher. Ihre sehr langen, schlanken Hände mit den kostbaren Ringen machten ein paar fahrige Bewegungen, ehe sie zur rettenden Zigarette griffen. Nirgends auf der Welt konnte ein Besucher unwillkommener sein als Francis Littlewood auf dieser Veranda in Lampang.

»Wie nett, daß Sie uns besuchen, Herr Doktor! Mein Vater ist leider noch in der Apotheke. Bitte, trinken Sie eine Schale Tee mit uns.«

»Der grüne Tee ist herrlich«, sagte Lady Melford. »Einfach hinreißend. Finden Sie das auch, Herr Doktor?«

»Ich trinke ihn auch sehr gern.«

Eine Pause entstand. Der Amerikaner suchte nach einem Gesprächsstoff. Wo war Marie? –

»Ich bin Journalistin«, sagte Lady Melford so hastig, als ob ihr Leben davon abhinge. »Miss Kuang hat mich eingeladen, das alte Zeug in Lampang zu sehen. Toller Platz. Einfach uralt und geheimnisvoll – ich meine die Tempel und alles Mögliche.« –

›Wenn das eine Journalistin ist, fresse ich einen Besen‹, dachte Littlewood. ›Alles Mögliche . . .‹ So unpräzise drückte sich kein ABC-Schüler aus. Lady Melford sprach mit so viel Nachdruck, als begänne jedes Wort mit großen Buchstaben. Sie war ganz Rastlosigkeit und lächelnde Arroganz. Dr. Littlewood blickte ihr sekundenlang in die ungleichen, hektisch glänzenden Augen und blickte sofort wieder weg. Lady Melford hatte seinen Blick aufgefangen und die Augenbrauen hochgezogen.

»Sie wundern sich wohl, daß ich mich in Lampang vergrabe«, sagte sie nachlässig, öffnete und schloß die Hand und ergriff dann eine neue Zigarette. Littlewood sprang auf und gab ihr Feuer.

»Danke sehr«, sagte Lady Melford in ihrer seltsam nachdrücklichen Art. Sie bedankte sich zweifellos nicht nur für das Feuer, sondern auch für Dr. Littlewoods Gesellschaft.

Fräulein Kuang blickte auf ihre handgearbeiteten Schuhe. Sie hatte kein weiteres Wort geäußert.

»Kennen Sie Belfast, Herr Doktor? Da sagen sich die Füchse ›Gute Nacht‹. Mein Mann ist in der Schiffbau-Industrie. Irgendwas muß der Mensch ja tun, nicht wahr?« – Es klang so mitleidig, als ob Lord

Melford, ein Magnat der irischen Industrie, die Ascheimer in Belfast leerte, bloß um irgend etwas zu tun zu haben. – »Hier in Thailand höre ich wenigstens nichts über die Wirtschaftsdepression, die Zankereien zwischen den Arbeiter-Unionen und über Beethoven. Mein Mann ist ganz vernarrt in klassische Musik«, bemerkte Lady Melford angewidert. »Bach und alles Mögliche. Der Kopf dröhnt einem von dem Lärm.«

Wo war Marie?

»Ich lebe augenblicklich in Bangkok«, erklärte Lady Melford noch hastiger. »Sie *müssen* mich dort aufsuchen! Das Hotel Bonnard ist entzückend. Ich war schon einmal in Bangkok, direkt nach dem Krieg, als ich noch Journalistin war ...«

Ein dunkles Rot breitete sich auf Lady Melfords blassem Gesicht aus. »Ich meine, als ich noch regelmäßig für Londoner Blätter berichtete. Jetzt schreibe ich nur, wenn mir etwas auffällt! Mein Mann findet den Beruf zu anstrengend. Ich meine ...« Sie brach ab. Die Stunde der Autobiographie war zu Ende. Dieser Fremde mit seinen bohrenden Blicken sollte endlich dorthin verschwinden, wo der Mohn wuchs ...

»Ich kenne von den Bonnards nur Mrs. Ekelund«, sagte Dr. Littlewood, »die Frau meines Freundes.« Er wandte sich mit eiserner Entschlossenheit an die taubstumme Miss Kuang: »Ich möchte Mrs. Ekelund nach Chiengmai zurückbringen. Wollen Sie ihr bitte mitteilen lassen, daß ich warte.«

»Sie ruht in ihrem Zimmer«, erwiderte Miss Kuang ohne Wimperzucken. »Ich möchte sie nicht stören! Madame ist erschöpft.«

»Das tut mir leid. Aber Mrs. Ekelund kann im Auto schlafen. Würden Sie ihr freundlichst Bescheid sagen lassen?«

Lady Melford hörte sich den Dialog belustigt mit an. Sie kannte die schöne Mrs. Ekelund ganz gut durch Miss Kuang.

Die Gastgeberin klatschte in die Hände. Sie befahl der Dienerin, Missie Ekelund zu wecken. Sie hätte Besuch bekommen. – Nach einer Weile kam die Dienerin zurück. Sie sprach mit ihrer Herrin so schnell auf chinesisch, daß Littlewood nicht folgen konnte.

»Es tut mir schrecklich leid, Doktor«, sagte Miss Kuang noch sanfter. »Madame ist spazieren gefahren. Sie hatte starke Kopfschmerzen. Was tun wir da?«

»Nichts. Ich werde warten, bis Mrs. Ekelund zurückkommt.«

»Geduld bringt Rosen«, bemerkte Lady Melford. Sie hatte das Stadium der Geistesabwesenheit überwunden und machte sich unverzüglich zum Zentrum der Konversation.

»Kennen Sie London?« Sheila Melford betrachtete den amerikanischen Gast ungeniert aus ihren ungleichen Augen. »Ich meine, ich habe da ein süßes kleines pied-à-terre in St. John's Wood. Wenn Sie in London sind, müssen Sie mich besuchen, Doktor! Ich kann Ihnen die Stadt zeigen — das Palladium, und Soho und alles Mögliche. Aber Sie dürfen nicht im Winter kommen — die Zentralheizung in meinem Flat ist lausig.«

Eine zweite, noch unbehaglichere Pause entstand.

»Wer könnte es auch das ganze Leben in Belfast aushalten?« fragte Lady Melford niemanden im besonderen. »Ich bin nun mal absolut nicht am Schiffbau interessiert. Schon der Gedanke macht mich seekrank. Und wer kann immer in Irland leben? Ich traf meinen Mann natürlich in London, nach dem Krieg . . . Er sprach niemals von Schiffen. Er ging in kein Konzert mit mir. Er sang mir auch nichts vor. Wußten Sie, daß die Iren grauenhaft musikalisch sind? Man sieht es den armen Dingern ja nicht an der Nasenspitze an, nicht wahr? Kurz und gut, ich sagte meinem Mann nach drei Jahren Belfast, Beethoven und Schiffbau-Klatsch von Queen's Island, daß eine Londonerin . . .«

Lady Melford blickte sich wild um und stand abrupt auf. »Entschuldigen Sie«, murmelte sie, »ich habe blödsinnige Kopfschmerzen. Ich werde auch spazieren fahren.«

»Viel Vergnügen«, sagte Miss Kuang.

Lady Melford nickte ihr zu und übersah den Gast aus Chiengmai. »Erheitert euch, ihr Zeitgenossen«, sagte sie. »Ich brauche Luft!«

»Sie ist etwas nervös.« Miss Kuang blickte der überschlanken Gestalt gleichmütig nach. »Sie müssen entschuldigen, Doktor! Aber sonst ist Lady Melford wundervoll. So unterhaltend, nicht wahr?«

»Meinen Sie, daß Mrs. Ekelund bald kommen wird?«

»Sie kommt überhaupt nicht. Sie hat ihr ganzes Gepäck mitgenommen.«

Der Arzt brach auf. Er wußte, daß Miss Kuang es erwartete. Er ließ sich ihrem Vater empfehlen und dankte für den Tee.

»Madame Ekelund ist etwas nervös, Herr Doktor! Aber sonst ist sie wundervoll. So unterhaltend! Sie hat nicht alles, was sie braucht. Aber das geht uns allen so.«

»Wie geht es Ihnen gesundheitlich, Miss Kuang?«

»Danke sehr. Großartig!« Miss Kuang war grau im Gesicht. Ihre Gesundheit war ihr wundester Punkt. Wie unzart, danach zu fragen!

»Ich wünsche eine angenehme Rückfahrt, Herr Doktor!«

Noch deutlicher konnte eine höfliche Chinesin beim besten Willen nicht werden. Dr. Littlewood betrachtete das starke, verschlossene Gesicht und den unsanften Mund. Miss Kuangs schöne schlanke Hand griff nach dem Stock mit der geschnitzten Elfenbeinkrücke, um sich zu erheben und den Besucher an seinen Wagen zu begleiten.

»Bitte, bleiben Sie sitzen«, sagte der Arzt. »Es strengt Sie an!«

Miss Kuang hatte sich mühselig erhoben und hüpfte mit eigensinnigem Heldenmut bis ans Gartentor. Sie blickte dem Wagen des Arztes mit einem seltsamen Ausdruck nach. Es war ein Fehler, so klug sein zu wollen wie Dr. Littlewood! Er mußte sich allen Ernstes eingebildet haben, er könne Madame Ekelund nach Chiengmai verschleppen. Er war mit Madames Ehemann verbündet. Aber Madame war mit Miss Kuang verbündet . . .

Der Doktor war ein Moskito, der versuchte, die Berge von Lampang auf dem Rücken zu tragen.

Miss Kuang humpelte in Madame Ekelunds Zimmer. Die Reisetasche und alle Toiletteartikel standen, wo sie vor einigen Stunden gestanden hatten. –

»Er ist fort«, sagte Miss Kuang.

»Ich bin untröstlich!« Lady Melford vertrieb sich die Zeit mit Marie Bonnards Make-up-Utensilien auf dem Toilettentisch. »Die französischen Cremes sind etwas trocken, *sehr* gut natürlich, aber ich bleibe bei Elizabeth Arden.«

»Sie sprechen zu oft von Ihrem Mann, Lady Melford.« Miss Kuang zeigte keine Spur von altmodischem Respekt Ausländern gegenüber. Was sie an Respekt jemals gefühlt haben mochte, war im Orkan des Großen Krieges verweht. Miss Kuang hatte gesehen, wie nackte weiße Männer Kuliarbeit am Wegrand getan und Zigaretten von mitleidigen Passanten aufgefangen hatten. Die Kriegsgefangenen der Kaiserlich Japanischen Armee hatten soviel »Gesicht« verloren, daß Miss Kuang – wie Millionen ihrer Landsleute – heutzutage nur zwei Augen, eine Nase und einen Mund sah. Wer respektierte eine Nase in dieser Nachkriegszeit? Miss Kuang hatte den ausgeprägten chinesischen Zug, gegen alle, die gefallen waren oder die sie brauchten, herablassend zu sein. Da auch Lady Melford sie brauchte, bekam sie die dunkle Seite des chinesischen Mondes zu sehen. Sie fühlte es genau. Aber ihr blasses, feines Gesicht unter dem verblichenen riesigen Strohhut, den sie in besseren Zeiten in Ascot zu den Rennen getragen hatte, zeigte nichts als arrogante Liebenswürdigkeit — ganz, als ob sie dieser Chinesin wertvolle Dienste erwiese. Die Arroganz war etwas, das Miss Kuang bewunderte.

»Niemand kennt meinen Mann hier draußen«, sagte Lady Melford.

»Zweimal geschwiegen ist besser als dreimal geredet. Es gibt überall Leute, die jeden kennen.« Miss Kuang blickte die Ausländerin lächelnd an. ›Unangenehme Person‹, dachte Sheila Melford. ›Warum sind alle Leute, die man in dieser lausigen Welt braucht, so ekelhaft?‹ — Sie strich sich das rote Haar aus dem kleineren Auge. »Wer sollte in dieser gottverlassenen Gegend meinen Mann kennen?« fragte sie taktvoll.

»Jemand könnte Belfast kennen! Dann käme es heraus, daß . . .«

Lady Melford fragte hastig: »Darf ich um ein Glas Eiswasser bitten? Ich bin ausgedörrt wie die Wüste Gobi oder so was Ähnliches.«

»Wie wäre es mit einem Whisky und Soda?«

»Wahnsinnig nett von Ihnen, Miss Kuang! Aber ich trinke niemals Alkohol«, erwiderte Lady Melford tugendhaft.

III

Dr. Littlewood dirigierte seinen Fahrer ins chinesische Viertel von Lampang. Es war eine enge, emsige Welt inmitten der weiten, lässigen Welt der Laoten. Man aß dort heiße Nudeln und führte einen kalten Wirtschaftskrieg. Das ferne Peking war keine chinesische Stadt — es war ein Begriff. Trainierte Zungen antworteten auf alle Fragen: »Ich weiß es nicht.« — Man beugte allem Unglück mit »freiwilligen Spenden« vor, die ihren Weg über Agenten in die Volksrepublik nahmen. Die chinesische Seele kann sich wie ein Gummiband zusammenziehen und ausdehnen — das ist ihre Stärke. Selbst der chinesische Starrsinn ist elastisch. — Dr. Littlewood grübelte über diese Eigenart nach, während er den Fahrer zum Restaurant »Drachenboot« des Herrn Yen dirigierte. Dort wurde Opium geraucht. Littlewood wußte es von O'Connor vom *Information Service*. Nur wußte er nicht, daß das Restaurant einen zweiten Stock für bestimmte Gäste reservierte. Die Opiumhöhlen, die er gelegentlich in Bangkoks Chinesenvierteln gesehen hatte, waren durchweg Kellerlokale gewesen – dunkel, schmutzig und ungewöhnlich trübselig. Aber in welche Tiefen stieg nicht der Rauschgiftkunde? Und wie bald bezahlte er mit seiner Selbstachtung! Es war durchaus möglich, daß Littlewood Marie auf einer Couch in den Hinterräumen des »Drachenbootes« finden würde. – Die siamesische Polizei führte seit Jahrzehnten einen unbehaglichen und undurchsichtigen Krieg gegen Opiumraucher und Mittelsmänner. Nur die Minorität der Süchtigen ließ sich registrieren und zu Entwöhnungskuren veranlassen; meistens erst dann, wenn die Familie sich von ihnen abgewandt hatte und sie nun stumpf mit der Bettelschale vor Speiseläden und auf den Märkten hockten. Chinesen erschienen noch seltener als Siamesen bei den Behörden. Erstens ließen die Familien ein Mitglied nicht völlig im Stich, und dann verlor man zuviel Gesicht bei einer öffentlichen Registrierung als Opiumraucher. –

Dr. Littlewood ließ den Fahrer warten und verschwand in einer Seitengasse. Eine matte Laterne mit Drachenmuster brannte vor dem Lokal. Es dämmerte. Rechts vom Restaurant arbeitete ein Schneider mit seiner achtköpfigen Familie an einem Anzug. Links war eine chinesische Wäscherei. Eine uralte zahnlose Frau plättete. Sie bewegte die Eisen und den zahnlosen Mund im gleichen Rhythmus. Drei Kinder halfen ihr. Ein nackter Säugling hockte auf dem Arm seiner halbwüchsigen Schwester und lutschte zufrieden an dem Zuckerrohr, das das Mädchen ihm zärtlich und unsanft zugleich in den Karpfenmund schob. Die Kinder schwatzten mit rauhen Stimmen, und die Alte nickte dazu. Sie war taub, wollte aber zeigen, daß sie am Familienleben Anteil nahm. Es war wie ein Film aus einem privaten China, das vielleicht nicht mehr lange bestehen würde. –

Vor der Tür des »Drachenboots« hockten Bettler und Kranke und sprachen ungeniert über den Ausländer. Sie blickten Littlewood grinsend ins Gesicht und baten um eine Münze. Seine große Gestalt im weißen Anzug war kein alltäglicher Anblick. Selbst die Kranken und Verstümmelten zeigten ein schmeichelhaftes Interesse, das kein Mensch des Westens verstehen oder aufbringen könnte. Das Leben in dieser trüben Chinesengasse war herrlich und aufregend. Es gab jeden Augenblick etwas Neues zu sehen, und es kostete nichts. Im

Gegenteil – die Fremden gaben noch Geld! Man mußte diese Narren bedauern.

Das Drachenboot war bedeutend geräumiger, als es von außen wirkte. Und es war bedeutend schmutziger, als ein Europäer es für möglich halten würde. Halbnackte Chinesen liefen auf dem niemals gefegten Boden des Lokals herum und verschwanden entweder in dem Mah Jong-Raum nebenan, aus dem ein ohrenbetäubender Lärm zu Littlewood drang, oder sie gingen ins »Melonensamen-Zimmer«, wo sie geräuschvoll die Samenkapseln knackten und die Schalen auf den Fußboden spuckten. Einige verschwanden auch durch eine kleine unauffällige Tür. Im Restaurant saßen bereits einige chinesische Gäste und aßen alte Eier mit süßem Ingwer oder gedämpften Tintenfisch mit winzigen Gurken – zwei Spezialitäten des Lokals. Herr Yen war nirgends zu sehen. Eine zwergenhafte Kellnerin, die mit den Yens verwandt war, brachte die Speisen.

Da Littlewood trotz einiger Jahre in Asien eine herzhafte Abneigung gegen Tintenfisch und die berühmten Eier hatte – die übrigens niemals hundert Jahre, sondern einige Wochen alt sind, und daher grünes Eigelb haben –, bestellte er Vogelnestersuppe und Reis mit Beilagen. Die zwergenhafte Kellnerin stellte ihm sofort Worcester Sauce auf den mit Speiseresten und Zigarettenasche dekorierten Tisch. Ausländer aßen Worcester Sauce – das war ein Glaubensartikel, der sich in Übersee-China unentwegt behauptete. Littlewood sah sofort, daß die von ihm verabscheute englische Sauce total eingetrocknet war – so waren alle Teile zufrieden.

An der fleckigen Wand hing ein altes Rollbild, das die *Acht Unsterblichen* zeigte, die stets vergnügt waren, da sie niemals hatten Worcester Sauce essen müssen. Die Gewänder dieser volkstümlichen chinesischen Heiligen waren zwar mit Fettflecken und respektvollem Staub bedeckt, aber die Acht Unsterblichen verbreiteten in diesem kahlen Vorhof zum Opiumhimmel jene hartnäckige chinesische Heiterkeit, die unabhängig von politischen und privaten Lebensbedingungen ist. Die Unsterblichen verstanden zu lachen und wußten, daß die Welt verrückt ist. Sie waren in ihren fleckigen Gewändern so unfeierlich wie eine Bratpfanne oder eine Regentonne und verbreiteten jahraus, jahrein im Drachenboot Appetit und Entspannung. Littlewood trank mit Genuß seinen grünen Tee zu dem ausgezeichneten Essen und vergaß eine Zeitlang Marie Bonnard.

Er füllte sich gerade zum dritten Mal von den jungen Bohnen auf, als Lady Melford ins Lokal segelte. Sie fiel nicht nur durch ihr rotes Haar und ihre große dünne Gestalt auf. Sie sah aus, als sei sie soeben aus einem brennenden Flugzeug abgesprungen und habe sich in letzter Sekunde irgend etwas umgeworfen. Lady Melford war auch unfrisiert – wer kämmte sich, wenn das Leben auf dem Spiel stand? Sie trug ein zu weites ungeplättetes Leinenkleid, das trübselig an ihren Hüften herunterweinte. Dazu trug sie einen Schal in Babyrosa. Sie mußte im letzten Augenblick auch noch eine verwelkte Seidenblume aufgestöbert haben. Die Blume war giftig rosa und biß sich mit dem Schal. Lady Melfords Lippenrot war verwischt, und in dem mageren Gesicht war einzig ihre Nase so weißgepudert, als wolle die Besitzerin als komische Person in einer Londoner Weihnachtspantomime für Kinder die Lacher auf ihre Seite ziehen. –

»Entweder man trifft sich niemals oder alle halbe Stunde«, bemerkte Lady Melford und nahm unaufgefordert an Dr. Littlewoods Tisch Platz. »Drecksbude – aber famoses Essen, nicht wahr?«

»Hat die Spazierfahrt Ihre Kopfschmerzen vertrieben?« fragte Littlewood.

Sheila beugte sich vor, als höre sie schwer. »Kopfschmerzen?« fragte sie ungläubig. »Ach soo, Sie meinten Kopfschmerzen? Ja, natürlich! Es geht mir besser.« – Sie blickte die Unsterblichen und dann Dr. Littlewood an.

»Was wollen *Sie* denn hier, Herr Doktor?«

»Zu Abend essen«, erwiderte Littlewood freundlich. Sein Problem konnte gelöst werden. Früher oder später würde Lady Melford Träume kaufen wollen. Miss Kuang war zu vorsichtig, um schwere Raucher in ihrem Haus zu bedienen. Man konnte keinem Diener und keiner Dienerin heutzutage mehr trauen. Eine Anzeige bei der Lokalpolizei brachte den Angebern eine hübsche Summe . . . Auf diese Weise wurde mehr als ein Opiumnest schließlich ausgehoben. Das Drachenboot allerdings war eine so alte Einrichtung in Lampang, und Herr Yen war den Behörden so tausendfach gefällig, daß man beide Augen zudrückte. Niemand hatte jemals in dem alten berühmten Restaurant Opium geraucht. Man aß glänzend, spielte Mah Jong und kaute Melonensamen. – Das Drachenboot war solange sicher, solange sich nichts bei der Lokalpolizei änderte. Türen, die man nicht bemerken wollte, wurden sowieso in Ostasien allerseits übersehen. Es war Dr. Littlewood klar, daß wohlhabende Raucher, die mit den Kuangs bekannt waren, nur im Drachenboot irgendwo hinter der Tür den Großen Rauch genießen konnten. Man brauchte eine Einführung dort – besonders, wenn man zu den *Ferangs* (Ausländern) gehörte.

Die zwergenhafte Kellnerin fragte nach den Wünschen der Rothaarigen. Lady Melford und die Kellnerin betrachteten einander, als ob sie sich noch niemals begegnet wären. »Krabben und Tee«, bestellte Sheila. Die Kellnerin nickte und stellte »Lee & Perrins« Sauce auf den Tisch. Dies war die zweite Höllenmixtur, die alle Ausländer liebten. – Die britischen Reliquien auf dem rohen Holztisch hatten alles überlebt: den zweiten Weltkrieg, die japanische Besetzung, das Absinken des westlichen Prestiges . . . Man respektiert in Asien Gewohnheiten viel länger als Persönlichkeiten . . . Und man respektiert sie viel aufrichtiger als Weltanschauungen und Machtbefugnisse. –

Sheila Melford legte eine zitternde, ringgeschmückte Hand auf den Tisch und betrachtete fasziniert den splitternden Lack auf ihren gewölbten Nägeln.

»Es sind meine Drüsen«, konstatierte sie mit gewohntem Nachdruck. »Ich bin so ruhelos und reizbar, weil die verdammten Dinger überaktiv sind. Ihr Doktoren erzählt uns das Blaue vom Himmel herunter. Meiner in der Harley Street – ich meine, in London geht man eben in die Harley Street oder zum Teufel! Was sagte ich noch? Ach ja! Mein Arzt hat sich schon ein Landhaus in Richmond von den Drüsen und Hormonen kaufen können. Glücklicher Hund! Weltberühmter Psychiater! Mein Mann schickte mich hin.«

»Wer ist Ihr Arzt, Lady Melford?«

»Dr . . . Wie heißt er noch? Sie kennen ihn ja doch nicht!«

»Ich kenne eine Reihe englischer Kollegen. Ich bin auch in Kontakt mit Kollegen in der Harley Street. Wir sehen uns manchmal bei Konferenzen. Ich interessierte mich eine Zeitlang intensiv für . . .«

»Ich habe seinen Namen vergessen«, unterbrach Lady Melford. »Ich werde nachsehen und Ihnen Adresse und sämtliche Ehrentitel auf telegraphischem Wege mitteilen. Es *sind* die Drüsen, ob Sie meinen Medizinmann kennen oder nicht! Sie produzieren zuviel von irgendwas – ich meine die Drüsen. Das Essen ist lausig heute abend.«

Lady Melford stocherte in den Krabben herum. Die Eßstäbe entglitten ihren Fingern, und die Krabben gesellten sich zu der Rose an ihrem Kleidausschnitt. Sie machte keine Anstalten, sich zu säubern – sie hatte den Zwischenfall gar nicht bemerkt. Sie blickte mit glänzenden, abwesenden Augen in einen Raum, wo man Träume kaufen konnte. –

»Mein Mann sagt immer, ich benehme mich wie eine Wahnsinnige.« Lady Melford öffnete und schloß ihre Hände in hektischer Unruhe. »Aber ich langweile Sie, Doktor! Ich kann Ihnen nur raten – verschwinden Sie in die schöne Abendluft! Dann sind Sie mich los.«

»Aber im Gegenteil! Ich finde Ihre Konversation sehr interessant. Außerdem habe ich mir Lichi-Früchte bestellt. Ich habe alle Zeit in der Welt.«

Lady Melford nahm diese Mitteilung stirnrunzelnd entgegen. Es wäre komisch gewesen, wenn es nicht so tragisch gewesen wäre. Littlewood betrachtete stumm das feine englische Gesicht, das keinen Aufschluß über die Herkunft dieser Abenteuerin gab. Man fand solche Gesichter und Figuren hinter einer Theke in Stepney und in einem Empfangsraum in Hyde Park-Villen. Vielleicht war sie wirklich einmal als Berichterstatterin in Ostasien gewesen und war nach dem zweiten Krieg wiedergekommen – getrieben und gelockt von einer Erfahrung, die vielleicht als Scherz und Sensation begonnen hatte. Wer konnte es wissen? Littlewood dachte an die junge Marie. Wieder überkam ihn ein unpersönliches Mitleid. Er wartete angespannt darauf, daß Lady Melford der dünne Geduldsfaden reißen würde. Aber ihre natürliche Intelligenz schien sie immer noch zu warnen. Oder war es Angst? –

»Meine Hormone wechseln beständig ihr Muster«, äußerte sie mit manischer Beharrlichkeit. »Das macht mich so irrsinnig nervös. Ich rede mir dann alles Mögliche ein. Mein Mann *ist* aber ein Sadist! Er versucht immer wieder, mich irgendwohin zu verschleppen. In eine *Anstalt*! Wie finden Sie das? Eine normale Person wie mich, die das Einmaleins wie am Schnürchen deklamiert und alles Mögliche über Asien geschrieben hat – eine Person, die zum Donnerwetter das Recht hat, ihre eigenen . . .« Sie zündete sich eine neue Zigarette an. Ihr goldenes Etui fiel zu Boden. Littlewood hob es auf und legte es stumm auf den Holztisch. »Es *gibt* doch Menschenrechte«, sagte Lady Melford und schloß erschöpft die porzellanblauen Augen. »Aber was wißt Ihr Apotheker davon? Ihr schreibt Rezepte . . . Meine Apotheke im Westend – da war mal ein bezaubernder Steuerskandal – sie verkaufen das Zeug für Hormoninjektionen, schreiben nichts an und haben nachher ihr Landhaus in Richmond. Entschuldigen Sie, Doktor, mein Psychiater hat das Landhaus! Die Apotheke – Baker Street – sehr sauber und nur zugelassene Apotheker, ich meine, Medikamente . . . Übrigens, ich wollte schon den ganzen Abend . . .«

Sie stand schwankend auf. Überlisten mußte man die Leute! Sie waren alle Apotheker, Ehemänner, Feinde! alles Sadisten . . .

»*Bitte*, bleiben Sie sitzen, Doktor Littlewood! Ich muß mich nur übergeben. Das ist eine natürliche Reaktion auf die Freuden, die das Leben uns so bietet.« Sie sprach jedes Wort klar und überbetont, als ob sie eine Klasse von Taubstummen vor sich hätte, die ihr die Botschaft von den Lippen ablesen mußten. Lady Melford schritt hochaufgerichtet zu der unscheinbaren Tür und merkte nicht, daß Littlewood langsam folgte. Er hatte die Stirn in tiefe Falten gelegt und die Lippen zusammengepreßt. So, genauso, würde Marie Bonnard in wenigen Jahren sein. Er mußte sie finden. Er wußte, daß er sie finden würde, wenn er Lady Melford vorsichtig die enge dunkle Treppe hinauf nachschlich.

Morgen würde er Ekelund telegraphieren. Er mußte sofort nach Chiengmai kommen und seine Frau nach Europa mitnehmen. – Aber erst einmal mußte man diese verkommene junge Person finden.

Lady Melford drehte sich plötzlich um: »Aha! Sie kennen den Weg *auch*, mein Bester! Sie wirken zwar wie ein Säulenheiliger – aber da hat man's wieder.« Sie kicherte. »Wo ist mein Hut?« fragte sie vage. »Früher erschreckte ich alle Männer mit meinen Hüten. Die armen Dinger sind so schreckhaft – ich meine, die Männer! Oder was sich heutzutage so nennt. Sie sind in ihre Autos oder Heliokopter verliebt. Oder in Schiffe . . . Puh, mir ist heiß! Lächerliches Klima . . . Man sollte . . .«

Sie drehte Littlewood den Rücken zu und verfiel in ihr manisches Schweigen. Sie stiegen langsam den Rest der Treppe hinauf. Littlewood fragte sich, wozu er in diesem Hollywoodfilm freiwillig mitspielte. Er beschäftigte sich reichlich viel mit einem Schicksal, das ihn nichts anging. Aber ging Marie Bonnard ihn wirklich nichts an? Kranke gingen einen Arzt immer etwas an, und Marie war krank. –

»Man ist im Osten ständig in feuchte Bettlaken gehüllt«, murmelte Lady Melford. »Wenn ich etwas hasse, dann ist es trockenes Fleisch und feuchte Laken! Ich sage meinem Mann beständig: ›Liebling‹, sage ich, ›sei doch nicht so gemein zu mir! Du hast auch deine . . .‹ «

Lady Melford wischte sich den Schweiß von der Stirn. Sie waren angelangt. Sie betraten einen Raum, dessen Eleganz in auffallendem Gegensatz zu der Ungepflegtheit des Restaurants stand. Hier kostete es sehr viel mehr als unten im Restaurant. Hier rauchten Auserwählte. Alle, die den »ersten Rauch« bezahlen konnten, waren auserwählt.

Der mittelgroße Raum hatte abgeteilte Nischen, einen Marmorfußboden und kleine geschnitzte Tische, auf denen die Lämpchen zum Erwärmen der Opiumkugel standen. Zwei junge Chinesinnen bedienten die Kunden. Es war eine ruhige und behagliche und keineswegs geheimnisvolle oder drohende Umgebung. Niemand sprach. Alle schienen ungewöhnlich zufrieden zu sein. In diesem Raum waren die Leidenschaften tote Dinge. Nur Schatten und Schemen waren lebendig. Es gab keine Prügelei mit dem Alltag mehr, keine Enttäuschungen, keine Wünsche, keine Reue, keine Rachegefühle. Niemand in diesem Raum mußte eine verhaßte Arbeit tun, einem verhaßten Partner zulächeln, und niemand brauchte er selbst zu sein. Im Traum stieg jeder zu den Sternen und vergaß, daß er wieder auf dem harten Pflaster der Realität landen würde, sobald die Wirkung des Opiums nachließ. Aber was bedeutete dieser Aufprall am Schluß im Vergleich zu dem rauschhaften Flug zu den Sternen? Das Leben verging im Drachenboot wie Rauch. Jeder träumte für sich oder mit einem Partner in einem giftigen Blumengarten. Im Schatten von Asiens jahrtausendealter Siesta vermischten sich hier die Seufzer der Kunden mit dem Klappern der Rechenmaschine, die Herrn Yen seine Profite ausrechnete. Er hatte seine Stammkundschaft und kannte das Bankkonto und die Geheimnisse seiner Kunden. Niemand war vor Erpressung ganz sicher. Nicht, als ob Herr Yen selbst so weit herabgestiegen wäre, seine Kunden in Ungelegenheiten zu bringen, indem er einem Familienangehörigen oder dem Boß die Wahrheit über Herrn Yüans »Krankheit« oder Fräulein Yüs Redelust und Weinkrämpfe mitteilte. So weit kam es nicht. Eine Bemerkung genügte, und der von Schrecken gepackte Kunde zahlte einmal für den Rauch und einmal oder sechsmal für das Schweigen. Es war ein solides Geschäft für den Besitzer des Drachenbootes. –

An der Mittelwand des Rauchsalons hing ein altes, kostbares Rollbild. Es zeigte »Li mit der eisernen Krücke«, dessen Seele sich im Dschungel von seinem Körper getrennt hat. Li mit dem lahmen Bein, dem Goldband im filzigen Haar, den Glotzaugen und dem Arzneibeutel blickte gleichmütig und verschlagen auf die fein gekleideten und kostbar duftenden Träumer herab, die zum Teil eng umschlungen auf einer Doppelcouch lagen.

Auf einer solchen Couch lagen zwei junge Geschöpfe umschlungen im tiefen Opiumrausch. Eine kindliche, in Brokat gehüllte Chinesin mit einem zarten, sanft geschminkten Gesicht und eine junge silberblonde Europäerin.

Littlewood war mit drei Sätzen bei dieser Couch. Einen Augenblick betrachtete er in stummem Zorn ein entzückendes Bild. Das lackschwarze Haar der jungen Chinesin, die in den USA studierte und ihre Familie in Lampang besuchte, mischte sich mit Marie Bonnards silberblonden Locken. Die beiden hatten sich so eng umschlungen, daß Littlewood Mühe hatte, Marie aus den dünnen Armen in den Brokatärmeln zu lösen. Der alte Li mit der Krücke grinste . . .

Dann trug Dr. Littlewood die Frau seines besten Freundes auf seinen Armen die engen Treppen hinunter.

IV

Zur selben Stunde saß Miss Kuang mit ihrem Vetter aus Hongkong im Besuchszimmer. Sie hatten auf der Gästeveranda zu Abend gegessen und sich in ein Zimmer mit vier Wänden zurückgezogen. Miss Kuang hatte den Schlüssel in dem Kunstschloß umgedreht. Niemand konnte unvermutet in das Zimmer stürzen. Was Miss Kuang mit Vetter Kuang Keh zu besprechen hatte, ging nur sie beide an.

»Ist die Route immer noch sicher?« fragte Vetter Kuang. »Und die Verstecke?« Jeder ABC-Schüler von *Interpol* kannte heutzutage doppelte Böden in den Koffern und das Versteck in Talkum-Dosen. Herr Kuang war mißmutig und machte seiner Kusine gegenüber kein Hehl daraus. Opiumschmuggel, vielmehr der Aufbau des Ringes, der sich von Ostasien bis Paris und London und in die USA zog, verlangte eiserne Nerven. Kuang Keh hatte seit der Japanerzeit keine eisernen Nerven mehr. Er war in Hongkong und Bangkok verschiedentlich von der Kempetai verhört worden . . .

»Die Route ist sicher«, erwiderte Miss Kuang sanft. Sie hatte immer noch den altmodischen Respekt vor den männlichen Mitgliedern der großen, einflußreichen Familie. Dieser Respekt war vorläufig noch stärker als die neuen Manieren der Volksrepublik. Er saß bei Chinesinnen immer noch an der rechten Stelle – nicht im Hirn, sondern im Herzen und im Schoß. Auch Violet Kuangs leeres Herz und ihr unfruchtbarer Schoß reagierten in der uralten Weise auf Vetter Kuangs männliche Autorität. Sie besänftigte ihn mit bescheidener Stimme und heißem Tee in den besten Schalen, die Marie und Sheila Melford niemals zu sehen bekommen hatten. Nach Miss Kuangs Meinung waren die Ideen der Ausländer über Porzellan wie die Ideen der Blinden über die Sonne.

Vetter Kuang Keh zog eine Zeitungsnotiz hervor und reichte sie seiner Verwandten über den Tisch hinüber.

»Lies das«, sagte Kuang Keh kurz.

Miss Kuang bedankte sich zeremoniell und setzte die Hornbrille auf, die ihr das Aussehen eines Mandarins gab. Die Brille machte ihr hartes Gesicht noch härter und so intelligent, daß Kuang Keh die Stirn runzelte. Er konnte Kusine »Sanfter Wind« sowieso nicht leiden, aber sie war unentbehrlich, da sie das Rohopium von den Mohnfeldern von Lampang für den Ring der Agenten beschaffte ... Es war ein weiter Weg vom Rohopium in Asien zu den Laboratorien und Agenten in Europa, wo aus dem getrockneten Mohnsaft die Derivate Heroin und Morphium gewonnen und weitergeschmuggelt wurden.

Es war auch ein weiter Weg von Violet Kuang zu Marie Bonnard und Sheila Melford – aber die Chinesin war den beiden Damen die letzte Strecke des Weges entgegengehüpft. Die drei Frauen waren ein kleiner Ring in der großen Kette zwischen Hongkong und der westlichen Welt. Jede von ihnen hatte eine andere Funktion. Sie bildeten das klassische Trio: Lieferant, Agent und Verbraucher.

»Ist die Agentin noch brauchbar?« fragte Vetter Kuang.

Violet legte die Zeitungsnotiz über die verschärfte Tätigkeit des Anti-Narcotic Bureaus in Paris beiseite.

»Melford ist sehr brauchbar, Vetter Keh! Ich habe ihr aber geraten, nicht zu übertreiben. Dieser Amerikaner aus Chiengmai platzte mitten in unsere Besprechung hinein. Lady Melford ist eine trainierte Agentin. Sie tat das Beste, was im Augenblick zu tun war – sie spielte halb verrückt vor Gier nach dem Zeug.«

»Glaubte er es ihr?«

»*Ich* hätte es ihr auch geglaubt«, sagte Miss Kuang zufrieden. »Aber sie soll Lord Melford aus dem Spiel lassen. Ich habe sie gewarnt.«

»Lebt sie von ihm getrennt?«

Miss Kuang lachte. Es klang sehr ungewohnt. »Lord Melford ist seit sieben Jahren tot. Seine Witwe braucht eine Menge Geld. Ihr Titel ist gut für unsere Geschäfte. Selbst heutzutage besänftigt ein Titel den Eifer britischer Zollbeamter.«

»War Lady Melford wirklich Journalistin, oder ist es ein Wandschirm?«

»Sie ist eine Tigerin mit mehreren Köpfen«, sagte Miss Kuang und blätterte in einer Akte in chinesischer Bildschrift. »Melford begann als Schauspielerin in London. Kein Erfolg. Sie hatte eine Agentur für Malermodelle, war Gesellschafterin bei einer gelähmten Dame – nicht lange! – Sie gibt jetzt unter anderem Studenten aus Westindien Unterricht in der englischen Sprache. Dabei knüpft sie viele Verbindungen an.«

»Welches ist ihre Londoner Adresse«, fragte Herr Kuang aus Hongkong.

»Geschäftlich steigt sie im Bonnard in Mayfair ab. Alles andere interessiert uns nicht. Sie wohnt wohl nicht sehr großartig, nehme ich an, und wechselt vorsichtshalber ihr Logis nach jeder Reise in den Osten. Ich gab ihr den Rat – ich hoffe, du verachtest ihn nicht.«

Der Vetter aus Hongkong fragte: »Wo trifft Melford den Grafen Tsensky, wenn sie aus Lampang nach dem Westen zurückkehrt?«

»Im Bonnard in Mayfair. – Tsensky wohnt privat in Belgravia.«

»Hat Tsensky noch seine Verbindung zu den italienischen und den Pariser Laboratorien? Ist er wirklich vertrauenswürdig?«

»Melford berichtet, Tsensky arbeite erstklassig«, sagte Fräulein Kuang. »Seine Talente übertreffen seine Tugenden. Sein Ruhm als Bühnenmaler ist sein Wandschirm.«

»Weiß die junge Madame Ekelund etwas von Tsenskys Geschäften?«

»Nichts, Vetter Kuang! Sie hat keine Ahnung, daß Tsensky mit Melford arbeitet. Er war der Liebhaber von Madame Ekelunds Mutter. Wenn Tsensky die Agenten in Marseille und Genua traf, war die kleine Marie bestimmt in der Schule.«

»Besteht noch eine Verbindung zwischen Tsensky und der Kleinen? Man kann nicht vorsichtig genug sein. Ich habe Madame Ekelund nur einmal hier gesehen. Sie ist eine junge Person mit zwei Zungen. Sie legt ihr Ohr an verbotene Türen. Ich sah es auf den ersten Blick.«

Vetter Kuang aus Hongkong brauchte niemals einen zweiten oder dritten Blick. »Gib die Verbindung mit der Kleinen auf«, sagte er fest. »Vielleicht hängt sie sich dem Agenten Tsensky eines Tages wieder an den Hals. Ich vermute, sie liebt den Müßiggang. Was bekam sie von Tsensky?«

»Soviel ich weiß, gab er ihr hin und wieder Marihuana-Zigaretten. Er ließ sie sich unverschämt bezahlen, sagt Melford. Tsensky hat stets alte Schulden und neue Tänzerinnen. Marihuana-Zigaretten sind eine Seitenlinie von ihm. Ohne Interesse für uns. Kleine Fische . . .«

Beide versanken in Stillschweigen. Sie hatten einmal überlegt, ob sie aus dem indischen Hanf ein Rauschgift machen und vertreiben sollten, das dem aus dem mexikanischen Hanf, dem Marihuana, gliche. Aber sie hatten sich entschieden, ihr Geschäft mit den Träumern auf der Basis von Schlafmohn-Export zu machen. Der indische Hanf war eine gute Pflanze, aber es haperte an guten indischen Verbindungen. So hatten die Kuangs das Haschisch- und Marihuanageschäft der Konkurrenz überlassen. Sie jagten prinzipiell nur solche Drachen, die in Reichweite waren. –

»Kann Melford Ende dieser Woche in Hongkong sein?« Vetter Kuang trank langsam die sechste Tasse Tee. Er rauchte niemals Opium. Zur Zeit der Mohnblüte ging er ungerührt an den Feldern von Lampang vorüber. Er betrachtete gelegentlich die großen, weißen Blütenblätter mit dem violetten Farbfleck. Jeder Chinese schenkte der Schönheit zum mindesten einen Seitenblick. Danach aber schritt Herr Kuang aus Hongkong an den Mohnfeldern vorbei und atmete ihren bittersüßen Duft ohne den geringsten Wunsch nach den Träumen, die in den unreifen Samenkapseln verborgen sind. Sein Geist beschäftigte sich ausschließlich mit der Vertreibung von Rohopium und dessen Weiterleitung in Laboratorien, wo man Rauchopium, Speiseopium, Morphin und Heroin gewann. Herr Kuang aus Hongkong strebte niemals nach dem Nichts, sondern nach guten Bilanzen. Er überwand die privaten Schwierigkeiten und Leiden des Lebens durch

Vernunft, Tee und Philosophie. Falls er etwas an seiner Kusine – der Hüpfenden – bewunderte, dann ihren starken Willen, der den Opiumgenuß in Schranken hielt.

»Madame Ekelund kommt nicht wieder«, sagte Miss Kuang. »Der Amerikaner aus Chiengmai hat sie aus dem Drachenboot geholt. Melford telephonierte es mir. Ich schickte sie hinter ihm her.«

»Wo ist Madame Ekelunds Ehemann?«

»Auf Reisen. Wie jeder Ehemann.«

Sie betrachteten eine Karte. Namen und Orte waren eingezeichnet. Es war der Weg des rohen Opiums nach Europa und Amerika, und es war der Weg vom Mohnfrieden des Drachenbootes in die Hölle des Erwachens.

»Vermiete das Haus in Doi Sutep an meinen Freund. Wir müssen die Europäerin loswerden. Man weiß nicht, was diese kleine Ekelund hier gesehen oder gehört hat. Der gute Ruf ruht auf der Gartenbank«, bemerkte Herr Kuang mit einem gewissen Nachdruck, »die üble Nachrede läuft durch alle Gassen.«

V

»Wachen Sie auf, Marie«, sagte Dr. Littlewood, als sein Wagen vor dem Gartenhaus in Doi Sutep hielt. Er schüttelte sie hin und her. Seine scharfen Augen hatten einen Mann auf der Veranda entdeckt. Marie stöhnte im Halbschlaf und fiel in Littlewoods Arme zurück.

Der Mann auf der Veranda war indessen zum Gartentor gelaufen und starrte ungläubig Dr. Littlewood und Marie in seinen Armen an. Marie schien sinnlos betrunken zu sein.

»Was geht hier vor?« fragte Dr. Erik Ekelund in einem Ton, den Littlewood niemals von ihm gehört hatte. »Seit wann machst du mit meiner Frau nächtliche Ausflüge? Ich bitte um eine Erklärung.«

»Später«, erwiderte Francis Littlewood trocken. »Bitte, Ekelund, bringe etwas Nachtzeug und eine Zahnbürste für deine Frau! Wir müssen sie sofort nach Chiengmai ins Hospital bringen. Sie ist krank!«

»Das kenne ich«, sagte Erik Ekelund mit ungewöhnlicher Heftigkeit. »Sie ist krank, wenn sie will, und sie treibt sich mit Kerlen herum, wenn sie will. Dann ist sie gesund. *Das* ist ein Leben! . . .«

»Wo bleibt die Zahnbürste?« fragte Dr. Littlewood.

DRITTES KAPITEL

Das Drachenbootfest

I

»Heute müssen wir uns tüchtig freuen, Mrs. Ekelund!« Die sommersprossige Nurse Waterhouse machte ein Gesicht, als tanze sie durch den heimatlichen Regent's Park. Der Rosengarten, die Freiluftbühne und die milden Gespräche in der milden englischen Luft waren Nurse Waterhouse' Idee vom Paradies. »Wir erwarten unseren lieben Gatten, Mrs. Ekelund!« Nurse kniff vor Fröhlichkeit das rechte Auge zusammen.

»*Unseren* . . .?« fragte Marie. Sie war zum Sterben müde. Man hatte ihr nach der Einlieferung ins Mc.Cormick Hospital – eine amerikanische Gründung in Chiengmai – den Magen mit Kaliumpermanganatlösung ausgespült. Es hatte lange gedauert, bis sie sehr widerwillig aus dem tiefen Koma erwachte. Nurse zwang sie zu Atemübungen und ging nicht allzu sanft mit ihr um. Aber was konnte man anderes von einem britischen Hockeystock erwarten? – Nurse Waterhouse hatte zwei Leidenschaften: Hockey und Krankenpflege. Marie hatte bereits erfahren, daß Nurse ihr bei der geringsten Provokation die Lebensgeschichte von Florence Nightingale in Fortsetzungen erzählte. Maries Magenkatarrh – eine Folge des Opiumgenusses – war schlimm genug ohne Miss Nightingale's Biographie. Die von Dr. Littlewood vorgeschriebene Entziehungskur wurde von Nurse Waterhouse »ohne Albernheiten« durchgeführt. Da die Patientin schwache Nerven hatte – kein Wunder, wenn man nicht Hockey spielte! –, ging man bei der Entwöhnung vom Opium behutsam vor. Marie erhielt in abgemessenen Dosen Dolantinspritzen – ein modernes synthetisches Piperidin-Derivat, das die Magenkrämpfe beruhigte und Marie in bessere Stimmung versetzte. Aber etwas mehr Dolantin, und sie würde schweben! So versuchte sie mit der Raffiniertheit der Süchtigen, die junge siamesische Nurse zu bestechen. Sie versuchte Opiumzigaretten von ihr zu bekommen und war bereit, doppelt und dreifach dafür zu zahlen. Sie würde sich sogar von ihrem Geld und von Schmucksachen trennen – wenn die kleine Siamesin nur mitspielen wollte! Aber – sie spielte nicht mit! Dabei waren die Siamesen und Laomädchen doch bekannt dafür, daß sie Geld und Schmuck liebten und milde über anmutige Korruption dachten. Thailand war doch nicht in Rotchina, wo man mit der Lupe nach Beamten und Angestellten suchen konnte, die sich in der alten, netten Art korrumpieren ließen ... Die junge siamesische Nurse im Mc.Cormick Hospital war durch zwei Waffen gegen Bestechungsversuche gesichert. Einmal »verstand sie wenig Englisch« – in Wahrheit verstand sie sehr gut –, und dann war sie die Tochter des reichen Baron Nanapan, die dem Geld wie alle feudalen asiatischen Aristokraten im freien Südostasien eine unweltliche Verachtung entgegenbrachte. Die Baronesse Chariya war eine moderne junge Dame, die das Nichtstun ablehnte und die Arbeit im Mc.Cormick Hospital vorläufig der Ehe vorzog. Marie hatte Pech: von dieser bildhübschen kleinen Person würde sie das Zeug nicht bekommen ...

»Lassen Sie mich allein«, sagte Marie in sehr ungezogenem Ton zu Nurse Waterhouse. Nurse merkte den Ton selbstverständlich, ließ sich aber durch keine Laune ihrer Patienten aus ihrer eisernen Heiterkeit herauslocken. Sie lachte laut und herzlich, als ob Mrs. Ekelund einen ausgezeichneten Witz gemacht hätte. Marie schloß die Augen, um das sehr englische Gesicht mit den wasserblauen Augen, der scharfen Nase und dem energischen Kinn nicht sehen zu müssen. Schon als Kind in Haverstock Hill hatte sie diesen Typ nicht leiden können ... Eine winzige Falte war allerdings auf der hohen intelligenten Stirn von Nurse Waterhouse erschienen.

»Herrlicher Tag heute, nicht wahr? Ich bin so froh, daß es nicht regnet!«

Die Patientin schwieg. Sie beteiligte sich seit ihrer Geburt nicht an Wettergesprächen.

»Nun wollen wir unser Haar nett frisieren, damit Dr. Ekelund sich an seiner kleinen Frau freut«, bemerkte Nurse Waterhouse.

»Lassen Sie mich endlich in Ruhe«, schrie Marie. Ihre Stimmung wechselte beständig. Entweder sie starrte stumm vor sich hin, oder sie geriet in einen Erregungszustand. Jetzt betrachtete sie ihren rothaarigen Cerberus, den Louis Bonnard nach einem Telephongespräch mit seinem Schwiegersohn nach Chiengmai ins Hospital geschickt hatte, mit dem Haß der beraubten Süchtigen. Nurse Waterhouse war eine hochgeschätzte Privatpflegerin, die gerade zur Verfügung stand, da ihr letzter Patient — ein Manager der Bombay Burma-Company in Bangkok — soeben im Nursing Home verstorben war. Nurse Waterhouse hatte ihr eigenes Zimmer neben dem von Marie und machte es dem Personal und den Ärzten in höchst bescheidener Weise klar, daß sie nicht nur als junges Ding *Captain* des Hockey-Teams ihrer Schule gewesen, sondern daß sie Florence Nightingales Nachfolgerin war. Sie hatte in der Tat die ungeheure Energie und die Fähigkeit zum Mitleiden ihres viktorianischen Vorbilds. Als staatlich trainierte Nurse hatte Beryl Waterhouse ihre Examen in Anatomie, Physiologie, Hygiene und allen anderen modernen Fächern mit Glanz bestanden. Sie hatte außerdem freiwillig Kurse in Psychiatrie mitgemacht, da sie in England eine Zeitlang mit Geisteskranken zu tun gehabt hatte. Nurse Waterhouse hatte allerdings die Pflege geistig Erkrankter in einem Institut nicht lange fortgesetzt — die Leute dämmerten dahin und stahlen einem zuviel Vitalität. Nurse hätte die Pflege von Mrs. Ekelund aufgegeben, wenn »Aufgeben« in ihrem Wörterbuch gestanden hätte. Ihrer Meinung nach war Mrs. Ekelund auf dem besten Weg, ihre geistige Balance zu verlieren, wenn sie sich nicht endlich »zusammenriß«. Nicht einmal den »Morgentee« zu nachtschlafender Zeit wollte diese kleine Katze trinken! Mrs. Ekelund war die erste und einzige Patientin, die Nurse Waterhouse's Überlegenheit nicht zu bemerken schien, obwohl diese ihr in gemessener britischer Weise klarmachte, daß man mit ihr weder spaßen noch umspringen konnte. Ihre erworbene Bescheidenheit und ihre angeborene Begabung zur Aufopferung für ihre Patienten täuschten Marie nicht über die Tatsache, daß Nurse Waterhouse ein Drache in Uniform war. Ihr Wort war Gesetz sowohl in einem Hospital als auch im privaten Heim. Ihr Patient war ihr absolutes Eigentum, das den Angehörigen oder besuchenden Freunden nur widerwillig für kurze Zeit ausgeliefert wurde. Besucher waren lästige Erscheinungen »von draußen«. Sie brachten alberne Geschenke, verursachten zusätzliche Blumenpflege, erhöhten rein durch ihre Gegenwart die Temperatur des Patienten, stellten endlose Fragen und versuchten tatsächlich, Nurse Waterhouse über die Eigenarten ihrer Patienten aufzuklären! Als ob die Angehörigen nicht immer am wenigsten über die Patienten wüßten! – Und dabei kam Nurse glänzend ohne Informationen aus, danke sehr! Ein einziger Blick auf Marie – von den bekannten Bonnards in Bangkok und London! – hatte ihr genügt. Die Patientin war im Normalzustand anmaßend, verlogen, geltungssüchtig und moralisch angeknabbert. Im Entwöhnungszustand verschärften sich diese Eigenschaften so erheblich, daß Nurse Waterhouse ihrer ganzen eisernen Disziplin bedurfte, um freundlich zu bleiben. Deswegen war Mrs. Ekelund aber noch lange kein Problem! *No, Sir!* – Nurse zeigte ihr Stunde für Stunde, woher der Wind wehte. Beryl Waterhouse hatte gegen Ende des zweiten Weltkrieges als junges Ding im *Royal Army Nursing Corps* Dienst getan und war als Offizierstochter und Hockeyspielerin mühelos mit starken Männern fertig geworden. Sie hatte das breite energische Kinn ihres Vaters, des ehemaligen Kriegshelden Major Waterhouse, der augenblicklich mit Beryls kleiner Stiefschwester Penny im Bonnard in Haverstock Hill wohnte. Pennys Mutter – von Nurse Waterhouse die »Herumtreiberin« genannt – hatte sich in der Tat so ausführlich in Nachkriegs-Soho herumgetrieben, daß der Major die Scheidung einreichen mußte. Nurse Waterhouse hatte es von Asien aus miterlebt. Sie hatte England sofort nach der zweiten Heirat ihres Vaters, dessen bester Kamerad sie bis dahin gewesen war, den Rücken gekehrt. Sie verzichtete darauf, eine junge Dame als Mutter zu betrachten, die entweder herumlief, als befinde England sich in einer Textilkrise, oder so hochgeschlossen am Hals erschien, daß jeder Mann neugierig wurde, was sich wohl hinter dem seidenen Panzer verberge . . . Nun war alles zu Ende. ›Besser spät als niemals‹, dachte Nurse Waterhouse. Sie dachte in Klischees – es war ihr einziger Charakterfehler.

Sie betrachtete ihre Patientin. Maries zarte und ungewöhnliche Schönheit erinnerte sie entfernt an die Herumtreiberin, was ihre Zuneigung zu Mrs. Ekelund nicht verstärkte. Heute hatte Marie ihren schweigsamen Morgen. Aber Nurse hatte ein wirksames System, das starrsinnige Schweigen der Süchtigen zu brechen. Sie wählte ihre Gesprächsthemen systematisch nach dem Alphabet und war heute morgen beim Buchstaben »S« angelangt, da die Unterhaltungen mit Mrs. Ekelund keine Möglichkeiten zum Ausspinnen boten. – S wie »segeln«.

»Segeln Sie gern, Mrs. Ekelund?«

»Ich hasse Wassersport.«

»Das ist schade. Eigentlich wollte Ihr Gatte Sie zum Drachenbootfest nach Hongkong mitnehmen! Leider sind wir noch nicht ganz soweit. Vielleicht nächstes Jahr, nicht wahr?«

»Vielleicht. Ich bin reichlich versorgt mit Drachen«, erwiderte die Patientin ungewöhnlich sanft. –

Nurse lachte nicht ganz so herzlich wie sonst, aber sie konnte einen Scherz genausogut wie ein Mann schlucken. Ihre unerschütterlichen guten Manieren triumphierten über Maries Ungezogenheit.

»Ich kann jetzt niemanden sehen, Nurse. Ich fühle mich grauenhaft.«

»Aber, aber! Wir bekommen sofort unsere nette kleine Spritze! Es ist doch besonderer Besuch! Ihr Mann!«

›Was verstehst du von Männern?‹ dachte Marie. Nurse Waterhouse verstand eine ganze Menge von Männern. Deswegen hatte sie alle Heiratsgedanken aufgegeben. – Sie blickte auf ihre scheußliche Stahluhr, die ihr ganzer Stolz war: Höchste Zeit. Der Ehemann wurde in fünf Minuten zu seinem ersten Besuch erwartet. – Er hatte die letzten Tage mit Dr. Littlewood in der Lepra-Station bei Chiengmai verbracht und sich eine Menge Notizen gemacht. Es war Nurse Waterhouse vollkommen klar, daß Dr. Erik Ekelund keine Ahnung von der Opiumraucherei gehabt hatte. Genausowenig wie Mr. Louis Bonnard in Bangkok. Da hatte man es wieder! Die Angehörigen wußten nichts. Obwohl Nurse den Ehemann aufrichtig bedauerte – Patientin Ekelund war ja auch ohne Opiumgenuß eine Handvoll! – war sie dennoch befriedigt, daß sie wieder einmal recht hatte. Nurse hatte aus zwei Unterhaltungen mit Dr. Ekelund im Empfangsraum des Hospitals geschlossen, daß dieser dekorative und hochintelligente Schwede seine junge Frau überhaupt nicht kannte. ›Armer Kerl‹, hatte sie gedacht.

Sie gab Marie ihre Dolantinspritze, die sie aufmuntern sollte. Nurse fürchtete, daß Mrs. Ekelund ohne Dolantin ihren Ehemann ignorieren würde . . .

»Gleich wird Ihnen besser sein, Mrs. Ekelund! Wollen wir auf die

Veranda? Da sind Ihre schönen Blumen, und Sie können in den Garten schauen! Kopf hoch, *dear*! Jede Wolke hat ihren Silberstreifen!«

Marie riß Nurse den Kamm aus der Hand und warf ihn in die Ecke. »Lassen Sie mich endlich in Ruhe, Nurse! Sie können einen wahnsinnig machen mit Ihren Redensarten!«

Nurse Waterhouse ignorierte diese Unverschämtheit. Wenn die Patientin die Existenz des Silberstreifens bezweifelte, war es ihre Sache. Nurse wußte, daß die netten alten Sprichwörter erstens aufs Haar stimmten und zweitens beruhigend auf die Kranken wirkten. Sie konnte natürlich nicht wissen, daß Äußerungen dieser Art, die eine Unterhaltung zwischen Briten so angenehm und kraftsparend machen, die Patientin Ekelund schon als Schulmädchen in Haverstock Hill aufgebracht hatten. Man drückte sich in Paris nicht einmal Schulmädchen gegenüber so anspruchslos aus. –

Nurse Waterhouse bewahrte dennoch eine bewundernswerte Ruhe. Aggressive Reden waren eben Begleiterscheinungen einer Entziehungskur, aber heute morgen hatte die Patientin sich ihr volles Maß an Aggressivität geleistet. Nurse Waterhouse hatte von Haus aus keine besondere Anlage zur christlichen Duldsamkeit, aber sie hatte es in harter Arbeit zu einer lobenswerten Imitation gebracht. Auch wurde sie innerlich gestärkt durch das Wissen, daß die Kulturhyänen vom europäischen Kontinent keine Manieren hatten. Sie waren, wie die Patientin Ekelund in besseren Momenten, schrecklich gern *clever*. – Das war nicht »klug« im lobenden Sinn. *Cleverness* war eine Eigenschaft, der Nurse Waterhouse, wie Millionen ihrer Landsleute, mit Mißtrauen und verborgener Geringschätzung begegnete. Man stellte sich als anständige Person lieber dümmer als man war; eventuell zeigte man, daß man einen vernünftigen Kopf auf den Schultern sitzen hatte. Aber auf keinen Fall zeigte man sich so klug oder gar klüger als man war. Das tat man in Großbritannien so wenig, wie man Leuten direkt ins Gesicht starrte – wie Mrs. Ekelund es mit Vorliebe tat.

»Kopf hoch, *dear*«, riet Nurse zum zweiten Mal. »Es wird nichts so heiß gegessen wie gekocht.« – Sie hörte Schritte auf dem Korridor.

»Keine Müdigkeit vorschützen, Mrs. Ekelund«, rief sie forsch und öffnete die Tür.

»Bitte treten Sie näher, Sir! Ein schöner Tag, heute, nicht wahr? Die Luft ist nicht so drückend wie sonst um diese Jahreszeit.«

Nurse Waterhouse fühlte Unbehagen. Lag es daran, daß die junge Ehefrau die Augen geschlossen hatte? Oder war dieser hochgewachsene vornehme Schwede mit den kalten Augen der Grund des Unbehagens? Nurse war wahrhaftig nicht überschwenglich, aber Dr. Ekelund strömte selbst für ihr Gefühl in dieser tropischen Gartenstadt tödliche Kälte aus. Jeder Ausdruck der Sympathie war aus seinem Gesicht gewichen, als er seine bildschöne junge Frau betrachtete. Gewiß, sagte sich Nurse Waterhouse, Dr. Ekelund kam aus dem hohen Norden, wo man Walfische fing, der Wind in der Nase einfror – und was immer sich die Briten sonst noch unter Schweden vorstellten. Und sicherlich hatte Dr. Ekelund viel durchgemacht. Sein Gesicht war blaß trotz der tropischen Sonne. Überdruß lagerte auf seiner Stirn. Er hatte offenbar in der Ehe mehr eingehandelt, als er zu kaufen beabsichtigt hatte. –

»Wann werden Sie meine Frau nach Hongkong bringen können?« fragte Dr. Ekelund. »Ich muß dort in den nächsten Tagen einen Vortrag halten. Oder soll ich zurückkommen?«

»Im Augenblick kann man nichts Bestimmtes sagen, Sir!« Nurse Waterhouse war wieder auf festem Grund und wahrte die Unverletzlichkeit ihrer Patientin. »Ihre Gattin ist noch in einem schwierigen Stadium. Sie sehen ja: sie ist schon wieder erschöpft! Je weniger Besuch sie augenblicklich hat, desto besser für ihren Nervenzustand.«

»Ich betrachte mich nicht als Besuch, Nurse«, sagte Dr. Ekelund frostig.

»So habe ich es auch nicht gemeint, Sir«, erwiderte Nurse Waterhouse besonders freundlich, obwohl sie es genau so und nicht anders gemeint hatte. Ehemänner waren in einem Krankenzimmer der entbehrlichste Gegenstand.

Sie schloß leise die Tür hinter sich, blieb aber im Korridor aufgepflanzt und verfolgte den Ablauf der zugelassenen Besuchszeit auf ihrer entzückenden Stahluhr. Fünfzehn Minuten und keine Sekunde länger.

Um nicht zu lauschen, dachte Nurse Waterhouse über längst vergangene Hockeykämpfe nach. Das war eine tolle Sache in Richmond gewesen! Ein Mädel hatte versucht, die Opponentin zu Fall zu bringen. Beryl Waterhouse hatte ohne hinzusehen gewußt, daß es nur diese Ausländerin von irgendwoher gewesen sein konnte. Keinen Sinn für Fairness! »Captain Waterhouse« und ihr Team hatten das

Spiel mit Glanz gewonnen. Die Vorsitzende der *All England Women's Hockey Association* hatte Beryl einen Preis verliehen und sie zum Tee eingeladen. Eine unvergeßliche Erinnerung! – Nurse Waterhouse fühlte einen Augenblick eine zerrende Sehnsucht nach englischen Wiesen, nach dem sanften Himmel und nach Tee mit Leuten, die man verstand und die einen verstanden. In diesem Augenblick beschloß sie, zum Frühjahr in die Heimat zurückzukehren. Sie wollte eine Wohnung für ihren Vater suchen. Der Major konnte nicht ewig mit dem Kind Penny im Bonnard in Haverstock Hill bleiben. Männer waren so hilflos, wenn die Ehefrau versagte! Versteckte Dr. Ekelund seine Hilflosigkeit hinter Kälte und Schroffheit? – ›Armer Kerl‹, dachte Nurse Waterhouse zum zweiten Mal.

Im selben Augenblick hörte sie einen gellenden Schrei aus dem Krankenzimmer und stürzte hinein. Ein unerhörter Anblick bot sich ihr. Dr. Ekelund schüttelte seine Frau und wiederholte in einer stillen, rasenden Wut: »Schämst du dich nicht? Verlogenes Geschöpf!«

Nurse Waterhouse gestattete nicht, daß der Ton des Gesprächs herabsank, wo sie pflegte. Mit einem athletischen Griff hatte sie den Besucher von der Patientin getrennt.

»Bitte verlassen Sie uns jetzt, *Sir*! Ihre Frau ist sehr ruhebedürftig.«

Sie sprach, als ob nichts geschehen wäre. – Dr. Ekelund blickte sie einen Augenblick an, als erwache er aus einem bösen Traum. »Es tut mir leid«, murmelte er und verließ ohne einen Blick auf seine wimmernde junge Frau das freundliche Zimmer im Mc.Cormick Hospital.

Er hatte es das erste und letzte Mal betreten.

*

Marie blickte ihrem Mann mit einem merkwürdigen Ausdruck nach. Ihre hellen Augen flimmerten. Sie strich sich mit ihren schlanken nervösen Fingern über den geröteten Hals.

»Es ist das zweite Mal, daß er mich erwürgen wollte.« Sie blickte der Krankenschwester direkt ins Gesicht. Nurse hatte starke Nerven, aber dieser winterliche Blick in den Augen eines jungen Geschöpfs hätte nervösere Menschen erschreckt. »Er verfolgt mich seit Monaten«, sagte Marie tonlos. »Deswegen zog ich mich nach Doi Sutep zurück.«

»Weiß Mr. Louis Bonnard davon?«

»Sie sind sehr witzig, Nurse! Papa würde sofort sagen, ich bilde mir das alles ein. Natürlich habe ich mehr Phantasie als ein Hotelier und ein Soziologe zusammengekocht, aber ich weiß, was ich weiß. Mein Mann will mich loswerden. Jedes Mittel ist ihm recht.«

»Das ist genug für heute, *dear*! Bitte, trinken Sie dieses Glas aus! So ist es recht. Nun wollen wir schlafen, und nachher haben wir alles vergessen.«

»Ich bin kein Schulkind, Nurse«, sagte Marie kalt. »So sprach meine Großtante in Haverstock Hill mit mir, als ich Louise Bonnard darauf ertappte, daß sie mir beim Kämmen den Kopf abreißen wollte. Louise wollte meinen Mann heiraten, müssen Sie wissen!« Marie lachte. »Aber ich habe ihn ihr weggenommen. Das waren Zeiten!« Die Kranke richtete sich im Bett auf. Ihre vom Opium verengten Pupillen glänzten wie Stecknadelköpfe: »Glauben Sie meinem Mann kein Sterbenswort, Nurse! Er wird Ihnen sagen, daß ich von Grund auf verlogen bin. Natürlich sage ich nicht immer die Wahrheit – wer tut das? Aber ich weiß, was ich weiß! Seitdem ich nicht rauche, ist mein Kopf wieder klar. Das glaubt mir niemand, weil ich in Lampang geraucht habe.«

»Sie müssen jetzt ruhen, Mrs. Ekelund! Nachher plaudern wir weiter.«

Marie starrte geradeaus. »Mein Mann trifft sich jetzt mit Louise in Hongkong! Er wollte mich nie dorthin mitnehmen, Nurse! Er ist entzückt, daß ich hier gefangen gehalten werde.«

Nurse Waterhouse verabscheute die emotionellen Übertreibungen der Ausländer. »Gefangen gehalten!« – Selbst eine total verrückte Britin hätte im Ernstfall gesagt, sie würde lieber woanders Tee trinken . . . Aber Mrs. Ekelund war nun einmal durch die Entziehungskur ungewöhnlich erregt und hatte eine russische Mutter. Da konnte man sich nicht wundern. Nurse wunderte sich auch nicht im geringsten. Sie hatte bei ihrer Ausbildung erfahren, daß Krankenschwestern, die sich über ihre Patienten wundern, ihren Beruf verfehlt haben.

»Ich greife *nichts* aus der Luft«, sagte die Patientin Ekelund heftig. »Ich bin nicht dumm genug für meinen Mann. Ich habe in Chiengmai seinen Schreibtisch mit einem Nachschlüssel geöffnet. Jetzt weiß ich alles, Nurse! Ich kenne seine Geheimnisse – sie sind schmutzig!

Als er mich überraschte, wie ich gewisse . . . Briefe von Ulrika las, wollte er mir den Hals umdrehen. Genau wie heute! Damals kam der Boy mit der beglückenden Meldung, daß das Dinner zum Servieren bereit sei.«

»Was möchten Sie heut zum Dinner essen, Mrs. Ekelund? Es gibt ausgezeichnete Hühnchen! Oder Reis mit Pilzen?«

»Vielen Dank, Nurse! Ich will nur Ananassaft trinken. Ich bin gerade dem Erstickungstod entronnen. Sie *müssen* mich anhören, Nurse! Sonst werde ich so wahnsinnig, wie alle denken, daß ich es schon bin.«

Es klang so eindringlich, und die Patientin sah Nurse Waterhouse dabei so flehend an, daß diese auf die Uhr blickte. »Fünf Minuten«, sagte sie fest. An dem Ton erkannte selbst Marie, daß sie sich mit den fünf Minuten abfinden mußte. »Was wollen Sie mir sagen, *dear*?«

»Gar nichts«, sagte Marie erschöpft. »Ich will Ihnen etwas zeigen. Vielleicht werden diese Briefe Sie überzeugen. Es ist sooo bequem, mich für verrückt zu erklären! Dann kann man mich entmündigen, und mein Mann bekommt mein ganzes Vermögen in Verwaltung. Er würde das Geld nicht für sich selbst wollen — das muß ich zugeben. Er würde es für Forschungen verwenden. Der Kuckuck soll ihn holen! Lesen Sie, Nurse!« Marie hatte ein schmales Bündel Briefe aus ihrer Handtasche geholt. Ihre Hände zitterten so heftig, daß die Schwester die Briefe vom Boden aufsammeln mußte.

»Ein Unbekannter warnt mich vor meinem Mann«, flüsterte Marie. »Erst war ich drauf und dran zu lachen, Nurse! Aber dann habe ich mich erinnert . . .« Sie sprach jetzt sehr schnell und klar. »Ich habe mit eigenen Augen gesehen, wie Erik seine Kusine Ulrika auf der Fahrt von Chantilly nach Paris um die Ecke brachte! Er riß ihr das Steuer aus der Hand. Der Wagen fuhr gegen einen Baum. Er sprang heraus. Ulrika war auf der Stelle tot. Der Wagen war kaputt. Ich war zufällig an Ort und Stelle und brachte Dr. Ekelund, dessen Namen ich natürlich nicht kannte, nach Paris in sein Hotel. Abends wollten wir zusammen essen, aber er kam nicht. Er war vor mir ausgerissen. Schließlich war ich die Augenzeugin.«

»All right, *dear*! Nun weiß ich alles.«

»Nichts wissen Sie! — Ich traf Erik zufällig bei Paul Bonnard in Mayfair wieder! Es gibt eben blödsinnige Zufälle — wie im Roman,

Nurse! Was konnte der Mörder tun? Er *mußte* mich heiraten. Vor Gericht kann die eigene Frau nicht aussagen! Schlau, wie? Erik tat verliebt. Ich fand ihn natürlich bezaubernd und ... ich wollte sowieso von Paris weg. Bleiben Sie noch zwei Sekunden, Nurse! Ich könnte meinen Mann durch andere Zeugen an den Galgen bringen – doch ich bin halb so gemein, wie er glaubt. Aber ich willige in keine Scheidung. Das ist seine Strafe. Weil er mich nie geliebt hat! Nicht eine Sekunde.«

Marie warf sich schluchzend in die Kissen. »Er ist eine Eisscholle, Nurse! Ich will ihn niemals wiedersehen. Ich hasse ihn. Ich würde mich freuen, wenn er Lepra kriegte und ... und keine Frau ihn mehr ansähe! Totfreuen würde ich mich, Nurse! Aber meine Kusine Louise bekommt er nicht! Niemals! Er hat einen lächerlichen Geschmack.« Marie begann, schrill zu lachen. »Sie hat Riesenfüße, keinen Busen unter ihrem Pullover und trägt lächerliche Hüte, Nurse! Lesen Sie diese Briefe! Versprechen Sie mir's! Sie können sie ruhig Dr. Littlewood zeigen, wenn er ins Mc.Cormick kommt. Es wird Zeit, daß er seinen Freund Erik näher kennenlernt. Amerikaner sind immer so gutgläubig. Finden Sie nicht auch, Nurse? Nein? Aber ... etwas muß ja wohl an den Briefen stimmen! Fremde Leute warnen mich ...«

Marie starrte auf die Veranda mit den Tropenblumen.

»Lesen Sie, Nurse«, flüsterte sie. »Was wollte ich noch sagen? – Richtig ...«

»Die Zeit ist um, *dear*! Keine Sorge, ich werde Ihrem Mann nichts verraten, wenn er wiederkommt! Natürlich werde ich die Briefe lesen.«

»Bleiben Sie immer bei mir, Nurse Waterhouse! Ich will es gern bezahlen. Ich bin reich«, murmelte Marie geheimnisvoll. »Deswegen sind sie alle hinter mir her. Sie dürfen mich nie verlassen, hören Sie?«

Nurse Waterhouse sagte beruhigend: »Wenn Sie gesund sind – und eigentlich fehlt Ihnen nur ein bißchen Schwung, Mrs. Ekelund –, dann brauchen Sie mich nicht mehr! Dann kommt alles schnell in Ordnung – verlassen Sie sich darauf.«

Marie hatte überhaupt nicht zugehört. »Ich hatte Angst vor meinem Mann. Deswegen rauchte ich! Ich war keine Minute meines Lebens sicher! Die schweigsamen Leute sind die Gefährlichsten! Hören Sie die Schritte auf dem Korridor?«

»Es ist nichts, Mrs. Ekelund!«

»Ich habe immer gräßliche Angst vor Männern gehabt! Wozu gibt es überhaupt Männer, Nurse? – Manchmal konnte ich vor Angst keine Luft kriegen – als Teenager in Paris! Tsensky wurde gewalttätig, wenn er böse war. Er warf mich einmal wie einen alten Regenschirm in die Ecke vom Atelier! Wie gefällt Ihnen das? Er war mein Lehrer. Er . . . er hatte drei bis fünf Gesichter. Ein unheimlicher Mensch, Nurse! Aber er war lange Zeit alles, was ich hatte! Komisch, daß ich niemals Glück mit Männern habe! Ich meine – ich sehe doch ganz passabel aus, nicht wahr? Sie sollten mich im Abendkleid sehen! Abends wache ich überhaupt erst auf! Ich wünsche Ihnen nicht, daß Sie eines Tages den Grafen Tsensky als Patient haben! Sie sind zwar ein Dragoner, Nurse – kommt das vom Hockeyspielen? –, aber Tsensky wären Sie bestimmt nicht gewachsen! Er wird tobsüchtig, wenn man ihn beim Reden unterbricht! Das ist widerwärtig! Ich kann Leute, die immerzu reden, nicht ausstehen! Tsensky redet nur von seinem Genie! Vielleicht ist er ein Genie – aber wir wissen es ja nun alle. Ich bin eine schweigsame Natur, Nurse! Deswegen konnte ich auch meine Mutter nicht ertragen. Wenn Sie meine Mutter pflegen sollten, Sie würden wahnsinnig werden!«

»Darüber plaudern wir ein anderes Mal, *dear*!« Nurse Waterhouse wischte Marie den Schweiß von der Stirn und wandte sich zur Tür. »Schlafen Sie jetzt! Sie brauchen Ruhe!«

»Bleiben Sie bei mir! Um Himmels willen lassen Sie mich keine Sekunde allein! Dafür hat Papa Sie engagiert! Entschuldigen Sie!«

»Bitte, legen Sie sich hin, Mrs. Ekelund! Sie müssen tun, was ich sage, sonst werden Sie nicht gesund.«

»Mein Mann versteckt sich im Korridor! Das ist so seine Art! Plötzlich taucht er auf, wenn man nichts Böses ahnt! Ich fuhr nach einem sehr netten Abend mit Dr. Littlewood aus Lampang nach Doi Sutep zurück, und plötzlich stand Erik vor uns! Keine Seele hatte ihn erwartet! Er war wütend. Dr. Littlewood ist *sehr* verliebt in mich, aber was macht das aus? Meinem Mann ist es egal! Er schrie Littlewood an . . . wie finden Sie das? Nur weil ich in seinen Armen lag! Ich tat *viel* betäubter als ich war. Es gefiel mir sehr gut in Dr. Littlewoods Armen . . . *Erik kommt zurück*, Nurse! Er ist jetzt bestimmt auf der Nebenveranda und springt einfach hier herein! Springen kann Erik! Er sprang auch aus dem Auto heraus, und Ulrika fuhr gegen einen Baum und war tot. Die Schweden sind enorme Sportsleute! Mein Mann springt glatt über eine Pagode, wenn's sein muß! *Bitte,* sehen Sie auf der Nebenveranda nach, ob mein Mann da ist.«

Marie brach in wildes Weinen aus und klammerte sich an Nurse Waterhouse. »Retten Sie mich, Nurse! Er springt wie ein Tiger!«

Nurse Waterhouse gab Marie eine weitere Spritze. ›Keinen Familienbesuch mehr, solange *ich* hier pflege‹, dachte sie grimmig.

»Seien Sie ganz ruhig, *dear*! Es wird Ihnen nichts passieren. Dafür sorge ich! Nun schlafen Sie erst einmal, und danach trinken wir eine nette Tasse Tee zusammen. Ich erzähle Ihnen dann etwas von einem Soccer-Spiel in London.« Nurse war immer noch beim Buchstaben »S«. – Sie hatte viele Male mit anderen Pflegerinnen zugesehen, wie die Assistenzärzte Soccer spielten. Dr. Chapman war ein fabelhafter Fußballer gewesen. Sie hatten alle schrecklich gelacht. »Es ist eine sehr lustige Geschichte«, sagte Nurse Waterhouse fest. »Sie werden lachen, *dear*!«

Marie schloß endlich die Augen und sagte schläfrig: »Etwas Lustiges! Ich habe . . . seit Jahren . . . nicht richtig gelacht.«

Nurse Waterhouse ging auf Zehenspitzen auf die Veranda und dachte: ›Das Opium hatte dieser überspannten jungen Person gerade noch gefehlt! Zuviel Geld! – Müßiggang ist aller Laster Anfang.‹ – Sie nahm die anonymen Briefe aus ihrer schwarzen Ledertasche und begann zu lesen. Es war zu albern von der kleinen Ekelund! Das Opium hatte sie eben schwer mitgenommen. Zarte Konstitution und der ganze Rest! Nurse putzte ihre Brille. Hatte sie richtig gelesen?

»Nehmen Sie sich vor Ihrem Mann in acht, Madame«, stand in großen Druckbuchstaben in englischer Sprache auf einem der Zettel. »Er will Sie verschwinden lassen! Fliehen Sie, noch ist es Zeit! Ein Warner.«

Die anderen Zettel enthielten ähnliche Warnungen.

»Das ist ja allerhand«, sagte Nurse Waterhouse laut. Sie las die Briefe noch einmal, die ihre Patientin offenbar nach Doi Sutep in die Einsamkeit getrieben hatten. Aber wie unsinnig! Dr. Ekelund konnte sie dort genauso schnell erreichen wie in Chiengmai in dem großen Haus, das sie mit einem schwedischen Bildhauer, der Buddhastatuen studierte, teilten. – Auf jeden Fall hatte die Kleine vor Angst den Kopf verloren. Hatte sie Sicherheit und Vergessen im Opium gesucht?

›Dr. Ekelund ist doch kein Mörder‹, dachte Nurse Waterhouse. Sie beurteilte Leute im allgemeinen auf den ersten Blick erstaunlich richtig. Andrerseits — Verbrecher trugen keine Kennmarken. Nurse mußte an den lästigen kleinen Burschen denken, der seine jungen Ehefrauen nacheinander in der Badewanne ertränkt hatte. In der Welt gab's eben alle möglichen Arten von Leuten. Nurse Waterhouse und Nurse Sharples hatten die bewußte Badewanne persönlich in Madame Toussauds Schreckenskammer besichtigt. Beide Damen hatten die Wanne sehr schäbig gefunden. Sie hatten sich hinterher bei einer Tasse Tee in der Baker Street über den Mörder unterhalten. Er hieß George Smith und sah genauso aus. Ein freundlicher, anspruchsloser britischer Staatsbürger aus den Vorstädten, der in seinem Gärtchen herumpusselte, sicherlich Dutzende von Weihnachtskarten an Leute schickte, die er niemals traf, der gehorsam allmorgendlich die Milchflaschen auf den Küchentisch stellte und jede Woche den Cricket-Spielen zusah. Es war gar nichts an Mr. Smith auszusetzen gewesen — nur, daß dieser nette kleine Mann eine Anzahl von Ehefrauen ertränkt hatte. — Man konnte Dr. Ekelund auch nicht ansehen, was er dachte oder getan hatte! Nurse hoffte aufrichtig, daß sie Dr. Ekelund niemals als Wachsfigur in Madame Toussauds Galerie von Zeitgenossen (Mörder-Abteilung) wiedersehen würde . . . Plötzlich erinnerte sie sich genau an ein Zeitungsbild, das Dr. Ekelund vor Monaten nach seiner Ankunft in Südostasien zeigte. Der Bangkoker Rotary Club hatte ihn und seine Mitarbeiter zum Essen geladen, und die *Bangkok Post* hatte darüber mit Großaufnahme berichtet. Dr. Ekelund mußte schon eine ziemliche Nummer sein. Nurse hatte seinerzeit sein Portrait intensiv studiert. Sie war an Leuten interessiert, die sich hinter ihrem Gesichtsausdruck versteckten. — Dr. Ekelund sah so auffallend gut aus und war obendrein »so distinguiert und so bescheiden« — wie die Zeitung gerührt bemerkte. Nurse hatte fest angenommen, daß er britischer Herkunft war. ›Da gibt es gar keinen Zweifel‹, hatte sie befriedigt gedacht. Aber — war es zu fassen? — Dr. Erik Ekelund war rein schwedischer Abstammung; er hatte nicht einmal eine englische Mutter! Damals hatte Dr. Ekelund sie zum erstenmal getäuscht. Sie hatte auch in der Zeitung gelesen, daß seine bezaubernde junge Frau einer bekannten Hotelfamilie entstammte. Natürlich kannte Nurse die Bonnard-Hotels in London. Und Dr. Ekelund kam aus einer berühmten Juristenfamilie in Stockholm. Dann mußte er ja wissen, daß Verbrechen sich nicht bezahlt machen . . . Nurse Waterhouse dachte scharf nach. Plötzlich war sie ganz sicher, daß Dr. Ekelund kein Verbrechen begehen würde, das man ihm vor Gericht nachweisen könnte. Sie betrachtete sinnend ihre guten kräftigen Hände, die so zart mit kranken Körpern umgehen konnten. Nurse hatte hinter der frostigen Höflichkeit des Schweden Wachsamkeit im Denken und Handeln gespürt. Ein Geheimniskrämer! Wer kannte sich in den Seelen der Leute aus? — Nurse hatte in London ein Ibsendrama gesehen, weil Nurse Sharples, die sonst so nett war, eine Neigung zur Literatur hatte. Seit diesem Theaterabend hatte Nurse Waterhouse genug vom Seelenleben der Skandinavier.

Sie verschloß die anonymen Briefe in ihrem Schrank. Marie schlief noch immer und lächelte ein wenig im Traum. Sie sah wie ein kleiner Weihnachtsengel aus — aber da wußte Nurse Waterhouse nun auch, was sie wußte . . .

Sie trank nachdenklich die zweite Tasse Tee. Wem konnte man nach zwei Weltkriegen noch trauen? Sie las manchmal, was sich unter den Jugendlichen in Soho und in Künstlerkreisen in Chelsea abspielte. Nurse Sharples sammelte nämlich Gerichtsberichte, denn ihr Vater war Sekretär bei einem bekannten Londoner Anwalt. Dr. Ekelund wirkte wie ein Gentleman, auch wenn er seine Frau vorhin wie einen Sack geschüttelt hatte. Nurse Waterhouse bemühte sich stets, gerecht zu denken. Sie hatte eine ähnliche Szene in einer Hyde Park-Villa erlebt. Sir Edward Brockwell hatte seine bessere Hälfte wegen eines Nerzcapes, das er bezahlen sollte, geohrfeigt. Ärger mit dem Ehemann war eine erfolgreiche und billige Abmagerungskur. Lady Brockwell hatte nach dem Krach außer einem Toast mit schottischem Lachs, den sie in jeder Lebenslage essen konnte, nichts weiter verzehrt. Nurse bekam einen total vertrockneten Braten vorgesetzt. Sir Edward aß in seinem Klub. Nurse konnte Ehemänner nicht ausstehen. Sie regten ihre Patienten auf und arrangierten jeden Krach genau eine halbe Stunde vor der Mahlzeit. Außerdem blickten sie jede Privatpflegerin an, als ob sie sich fragten, was zum Kuckuck sie in ihrem Haus zu tun hätte und warum sie nicht fortginge . . . Nurse hatte sich viel Ärger dadurch erspart, daß sie ledig geblieben war. Sie brauchte nur an ihren Vater in London zu denken, dem die zweite Frau fortgelaufen war. Was die »Nestwärme« anbelangt, von der die Psychologen soviel hermachten — Nurse Waterhouse war mit ihren beiden

Wärmflaschen im Londoner Sommer durchaus zufrieden, *thank you*! – Als junges Ding hatte sie romantischen Anwandlungen nicht ganz entgehen können. Sie kamen wie Mandelentzündung oder Grippe. Aber wenn man erst einmal männliche Patienten zu »trösten« gehabt hatte, dann nährte man wenig Illusionen über das angeblich starke Geschlecht. – Dr. Ekelund wäre bestimmt ein schwieriger Patient, dachte Nurse. Patienten vom Kontinent waren mit nichts zufrieden und stellten blödsinnige Ansprüche. Nurse wunderte sich immer, warum diese Leute nicht in ihren Ländern blieben, wo alles moderner als in England war, schneller funktionierte und »hygienischer« gehandhabt wurde. Auch im Fernen Osten waren die »Kontinentalen« viel anspruchsvoller als britische Patienten, die sogar in fremder Umgebung geduldig auf ihren Tee warteten, brav vor dem Konsultationsraum des Arztes Schlange standen oder lagen und nie den »Oberarzt« des Krankenhauses zu sprechen verlangten ... Dr. Ekelunds äußere Maske der Bescheidenheit hatte Nurse keinen Augenblick getäuscht. Ein schwieriger Kunde, wenn es jemals einen gegeben hatte! Plötzlich dachte Nurse Waterhouse an Miss Louise Bonnard. Marie unterhielt sie oft mit Greuelgeschichten über diese Londoner Kusine. Ob Miss Bonnard wirklich so ekelhaft war? – Und wieviel Berechtigung mochten die Warnbriefe haben? Wollte Dr. Ekelund tatsächlich seine Frau auf raffinierte Weise »verschwinden« lassen, um diese Kusine zu heiraten?

Nurse Waterhouse klingelte nach einer Aushilfeschwester, die bei ihrer Patientin bleiben sollte, während sie sich ihren Tee bereitete. Nurse trank kein lauwarmes Spülwasser! Sie selbst würde die Kanne vorwärmen, »zwei Teelöffel für den Tee und einen für die Kanne« hineintun, und dann das kochende Wasser hinzugießen, indem sie die Teekanne in nächste Nähe des Wasserkessels brachte und nicht umgekehrt! – Ihr Klingeln kündete ihr Auftauchen in der Teeküche an, wo sie saubere Geräte vorzufinden wünschte. Nurse Mani würde solange bei Mrs. Ekelund wachen. Teezubereitung war das einzige, wofür Nurse Waterhouse ihren Posten freiwillig auf kurze Zeit verließ ...

Sie wartete in der Küche, bis das Wasser kochte und das Ritual vollzogen war. Sie hatte stets gefunden, daß die Japaner zuviel Aufhebens von ihrer Teezeremonie machten. Man war in England genauso eigen in dieser Hinsicht, verzichtete aber auf Propaganda. Im Gegenteil! Es war einem vollkommen gleichgültig, ob die Ausländer die englischen Teesitten kannten oder nicht. Sie tranken sowieso Kaffee.

Nurse' Gedanken kehrten immer wieder zu Dr. Ekelund zurück. Er hatte gehofft, seine Frau so bald wie möglich nach Hongkong zu bringen. Er hatte es ausdrücklich geschrieben. Was war vorhin vorgefallen? War sein Brief ehrlich gewesen? Oder hatte er im geheimen beabsichtigt, das Drachenbootfest in Hongkong mit seiner Ex-Braut zu feiern? Männer waren alle Heuchler. Nurse hatte es unzählige Male festgestellt. Sie hätte ganz gern Genaueres über Louise Bonnard gewußt. Nurse ging nie ins Kino, verabscheute Fernsehen und lebte dafür das Leben ihrer Patienten mit. Sie hielt sich für »wißbegierig« und gab nicht einmal sich selbst zu, daß sie einfach neugierig war. – Wie sah diese Louise wohl aus? Ob sie den Schweden noch liebte? ›Verrückte Gesellschaft‹, dachte Nurse nachsichtig. – Sie goß sich Milch in ihre Tasse, den Tee hinterher, zuckerte reichlich und trug alles auf die Veranda zurück. Ob diese Louise Bonnard die Schlüsselfigur in dem Ekelundschen Ehedrama war? – Sie blieb so ganz im Hintergrund . . .

Nurse Waterhouse hätte niemals an Türen gelauscht. Aber Mrs. Ekelund hatte vorhin den Namen Louise so schrill geschrien, daß Nurse ihn einfach hören mußte. Gleich danach hatte Dr. Ekelund seine Frau wie einen Mehlsack geschüttelt.

Drohte Marie Ekelund die unbestimmte Gefahr durch Louise Bonnard?

II

Um fünf Uhr früh erwachte Louise Bonnard in Hongkong aus unruhigem Schlaf. Sie hatte bis zu ihrer Entlobung wie ein Murmeltier geschlafen und selbstgerecht auf schlechte Schläfer hinabgeblickt. Schlaflosigkeit wäre Einbildung, hatte sie der halbwüchsigen Marie gepredigt. Jeder »mit etwas Disziplin und einem guten Gewissen« könne schlafen. Marie bekam einen Lachanfall, und Louise hatte die Tür zu »Madams Salon« zugeknallt. Ihre eigene Disziplin hatte sie momentan verlassen, was bei Marie erneute Heiterkeit auslöste. –

In London und in Hongkong zählte Louise Bonnard nun wie alle Schlaflosen auf dem Erdball mehrere Dutzend Schafe, oder Milchflaschen oder Elefanten. Nichts nützte! Dabei war Schlaf die Würze allen Lebens — Louise wußte es so genau wie Shakespeare.

Sie schlug gähnend das Moskitonetz auf und rieb sich die übernächtigen Augen. Sie hatte bereits einen Anflug von Tränensäcken, stellte sie im Spiegel mit selbstquälerischer Befriedigung fest. Für wen sollte sie jung und frisch aussehen? Je schneller man alt und unansehnlich wurde, desto besser für Seelenruhe und Verdauung! — Louise räusperte sich und trank ein Glas Eiswasser aus der Thermoskanne in einem Zug aus. Ihre Verdauung war auch nicht mehr, was sie gewesen war. Als sie sich noch in Piccadilly mit Erik geküßt hatte, war »alles« in bester Ordnung gewesen. Das war hundertundzwanzig Jahre her.

Heute wurde das Drachenbootfest in Hongkong gefeiert. Louise hatte einem Hotelgast, einer Journalistin aus London, versprochen, ihr dieses uralte, von allen Chinesen geliebte Wasserfest in Aberdeen zu zeigen. Aberdeen war ein idyllischer Fischerhafen bei Hongkong. Dort würde die Drachenregatta beginnen. Louise fühlte sich zerschlagen — aber was nützte es? Die Journalistin hatte sich sofort an Louise angeschlossen. Sie kannten beide »ihr London«. Die Journalistin wohnte immer bei Paul Bonnard. Louise gähnte wieder. Sie hatte jede Stunde auf das Zifferblatt des Weckers geblickt, das boshaft im Dunkel leuchtete . . . ›Barmherziger Himmel! Schon drei Uhr und kein Auge geschlossen!‹ — In Hongkong hatte sich ihre Panik vor dem Nicht-schlafen-können verstärkt. Das Klima setzte ihr viel mehr zu als vor Jahren. Sie war in der Periode der Nachernte: der Schock über Eriks Treulosigkeit und Maries Perfidie war längst abgeklungen, aber Bitterkeit vergiftete ihre Tage und Nächte.

Sie hörte die Stimme ihres Onkels auf der großen Terrasse. Daniel Bonnard war jetzt beinahe der Alte. Seit dem Tod seiner Frau scherzte er noch herzhafter mit seinen Hotelgästen und ähnelte noch sprechender einem fetten Baby, das sich zufällig im Hotelgewerbe auskannte. Er war Stammgast in seiner Bar. Seit Bettys Tod schlief er ebenfalls schlecht. Er war immer noch erstaunt, daß ihm »so etwas« passiert war. Betty hatte zu ihm gehört wie sein Hongkong und seine Elfenbeinsammlung, und er hatte zu Betty gehört. Nun ja . . .

Er hatte seine Nichte Louise sehr gern und war ihr aufrichtig dankbar für ihre energische Hilfe nach der Katastrophe. Ein braves Mädchen! Madam aus Haverstock Hill fragte beständig an, wann Louise

»endlich« heimkäme. Und Miss Sunshine schickte Postkarten mit Ansichten von Londoner Sehenswürdigkeiten. Die beiden hielten es eben für einen Denkfehler, die weite Welt sehen zu wollen. – Daniel Bonnard schalt Louise wegen ihres miesepetrigen Aussehens. »Du bist jung, Mädchen«, hatte er gestern abend gebrummt. »Du hast noch alles vor dir! Warum gehst du nicht mit Mr. Matthew oder den anderen jungen Leuten aus? Du versauerst mir allmählich!«

»Jeder in Hongkong kann dir sagen, daß ich eine langweilige Person bin, Onkel Daniel!« hatte Louise geantwortet. »Ich war auch nicht interessanter, als ich noch schlief oder ausging.«

Louise würde nächstens vierunddreißig Jahre alt sein. – Sie trat auf ihren Balkon und blickte aus müden Augen auf die Bucht hinunter. Hongkong – die Wunder-Insel ihrer Kindheit! In diesem Ferienort an der Repulse Bay merkte man auch heute wenig von der politischen Schizophrenie, welche die Stadt Hongkong zwischen dem demokratischen Westen und Rotchina spaltete. Chinesische Flüchtlinge, Kaufleute, Diplomaten des Westens, unbelehrbare Tanzmädchen, von den USA finanzierte Arbeitsgruppen, steinreiche und bettelarme Chinesen füllten Hongkong und Kowloon bis zum Platzen. An der Repulse Bay gab es die alten und neuen Hotels, die Villen mit ihren Gärten, den Strand und die große Ruhe. – Daniel Bonnards Hotel war eine wasserumspülte elegante Idylle. Außer dem Haupthaus mit dem berühmten Grill und dem Tanzsaal waren da Bungalows, Badekabinen und das Strandrestaurant in einem bezaubernden Seegarten. Wer hier nicht zur Ruhe kam – pflegte Daniel Bonnard zu sagen –, der hatte selbst schuld.

Louise trat ins Zimmer zurück und zerriß einen Brief aus Chiengmai. Sie zerriß Dr. Ekelunds Brief in ordentliche kleine Quadrate, die sie in den Umschlag zurücktat und danach dem Papierkorb überließ. Louise duldete kein Chaos im Papierkorb. »Kommt nicht in Frage«, sagte sie laut zu dem Briefumschlag. »Er ist wohl nicht bei Trost«, fügte sie noch lauter hinzu. Louise sprach jetzt oft laut mit sich selbst – wie der alte pustende Daniel Bonnard, der in seinem riesigen Schlafzimmer mit dem leeren Zwillingsbett seiner verstorbenen Frau die Gesellschaftsnachrichten vorlas . . . Es war eine alte Gewohnheit von ihm. Und Gewohnheiten sterben langsamer als Menschen . . .

Louise duschte, putzte sich gründlich die Zähne und setzte sich unlustig vor ihren Frisiertisch. Kamm, Bürste, Puderdose, Hautcrème und die Utensilien für die Nagelpflege standen wohlausgerichtet in bestimmter Anordnung auf dem Glastisch. Es war der Tisch einer Frau, die durch Körperpflege nicht schöner, sondern nur sauberer werden will. Louise benutzte alle Gegenstände in vorgeschriebener Reihenfolge und rückte sie dann in ihre ursprünglichen Positionen. Die Haarbürste gehörte drei Millimeter näher an den Kamm heran. Die Nagelfeile mußte genau zwischen Schere und Sandpapier liegen. Rouge und Lippenstifte glänzten durch Abwesenheit. Es gab farblose Lippenpomade von Boots. – Louise wünschte nicht, daß ihre Lippen in schamlosem Rot leuchteten und so die Blicke der Männer auf sich lenkten. Sie stellte die farblose Pomade gegen spröde Lippen wieder auf ihren Platz zwischen Talkumpuder und Coldcrème. Dann erhob sie sich zu ihrer schlanken Höhe und betrachtete sich unfreundlich im Spiegel. Sie verstand sich nicht auf die Kunst, nett zu sich selbst zu sein. Sie sah weder alt noch jung aus, weder schön noch häßlich und weder traurig noch lustig. Sie bemerkte zwei weiße Schläfenhaare und zuckte die Achseln. Für wen sollte sie jung spielen? – Sie fühlte sich älter als das älteste Haus. Sie setzte sich einen breiten geflochtenen Bambushut auf und sah, sobald ihr strammes Haar verdeckt war, zehn Jahre jünger aus. Es war ein ähnlicher Bambushut, wie sie ihn jahrelang in Haverstock Hill in ihrem braunen Schrank aufbewahrt hatte.

Louise hatte als Kind mit ihrem Vater das Drachenbootfest in Hongkong gefeiert. Sie war ein glückliches Kind gewesen: Papas kleiner Junge! – Sie waren damals Kameraden und unausgesprochen gegen »Mutter« verbündet. Mutter war nervös. Sie war eine Spielverderberin. Mutter machte niemals ein Fest mit, sondern lag mit Kopfschmerzen auf ihrer Veranda und starrte auf die Bucht. Sie sehnte sich nach England zurück. Sie haßte Hongkong »und den ganzen Rest«. Mutter war Sekretärin in London gewesen – und war abends mit der »Untergrund«, zufrieden die Abendzeitung lesend, zu einem engen freundlichen Haus in Camden Town zurückgerollt. Sie und die Eltern hatten Tee, Toast, heiße Fische, kaltes Fleisch und viel Kuchen mit rosa Zuckerguß verzehrt. Sonntags gingen sie ins Gaumont-Kino oder fuhren mit einem Eßpaket mit der Untergrund ins Grüne. Das Elternhaus hatte wie Millionen andere Häuser der Millionenstadt ausgesehen. Das hatte Mutter – damals Miss Laura Blewitt – gefallen. Die Häuser hatten alle denselben Erker mit Topfpflanzen, ein winziges blumengeschmücktes Gärtchen, einen Hinterhof mit Ascheimern und einen nie geflickten Zaun und Familienbilder auf dem Kaminsims. Es war nie etwas passiert. Das hatte allen gefallen. Mittwoch abend ging Mr. P. A. Blewitt in sein *pub* an der Ecke der Camden High Street und führte Männergespräche beim Bier und einem »Bitteren«. Mrs. Blewitt und ihre Tochter bereiteten sich an diesem Tag einen besonders reichhaltigen Tee und wanderten danach nach Chalk Farm, wo sie sich in den Geschäften dieselben Süßigkeiten, Magazine und Haushaltsartikel wie in Camden Town ansahen. – Oder sie saßen daheim im Wohnzimmer und stopften Vaters Socken und Hemden. »Es ist immer etwas zu tun«, meinte Mrs. Blewitt, und Miss Blewitt stimmte zu. Sie waren vollkommen zufrieden mit ihrem Tee, der Katze Jackie, den Schaufenstern und Camden Town. Miss Blewitt hatte nie an Heiraten gedacht. Ein fremder Mann würde nur Unruhe ins Familienleben bringen – die Blewitts konnten sich schwer an neue Gesichter und Ansichten gewöhnen. Das Leben gab ihnen alles, was sie verlangten, weil ihre Wünsche so bescheiden waren. Mr. Blewitt war Schneider – das hieß, er besserte Anzüge und Mäntel tadellos aus, und sie hatten einen Reinigungs- und Färbebetrieb im selben Laden. Mit Miss Blewitts zusätzlichem Gehalt als Sekretärin konnten sie nett und ohne Extravaganz alles tun, was sie wollten. Im Sommer machten sie Tagesausflüge an die Themse. Sie aßen ihre mitgenommenen belegten Brote zum Bier in einem der idyllischen Gasthäuser. Und einmal im Winter fuhren sie nach Piccadilly und Regent Street, um die Weihnachtsdekorationen in den Fenstern und die Lichtketten zu sehen. Sie waren so stolz auf die geschmückte Stadt, daß sie »wirklich recht nett!« murmelten und sich bemühten, nicht begeistert auszusehen. – »London bleibt London«, sagte Mr. Blewitt jedesmal als Abschluß der großen Weihnachtstour ins Westend, und die Damen stimmten bei. Vater drückte alles so passend aus. Als Abschluß lud Vater »seine Damen« zu einem großartigen Tee in ein Lyons-Restaurant in der Stadt ein. Miss Blewitt erzählte dann im Büro, was für einen famosen Tag sie gehabt hatten, und die Kolleginnen berichteten Ähnliches. Und dann war Mr. Jacques Bonnard aufgetaucht – im Büro einer Agentur in Wellington Road, wo Miss Blewitt mit zwei anderen jungen Damen das Telephon bediente und Auskünfte erteilte. Mr. Jacques Bonnard, der auf Urlaub von Hongkong im alten London war und weiteren Grundbesitz für die Bonnards erwerben wollte, hatte sich ausgerechnet an Miss Blewitt gewandt und sie besonders zuverlässig und reizend gefunden. Jacques Bonnard, ein Schweizer aus Genf, leitete mit seinem Bruder Daniel und dessen englischer Frau Betty ein Hotel in Hongkong und das Sommerhaus an der Repulse Bay. Später hatten die Brüder das Sommerhaus zu einem eleganten Hotel erweitert. Louise hatte niemals geahnt, daß ihre Mutter einmal die heitere, reizende Miss Blewitt gewesen war. Sie kannte sie als eine nervöse schweigsame Frau, die von Camden Town als dem verlorenen Paradies träumte. Mit Daniels weltgewandter Frau verstand sie sich nicht. Mrs. Daniel Bonnard war in Kensington aufgewachsen. Das war weiter von Camden Town als Hongkong von London. — Jacques Bonnard hatte bald entdeckt, daß seine Heirat ein Fehler gewesen war, aber er hatte gehofft, daß aus Laura Blewitt mit der Zeit eine Bonnard-Frau werden würde, welche die chinesischen Köche regieren und Gäste begrüßen könnte. Daß Jacques Bonnard meinte, jemand würde sich durch die Heirat mit ihm in seinen Grundzügen ändern, war beinahe komisch. Laura Blewitt war für eine kleine ereignislose Welt geboren und erzogen worden. Sie hatte viele Vorzüge: sie war sparsam, pünktlich, ordnungsliebend und wundervoll loyal. Aber sie ging nicht gern mit Ausländern um — und gerade das war ihre Hauptaufgabe in einem internationalen Hotel. Von der *Cuisine* verstand sie nichts. Daheim hatte Mutter die Küche besorgt: Hammelbraten, Fisch und *Chips*, gutes Gebäck, Puddings, Konserven und Pasteten, die man nur wärmte. Die Bonnards waren Feinschmecker und liebten die Abwechslung, was Laura schweigend mißbilligte. Sie lasen schwierige Bücher und sprachen alle möglichen lächerlichen Sprachen. Wie hätte Miss Blewitt es ahnen können? Jacques Bonnard hatte das unerfahrene Mädchen mit dem schönen blonden Haar und dem Apfelblütenteint in einen Wirbel versetzt. Laura hatte nach dem ersten Kuß nicht mehr nüchtern denken können. — Sie feierte in Hongkong niemals irgendein chinesisches Fest mit. Sie dachte an die Weihnachtsfeste mit den Eltern, und ihr war, als wolle ihr das Herz brechen. Aber ihr platzte nur der Kopf . . .

Louise Bonnard hatte jedes Drachenbootfest und Mondfest mit ihrem Papa gefeiert. Jetzt machte die einfache Poesie der chinesischen Feste sie melancholisch. Das Salz hatte seinen Geschmack verloren. Selbst die berühmten Fischgerichte in den schwimmenden Restaurants in Aberdeen schmeckten ihr heute nicht viel anders als Scholle oder Hering in Haverstock Hill. Jacques Bonnard hatte den chinesischen Festen Glanz verliehen. Er spielte mit. – Aber eines Tages kam ein glanzloses Drachenbootfest. Louise war zehn Jahre alt und erwartete ihre Eltern aus Indien zurück. Sie hatte in Hongkong englische und französische Privatlehrer, weil Jacques Bonnard sich nicht von seiner Tochter trennen konnte und Louisens Mutter eine englische Boarding School vorschlug. Jacques wollte seine Tochter in einem feinen Pensionat in Genf erziehen lassen. Und so war dies das letzte Drachenbootfest in Hongkong – danach würde sich ihr Schicksal entscheiden. Louise hatte im letzten Jahr auf der Privatveranda in Repulse Bay häufig die streitenden Stimmen ihrer Eltern gehört. Obwohl ihre Mutter im allgemeinen anspruchslos in Asien vor sich hin brütete – in der Schulfrage wurde sie plötzlich eisern. Louise mußte in England erzogen werden. Das war doch selbstverständlich! Die ehemalige Miss Blewitt, die sich wohl oder übel der beängstigenden Überlegenheit aller Bonnards unterwarf, ließ plötzlich Anspielungen fallen, daß nur eine englische Erziehung ihrer Tochter »in der Welt« Ansehen verschaffen könne und daß England eben England bliebe. Louise brauchte nichts von Racine oder den Impressionisten und dem ganzen *highbrow*-Kram zu wissen. Es genügte, wenn sie Sport trieb und sich nett und anständig unterhalten konnte, ohne jeden Zuhörer mit ihren »intellektuellen Interessen« zu verstimmen. Eine tiefe instinktive Abneigung gegen die geistreichen und ironischen Bonnards kam in Laura Blewitts Äußerungen zum Ausdruck. Sie sprach mit erhobener Stimme – es blieb aber immer noch eine maßvolle, ziemlich lautlose Darbietung. Laura sah während dieser Diskussion Camden Town vor sich: Ihre vergnügten Einkäufe mit Mrs. Blewitt, die immer denselben Kleidertyp für Laura und sich kaufte, und dann tranken sie Tee irgendwo, wo es aussah, wie überall in Londoner Teestuben. Sie diskutierten die neuen Pullover von Marks & Spencer. Es gab Mutter und Tochter Befriedigung, daß Herzoginnen und Büromädchen ihr »Wollenes« dort kauften. Diese Läden hatten in England in jeder Woche sieben Millionen Kunden, und auch das freute Mrs. und Miss Blewitt. Ja – die kleine Louise würde in eine Boarding School nach Sussex kommen, und ihre Mutter würde ihr die passende Ausrüstung einschließlich der Schuluniform an Ort und Stelle kaufen! Auch würde das Kind endlich die Großeltern in Camden Town kennenlernen. Laura würde dafür sorgen, daß Louisens Beziehungen zu den Londoner Bonnards sich auf eine Antrittsvisite bei Paul Bonnards Vater in Mayfair und bei Mr. Antoine Bonnard und seiner jungen irischen Frau in Haverstock Hill beschränkten. Alles Ausländer, die Louise vom rechten Pfad abbringen würden! Laura Bonnard wußte, daß sie in Camden Town nicht den großzügigen Stil der Bonnard-Hotels pflegten. Sie wollten es auch nicht, und sie verzichteten gern auf französische Leckerbissen, wenn sie sonntags kalten Braten und Salat zum Supper haben konnten. – Louise plapperte Französisch wie eine Alte, aber mit ihrer Mutter wurde Englisch gesprochen. Es sei die Weltsprache, hatte Mr. Blewitt immer gesagt. – Jacques Bonnard hatte diese Belehrung mit hochgezogenen Augenbrauen aufgenommen – in diesem Augenblick ähnelte er seinem Bruder Louis Bonnard in Saigon wie ein französisches Ei dem anderen. »Niemand hat etwas dagegen, daß Louise gut Englisch spricht«, bemerkte er kühl. Im Gegenteil! Alle Bonnards sprächen Englisch, aber sie betrachteten diese Sprache nicht als eine moralische Kategorie . . . Laura Bonnard hatte sich angewidert auf ihre Veranda zurückgezogen, wo sie den ganzen Nachmittag *True Confessions* und Londoner Frauenzeitschriften las, die Mrs. Blewitt ihrer bedauernswerten Tochter regelmäßig schickte. Mrs. Jacques Bonnard ergötzte sich an den gleichförmigen, tröstlichen Liebesgeschichten, die zwischen netten, vernünftigen englischen Paaren spielten. Und sie sammelte die Weihnachtsnummern und Osterausgaben mit den neuen Hüten und den dekorativen Schnellrezepten für eine Konservenmahlzeit, wenn liebe Gäste sich unerwartet einstellten. – Louise würde ebenfalls später dieselben Geschichten und Rezepte studieren und es endlich schätzen lernen, wie man in britischen Kreisen in aller Bescheidenheit voll Selbstachtung und Frohsinn lebte.

Es kam alles so, wie Mrs. Jacques Bonnard es auf ihrer Veranda erträumte – und doch kam alles anders. –

Am Vorabend des Drachenbootfestes erschien Mr. Louis Bonnard aus Saigon in Repulse Bay und sprach erst einmal mit Miss Johnson, Louisens importierter Erzieherin, die während der Abwesenheit ihrer Eltern das kleine ernste Mädchen beaufsichtigte. – Louise hatte Onkel Louis sofort erkannt, als er das Hotel betrat. Dabei hatte sie ihn nur zweimal in ihrem Leben in Hongkong gesehen.

Am Tag des Drachenbootfestes, als die Boote sich zum Wettrennen in Aberdeen rüsteten, flogen Onkel Louis, Louise und Miss Johnson nach London. Louisens Eltern waren im Flugzeug von Calcutta nach Hongkong tödlich verunglückt. Louise betrat das erste Mal an Onkel Louis' Hand das Bonnard in Haverstock Hill. Er fragte nach Mrs. Catherine Bonnard, seiner Lieblingstante. *Madam* war damals noch ziemlich jung und sehr schön. Sie sprach nicht mit dem erstarrten kleinen Ding, das Louis Bonnards Hand nicht loslassen wollte. Sie nahm das magere, langbeinige Kind mit den rotgeweinten verschwollenen Augen einfach in den Arm. Dort war es warm und tröstlich. »Kommt, Kinder«, sagte Madam, »wir trinken gleich eine nette Tasse Tee! Es gibt Rosinenkuchen. Magst du den, Louise?« — Louise nickte krampfhaft. Madam übersah, daß sie nichts aß und ihre Tränen in den starken, gezuckerten Tee fielen. Miss Johnson verschwand taktvoll nach dem Tee. Sie würde zu ihrer Tante nach der Fulham Road fahren und dort bleiben, bis sie sich eine neue Stellung verschafft hatte.

Das war das letzte was Louise von Miss Johnson und Hongkong sah. — Ihr Großonkel Antoine blieb unsichtbar. Er war in seiner Villa in Felixstowe in Suffolk. — Madam war bereits die Seele des Bonnard in Nordwest-London, obwohl sie leider als Opernsängerin begonnen hatte. Aber selbst Paul Bonnards Vater, der nichts mit Sängerinnen im Hotelbetrieb im Sinn hatte, fand Madam »nicht übel«. Das heißt, er fand sie bewundernswert. Auf den armen Antoine war schon damals kein rechter Verlaß. Er malte, statt sich um die Gäste zu kümmern . . .

Louise hatte niemals mehr nach Hongkong zurückgewollt. Nach der Schulzeit war sie ein Teil des Bonnard in Haverstock Hill geworden. Vorher hatte sie ihre Ferien abwechselnd bei den Großeltern in Camden Town und bei Madam im Bonnard verlebt. Sie verstand sich sehr gut mit Mr. und Mrs. Blewitt, aber sie liebte Madam beinahe leidenschaftlich, auch wenn sie es sich nicht merken ließ. Catherine Bonnard erweckte in Louise die Freude an der Musik — sie bereicherte die Seele des nüchternen Mädchens um eine unzerstörbare Dimension.

Die Art, wie Madam gegen sich selbst hart und gegen andere weich war, wurde für Louise Bonnard das große Wunder. Ihre Eltern hatten das Gegenteil praktiziert. Obwohl Louise viel zu jung gewesen war, um zu verstehen, was ihre Eltern von Jahr zu Jahr in stärkerem Maß trennte, fühlte sie die Unstimmigkeit im Hongkonger Elternhaus, soweit ein Hotel und Miss Johnson ein Elternhaus darstellten. Eines Tages, als Louise – acht Jahre alt – auf Miss Johnsons Zureden ihren Eltern »einen schönen Guten Morgen« wünschen wollte, war das Bett neben Mutter leer. *Papa* war umgezogen . . . Er hatte sich in seinem Büro eine Couch aufstellen lassen. Danach gab es nur noch gemeinsame Mahlzeiten, bei denen Miss Johnson und Jacques Bonnard plauderten und Mutter und die kleine Louise schwiegen. Louise lernte damals reiten, französische Redensarten und schwimmen. Aber sie lernte nicht lachen. Es gab nichts zu lachen. Nur das alljährliche Drachenbootfest, das Jacques Bonnard ganz allein mit seiner Tochter feierte, war der große Lichtblick.

Madam wußte von Louis Bonnard, warum Jacques damals in ein eigenes Zimmer gezogen war. Louis hatte das Talent, überraschend in Familienszenen hineinzuplatzen. Er erschien, als Jacques und Laura über einen Papagei diskutierten, den Laura von einem Hotelgast geschenkt bekommen hatte. Der Papagei sprach einige englische Sätze. Laura lachte herzlich. Sie fragte ihren Mann gerade, wie sie den Papagei nennen wollten, als Louis aus heiterem Himmel hereinplatzte, um Laura zum Geburtstag zu gratulieren. Louis Bonnard – zu jener Zeit Junggeselle in Saigon und intim mit einer Annamitin befreundet, ohne etwas von Natalya zu ahnen – war jeder Regel und Konvention abhold, aber er war ein Bonnard. Daher gratulierte er allen Familienmitgliedern prinzipiell zu dem melancholischen Ereignis ihrer Geburt. Louis fühlte sofort eine Spannung zwischen dem Ehepaar. Louise war mit Miss Johnson reiten gegangen. – Louis war in die Krise einer Ehe hineingeplatzt, in der beide Partner ihren guten Willen im vergeblichen Kampf um gegenseitiges Verständnis aufgebraucht hatten. Laura war in englischer Weise todunglücklich mitten unter den Bonnards. Sie zeigte natürlich eine besonders gleichmütige Miene, aber sie sang niemals mehr. Sie hatte eine reizende Stimme und hatte daheim im Kirchenchor so lieblich gesungen, daß ihre Eltern sich manchmal verstohlen beim Gottesdienst anblickten. Sie hörten Lauras Sopran mit liebevoller Aufmerksamkeit unter den anderen Stimmen heraus. »Unser kleines Mädchen . . .« sagten Mr. Blewitts Blicke, und seine Frau drückte scheu seine Hand. Sie waren in Gottes Haus – sie durften glücklich und dankbar aber nicht stolz sein. –

Das war lange her. Laura hatte einen Tag vor dem Drachenbootfest Geburtstag und hatte die Briefe der Eltern und von zwei Kusinen mehrere Male gelesen. Vater hatte ihr ein Liederbuch geschickt, und Mutter hatte trotz ihrer schwachen Augen eine Decke für den Teetisch genäht und mit Frühlingsblumen bestickt. Eine ähnliche Decke hatte sonntags bei den Blewitts auf dem Teetisch gelegen. Mrs. Blewitt wußte nicht, daß die gestickten Primeln und Heckenrosen ihrer Tochter das Herz brachen. Die Decke paßte nicht auf den niedrigen Marmortisch, an dem die Bonnards in Hongkong ihren Tee stumm wie die Krokodile tranken. Auf diesem Tisch lag eine Decke mit kunstvoller chinesischer Stickerei.

»Wie soll der Papagei heißen?« fragte Laura ungewöhnlich vergnügt, da sie alle Tiere ohne Unterschied liebte. Der Papagei würde ihr Gesellschaft leisten, wenn Mann, Tochter und Miss Johnson unsichtbar waren. –

Jacques Bonnard hatte immer alles erhalten, was er sich gewünscht hatte. Die unerfüllte und unerfüllbare Ehe lastete auf seinen Nerven und auf seinem Gemüt. Der Papagei hüpfte farbenprächtig in seinem Käfig herum und schrie: *»Pleased to meet you, Sir!«* Oder: *»Isn't it lovely weather to-day? Sooo warm and nice!«*

Jacques Bonnard lauschte mit zusammengezogenen Brauen dieser Probe von Konversationstalent. Er hatte einen latenten Zug zur Grausamkeit, der sich bei äußerster Provokation seines Nervensystems offenbarte.

»Wir wollen das Sprechwunder Miss Blewitt nennen«, schlug er vor. Laura wurde sehr blaß. Louis Bonnard sagte, er habe schon geistreichere Witze gehört . . .

An diesem Abend fand Jacques Bonnard das eheliche Schlafzimmer verschlossen. Laura zog eine Scheidung ihrer Eltern wegen nicht in Betracht. Ihre Heirat war die »Märchenhochzeit« von Camden Town gewesen, aufregender als im Kino, vornehm und heiter. Es gab bei Paul Bonnard in Mayfair großartige Dinge zu essen und zu trinken. Paul hatte den »Queen Anne-Saal« mit den Miniaturen zum Empfang zur Verfügung gestellt. Er war gerade Direktor des Unternehmens geworden, da sein Vater – vom Personal wegen seines Backenbarts respektvoll und zärtlich *Whiskers* genannt – sich von der Leitung zurückgezogen hatte. Whiskers war müde und wollte im Frühjahr den Vögeln im Hyde Park lauschen, die spielenden Kinder beobachten und den Reitern nachblicken . . .

Bei dieser Hochzeit war auch Antoine Bonnard anwesend und erschreckte Mrs. Blewitt mit seinen Ansichten über Malerei. Aber Mr. Antoine's junge irische Frau war sehr nett, fanden die Blewitts, die sich mit einfacher Würde im Bonnard in Mayfair bewegten. Am Schluß des intimen Hochzeitsessens in Haverstock Hill sang Madam für Jacques und Laura. Es war die Stimme, die seiner Zeit in der Metropolitan in New York Aufsehen erregt hatte, aber Lauras Sopran, auch wenn er nicht so »großartig« war, gefiel ihren Eltern besser. Man mußte natürlich Catherine Bonnards dunkle Altstimme bewundern; aber ihre Laura hatte herzlicher gesungen, meinten die Blewitts spät am Abend in Camden Town, wo sie das erste Mal ohne »ihr kleines Mädchen« schliefen und die Tatsache vernünftigerweise nicht erwähnten . . . Nein, Laura Bonnard konnte ihren Eltern keine Scheidung antun. Und sie mußte an die Zukunft der kleinen Louise denken! –

Jacques Bonnard hatte sich bei seiner Frau entschuldigt. »Es ist in Ordnung«, hatte sie gesagt. Den Tag nach diesem Geburtstag saß Laura mit dem Papagei allein auf ihrer Veranda. Ihre Kopfschmerzen waren unerträglich. Miss Johnson war auf Urlaub nach London geflogen. Und Louise und ihr Vater feierten wie stets das Drachenbootfest in Aberdeen.

Dann war das Unerwartete geschehen. Jacques und Laura Bonnards Reise nach Indien war eine zweite Hochzeitsreise geworden, da sie sich nach Monaten versöhnt hatten. Jacques war plötzlich im Schlafzimmer seiner Frau erschienen. Er war tödlich verlegen. Er benahm sich so anders als sonst, daß Laura erstaunt aufblickte. Wo waren seine Sicherheit und seine geistreiche, hassenswerte Ironie? Als Laura den glänzenden Jacques Bonnard stammeln hörte, und als sie sah, daß seine Hand beim Anzünden einer Zigarette zitterte, schmolz die Kruste des Stolzes um ihr verwundetes Herz. Sie blickte ihren Mann an – eigentlich nach Monaten zum erstenmal. Und sie sah Linien der Bitternis und des Leidens in seinem schönen, beweglichen Gesicht mit der feinen Nase und den dunklen, faszinierenden Augen. Sie war schon im Nachthemd, und ihr herrliches blondes Haar lag in zwei Schulmädchenzöpfen auf ihren schmalen Schultern. Plötzlich war sie wieder Frau, Beschützerin des irrenden Mannes, Vertraute seiner stummen Qual.

»Komm«, flüsterte sie und nahm ihn in die Arme . . .

Louise hatte in Haverstock Hill ihre Heimat gefunden. Und nun war sie vierunddreißig Jahre. Man schrieb das Jahr 1958 und sie dachte an die Drachenbootfeste ihrer Kindheit. Sie würde in drei Tagen nach Haverstock Hill zurückfliegen zu Madam, zu Hilda, zu der komischen Alten Garde, die rührend dankbar für jedes freundliche Wort und jede Frage nach ihren Angelegenheiten war ...

In der Halle traf Louise ihren Onkel Daniel Bonnard.

»Warum schläfst du dich nicht aus, Mädchen? In drei Tagen fliegst du! Du bist mir viel zu blaß!«

»Ich habe der Journalistin versprochen, ihr die Drachenboote zu zeigen, Onkel Daniel!«

Daniel Bonnard brummte irgend etwas und strich sich über sein Doppelkinn. Seine klugen Augen leuchteten Louisens Gesicht ab. Wie freudlos das Mädchen aussah! Und so farblos wie ihre selige Mutter! Laura hatte ihm manchmal leid getan, aber er hatte sich gehütet, es ihr zu zeigen. Sie war tapfer gewesen und haßte fremdes Mitleid. – Welch ein verdammtes Pech, daß Jacques und Laura umgekommen waren, gerade als sie sich offenbar zusammengezankt hatten! Daniel hatte Laura vor der Abreise nach Indien singen hören ...

»Viel Vergnügen, Louise«, sagte er gedankenverloren.

»Schönen Dank«, sagte Miss Bonnard. »Es ist mir gleich, wovon mir schlecht wird.«

III

Die erste Person, die Louise in dem Fischerdorf Aberdeen in der Menge entdeckte, war Dr. Erik Ekelund. Jeder mußte ihn entdecken, denn er überragte selbst hochgewachsene Europäer. Ob Louisens Blick ihn nun aufmerksam machte, oder ob er zufällig in ihre Richtung blickte, jedenfalls erkannte er sie und grüßte. Es hatte ihm nicht gefallen, daß Louise seinen Brief nicht beantwortet hatte. Er hatte in seinem Hotel in Kowloon zweimal vergeblich nach einer Botschaft gefragt. Miss Bonnard hatte seine Einladung zum Fischessen in Aberdeen ignoriert. Es war sein einziger freier Tag – morgen begannen die Sitzungen und Vorträge. Nun gut, er würde das Drachenbootfest auch ohne Miss Bonnards Gesellschaft überleben!

Ekelund sah von weitem, wie animiert Louise mit einer Unbekannten sprach und lachte. Aus irgendeinem Grund ärgerte er sich über die glänzende Stimmung seiner Ehemaligen. Er hegte den üblichen Verdacht der Männer, daß zwei lachende Frauen sich meistens über einen Mann amüsieren und sie selbst dieser Mann sind . . . Louise schien der Begleiterin den Sinn des Wu Yueh Chieh (Drachenbootfest) zu erklären, denn die große schlanke Person machte sich eifrig Notizen. Louise erläuterte, daß in China der Drache über die Gewässer regierte und den wohltätigen Regen für die Ernte sandte. Das Wu Yueh Chieh war ein Sommerfest. Die Boote, die in der Morgensonne glitzerten, ähnelten riesigen Drachen. Der Bug war ein Drachenkopf mit offenem Rachen und riesigen Zähnen; der Bootskörper war mit vergoldeten Schuppen bemalt. Weißgekleidete chinesische Ruderer nahmen langsam ihren Platz in den Booten ein. In der Mitte eines Bootes stand ein junger Chinese, der aus Lust am Lärm auf seinen Gong schlug. Es herrschte reges Treiben und Zymbelklang in Aberdeen, das die Chinesen *Hong Kong Tsai* (Kleines Hongkong) nennen. Die schwimmenden Restaurants des Fischerhafens waren mit Flaggen und Lampions geschmückt und rüsteten sich für ihre Stammgäste, die sie nach dem Bootsrennen erwarteten. —

»Darf ich an der Unterhaltung teilnehmen?« fragte eine Stimme. Louise Bonnard drehte sich hastig um. Dr. Erik Ekelund verbeugte sich vor ihr und ihrer Begleiterin. Louise zog die Stirn mißbilligend zusammen und wirkte in diesem Augenblick wie eine Gouvernante, die ein fröhlich geblümtes Kleid mit einer sauren Miene zu vereinen weiß.

»Darf ich vorstellen: Dr. Ekelund — Lady Melford«, sagte Miss Bonnard ohne Begeisterung. —

Lady Melford schob den verblichenen Ascot-Hut aus der Stirn, um den schwedischen Adonis besser begutachten zu können. Marie hatte ihr Eriks Spitznamen verraten und noch einiges mehr. Lady Melford war über diese Ehe im Bilde. Sie fand Dr. Ekelund fabelhaft und konnte nicht verstehen, daß er jemals Louise Bonnard hatte heiraten wollen. Die war doch schrecklich pedantisch. Ihre Konversation war zum Steinerweichen. Aber Lady Melford hatte einen bestimmten Grund, mit Louise das Drachenfest zu besuchen. Sie tat nichts ohne Grund. Das konnte sie sich nicht leisten, nachdem ihr Mann ihr in seinem Testament nur eine kleine Rente ausgesetzt hatte.

Sheila Melford betrachtete ungeniert Dr. Ekelunds tadellose Figur und das feine, kühle Gesicht. Die kleine Marie Bonnard war eine Närrin, so ein Prachtexemplar von Mann von der Leine zu lassen! Lady Melford fand, daß sie selbst nicht übel zu Dr. Ekelund passen würde. Da waren allerdings seine Ohren! Lady Melford schwor auf Ohren. Die Ohren des Schweden lagen eng an seinem Kopf. Sie ließen auf konsequente Verschwiegenheit und kalte Bedachtsamkeit im Handeln schließen.

»Dr. Ekelund ist mit einem Arbeitsteam in Hongkong«, erklärte Miss Bonnard hastig. Sie schien eine Todesangst davor zu haben, daß Lady Melford annehmen könnte, der Schwede wäre zu einem Rendezvous mit ihr, Miss Bonnard, nach Hongkong geflogen.

»Wie interessant«, sagte Lady Melford. Was war er noch? Richtig, Soziologe! Was war das nun wieder für ein idiotischer Beruf?

»Ich interessiere mich rasend für Soziologie«, versicherte sie. (Wann kam *er* endlich? Sie war mit *ihm* zum Fischessen verabredet.) »Aber was können Sie in Hongkong groß studieren, Dr. Ekelund? Hier sind einerseits Chinesen, die Geld nach Peking geben, um ganz sicherzugehen. Und der Rest der Chinesen bringt ihr Geld von Peking nach Hongkong. Diese Unsicherheit heutzutage!«

»Finden Sie Hongkong unsicher?« fragte Dr. Ekelund und blickte Louise Bonnard unter den riesigen Bambushut.

»Es ist mein persönlicher Eindruck«, erwiderte Lady Melford und gab ihrem Hut einen heftigen Ruck. Sie sah jetzt aus, als wäre sie soeben einem Schiffsunglück entronnen. »Natürlich – wenn Sie die Jahresberichte der Hongkonger Regierungspresse lesen, dann ist diese Stadt ein Felsen an Sicherheit! Nur Fortschritt, keine Bedrohung durch Peking und alles Mögliche! Organisierte Geburtshilfe vom Gesundheitsministerium. Ist doch Wahnsinn, Sir! In Kowloon fallen die Chinesen übereinander. Waren Sie schon in Kowloon?«

»Mein Hotel ist dort«, teilte Dr. Ekelund der Welt im allgemeinen mit.

»Ich beneide die Chinesen«, bemerkte Lady Melford vage. »Sie brauchen keine Psychiater – so wie wir! Sie packen das Leben beim Schopf. Nicht einmal Angst vor Krankheiten haben diese Leute!«

»Woher wissen Sie das so genau?« fragte Dr. Ekelund.

»Instinkt, mein Bester! Selbst mein Psychiater bewundert meinen Instinkt. Die Biester hier sind *zufrieden*, ganz gleich, ob sie in Hongkong oder Kanton Krach machen! Ich weiß nicht, wann *ich* das letzte

Mal zufrieden war. Wahrscheinlich an der Brust meiner Amme. Meine Mutter wollte ihre Figur nicht verderben.«

Lady Melford blickte scharf in eine bestimmte Richtung, aber der Mann, den sie erwartete, war noch nicht da. Was sollte sie nur mit diesen Trappisten reden?

»Asien ist ein merkwürdiger Erdteil. Finden Sie das nicht auch, Miss Bonnard?«

»Wie bitte?«

»Offen gestanden — der Frohsinn in China macht mich ganz verrückt«, sagte Lady Melford. »Ich habe nirgends auf der Welt so viele lachende Lungenkranke gesehen. Mit der Tuberkulose werden hier große Fortschritte gemacht. Ich meine — *gegen* die Tuberkulose! Und die Syphilisfälle in Hongkong! Kommt wohl durch die Touristen, wie?«

»Ich bin erst kürzlich angekommen«, sagte Dr. Ekelund. »Ich weiß es nicht.«

»Das wundert mich aber sehr«, meinte Lady Melford. »Sehr! Ich denke, Sie studieren hier soziale Hygiene und alles Mögliche, Herr Doktor! Die Kolonie macht tolle Fortschritte. Diese neuen Krankenhäuser! Ich finde es großartig, was wir hier für die Chinesen tun! Die Herrschaften werden sich noch umsehen, wenn Kamerad Mao in Hongkong Programme verlesen wird und die Tanzmädchen in die Fabriken schickt. Interessieren Sie sich wirklich nicht für die Syphilis in Hongkong, Doktor Ekelund?«

Lady Melford blickte den schweigsamen Schweden geradezu flehend an. Jeder mußte den Eindruck bekommen, Infektionskrankheiten seien Lady Melfords Steckenpferd.

»Ich werde hier die Leprakolonie besuchen. Kennen Sie die ›Insel der glücklichen Heilung‹ bei Hongkong?«

»Lepra? Oh . . . wirklich?« Lady Melford trat instinktiv zwei Schritte zurück. Es war Erik nicht entgangen. Wann würde dieses Redewunder endlich seiner Wege gehen? Er mußte mit Louise sprechen.

»Wie *können* Sie Leprastationen besuchen, Dr. Ekelund? Ich finde, irgendwo muß man die Grenze ziehen.«

»Finden Sie?«

»*Aussätzige!* Grauenhaft!« rief Lady Melford dramatisch. »Und als Journalistin schrecke ich im großen ganzen vor nichts zurück.«

»Falls Sie diese berühmte Leprakolonie in Ihren Artikeln erwähnen sollten, würde ich Ihnen gern einen Rat geben! Das heißt – wenn Sie ihn hören wollen.«

»Ich bin unendlich dankbar!« Es war Lady Melford ganz gleich, wie sie die Zeit bis zum Rendezvous mit ihrem Freund zubrachte. Sie zog ihr Notizbuch hervor und suchte ein leeres Blatt, das nicht nach Opium duftete. »Ich lausche . . .« sagte sie mit schalkhafter Demut. »Schießen Sie los, Sie Weiser aus dem Abendland!«

»Ich möchte Sie nicht zu Tode langweilen«, sagte Dr. Ekelund frostig.

Lady Melford errötete schwach. »Was wollten Sie sagen?« fragte sie um eine Tonart gemäßigter.

»Vergessen Sie den Ausdruck ›Aussätzige‹! – Nicht einmal Journalisten, denen heutzutage alles gestattet ist, sollten sich so nachlässig ausdrücken! Ich bitte um Verzeihung, Lady Melford! Lepra ist eine interessante Krankheit – nicht ein soziales Stigma! Nigger, Verrückte, Aussätzige! Solche Bezeichnungen gebrauchen nur ABC-Schützen der Gesellschaft. Es tut mir leid!«

Eine Pause entstand. Dr. Ekelund versank in Schweigen. Louise Bonnard blickte ihn verstohlen von der Seite an. Dies war der Mann, dessen Leben sie hatte teilen wollen! Mit Freuden hätte sie es geteilt. Ein totgeglaubter Schmerz stieg in ihr auf. Sie preßte die Lippen zusammen und betrachtete angespannt eine chinesische Mutter, deren Säugling im Rückenbündel Zeter und Mordio schrie, weil er neben Louise, einer Frau mit einem erschreckend weißen Gesicht, dem Bootsrennen entgegensehen mußte. Die Mutter machte glucksende Töne, um ihren nationalistischen Erben zu beruhigen, und trat einige Schritte zur Seite. Aus sicherer Entfernung lächelte der Säugling Louise plötzlich aus glänzenden schwarzen Äuglein an und lutschte beruhigt an seiner Zuckerstange.

Erik Ekelund hing seinen Gedanken nach. Die Lepra *war* eine Krankheit wie jede andere, aber die Angst vor der Lepra war eine Infektion, die noch heute einen großen Teil der modernen Menschheit befiel. Marie hatte sich aus dieser Angst heraus in den Opiumdunst des siamesischen Nordens gehüllt. – Ekelund fuhr sich mit der Hand über die hohe Stirn, als wolle er den Gedanken wegwischen.

Louise Bonnard schwieg, als ob sie dafür bezahlt würde.

»Ich habe wahnsinnigen Durst«, bemerkte Lady Melford. »Wie

ist es mit Ihnen, Dr. Ekelund?« – Wenn ein gutaussehender Mann anwesend war, existierten keine Frauen für Journalistin Melford. Eigentlich war es sehr komisch, daß der schwedische Adonis nicht ahnte, wie genau Lady Melford seine liebe Frau kannte . . . Sheila sah überall die Komik einer Situation – es war ein englisches Talent. –

In diesem Augenblick verstummte das Schwatzen und Gelächter der Menge. Das Drachenbootrennen begann. Das Signal zum Start war gegeben. Blitzschnell schossen die Fahrzeuge über das glitzernde Wasser. Louise Bonnard, Sheila Melford und Erik Ekelund sahen wie gebannte Zuschauer aus. Sie taten, als ob sie mitspielten. Das war immer noch die weiseste Methode, seine Gedanken zu verbergen. Louise isolierte sich im Geiste, während sie die Drachenboote mit denen ihrer Kindheit verglich und sie kleiner und langsamer fand . . . Lady Melford dachte: ›Das Leben ist lausig! Entweder haben die Männer Geld, dann sehen sie wie der selige Melford aus. Oder sie sehen wie Ekelund aus. Dann sind sie intellektuell oder verheiratet.‹ – Ekelund dachte: ›Ich *muß* Marie unschädlich machen. Es bleibt mir keine andere Wahl.‹ –

Lady Melford flüsterte Louise etwas zu, worüber diese laut lachen mußte. Ekelund blickte sie erstaunt an. Louise hatte früher nie so laut gelacht . . .

Sheila reckte den Hals und gab ihrem Ascot-Hut eine neue Wendung. Sie erblickte in der Menge einen eleganten Chinesen, der sich suchend umblickte. Im Augenblick konnte er sich keinen Weg durch die Menge bahnen.

»Ich muß mich leider verabschieden«, sagte Lady Melford. »Ich habe eben einen Freund von mir entdeckt. Wir wollen zusammen essen.«

»Viel Vergnügen«, sagte Miss Bonnard. Dr. Ekelund lächelte zum erstenmal. Auf diese Minute hatte er gewartet.

»Ich bin immer auf der Jagd«, sagte Lady Melford. »Ich habe niemals Zeit, mich zu frisieren. Zu nett, daß Sie mir alles erklärt haben, Miss Bonnard! Zwischen uns Pastorentöchtern: Bootsrennen langweilen mich zu Tränen. Einer muß ja als erster ankommen, nicht wahr? Es wird nur durch die Drachen erträglich. Die Chinesen sind eben Schlauberger. Kann man ein Miniaturdrachenboot als Andenken kaufen?«

»Natürlich! In Hongkong können Sie alles kaufen und verkaufen. Soll ich Ihnen ein kleines Drachenboot besorgen?«

»Süß von Ihnen! Aber meine Freunde können das tun.«

»Es gibt solche Boote auch als Sparbüchsen. Die Chinesen sind praktische Ästheten«, bemerkte Dr. Ekelund.

»Das ist hochinteressant!« Lady Melford meinte es ernst. Eine Kuriosität mit einem Hohlraum war das Gebet des Opiumschmugglers. Man stelle sich vor: ein winziges Drachenboot, zierlich geschnitzt und die Öffnung so versteckt, daß kein Zollbeamter auf dumme Gedanken kommen kann. –

»Ich werde das Boot meiner kleinen Nichte mitbringen«, sagte Lady Melford. »Sie hat ein Puppenhaus. Das paßt großartig.«

»Wie nett!« Miss Bonnard unterdrückte ein Gähnen. Wie konnte sie nur unauffällig in der Menge verschwinden? Sie interessierte sich nicht für Lady Melfords Nichte. Das war auch besser so, da Sheila sich diese Nichte plus Puppenhaus in diesem Augenblick ausgedacht hatte. – Sie wandte sich zum Gehen, da die Menge sich lichtete.

»Wir sehen uns dann übermorgen am Flugplatz, Miss Bonnard! Ich verbringe den Rest der Zeit mit meinen Freunden. Übrigens ... ich habe schon jetzt grauenhaftes Reisefieber. Und gräßlich viel Handgepäck! Würden Sie vielleicht eine winzige Reisetasche von mir übernehmen?«

»Gern! Ich habe wenig Handgepäck.«

»Sie sind ein Meerwunder.« Lady Melford lächelte süß. Sie hatte es geschafft. Sie hatte Miss Bonnard im passenden Augenblick auf unauffällige Weise für den Flug nach London das Köfferchen mit dem raffiniert versteckten Rohopium angedreht. Miss Bonnard war für Zollbehörden über allen Zweifel erhaben. Sie war solide und selbstsicher. Sie hatte einen viktorianischen Haarknoten, verwendete Gesichtspuder in der verkehrten Schattierung und keinen Lippenstift. Und sie war eine Bonnard aus London. Die Bonnard-Hotels waren so bekannt wie Madame Toussauds Wachsfigurenkabinett – nur wohnlicher ...

Sheila bahnte sich befriedigt den Weg zu Herrn Kuang. Sie sollte den letzten Tag in seiner Villa verbringen und dort einen neuen Agenten kennenlernen. Herr Kuang hatte Lady Melfords Begleiterin aus der Ferne studiert. Es war in Ordnung. Diese Miss Bonnard sah wie die Vorsitzende eines britischen Tierschutzvereins aus. –

»Hast du meinen Brief bekommen, Louise?«

»Ich hatte noch keine Zeit, ihn zu lesen.«

»Das ist nicht wahr. Sag mal – verabscheust du mich immer noch?«

Louise sah ihren Ehemaligen erstaunt an. »Ich finde dich sehr nett!« Sie wandte sich zum Gehen.

Ekelund schluckte die Beleidigung herunter, da er Louise etwas Wichtiges mitteilen wollte. »Ich *muß* dich sprechen! Bitte, höre mich an!«

»Du kannst reden, bis die Kühe heimkommen«, sagte Miss Bonnard ganz freundlich. »Ich glaube dir kein Wort mehr.«

Im nächsten Augenblick war sie im Gedränge verschwunden.

IV

Ekelund fuhr nach Kowloon zurück. Er hatte in einem schwimmenden Restaurant mit dieser eigensinnigen Person Fische essen wollen. Der Appetit war ihm vergangen.

Auf dem Weg in sein Hotel blieb er vor einer Drogerie in der Nathan Road stehen. Er hatte heftige Kopfschmerzen und wollte sich Tabletten besorgen. Morgen begannen die Konferenzen mit einem neuen internationalen Team der *United Nations*. Ekelund sollte den ersten Vortrag halten. In den nächsten Tagen wollten sie alle die »Insel der glücklichen Heilung« besichtigen. Es war die berühmte Leprasiedlung von Hongkong. Ekelund hatte schon einmal mit Dr. Littlewood das *Maxwell Memorial Medical Centre* besucht.

In der Drogerie fielen ihm zwei Plakate ins Auge. »Gebrauche Rosenblütentonikum, wenn du jung bleiben willst.« Das andere Plakat ermahnte den Besucher: »Iß Ginseng, wenn du alt werden willst!« Die Texte waren urchinesisch – wie die süßsaure Sauce zum Fisch. Ob es in dieser Drogerie auch ein Rezept zum Glücklichsein gab? Ekelund blickte sich um, während ein junger lächelnder Chinese seine Pillen verpackte. Kein Plakat und keine hängende Reklamefahne vor der Tür empfahl ein Mittel. Die Chinesen brauchten kein Rezept zum Glücklichsein. Sie hatten ihre Familien, ihre Geschäfte, ihr Opium und das Drachenbootfest. Sie hatten den Triumphgesang der Volksrepublik, ob sie dort lebten oder nicht. Oder die Chinesen hatten gar nichts. Dann war schon die schmucklose Existenz das Glück . . .

Erik Ekelund fand in seinem Hotelzimmer einen Brief aus Chiengmai auf dem Nachttisch. Dr. Littlewoods Nachrichten über Marie waren so unfaßbar, daß Ekelund den Brief zweimal lesen mußte.

VIERTES KAPITEL

Ein Amerikaner in Chiengmai

I

Dr. Francis Littlewood hatte einen arbeitsreichen Morgen im Mc. Kean-Lepra-Hospital hinter sich, als Nurse Waterhouse anrief. Littlewood hatte verschiedene Patienten mit verstümmelten Gliedern untersucht und entschieden, ob eine Operation noch etwas retten konnte. In einem gewissen Stadium der Krankheit waren chirurgische Eingriffe und kosmetische Korrekturen durchaus möglich. Littlewood hatte stets einen schlechten Tag, wenn er einem Patienten mitteilen mußte, daß es zu spät für die Operation war. –

»Warum sind Sie nicht gleich zu uns gekommen?« fragte er immer wieder mit dem Schatten eines Vorwurfs. Die Siamesen, die Leute aus den Wäldern, die Chinesen antworteten nie etwas auf diese Frage. Sie zuckten die Achseln, lächelten höflich und wußten, daß der amerikanische Wunderdoktor die Antwort kannte. Sie hatten gedacht, daß die Flecke auf der Haut von selbst verschwinden würden. Sie hatten Räucherkerzen angezündet, Opfergaben in die Dorftempel getragen. Sie hatten sich in ihrer chinesischen Apotheke die teuerste Medizin gekauft. Sie war grellrot und half immer. Sie hatten sich vor den anderen Dorfbewohnern geschämt, weil sie häßliche Geschwüre bekamen, oder ihre Ohren immer größer wurden, oder weil sie zu hüpfen oder humpeln begannen und alle lachten . . . Deswegen hatten sie sich im Dschungel versteckt. Schließlich kamen sie dann doch zum Doktor nach Chiengmai gekrochen, heimlich, in der Morgendämmerung oder bei Nacht, damit ihr Medizinmann nicht böse wurde, und weil die Geister des Waldes oder der Reisfelder um diese Zeit »schliefen« oder durch die Opfergaben besänftigt waren und ein Auge zudrückten ... Das waren die Patienten aus den Dörfern. – Die Städter hatten auch gedacht, es würde wieder besser werden, aber sie konnten auf die Dauer in Bangkok, Chiengmai oder Lampang ihren Beruf nicht ausüben. Sie kamen früher als die Dschungelbewohner, und sie sagten bereits wie die Leute aus dem Westen, sie hätten wenig Zeit und müßten bald wieder ins Büro, in den Laden, in die Universität oder ins Ministerium zurück. Auch sie hatten in den Tempeln zu dem Buddha gebetet und den Brüdern der Gelben Robe Opfergaben gebracht. Der Abt hatte geraten, sich von den Doktoren im »Mc.Kean« helfen zu lassen. Was seine Eminenz in Bangkok riet, das taten Staatsminister, Postbeamte oder Hausbesitzer mit alten aristokratischen Namen ...

Das Traurigste war, wenn Mütter anmarschierten. Der Anblick erfüllte Dr. Littlewood immer wieder mit trocknem Kummer. Sie hatten den Säugling im Rückenbündel, zwei Kinder mit einem Säckchen Reis und Früchten für den Doktor im Gefolge, und ihre dunklen, ergebenen Augen bettelten um Hilfe. Warum waren sie nicht sofort gekommen? Die Mütter schüttelten sanft den Kopf und ließen die fleißigen Hände mit den häßlichen Rötungen, Narben und Geschwüren sinken. Sie hatten soviel zu tun, Doktor! Sie webten, nährten die Säuglinge, stampften den Reis, nähten die Kittel, kochten den Curry, pflanzten die Bananenstauden und fütterten die Hühner. Die Kinder konnten doch hoffentlich bei ihnen bleiben – bitte, Doktor! Der Mann? – Er lebte jetzt mit einem Tanzmädchen. Das konnte ihm niemand verdenken, nicht wahr? Er war ein junger schöner Mann. Oh – diese häßlichen Geschwüre! Nein – nun konnte Pranee aus Petchaburi (oder Charoen aus Bangkok oder Frau Chin aus Chiengmai) nicht mehr arbeiten. Sie schüttelte »Ältesten Sohn« rauh an der Schulter, weil er zu weinen anfing. Das Baby im Rükkenbündel schrie zur Gesellschaft mit und bekam Zuckerrohr zu lutschen. Pranee zog es aus einem schmutzigen Beutel, den sie selbst genäht und bestickt hatte ...

Dr. Littlewood hatte an diesem Morgen Pranee, und Charoen und zum Schluß Frau Chin aus Chiengmai, die gleich drei Kinder und zwei Kusinen zum Schutz mitgebracht hatte, versichert, daß die Kinder erst einmal in der Kolonie bleiben würden. Sie mußten sogar bleiben und untersucht werden – aber das sagten Littlewood und der junge siamesische Arzt nicht. Vielleicht waren die Kinder schon infiziert – aber vielleicht konnte man sie auch in das Schlafhaus und die Schule der gesunden Kinder bringen. Die Mütter nickten zufrieden. Die Kinder blieben in der Kolonie – das war die Hauptsache. Der Ochsenkarren, der sie ins Hospital auf dieser Insel gebracht hatte, fuhr leer zurück. Der Fahrer war ein alter Mann. Ihm war alles Menschliche gleichgültig. Er unterhielt sich mit seinen beiden Ochsen. Er hatte auch keine Ahnung, was diese Mütter, die gut bezahlt hatten, in dem großen Hospital wollten. Sie hatten doch Nasen und Ohren und Augenbrauen und konnten laufen. Pim und seine Ochsen hatten einmal im Wald einen Mann ohne Nase gesehen. Das war die Krankheit, die man als Strafe für seine Sünden bekam! Pim und seine lieben Ochsen hatten sich schnell, schnell aus dem Staub gemacht . . .

Und dann war da noch die kleine Schar der christlichen Patienten, die mit ihrem siamesischen oder chinesischen oder westlichen Pastor oder Priester zu kommen pflegten. Sie kamen meistens ganz ruhig im ersten Stadium der Krankheit, weil die Gottesmänner wußten, daß die Lepra nicht die Strafe für ein schlechtes Leben und die vielen Sünden war, die jeder nun einmal beging, auch wenn er sich große Mühe gab, nicht zu sündigen. Die Gottesmänner sagten, die Lepra wäre nicht das Resultat des Kartenspielens, der Lügen und Betrügereien oder des Kinderverkaufs. Sie wäre einfach eine Krankheit, die man heilen könnte. Die Lepra hätte nichts mit Sünde zu tun, sagten die christlichen »Väter«, auch kleine Kinder bekämen Lepra, und kleine Kinder wären durch die Taufe sogar von der Erbsünde rein gewaschen. Die Siamesen und Chinesen nickten gehorsam. »Gottesmann« wußte es besser. Gottesmann mit dem siamesischen oder chinesischen oder westlichen Familiennamen brachte sie schließlich ins Mc.Kean Hospital. Dort wurden sie auch im Körper wieder rein gemacht, und eine Kirche gab es auch in der Kolonie. Und wenn Nai Term oder Mr. Meng ein katholischer Christ war, dann kamen die Gottesmänner von der Salesianischen Mission und beteten mit ihnen und gaben ihnen die Speise des HERRN und beteten für Nai Term, Mr. Meng und die Doktoren und die Kranken der großen sauberen, fröhlichen Kolonie. Es wurde viel gelacht im Mc.Kean Hospital. Das gefiele Gott und Seinem Sohn, sagten die Missionare. –

Dr. Littlewood war gerade in sein Privatbüro gegangen, als das

Telephongespräch aus Chiengmai kam. Er hatte soeben eine kosmetische Operation an der eingesunkenen Nase eines Bangkoker Barmädchens beendet. Das Mädchen hatte in Bangkok einen Selbstmordversuch unternommen, weil sie eines Tages keine Nase mehr haben würde. Sie hatte nur ihren schönen Körper, ihr reizendes Lächeln und zwei Kinder ohne Vater. Ihr eigener Vater war ein Europäer gewesen und ihre Mutter eine Chinesin. Der Seemann – der Vater ihrer Söhne – war verschwunden. Miss Molly war weder traurig noch ängstlich. Sie hatte Dr. Littlewood von der chirurgischen Abteilung bei ihrer Ankunft gesagt, daß sie eine Nase haben müsse. Alle lachten über sie, und ihren Job in der Bar habe sie längst verloren. Sie hätte erst allen Schmuck verkauft; aber nun sei sie gekommen. Das Geld für den Schmuck wäre den Kanal hinuntergeflossen. Sie müßte ganz allein die Miete, den Reis, Schulgeld für den älteren Sohn, alle Kleidung und das bißchen Spaß im Kino bezahlen. Im Kino hatte Miss Molly das Leben erträglich gefunden. Es war dort schön dunkel – niemand konnte über ihre Nase lachen . . .

Miss Molly war nun von der Lepra geheilt. Der Doktor hatte ihr eine neue Nase geschenkt – und damit ein neues Leben. – Littlewood hatte die Überbleibsel der zerstörten Nase entfernt, weil die verfärbte Haut und der narbenreiche Rest, der von der früheren Struktur übriggeblieben war, niemals eine normal aussehende Nase ergeben hätten. Die Stirn des Mädchens lieferte das Material. Das war vor drei Wochen gewesen. Heute hatte Littlewood der neuen Nasenspitze die beste Form gegeben, die möglich war. Miss Molly sah nicht aus, als ob sich Königreiche um ihrer schönen Nase willen in den Kampf stürzen würden – aber sie war auch vorher keine Helena gewesen. Sie konnte jedoch ruhig in ihre Welt zurückkehren – wie Tausende, denen plastische Chirurgie ihr Selbstbewußtsein und ihren Job zurückgaben. – Littlewood hatte sich daheim auf diesen Zweig der Therapie spezialisiert. Die Dankbarkeit in den Augen seiner Patienten in Chiengmai und Hongkong war eine schöne Belohnung für einen Mann, der gegen eine Geißel der Menschheit kämpfte. –

Littlewood gab gerade der Orthopädin des Hospitals genaue Anweisungen, wie die verkrümmten, steifgewordenen Finger einer laotischen Schneiderin durch Übungen und Massage für die Operation vorbereitet werden sollten, als Nangsao Sanit, seine Sekretärin, den Telephonhörer abnahm.

»Nurse Waterhouse aus Chiengmai, Doktor! – Dringend!«

Littlewood blickte finster. Was sollte das nun wieder? Nurse Waterhouse wußte doch, wie beschäftigt er war. Er beabsichtigte, nach Marie Ekelund zu sehen, wenn er gegen Wochenende nach Chiengmai kam.

»Sagen Sie, ich käme Ende der Woche«, sagte er ungeduldig und setzte das Gespräch mit der Orthopädin fort.

»Nurse Waterhouse bittet um zwei Minuten, Doktor!«

Littlewood nahm der Sekretärin seufzend den Hörer ab. »Was gibt's?« fragte er unwillig.

»Sie tobt«, erklärte Nurse Waterhouse knapp. »Wir wissen nicht mehr ein noch aus, Herr Doktor.«

»Was ist geschehen, Nurse Waterhouse?«

»Mrs. Ekelund ist vor einigen Tagen aus dem ›Mc.Cormick‹ ausgerissen. Ich machte mir gerade meinen Tee, und Nurse Montri paßte solange auf. Die Patientin stieß die junge Siamesin zur Seite und rannte durch den Garten ins Freie.«

»Rief Nurse Montri nicht um Hilfe? Das ist unerhört.«

Nurse Waterhouse zögerte eine Sekunde. Sie war loyal. Diese jungen Siamesinnen taten ihr Bestes, aber sie waren zu sanft und erschraken zu leicht. Nurse Montri war vor Schreck erstarrt. Sie hatte nichts getan. –

»Es ging alles zu schnell, Herr Doktor«, sagte Nurse Waterhouse fest. »Nurse Montri konnte nichts dafür.« In Wirklichkeit hatte Waterhouse der jungen Nurse unverblümt mitgeteilt, was sie über eine Pflegerin dachte, die den Kopf verlor, wenn es darauf ankam. – Nurse Montri hatte die Lektion mit gesenktem Kopf und unbewegtem Gesicht angehört. Ihr Instinkt riet ihr, es genauso wie Mrs. Ekelund zu machen, aber ihr Training war stärker. Sie entschuldigte sich so leise, daß Nurse Waterhouse zweimal nachfragen mußte, was Montri zu erwidern hätte ... Am Abend hatte Nurse Montri einen in Lampang gewebten Brokatrock als Geschenk für Nurse Waterhouse in ihr Zimmer gelegt. Nurse schüttelte den Kopf und hüstelte leicht vor verlegener Rührung. Albernes kleines Ding! Was sollte sie mit dem Brokatfetzen anfangen? Aber es war gut gemeint gewesen. Und vielleicht war der gute Wille der jungen Frauen überall im Nachkriegs-Asien noch wichtiger als Geistesgegenwart. –

Aber Mrs. Ekelund war verschwunden ... Ein diskreter Freund

des Hospitals suchte sie in allen Opiumbuden in Chiengmai und fand sie schließlich betäubt im »Silbernen Pfau«.

»Sie wimmert nach Ihnen, Dr. Littlewood! Ich weiß nicht, warum . . .«

»Ich auch nicht. Wirken die Dolantinspritzen nicht mehr?«

»Nicht für lange! Mrs. Ekelunds Magen ist wieder ausgepumpt, und alles geht von vorn los. Nur schlimmer.«

»Inwiefern?«

»Gestern mußte der Arzt sie im Bett festbinden. Sie begann zu toben, weil sie kein Opium bekommt. Heute habe ich sie festgehalten, als sie wieder ausreißen wollte. Ich lasse mir den Tee jetzt ins Zimmer bringen.«

Dr. Littlewood ignorierte diese Ankündigung.

»Wir können sie nicht beständig anbinden, Herr Doktor! Was sollen wir tun? Es hat sich überall herumgesprochen im Hospital. Ich dachte immer, die Asiaten seien so schweigsam.«

»Je nachdem«, sagte Dr. Littlewood. Er nickte der Orthopädin zu. Es bedeutete »Ich hänge gleich auf.« –

»Muß sie in eine geschlossene Anstalt?« Nurse Waterhouse räusperte sich am Telephon. Ihre Stimme klang etwas heiser.

»Das kann ich übers Telephon nicht entscheiden, Nurse! Ich komme gegen Abend ins Mc.Cormick!« »Vielen Dank, Herr Doktor!«

Littlewood konnte nun eigentlich aufhängen, aber er zögerte . . . Nurse war so anders als sonst.

»Hören Sie gut zu, Nurse Waterhouse! Lassen Sie die Patientin keine Minute mehr allein, bis ich komme! Aber machen Sie sich keine Sorgen.«

Nurse antwortete nach einer winzigen Pause: »Geht in Ordnung, Herr Doktor!«

»Mrs. Ekelund kann nicht im Mc.Cormick bleiben«, sagte Littlewood schnell.

»Wo sollen wir hin?«

»Dr. Ekelund muß seine Frau sofort nach Europa zurückfliegen. Er kann ihr unterwegs Betäubungsspritzen geben. Ich werde es ihm zeigen. Sind Sie noch am Apparat?«

»Gewiß, Herr Doktor! Es ist nur – Mrs. Ekelund hat sich langsam an mich gewöhnt, auch wenn ich gelegentlich etwas rauh mit ihr bin.« Nurse sprach ungewöhnlich leise.

»Wir sprechen noch darüber!« sagte Littlewood sanfter, als es seine Art war. »Sehen Sie ... Mrs. Ekelund *muß* hier fort. Ich kann sie nicht in die siamesische Irrenanstalt bringen.«

»Aber Herr Doktor! Sie ist doch nur etwas ungebärdig.«

»Sie bekommt Tobsuchtsanfälle«, sagte Littlewood ruhig. »Oder habe ich mich verhört?«

»Heute weint sie, ist aber ganz brav. – Soll ich Dr. Ekelund nach Hongkong telegraphieren?«

»Ich will Ihre Patientin erst noch einmal ansehen! Ich werde dann selbst schreiben.«

»Ich wollte Ihnen nur gern etwas Arbeit abnehmen, Herr Doktor!«

»Gutes Mädchen«, sagte Littlewood herzlich. »Also bis heute abend! Sorgen Sie bitte dafür, daß Mrs. Ekelund am Tag schläft. Ich möchte sie wach haben, wenn ich komme.«

»Vielen Dank, Herr Doktor! Also bis heute abend!«

Littlewood hielt den Hörer noch einen Augenblick stirnrunzelnd in der Hand. Ekelund sollte morgen seinen Vortrag vor einem internationalen Arbeitsteam der WHO *(World Health Organization)* halten. Ekelund wollte über das Programm für die Rehabilitierung der Patienten in Asien sprechen; über die Notwendigkeit, Kranke und Geheilte – die sich als Ausgestoßene der Gemeinschaft gefühlt hatten – in den Heilstätten der christlichen Missionen langsam wieder zu Individuen mit Selbstachtung zu erziehen. Der Vortrag war wichtig. Ekelund durfte sich durch seine neurotische Frau nicht davon abbringen lassen. Vielleicht war seine Rückkehr nach Chiengmai nicht unumgänglich nötig. Marie spielte gern Theater. Simulierte sie, um Nurse Waterhouse weich zu machen? Aber vielleicht setzte ein Prozeß ein, für den es in Asien keine geeignete Heilstätte gab. Da war doch der berühmte Psychiater Bonnard in der Schweiz! Ob er ein Verwandter von Marie war? Littlewood machte sich eine Notiz.

Heute abend wollte er sich ein erstes Urteil über die Situation bilden. Danach mußte er Ekelund nach Hongkong berichten. Und damit war dann seine Verantwortung zu Ende.

»Sind die Gelenke der Patientin noch sehr steif?« fragte er die Orthopädin.

»Ich habe täglich und stündlich Übungen mit ihr gemacht. Sie dachte, die eine Stunde mit mir zusammen genügt. Ich habe versucht, der

Patientin klarzumachen, daß Tätigkeit die beste Kur für die steifgewordenen Finger ist.« Die junge Ärztin zögerte. »Zuerst war Nang Rae mit Begeisterung dabei, aber als die Steifheit nicht sofort verschwand, hörte sie mit der Gymnastik auf. Ich habe eben dann mit ihr geübt.«

Dr. Littlewood nickte. Die junge Ärztin hatte ihre Freizeit Tag für Tag geopfert, damit ihre Patientin wieder in Lampang schneidern konnte.

»Wie ist's mit dem Urlaub?« fragte er nebenbei.

»Erst einmal verschoben. Zuviel zu tun. – Kann ich meine Schneiderin heute abend zu Ihnen bringen? Jetzt möchte sie sofort operiert werden.«

»Heute abend bin ich in Chiengmai.« Littlewoods Stirne umwölkte sich. »Bringen Sie sie morgen früh zu mir. Dann sehen wir weiter.«

»Wie ist's mit *Ihrem* Urlaub, Kollege?« fragte die Orthopädin und wartete die Antwort nicht ab. Sie kannte sie.

II

Marie betrachtete eine Zeichnung, als Dr. Littlewood am späten Nachmittag zu ihr kam. Sie hatte tiefe Schatten unter den Augen. Ihre zarte Haut hatte einen gelblichen Schimmer. Ihre Hände zitterten. Schweiß rann ihr unaufhörlich von der kindlichen Stirn. Ihre Augenlider flatterten. Die verengten Pupillen waren Stecknadelknöpfe, die sich ständig bewegten – abgesonderte winzige Kreisel innerhalb der toten blauen Iris. Nurse hatte recht gehabt: Marie war wieder, wo sie gewesen war, als Littlewood sie aus Lampang ins Mc.Cormick brachte. Die Entwöhnung vom Rauschgift begann von neuem, und alles war nur etwas schwieriger. Marie war schwächer und dabei erregter. Im Augenblick allerdings hatte sie sich ausgetobt. –

»Was machen Sie für Sachen, Marie?«

»Ich zeichne.« Marie reichte dem Arzt eine Skizze. Obwohl der Strich so schwankend war wie die Stimmung der Zeichnerin, war die Skizze unverkennbar eine gute und maliziöse Karikatur von Nurse Waterhouse. Marie hatte in großen Druckbuchstaben »Britischer Drache mit Hockeystock« daruntergesetzt.

»Ist es nicht lustig?« fragte sie.

»Nein«, sagte Littlewood. »Es ist unfreundlich und undankbar von Ihnen! Sie hätten wahrhaft jeden Grund, dieser ausgezeichneten ...«

Nurse Waterhouse betrat das Krankenzimmer. Littlewood stockte mitten im Satz und hatte gerade noch Zeit, das Blatt Papier in seine Rocktasche zu stecken. Nurse Waterhouse brachte Marie einen Fruchtsaft und verschwand wieder. –

Littlewood schwieg mit gefurchter Stirn. Wie konnte er Marie dazu bringen, so schnell wie möglich mit ihrem Mann nach Europa zu fliegen? Jeder Süchtige klebt an dem Ort, wo er seine tödliche Seligkeit zu Wucherpreisen einkauft. Marie schwieg ebenfalls. Littlewood ärgerte sich darüber. Wollte sie ihm wirklich nur seine Zeit stehlen?

»Wozu haben Sie mich kommen lassen?« fragte er mit einem Anflug von Ungeduld.

»Nurse hat Sie kommen lassen. *Ich* bin froh, wenn ich Sie nicht sehe.«

»Dann kann ich ja gehen. Aber es ist das letzte Mal, daß ich mich von Ihnen zum Narren halten lasse, darauf können Sie sich verlassen.«

Er drehte Marie brüsk den Rücken und ging zur Tür. Er war sehr böse. Aber dieses boshafte junge Ding konnte selbst einen Schüler der Stoiker auf die Palme bringen. In diesem Augenblick vergab Littlewood seinem Freund Erik alles, was er ihm im geheimen vorgeworfen hatte. Maries Schönheit mußte ihn dazu verführt haben, ihren Ehemann der Brutalität und der Gefühlskälte gegenüber seiner jungen nervösen Frau zu bezichtigen. Diese Marie Bonnard war ein unverschämtes Geschöpf. Sollte sie Opium rauchen, bis sie im Morast verkam. Nurse Waterhouse verschwendete ihre Kraft und ihr Mitleid. Er würde mit ihr sprechen. Es gab nur einen Weg: Ekelund mußte seine Frau in den nächsten Tagen hier fortbringen. Er beschloß, ihm noch heute abend zu telegraphieren.

Marie begann zu schluchzen. Das Schluchzen schüttelte sie. Sie sprang aus dem Bett und hielt Littlewood am Arm fest.

»Nicht fortgehen«, wimmerte sie. »Ich ... ich ...« Sie begann zu schreien. Littlewood beförderte sie mit einem Griff ins Bett zurück.

»Beruhigen Sie sich! Also ... was gibt's?«

»Ich habe es versucht«, stieß Marie hervor. »Aber es ist stärker.«

»Was ist stärker?« – Littlewood hatte sich auf den Bettrand gesetzt. Er machte sich bereits Vorwürfe, weil er diese junge Psychopathin wie eine normale Person behandelt hatte. Als ob er nicht wüßte, daß Rauschgift ein empfindliches und aggressives Geschöpf völlig unberechenbar machte und daß unter seiner Einwirkung die Defekte in der persönlichen Moral stärker in Erscheinung traten.

»Was ist stärker, Marie?« fragte er mit gewohnter Geduld. Marie schreckte auf.

»Das *Tier* auf meiner Schulter! Es beißt und quält mich, bis es sein Futter bekommt.« Sie beobachtete Littlewood aus einem Augenwinkel. »Sie sind der einzige, der mich versteht, Francis! Auch wenn Sie manchmal so scheußlich zu mir sind. Ich will alles tun, um Ihnen zu gefallen.«

Die Wendung des Gesprächs gefiel Littlewood nicht besonders. »Auf mich kommt es nicht an, mein Kind! Sie sollen Ihrem Mann gefallen.«

Marie brach in Gelächter aus. Das Lachen schüttelte sie, bis sie nach Luft rang. Es war jetzt ein Kreischen, das Marie offenbar nicht stoppen konnte. Littlewood sprang auf und gab ihr zwei Ohrfeigen, die das gewünschte Resultat hervorbrachten. Marie schluckte und starrte den Arzt sprachlos an. »Sie haben mich geschlagen«, murmelte sie mit geweiteten Augen. »Wie müssen Sie mich verabscheuen, Francis!«

»Eine medizinische Maßnahme, nichts weiter! Sie bekamen keine Luft mehr! Sie dürfen nicht so heftig lachen.«

»Über Erik kann ich mich aber totlachen.« Marie schloß die Augen. »Er ist kalt wie Eis. Aber er wird seine Strafe bekommen. Er wird einsam wie ein Straßenhund sein . . .«

Marie holte Atem. Sie war jetzt von einer Bekenntniswut besessen, die bei vielen Süchtigen das krankhafte Schweigen ablöst. »Erik schläft jetzt in Hongkong mit meiner Kusine«, murmelte sie. »Louise ist schon vierunddreißig Jahre, aber ich muß zugeben: sie sieht keinen Tag älter als vierundvierzig aus! Mir ist's egal, was Erik treibt. Ich habe die diplomatischen Beziehungen mit ihm längst abgebrochen. Ich könnte Ihnen Sachen von ihm erzählen . . . Die Haare würden Ihnen zu Berge stehen! Deswegen versteckte ich mich in Doi Sutep. Er trachtete mir nach dem Leben, Francis! Ich wurde halb wahnsinnig vor Angst.«

»Ich denke, Sie hatten Angst vor der Lepra«, sagte Littlewood. »Warum lassen Sie *mich* dann kommen?«

»Sie sind doch Arzt! Sie werden schon aufpassen, daß Sie sich nicht anstecken!«

»Ihr Vertrauen ehrt mich«, sagte Littlewood trocken. »Ihr Mann gebraucht dieselben Vorsichtsmaßnahmen, Sie dummes kleines Mädchen! Im übrigen ist diese Krankheit nur unter bestimmten Voraussetzungen ansteckend. Das hat Ihnen Erik doch sicher gesagt.«

»Möglich«, sagte Marie. »Es ist ganz gleichgültig. – Sie können sich nicht vorstellen, was ich mit ihm durchgemacht habe. Er behandelte mich schon einige Wochen nach der Hochzeit wie etwas, was die Katze auf dem Teppich gelassen hat. Nur weil ich nicht so bin, wie er mich haben wollte. So langweilig kann ich eben nicht sein. Im übrigen, warum sehen Sie mich so an, Francis? Ich sage Ihnen die Wahrheit! Ich lüge ganz selten. Ich bin *so* ehrlich, Ihnen zu gestehen, daß ich manchmal lüge.«

Littlewood beobachtete, wie Marie sich belebte. Sie hatte sich endlich in den Mittelpunkt des Gesprächs manövriert. Das war der Platz, an dem sie beständig sein wollte. Littlewood überlegte, ob er ihr jetzt den Plan der Abreise nach Europa unterbreiten sollte. Aber er durfte Maries Redefluß nicht brutal unterbrechen. Vielleicht würde sie von selbst eine Pause einlegen.

»Ich dachte damals in Paris, Erik könnte mich retten«, sagte Marie leise. »Er trat aus einer Wolke auf mich zu und war nett zu mir. Tsensky behandelte mich so gemein! Aber Sie kennen ja den Grafen Tsensky nicht. Da haben Sie Glück gehabt, Francis! – Ich konnte mich damals nicht gut leiden. Alle waren so gemein zu mir, und ich war noch nicht abgestumpft. Meine Mutter informierte mich, daß niemand mich lieben könnte und daß ich das Unglück heranlockte. Wie finden Sie das?«

»Hören Sie, Marie! Ich muß etwas mit Ihnen besprechen.«

»In einer Sekunde! Ich wollte nur sagen: Erik fand mich schön und verliebte sich in mich. Oder er tat so. Natürlich – er tat so! Er reiste ja sofort nach dem Autounglück ab. Und da war ich und sah in den Mond. Aber sehen Sie, ich begann mich nett zu finden. Weil ich dachte, ein Mann liebte mich *doch*, und Mama wäre eine blöde Gans. Jetzt hasse ich mich. Das ist Eriks Schuld! Er weiß es. Deshalb haßt er mich auch. Seine Schuldgefühle sind so stark, daß er mich loswerden möchte. So sind Männer. Feiglinge! Mörder!«

»Erik macht sich Sorgen um Sie.«

»Stimmt genau. Ich sage Ihnen ja: er macht sich Sorgen, wie er mich loswerden kann, da ich nicht in eine Scheidung willigen werde. Und hängen möchte Erik auch nicht, falls man Mörder in Schweden aufhängt.«

»Reden Sie nicht solchen Unsinn, Marie!« Eine tiefe Falte der Ungeduld stand zwischen Littlewoods Brauen. Seine tiefliegenden scharfen Augen betrachteten Marie ohne Sympathie. Er betreute Kranke, die ohne eigene Schuld und zum großen Teil klaglos an einer furchtbaren Krankheit litten. Marie hatte ihren Zustand durch ihren Mangel an moralischer Disziplin herbeigeführt.

»Warum rauchen Sie?« fragte er abrupt.

»Ich habe meinen Grund dafür.«

»Es gibt gute und schlechte Gründe. Und ich kann mir keinen guten Grund für das Opiumrauchen vorstellen.«

»Das kann ich mir denken. Was können Sie sich überhaupt von mir vorstellen?« Marie bedeckte ihre Augen mit einer zitternden Hand. »Sie hassen mich, Francis. Wie alle anderen. Ich habe es geahnt.«

»Seien Sie nicht so albern!« – Littlewood räusperte sich. »Ich möchte etwas mit Ihnen besprechen, Marie.«

Marie betrachtete ihn unverwandt. In ihren seltsamen Augen erschien ein Licht wie beim Wetterleuchten. Sie starrte Littlewood so steinern an, daß ihm unbehaglich wurde. »Wollen Sie etwas für mich tun?« murmelte sie.

»Natürlich! Ich will Ihnen gerade etwas vorschlagen, was Ihnen helfen wird. So geht es nicht weiter. Sehen Sie das ein?«

»Was wollen Sie mir vorschlagen, Francis?«

»Hm . . . Ich habe über Sie nachgedacht und . . .«

»Ich denke beständig über Sie nach.« Marie streichelte plötzlich Littlewoods Hand. »Sie meinen es gut mit mir! Ich fühle es. Sind Sie eigentlich ein bißchen verliebt in mich?«

»Sie haben wohl nicht alle Tassen im Schrank?« fragte Littlewood liebenswürdig. »Du lieber Himmel! Können Sie sich nicht wenigstens ein paar Minuten zusammenreißen, so daß man vernünftig mit Ihnen reden kann?«

»Ich nehme mich die ganze Zeit zusammen«, sagte Marie zitternd. »Sonst wäre ich Ihnen längst um den Hals gefallen. Könnten Sie mich nicht ein kleines bißchen lieben?«

Littlewood starrte Marie an. Sie mußte tatsächlich verrückt geworden sein.

»Francis . . .« flüsterte Marie. »Ich weiß, Sie lieben mich. Tun Sie etwas für mich! Haben Sie Mitleid. Geben Sie mir Opium! Nur ein bißchen! Nur heute! Ich schwöre Ihnen – dann will ich brav sein! Oh . . . Francis! Wenn Sie mir den kleinen Gefallen tun – Sie können alles von mir haben! Alles!«

Sie riß ihr Nachthemd auf und entblößte ihre makellose junge Brust.

Littlewood war sprachlos. *Das* hatte Marie also gewollt! Dazu ließ sie ihn aus seiner Arbeit reißen. Opium! Dafür durfte jeder sich dann bedienen, wenn ihm der Sinn danach stand. Eine dunkle Röte war in Littlewoods Stirn gestiegen. Ein puritanischer Groll gegen die Hure von Babylon brachte ihn an den Rand der Selbstbeherrschung, und er ärgerte sich darüber. Armer Ekelund! – Plötzlich hatte er eine Vision. Marie Bonnard – viel älter als jetzt – ausgehöhlt vom Großen Rauch. Jeder, der ihr Opium verschaffte, konnte sie haben. Jeder, der ihr Opium oder Heroin verschaffte, konnte sie mißbrauchen, prügeln, beleidigen und bestehlen. Der Süchtige wurde allmählich zu einer Schattenfigur – der Kern der Persönlichkeit wurde zertreten wie der Kern einer Frucht im Straßenstaub der Städte... Littlewood verscheuchte die grauenhafte Vision der alternden Marie Bonnard...

Er bedeckte die Kranke mit einer der leichten weißen Wolldecken, die man in Chiengmai webte. »Es wird kühl gegen Abend. Wir sind in den Bergen«, sagte er ganz freundlich.

Marie war errötet. ›So ein Scheusal!‹ dachte sie. Eriks Freund hatte ihr zartes Angebot ohne Dank abgelehnt. Ob das in Ohio so Sitte war? – Sie betrachtete verstohlen das strenge Gesicht, das unerbittliche Kinn und die schmalen Lippen. Nein – von dieser Seite war nichts zu hoffen! »Bilden Sie sich nicht ein, daß ich wild auf Sie bin«, sagte Marie dreist. »Der Große Rauch hat mir jeden Appetit auf die Liebe genommen. Opium ist besser als ein Mann – *viel* besser.« – Sie schloß die Augen. *Einmal* rauchen, und man war auf den Höhen der Welt! Man flog durch strahlende Wolken. Man ergriff die süße Chance . . . Seligkeit ohne Anstrengung. Zufriedenheit über den Bergen der Enttäuschung und den Tälern der Illusion. *Man brauchte niemanden mehr* – das war das Glück. Man war Selbstversorger und lachte über die Männer . . .

»Sie müssen nach Europa zurück, Marie«, tönte Littlewoods Stimme in ihre Träume. Sie schreckte zusammen, als ob ihr jemand eisiges Wasser über den Kopf gegossen hätte. Kalter Schweiß trat auf ihre Stirn. Littlewood rauchte. Sie verabscheute ihn plötzlich.

»Geben Sie mir bitte eine Zigarette!«

Littlewood zog sein Etui aus siamesischem Silber hervor und reichte Marie eine seiner leichten Zigaretten. Marie rauchte so hastig, daß sie nach einigen Zügen die Zigarette fast aufgeraucht hatte. Im nächsten Augenblick hatte sie sich die Spitze des Daumens und Zeigefingers verbrannt. Littlewood riß ihr den schwelenden Papierrest aus den Fingern und warf ihn in den Aschenbecher. Er fühlte sekundenlang den scharfen Brandschmerz.

»Passen Sie doch auf«, sagte er unfreundlich. »Man kann Sie wahrhaftig keinen Augenblick ohne Aufsicht lassen. Was sind Sie eigentlich? Ein Wickelkind?« –

»Lassen Sie mich in Ruhe! Gehen Sie weg! Ich habe nichts gespürt.« –

Jetzt war es Francis Littlewood, der Marie anstarrte. *Was* hatte sie eben behauptet? Sie hatte nicht gefühlt, daß sie sich die Finger verbrannte? Das konnte nur eines bedeuten! –

Er trat näher an Marie heran und betrachtete ihre Hand. Ein leichter Schorf zeigte sich an ihrem Daumen und Zeigefinger. Die narbenartigen Stellen waren ganz leicht an den Rändern gebräunt.

»Komisch – nicht wahr?« fragte Marie nachlässig. »Ich werde allmählich unempfindlich. Das habe ich mir eigentlich immer gewünscht. Ich bin nämlich das Nadelkissen der Familie Bonnard. Der Teufel soll sie alle zusammen holen.«

»Seit wann fühlen Sie nichts, wenn Sie sich die Finger verbrennen oder verletzen?« fragte der Arzt.

»Seit wann interessieren Sie sich für meine Schmerzen?«

»Ich möchte es gern wissen, Marie!«

Marie zog ihre kindliche Stirn in Falten: »Ich glaube, es war kurz nach meinem Besuch in Lampang. Die siamesische Schwester hatte mir eine Zigarette gebracht, während Nurse Waterhouse sich ihren Tee aufbrühte. Keine Opiumzigarette! Nur ein Ding, das nach nichts schmeckt. Den Rest muß man sich denken. Da rauchte ich auch so hastig, weil ich wieder so nervös war. Und plötzlich hatte ich das heiße Papier in den Fingern. Es tat nicht weh. Ich vergaß es wieder.

Nurse Waterhouse gibt mir nicht mal eine Zigarette. Gräßliche Person.«

»*Ich* bin die gräßliche Person. Ihre Pflegerin handelt genau nach meinen Anweisungen. Heute machte ich eine Ausnahme mit Ihnen. Ich will es doch nicht ganz mit Ihnen verderben, Marie!«

Marie merkte nicht, wie mühsam der Scherz klang, da sie niemals richtig zuhörte. Sie grübelte immer darüber nach, woher sie Opium bekommen konnte.

Littlewood setzte sich auf Maries Bettrand und betrachtete nochmals ihre rechte Hand. Er zweifelte keinen Augenblick mehr und mußte sprechen.

»Sie haben sich eine Infektion in Lampang geholt«, sagte er fest.

»Im Drachenboot? Da rauchen nur sauber gewaschene Leute.«

»Auch die können Krankheiten haben, Marie!«

»Was für Krankheiten?« – Marie fühlte einen unbestimmten Schreck, weil Littlewood gar nicht mehr streng blickte. Er sprach beinahe sanft.

»Alles Mögliche, mein Kind! Fieber, Cholera, Lepra!« – Littlewood sah im Geist die Couch im Drachenboot in Lampang. Marie eng umschlungen mit der Chinesin ... Es gab keinen Zweifel mehr: Marie hatte sich von der kleinen Chinesin, die wahrscheinlich damals ganz ahnungslos war, Lepra geholt. –

»Machen Sie keine Witze, Francis! Ich habe doch keine ...«

Marie stockte mitten im Satz. Ihre Augen weiteten sich. Littlewood machte keine Witze. Eine entsetzliche Ahnung stieg in ihr auf. Sie wollte sprechen, aber die Stimme versagte ihr. Sie fühlte, wie ihr Körper kalt wurde und ihr Gesicht vor Schreck erstarrte. Littlewood legte seine Hand schützend auf die zarte Schulter.

»Immer mit der Ruhe! Wir werden sofort etwas tun. Es sieht wie eine ganz leichte Infektion aus. In einigen Monaten kann schon alles in Ordnung sein.«

»Lepra ...« flüsterte Marie. »Ich bin eine *Aussätzige*!« Sie sprach nicht mit ihrer gewohnten Stimme. Sie stieß jedes Wort heiser hervor. Die Vokale flossen ineinander, und es klang wie das Heulen eines kleinen schwachen Tieres.

Littlewood redete ihr beruhigend zu. Sie starrte ihn reglos an. Sie hatte sich vor dem Unglück immer hinter dem Rücken eines anderen versteckt. Ihre Mutter hatte doch recht gehabt. Sie lockte das Unglück an. Jetzt hatte es zugepackt . . . Sie konnte sich nicht mehr verstecken. Das Unglück war ihr in Lampang nachgeschlichen und hatte mit ihr auf der Opiumcouch gelegen. »Mein Unglück . . .«, stieß sie beinah unhörbar hervor. Aber Littlewoods scharfe Ohren hatten das Wort verstanden.

»Ihr Unglück ist, daß Sie niemals zuhören, Marie! Sie sehen Gespenster, wo keine sind. Ich habe Ihnen eben versichert, daß wir Sie heilen werden. Glauben Sie mir nicht?«

»Nein . . .«

Marie schloß die Augen und sah und hörte nichts mehr. – Als sie aus der Ohnmacht erwachte, beugten sich Dr. Littlewood und Nurse Waterhouse zu ihr herab. Es war ein Sausen in ihren Ohren. Die Erinnerung kam langsam zurück. Sie begann heftig zu schluchzen.

»Haben Sie kein Taschentuch?« fragte Dr. Littlewood.

»Doch . . . Natürlich!«

»Warum benutzen Sie es nicht?«

*

Nurse Waterhouse packte zwei Reisetaschen und blickte Marie nicht an. Der Arzt hatte sie rasch instruiert. Marie mußte zu den wenigen Menschen gehören, die eine Disposition zur Ansteckung hatten. Aber Dr. Littlewood hatte auch gesagt, die Flecke an den Fingern deuteten auf eine milde Form der Infektion hin. Man mußte im Mc.Kean Hospital alle Tests machen, und Marie mußte dort bleiben, bis sie einwandfrei geheilt war.

»Sie könnte auch im Haus in Chiengmai behandelt werden, wenn ich nicht befürchten müßte, daß sie dort wieder Opium rauchen würde«, hatte Dr. Littlewood gesagt. Nurse hatte genickt.

»Sie packt«, sagte Marie, als ob Nurse Waterhouse nicht im Zimmer wäre. »Sie sollte noch drei Wochen bei mir bleiben, aber sie hat Angst. Ich kann's ihr nicht verdenken.«

»Ich bin gleich fertig, Herr Doktor«, sagte Nurse Waterhouse und schloß ihr eigenes Köfferchen. »Wo werden wir bleiben?«

»Es ist gerade ein nettes Häuschen frei geworden. Ich werde sofort telephonieren. Ja . . . und vielen Dank, Nurse Waterhouse! Sie werden natürlich ein Segen in den ersten Wochen sein.«

Nurse hustete. »Wo ist unser nettes rosa Nachthemd, Mrs. Ekelund?« Sie suchte in Maries Kommode. »So . . . Ich helfe Ihnen beim Anziehen und dann fahren wir mit Dr. Littlewood ins Hospital.«

»*Wir?*« fragte Marie schwach. »Sie haben keine Angst vor mir?«

»Sie müssen mich mit jemand verwechseln, *ducky*«, sagte Nurse Waterhouse trocken. »Hoppla! Bleiben Sie ruhig liegen. Erstmal die Strümpfe! So ist's recht. Und hier ist ein frisches Taschentuch!«

»Sie kommen *wirklich* mit mir mit?«

»Mich werden Sie nicht so rasch los, *dear*! – Nurse Montri, bitte helfen Sie uns ein bißchen! Da ist schon Dr. Littlewood! Also – leben Sie wohl, Nurse Montri! War nett mit Ihnen zu arbeiten. Und vergessen Sie nicht, *dear* – immer einen kühlen Kopf behalten! Wir sagen daheim: ›Laß nicht das Gras unter deinen Füßen wachsen.‹«

»Ich verstehe nicht, Nurse Waterhouse!«

»Prompte Aktion, *dear*! *›A stitch in time saves nine‹!* Wer sofort ein Loch stopft, braucht nicht neun Löcher zu stopfen.«

Nurse Montri kicherte. – Dr. Littlewoods Wagen näherte sich bereits der überdachten Brücke über dem Ping Fluß, als Nurse Montri immer noch darüber nachgrübelte, warum sie ein Loch in einem Handtuch sofort stopfen sollte. Man wartete, bis das Tuch neun Löcher hatte. Dann warf man es fort.

III

Spät am Abend saß Francis Littlewood an seinem Schreibtisch und schrieb an Dr. Ekelund in Hongkong. Marie hätte wahrscheinlich die milde Form der Krankheit. Die frische Infektion würde mit den entsprechenden Drogen behandelt werden. Es war kein Grund zur Aufregung. Marie war wirklich in besten Händen bei ihrer Pflegerin. Nurse Waterhouse verdiente einen Orden dafür, daß sie bei einer so schwierigen und undankbaren Patientin blieb. Aber das schrieb Littlewood nicht.

Er trat auf seine Veranda und blickte in den sternenbesäten Nachthimmel. Die Sterne waren größer als daheim in Ohio – so wie die Sonne heftiger und der Mond glänzender war. Die Siedlung lag im tiefen Abendfrieden. Hier und da drang Licht aus den sauberen weißen Bungalows, über deren Türen vielfach der Name des Spenders auf einem einfachen Schild eingraviert war. Es waren englische, schottische, irische Familiennamen von Amerikanern, deren Nächstenliebe und praktischer Sinn das *Mc.Kean Leprosy Hospital* hatten bauen helfen. Was die amerikanische Presbyterianische Mission im Jahr 1897 begonnen hatte, wurde im Jahr 1958 von der »Kirche Christi in Thailand« fortgeführt. Es gab immer noch Spenden der *American Leprosy Missions* und Schenkungen von Siamesen und Ausländern. Im Direktorium saßen zur Zeit siamesische und amerikanische Mitglieder, die in Eintracht planten und arbeiteten. Auch der Stab der Mitarbeiter setzte sich aus siamesischen und westlichen Helfern zusammen. Francis Littlewood war auf dieser bewaldeten Insel zwischen zwei Armen des Ping-Flusses irgendein Amerikaner, und doch war er mehr. Er war ein Bindeglied zwischen Vergangenheit und Zukunft dieser Kolonie. Sein Großvater hatte hier mit dem Gründer, Dr. Mc.Kean, gearbeitet. Der junge Francis hatte die Memoiren dieser ersten Missionare verschlungen. Die Pioniere, die als ärztliche Missionare auf der Chiengmai Station arbeiteten, hatten auf ihren beschwerlichen Wanderungen und Fahrten durch die Dschungel Nord-Siams viele Leprakranke gesehen, die sich entweder in dunklen Dorfhütten versteckten, oder sich zu den Tieren des Waldes gesellten, wenn sie nicht am Rand der Reisfelder und Märkte bettelten. Dr. Mc. Kean, dessen Namen dieses Hospital trug, hatte im Jahr 1870 die siamesische Regierung veranlaßt, ihm die einsame, von Elefanten durchstreifte Insel im Ping-Fluß, fünf Kilometer südlich von Chiengmai, für ein Lepra-Hospital zu überlassen. Die Kolonie war ein Ort des Friedens, der harten Arbeit und der Hoffnung für die Hoffnungslosen geworden und geblieben, bis die Japaner im Jahr 1941 die Amerikaner in Siam in Gefangenenlager abtransportierten. Und da war etwas geschehen, was Dr. Littlewoods Vater, der damals im Mc. Kean Hospital arbeitete, das »Zweite Wunder von Chiengmai« genannt hatte. Die Missionare vom Mc.Cormick Hospital und von der Leprakolonie hatten nicht gewartet, bis die Japaner sie verhafteten. Sie waren beim Einbruch der Nacht – unter der Führung einiger treuer Patienten, die die geheimen Waldwege kannten – durch den Dschungel bis Indien gewandert, wo sie mit englischen Ärzten bis Ende des zweiten Weltkrieges arbeiteten. Niemand wußte von diesem heldenhaften Unternehmen – bis auf die Leute, die den Todesmarsch mitgemacht hatten. Die Flüchtenden waren in dauernder Gefahr durch die wilden Tiere; sie wußten nicht, wie lange ihr Proviant reichen würde, und sie konnten im besetzten Siam keinen Dorfbewohner um Reis bitten. Sie mußten beständig darauf gefaßt sein, japanischen Patrouillen zu begegnen oder sich ein Dschungelfieber zu holen. Aber sie hatten es geschafft. Dr. Littlewoods Vater hatte mit seinen Kollegen und den siamesisch-laotischen Führern abwechselnd die Bambusbahre getragen, auf der der halb gelähmte Sohn des Gründers der Kolonie lag. »Laßt mich zurück in Chiengmai«, hatte der todkranke Hugh Mc.Kean gebeten, als die Fluchtpläne der Missionare feste Gestalt annahmen. »Entweder wir gehen alle, mein Sohn, oder keiner von uns geht!« hatte Dr. Edwin Cort, der Chefarzt des Mc.Cormick Krankenhauses in der Stadt Chiengmai, geantwortet. Sie hatten Hugh Mc.Kean auf einer Bambusbahre durch den Dschungel getragen, hatten ihn begraben und waren nach dem Krieg zu ihren Patienten zurückgekehrt. Und die Söhne und Neffen und Enkel der Pioniere, deren unbekannte Heldensaga in ihren Herzen lebte, arbeiteten heute wieder im Mc.Kean Hospital, das nun von der siamesischen Kirche in Thailand betreut wurde. Aber es war immer ein Amerikaner in Chiengmai gewesen, und es würden immer Amerikaner dort sein, die das Werk der christlichen Nächstenliebe taten und stützten. –

Francis Littlewood bemerkte eine weißgekleidete Gestalt, die sich seinem Bungalow näherte.

»Sie schläft«, sagte Nurse Waterhouse. Sie sah im Mondlicht erschöpft aus, aber sie hielt sich aufrecht wie immer, und ihr widerspenstiges rötliches Haar lag glattgekämmt unter ihrer Schwesternhaube.

»Würden Sie bitte an Mr. Louis Bonnard in Bangkok schreiben, Herr Doktor? Er ist Mrs. Ekelunds Vater.«

Littlewood nickte. Nurse dachte an alles.

Sie schritten langsam im Mondlicht durch die stille Kolonie. Überall gab es kleine Gärten vor den Bungalows: Blumen, Bananenstauden, Gemüsebeete. In einem großen Schuppen sortierten die Patienten am Tag die Früchte zum Verkauf. Auf einer luftigen Veranda wurden täglich Bastkörbe geflochten. Es wurde Reis gepflanzt. Es gab eine Webewerkstatt. Hier war die Tischlerei, dort die Schmiede, drüben die weiße Kirche mit dem schönen Turm.

»Es ist großartig«, sagte Nurse Waterhouse. Sie examinierte im Mondlicht die vielen neuen Gebäude der Kolonie, darunter das neue Schlafhaus für die Knaben, das in diesem Jahr durch Spenden hatte gebaut werden können. Dr. Littlewood wies mit der Hand auf die andere Seite des Ping-Flusses. Dort waren die Schule sowie die Schlafräume und die Wohnungen der Lehrer für die gesunden Kinder der Patienten. Die siamesische Regierung unterstützte zum Teil diese Schule, die denselben Lehrplan wie die Regierungsschulen in Thailand hatte. Die Kinder der Patienten – oft waren beide Eltern für Jahre in der Kolonie – hatten jede Aussicht, nützliche Mitglieder einer Gesellschaft zu werden, die ihre Eltern manchmal auf Lebenszeit verlassen mußten. – Die Kolonie dehnte sich aus, die Arbeit wuchs von Jahr zu Jahr, und auch die Patientenzahl nahm zu.

»Besuchen die Verwandten hier ihre Angehörigen?« fragte Nurse Waterhouse, die ja eigentlich Verwandtenbesuch im Hospital ablehnte. Aber hier lagen die Verhältnisse doch anders.

»Viele Patienten haben niemals Besuch. Wir haben hier einen Tischler aus Muang Fang – schon an der burmesischen Grenze, wissen Sie –, der in acht Jahren niemals von seiner Familie besucht worden ist. Dabei sind es vermögende Leute, die die Fahrt erschwingen könnten. Ein Kollege besuchte damals einen Forstbeamten in Muang Fang, der ihm erzählte, Nai Bunchoi habe sich ›irgendwo‹ in den Bergen verkrochen, weil alle in Muang Fang vor ihm davongelaufen wären. Man konnte hier seine Hände retten, aber nicht mehr sein Aussehen. Der beste Tischler, den wir hier haben! Er ist nun schon lange hier zu Haus – wie viele andere.«

»Aber doch ein hartes Schicksal, Herr Doktor.«

»Das Härteste liegt hinter unseren Patienten, wenn sie durch dieses Tor geschritten sind. Hier wird nicht Trübsal geblasen, Nurse Waterhouse! Wir haben Jugendgruppen, einen erstklassigen Sängerchor, eine Kapelle mit Blasinstrumenten. Es gibt Konzerte, Film-Abende, Theateraufführungen. Hier in dieser Gegend ist fast jeder auch ohne Training ein Künstler. Sie müssen gelegentlich unsere Weberei besichtigen! Einige Patientinnen aus Lampang stellen sogar Seide her – die berühmte Thai Seide.«

Nurse Waterhouse war beeindruckt. Sie war in einen Winkel des christlichen Universums verschlagen worden, wo die Opfer einer furchtbaren Krankheit arbeiteten, sangen und sogar tanzten.

»Wer arrangiert diese Aufführungen?« fragte sie mit dem englischen Interesse an Amateurbühnen.

»Unsere Patienten natürlich! Sie malen die Kulissen und tischlern die Zuschauerbänke, wenn die Hände gesund sind. Sie tanzen, wenn die Füße es erlauben. Unsere Mechaniker sorgen für die Beleuchtung. Die Musiker spielen und singen. Solche Aufführungen sind wahre Feste für die Kolonie.«

Nurse Waterhouse blickte den amerikanischen Arzt verstohlen an. Sein Gesicht leuchtete. Die strengen grauen Augen des dreiundvierzigjährigen Mannes hatten einen warmen Schein. Nurse wunderte sich nicht länger über die kunstvollen Blumenarrangements, die gewebten Teppiche, die fein geflochtenen Bastkörbe, die Dr. Littlewoods Bungalow und Veranda füllten.

Littlewood schwieg. Im Mc.Kean Hospital wurden nicht nur die Körper geheilt. Und wenn die Krankheit für eine Heilung zu weit fortgeschritten war, dann erholte sich wenigstens die Seele auf dieser Insel zwischen Bergen und Flüssen. Gewiß, es gab im Mc.Kean Hospital herzzerreißenden Kummer – aber wo gab es den nicht? Mit der Gründung dieser Lepra-Kolonie hatte ein Amerikaner in Chiengmai gegen Ende des vorigen Jahrhunderts für Südostasien eine große Tat getan. Er hatte die Enterbten einer feudalen und fatalistischen Gesellschaft in ihre Menschenrechte eingesetzt. Und das demokratische Prinzip der individuellen Würde und der christliche Glaubenssatz, daß jedes Haar auf jedem Menschenhaupt gezählt wird, lebten unverändert fort in einem Südostasien, in dem sich sonst alles wandelte.

»Wenn man bedenkt, daß hier einmal Elefanten herumtrampelten, dann muß man zugeben, daß unsere Väter nicht übel gearbeitet haben«, sagte Dr. Littlewood schließlich.

»Wird Mrs. Ekelund wirklich gesund werden, Herr Doktor?«

»Wir nehmen in den nächsten Tagen gründliche Untersuchungen vor. Dann sage ich Ihnen Genaueres. Aber es gibt allen Grund zur Hoffnung!«

»Sie würde es nicht ertragen können, Herr Doktor!«

»Das sagen *Sie*, Nurse?«

»Gute Nacht«, sagte Nurse Waterhouse rauh. »Zeit, daß ich in die Klappe komme! Und vielen Dank noch!«

»Wofür?« fragte Dr. Littlewood trocken. »Wir haben Ihnen zu danken, daß Sie Marie weiter betreuen wollen. Sie ist eine Handvoll. . .«

»Ich kann es nicht leugnen«, sagte Nurse Waterhouse und verzog sich mit Riesenschritten in »ihren« Pavillon. Sie dachte scharf nach: *Wo* konnte sie sich hier ihren Tee kochen?

FÜNFTES KAPITEL

Der Wind der Barmherzigkeit

I

Dr. Francis Littlewood an Mrs. Catherine Bonnard, London N. W. 3

Mc.Kean Leprosy Hospital
Chiengmai, Thailand
Juli 1959

Sehr geehrte Mrs. Bonnard,

herzlichen Dank für Ihren freundlichen Brief! Ich bedanke mich aufrichtig dafür, daß Sie – im Gegensatz zu Mrs. Ekelunds engster Familie – Maries Erkrankung vernünftig und realistisch betrachten! Leider benahm sich Mr. Louis Bonnard aus Bangkok so ungewöhnlich am Telephon, daß ich ihn daran erinnern mußte, daß Lepra kein Stigma ist. Marie ist ein heilbarer Fall, auch wenn ihr Vater es uns nicht glauben will. Seine Weigerung, seine Tochter hier oben zu besuchen, hat leider ihre Stimmung auf den Nullpunkt gebracht. Aber wenn Mr. Bonnard uns Ärzten nicht glauben will, daß eine Ansteckungsgefahr nur unter bestimmten Bedingungen besteht – dann sind wir machtlos. Wenn Nurse Waterhouse Ihre Großnichte nicht so aufopfernd betreuen würde, wäre alles noch schwieriger. Ich tue, was ich kann, aber wir haben hier eine große Kolonie, und wir Ärzte müssen für alle unsere Patienten da sein. Da Sie mir mitteilten, daß Major Waterhouse ein Dauergast Ihres Hotels ist, bestellen Sie ihm bitte, er habe ein Prachtexemplar von Tochter! Nurse Waterhouse hat in Anbetracht von Maries Nervenzustand beschlossen, mindestens drei weitere Monate bei ihr zu bleiben. Ihre Kollegin, Nurse

Sharples, wird eine Bangkoker Pflege an ihrer Stelle antreten. Marie weinte, als Nurse Waterhouse es ihr mitteilte.

Wenn Maries nervliche Erholung Hand in Hand mit unserer Kur gehen würde, wäre kein Grund zur Sorge vorhanden. Ich möchte Sie nicht mit klinischen Einzelheiten ermüden. Die Dapsone-Pillen, die wir Marie in bestimmten Dosen verabreichen, schlagen befriedigend an. Wir haben heutzutage eben ganz neue Mittel und machen energisch Gebrauch davon.

Da Sie Maries schwache Nerven erwähnen – sie ist augenblicklich in einem Zustand lethargischer Verzweiflung, der uns Sorge macht. Ich selbst habe Dr. Ekelund abgeraten, seine junge Frau hier sofort zu besuchen. Sie weigert sich nämlich, Erik zu sehen! Selbstverständlich hat Marie sich nicht *bei ihrem Mann angesteckt. Dr. Ekelund ist vollkommen gesund. Auch das wollte Mr. Louis Bonnard mir nicht glauben. Er berief sich – telephonisch – auf seine »Vorahnungen«, auf Ekelunds Tätigkeit in Lepra-Kolonien und weiteren Unsinn . . . Wir arbeiten hier mit Tatsachen und Heilmethoden, nicht mit Ahnungen und Sentimentalität. Vielleicht gelingt es Ihnen, Mr. Louis Bonnard eine realistische Einstellung zur Erkrankung seiner Tochter beizubringen. Er wird jetzt in Paris angekommen sein und wollte Sie dann in London aufsuchen. In diesem Zusammenhang: Nurse Waterhouse übergab mir einen Brief von Maries Mutter! Da die Patientin ihr vieles von Madame Natalya Bonnard erzählt hatte, hielt Nurse es für richtiger, daß ich den Brief erst einmal durchsehe. Wir haben Marie das Schreiben ihrer Mutter* nicht *ausgehändigt. Ich möchte auf die Gründe nicht näher eingehen. Ich kann mir natürlich kein Urteil über Mme. Bonnards Persönlichkeit im allgemeinen erlauben – aber das Talent zur Mutter fehlt ihr augenscheinlich völlig. Diese Tatsache erklärt mir manches in Maries Charakterbildung und in ihren Reaktionen. –*

Marie leidet im Augenblick stark unter einer typischen Ermüdung, die nichts mit ihrer Infektionskrankheit zu tun hat. Selbst Menschen mit mehr Gleichgewicht und Widerstandskraft zeigen manchmal in den ersten Tropenjahren eine Neigung zur Lethargie, verlangsamtes Denken und Mangel an Konzentration, verbunden mit hoher Reizbarkeit und gewissen Veränderungen der Persönlichkeit. Da Sie selbst in Ihrem Brief auf Nervenleiden in der Familie hinweisen – ich danke Ihnen für Ihre Offenheit! – möchte ich Ihrem Vorschlag auf jeden

Fall zustimmen. Marie wird also nach ihrer Heilung zu Professor Maurice Bonnard nach Zürich übersiedeln. Ich kenne diesen berühmten Arzt dem Namen nach, wußte aber nicht, daß er ein Mitglied Ihrer Familie ist. Eine psychiatrische Behandlung scheint mir die ideale Lösung für Schwierigkeiten mannigfacher Art. Maries feindselige Haltung gegen ihren Ehemann ist wahrscheinlich durch sachgemäßen Einfluß zu ändern. Falls Marie in einigen Monaten reisefertig sein wird, werde ich selbst an Professor Bonnard schreiben und versuchen, ihm ein Bild ihres Zustandes zu geben. Im Augenblick antwortet sie lediglich Nurse Waterhouse und redet sogar gelegentlich hektisch auf sie ein. Dann verfällt sie wieder in stundenlanges Grübeln und Schweigen. Sie schläft schlecht, bringt ab und zu Personen und Dinge durcheinander und hat an Gewicht verloren. Ich habe eine spezielle, vitaminreiche Kost angeordnet, die Nurse Waterhouse verabreicht, ob die Patientin will oder nicht. Es ist Nurse übrigens gelungen, Maries anfänglichen Hungerstreik zu brechen. –

Dr. Ekelund hat soeben telegraphisch seinen Besuch angekündigt. Ich werde mein Möglichstes tun, um Maries Haltung ihrem Mann gegenüber zu ändern, aber wir dürfen sie keinesfalls in einen Erregungszustand geraten lassen. Mein Freund Ekelund wird im Augenblick Vernunft und Geduld für zwei aufbringen müssen. – Es hilft immer, wenn man die Dinge sieht, wie sie sind, und nicht, wie sie sein sollten.

Ihr sehr ergebener

Francis Littlewood

Graf Alexander Tsensky (Paris) an Marie Ekelund (Mc.Kean Leprosy Hospital, Chiengmai)

Liebe Kleine,

was machst Du für Sachen? Deine Mutter teilte mir Deine Erkrankung mit. Sie hatte einen Nervenzusammenbruch, und ich mußte ihr kalte Umschläge machen. Es war besonders lästig, weil ich tief in der Arbeit für mein neues Ballett bin. Schade, daß Du es nicht sehen kannst!

Jetzt hat Deine Mutter sich erholt und zu ihrer Nervenstärkung ein Hermelincape gekauft. Dein Vater wird sich freuen, wenn er hier ankommt. Ich meine, nicht über den Hermelin, sondern über die Rechnung! –

Deine ehemalige Busenfreundin Madeleine Boussac wurde von einem Auto überfahren und ist tot. Warum hat sie nicht aufgepaßt? In Paris ist ein toller Verkehr in den Straßen. Ihr Begräbnis kollidierte natürlich mit der Generalprobe zu »Schwanensee« – man kommt einfach nicht zur Ruhe. Mein letztes Ballett war ein Riesenerfolg. Ich schicke Dir die Kritiken mit. Sie werden Dich aufheitern. Ich weiß nicht, wieso ich trotz meiner Erfolge niemals Geld habe. Kannst Du mir nicht etwas leihen? Ein Scheck würde meine Phantasie anregen. Du brauchst doch sicher wenig in Chiengmai! Als ich vor fünfzehn Jahren Mandelentzündung hatte, ersparte ich mir ein kleines Vermögen. Deine Mutter machte mir damals keine kalten Umschläge – das war ihr zu gefährlich.

Ich hatte die vage Absicht gehabt, nach Thailand zu reisen und dort das klassische Ballett zu studieren. Der Ferne Osten wird immer mehr Mode. Erinnerst Du Dich an meine »Chinesische Nachtigall«? Paris war damals ganz außer Rand und Band über meine Décors. Die Ballerina war lausig, aber meine Kostüme retteten die dumme Person und die ganze Aufführung. Ich habe nun beschlossen, dem Orient fernzubleiben – ich möchte mir nicht gern Lepra oder Mandelentzündung holen. Ein Freund sagte mir, Deine Mutter hätte keine Ahnung. Heutzutage könnte man alles mit Pillen heilen. Monsieur Amiel ist ein großer Bewunderer meiner Décors und weiß, was er redet.

Ich war immer dagegen, daß Du den schwedischen Adonis heiratest! Und noch dazu hinter meinem Rücken. Falls Du genug von skandinavischen Sitten und Gebräuchen hast, kannst Du es ja wieder mit Paris versuchen! Ich meine, sobald Du wieder gesund bist! Onkel Sascha weiß immer noch am besten, was Du brauchst, mein Kind! Und Paris ist doch sowieso die einzige Stadt, wo ein zivilisierter Mensch das Leben ertragen kann. Sobald mein neues Ballett heraus sein wird, schicke ich Dir die Kritiken und Kostümskizzen. Du wirst begeistert sein!

Mach, daß Du bald gesund wirst, Kleine!

Au revoir!

A. T.

Major F. J. Waterhouse (London) an Nurse B. Waterhouse (Mc.Kean Leprosy Hospital, Chiengmai)

Hotel Bonnard, London N. W. 3
London, Juli 1959

Liebe Beryl,

vielen Dank für Deinen Brief. Ich finde es sehr unvorsichtig, daß Du einen Leprafall übernommen hast. Kannst Du Dich nicht anstekken? Soviel ich weiß, ist Lepra eine grauenhafte und unheilbare Krankheit. Du kannst doch nicht lebenslänglich mit Mrs. Bonnards Großnichte in Chiengmai hocken! Ich habe als alter Soldat vor nichts Angst – das weißt Du vielleicht! Aber bei Lepra ziehe ich den Trennungsstrich.

Bitte, *überlege gründlich, bevor Du Dich weiter durch Mrs. Ekelund gefährdest! Du wolltest doch ohnehin im Frühjahr nach London zurückkommen. Eine an Lepra erkrankte Person zu verlassen, ist* keine *Fahnenflucht, meine liebe Beryl! Es ist einfach gesunder Menschenverstand. Ein großes Hospital wird genug Pflegepersonal für diese Unglücklichen haben – es muß nicht* meine *Tochter sein!*

Ich weiß, daß meine Ansichten für Dich nicht maßgebend sind, hoffe aber, daß Du etwas an Deine Familie denkst und eine derartig unmögliche Pflege abbrichst, bevor es zu spät ist.

A stitch in time saves nine, dear!

Beste Grüße, auch von Penny,

Vater

Dr. Oscar Ekelund (Stockholm) an Marie Ekelund (Mc.Kean Leprosy Hospital, Chiengmai)

Stockholm, Strandvägen
Juli 1959

Meine liebe Marie,

Erik hat uns von Deiner Erkrankung berichtet. Wir wünschen Dir eine baldige Genesung und für den Augenblick eine besondere Portion Geduld und Seelenruhe! Ich kann mir den ersten Schock gut denken, mein liebes Kind! Aber Eriks Brief hat uns dahingehend beruhigt, daß Deine Heilung in absehbarer Zeit zu erwarten ist.

Wann immer Dir ein Erholungsaufenthalt in Stockholm wünschenswert erscheinen sollte, wir werden glücklich sein, Dich bei uns zu haben! – Du hast bei Deiner Hochzeit so wenig von Stockholm und Umgebung gesehen. Ich bin sicher, daß wir Dir noch vieles Sehenswerte zeigen können. Auch unsere Tochter Ingrid, die Du damals nicht kennengelernt hast, wird sich Dir widmen, soweit ihre Zeit es erlaubt. Ingrid hat einen Wandteppich für das Gastzimmer gewebt. Sie benutzte ein altes schwedisches Motiv von großer Schönheit und Einfachheit. Der Teppich ist ihr Geschenk für Dich und wartet in Strandvägen auf Deine Ankunft.

Ich wünschte, Du könntest jetzt Stockholm im Sommer sehen! Wenn ich aus dem Gericht komme, sitze ich oft in einem unserer vielen Parks oder betrachte die Boote auf den Stockholmer Gewässern. Man braucht nicht viel, um glücklich zu sein, meine liebe Marie! Man muß sein Teil Glück nur dort suchen, wo eine vernünftige Chance besteht, daß man es findet. Du bist so sehr jung! Das ist wunderbar; aber junge Menschen haben es schwer. Ich habe mich stets gegen die Ansicht gewehrt, daß die Jugend die Dinge leicht nimmt. Es gibt bestimmte Taten, die junge Menschen nur deshalb begehen, weil sie alles so schwer nehmen. Deswegen verteidige ich die Jugend aus tiefer Überzeugung. Obwohl ich ein älterer Herr bin, der der Jugend nur noch zuschauen kann, weiß ich, wie es in Euch aussieht, liebes Kind! Du kannst mit allen Deinen Problemen zu mir kommen. Ich werde mich bemühen, Dich zu verstehen. Ich mache mir Sorgen um Dich, Marie! Nicht wegen dieser Infektionskrankheit, die in absehbarer Zeit geheilt werden wird. Ich meine wegen Deiner Ehe! Du hast einen zwanzig Jahre älteren Mann geheiratet, und nun meinst Du offenbar, Erik verstehe Dich nicht. Eure Entfremdung macht mir Sorge. Ich bin ganz sicher, daß Du alles zu schwarz siehst! Erik ist natürlich ein »alter« Junggeselle, und Du mußt ihn Dir ein bißchen erziehen, sobald Du wieder gesund bist! Kein Mann ist zur Ehe geeignet, meine Kleine! Er heiratet und lernt . . . Aber wie kann er etwas lernen, wenn die Lehrmeisterin ihm wegläuft? Du hast nun Zeit und Ruhe, liebe Marie! Du kannst über alles nachdenken, was ich Dir geschrieben habe. Du wirst mir nicht zürnen, wenn ich Dich auf Grund meiner langen Erfahrung daran erinnere, daß in einer Ehe stets beide Partner recht und unrecht haben . . . Es kommt auch nicht auf das Rechthaben an, nur auf Zuneigung und auf den Willen zu Konzessionen. Du bist so jung, liebe Marie! Eine begabte Malerin obendrein und – wenn Dein alter Schwiegervater es sagen darf – eine sehr schöne Frau! Du hast jeden Grund zur Hoffnung auf gute Gesundheit und eine gute Ehe! Das Leben ist viel kürzer, als man in der Jugend meint. Wir alle müssen diese kurze Zeit nutzen, Glück zu geben und zu empfangen. Es ist einfach unintelligent, nur die Schattenseiten des Lebens zu sehen! Der Tag folgt der langen nordischen Nacht. Und wenn der Schnee auf der Insel Haga schmilzt, dann blühen die Blumen im Schloßpark. Gestern war ich mit Ingrid in Djurgarden. Wir wanderten zwischen Bäumen und Wiesen am Kanal entlang. Hier wirst Du zur Ruhe kommen! Aber vergiß Dein Malgerät nicht! Das würde Schweden Dir niemals verzeihen! Ich sehe Dich schon, wie Du im Frühling mit anderen Sonnenhungrigen auf den Stufen des Theatergebäudes sitzt! Wir werden unsern Morgenkaffee in einem Parkrestaurant trinken. Kungsträdgarden ist der richtige Platz dafür!

Du würdest mich mit einigen Zeilen sehr erfreuen! Aber wenn Du noch zu abgespannt zum Schreiben bist, dann werde ich mir Deine Antwort denken.

Mit vielen guten Wünschen von uns allen
verbleibe ich Dein Schwiegervater
Oscar Ekelund

Dr. Oscar Ekelund (Stockholm) an Dr. Erik Ekelund (Hongkong)

Stockholm, Strandvägen
Juli 1959

Lieber Erik,

Dein letzter Brief hat mich bestürzt. Ich bitte Dich, abzuwarten, bis Marie zum mindesten von der Lepra geheilt ist! Falls sie Zeit brauchen sollte, bis ihre Nerven sich erholt haben, dann mußt Du eben solange warten, und jedenfalls vorerst alle Trennungspläne aufgeben. Ich weiß, daß es nicht leicht für Dich ist und Du Dir Deine Ehe anders vorgestellt hast. Das tun wir alle, aber wir richten uns mit dem, was wir haben, ein. – Marie leidet unter dem Schock ihrer schweren Krankheit und hat leider ihre Nerven durch Opium geschwächt. Das ist aber kein Grund, von »Entmündigung« zu spre-

chen. Dein Onkel Gustaf und ich sind erstaunt! Abgesehen von der Tatsache, daß undisziplinierte Reden noch lange keinen legalen Grund für eine Entmündigung darstellen, bin ich über Deinen Mangel an Gefühl betroffen! Aber wenn Du schon kein Mitleid mit Deiner jungen Frau aufbringen kannst, dann erinnere Dich bitte an Deine Pflichten! Jawohl, Du hast Pflichten gegenüber Deiner Frau! Sie ist unberechenbar und sehr schwierig, aber nicht ganz ohne Grund und auch nicht ohne Deine Schuld! Es tut mir leid, Dir das sagen zu müssen. Marie hat eine traurige Kindheit und lieblose Eltern gehabt. Sie sind nicht einmal zu Eurer Hochzeit nach Stockholm gekommen. Der einzige Gast von Maries Seite war Graf Tsensky aus Paris. Er schien mir kein Umgang für ein vereinsamtes Kind. Dies liegt zwar alles weit zurück, aber die Vergangenheit ist niemals tot, auch wenn wir sie immer wieder beerdigen. Deine Empörung über Maries Opiumrauchen geht zu weit, lieber Erik! Sie hat es nicht zum Vergnügen getan. Sie muß sehr einsam und ohne Liebe gewesen sein. Nicht, daß ich den Wert Deiner schweren, lohnenden Aufgabe im Fernen Osten nicht anerkenne — aber die Nächstenliebe muß im eigenen Heim beginnen. Es ist eben leichter, die Menschheit zu studieren, als einen einzigen armseligen Menschen mit allen seinen Launen und Versäumnissen zu lieben! Ich sehe aus Deinen Briefen, mit welchem Interesse Du die Probleme der modernen Leprakolonien studierst und Dich um Lösungen bemühst, die das Los dieser Leidenden erleichtern könnten. Das ist gut und schwedisch gedacht, mein Junge! Was immer die Welt an uns zu kritisieren hat, niemand wird uns einen eingeborenen sozialen Sinn und Verantwortungsgefühl für unsere Alten und Kranken absprechen. Hinter Deinen augenblicklichen Studien steht die moralische Haltung Deines Landes. Ich stelle es fest, damit Du weißt, wie ehrlich ich Deine beruflichen Bestrebungen und Erfolge anerkenne. Aber — der Wind der Barmherzigkeit darf nicht nur durchs Weltall rauschen, das erfrischt uns nicht in dem engen Winkel, den wir auf kurze Zeit auf dieser Erde bewohnen. Vergiß es nicht, mein Sohn!

Mit guten Wünschen

Dein Vater

II

Dr. Littlewood hatte Marie gerade bei einem kurzen Besuch erklärt, daß ihre Finger eventuell empfindungslos bleiben könnten, da die Krankheit die Nerven angreift. Er versuchte stets, seinen Patienten zu erklären, daß die Nerven elektrischen Drähten glichen. Je mehr Drähte zerstört waren, desto stärker wurde die Empfindungslosigkeit.

»Wir sind keine Autos, Marie«, sagte Littlewood langsam, »wir können uns keine neuen Drähte in einer Garage kaufen.« Er versuchte, sie darauf vorzubereiten, daß ihre Finger schlimmstenfalls empfindungslos bleiben würden.

»Hören Sie zu, Marie! Sollten Sie weder Hitze noch Schmerz in den Fingern fühlen, müssen Sie besonders aufpassen! Sie müssen täglich Ihre Finger examinieren. Nur so können Sie Geschwüre und Verletzungen vermeiden. Haben Sie mich verstanden?«

Marie nickte und blickte apathisch vor sich hin. Nurse Waterhouse sagte forsch: »Wir werden schon aufpassen, Herr Doktor!« Littlewood blickte Marie an: »Kann ich irgend etwas für Sie tun? Haben Sie einen besonderen Wunsch, Marie?«

Nein, Marie hatte keinen besonderen Wunsch. Sie wünschte nur den Großen Rauch ... Und sie wußte, daß Littlewood ihr kein Opium geben würde. ›Einen besonderen Wunsch . . .‹ dachte sie. ›Alter Heuchler!‹ – Ihr Gesicht verzog sich. Aus der Kapelle drang Chorgesang herüber. Wieder war es Sonntag. Die Stimmen klangen klar und rein: *»Abide with me! Fast falls the eventide!«*

»Lassen Sie mich in Ruhe«, sagte Marie und drehte Littlewood den Rücken zu. Er warf Nurse Waterhouse einen Blick zu, und sie verstand. Maries Benehmen wurde nicht kommentiert. Er blickte in seine Liste. Marie würde anfänglich zweimal wöchentlich nur ein Viertel einer Dapsone-Pille bekommen, dann sollte die Dosis allmählich gesteigert werden. Schließlich würde sie zweimal die Woche drei Pillen erhalten oder – mit Ausnahme von Sonntagen – eine Pille täglich. Dr. Littlewood konnte zu diesem Zeitpunkt noch nicht feststellen, wieviel Zeit Marie brauchen würde, um keine aktiven Symptome der Krankheit mehr zu zeigen. Doch die Möglichkeit bestand, daß dieses in sechs Monaten der Fall sein könnte. Da Maries Krankheit leichter Natur war, würde ihre Besserung ständig fortschreiten, ob sie sich aus dem Alltag zurückzog oder nicht.

Marie saß in ihrem weißen Kleid reglos auf der Veranda. Littlewood konnte ihren Gesichtsausdruck nicht studieren, da sie einen riesigen Strohhut trug, den sie auch im Zimmer nicht abnahm. »Mein Hut ist mein Schutz«, sagte sie zu Nurse Waterhouse, die ihr den Hut im Schlafzimmer abnehmen wollte. Nurse hatte niemals so etwas Lächerliches gehört. Der Hut – ein feiner Strohhut mit Samtband und blassen Blumen – lag nachts unter Maries Moskitonetz. Zum Frühstück hatte Marie ihn bereits auf dem Kopf. Niemand durfte sie ansehen und ihr ihre Pläne vom Gesicht ablesen . . . Denn sie hatte Pläne. Sie mußte ein Kichern unterdrücken, wenn sie an ihre kostbaren, geheimen Pläne dachte. In solchen Augenblicken gab sie ihrem geliebten Strohhut einen kleinen Stoß, daß er keck auf ihren Locken wippte. Eines Tages würde sie »ihnen allen« einen Streich spielen.

»Erik kommt heute nachmittag«, sagte Littlewood. »Er freut sich, Sie zu sehen, Marie!«

»Ich freue mich auch«, erwiderte Marie zu Littlewoods Erstaunen. »Vielleicht wird er mir jetzt seine Aufmerksamkeit zuwenden! Endlich bin ich ein Studienobjekt für ihn!«

»Hören Sie, Marie! Sie sollten endlich versuchen . . .«

»Gehen Sie weg«, sagte Marie. »Sie haben keine Spur Humor, mein Lieber!«

»Dr. Ekelund wird gegen fünf Uhr hier sein«, erklärte Littlewood und beachtete Marie nicht weiter. »Ißt Mrs. Ekelund jetzt besser, Nurse?«

*

»Sie hat kein Wort mit mir gesprochen«, sagte Erik Ekelund am Abend, als er und Littlewood zusammen ein einfaches Dinner aßen.

»Du mußt ihr Zeit lassen, Ekelund!«

»Und was sonst noch? Alle Welt gibt mir augenblicklich Ratschläge! Ich soll Mitleid mit Marie haben, Liebe geben, die Geduld eines Heiligen aufbringen, noch mehr Mitleid haben und meine Arbeit machen.« Ekelund zuckte die Achseln und rauchte hastig.

»Wird sie wirklich gesund werden?« fragte er dann ruhiger.

»Sie hat jede Aussicht dazu. Wie ich dir schon schrieb, hat Marie die sogenannte tuberkuloide Form der Lepra. Wenn alles gut geht, sollten alle akuten Symptome in einer Reihe von Monaten verschwinden.«

»Wo hat sie sich angesteckt? Du schriebst mir nichts Näheres.«

»Bei einer Chinesin in Lampang«, sagte Littlewood kurz. »Wir haben mittlerweile feststellen können, daß dieses Mädchen Lepra hatte und es noch nicht wußte. Aber das liegt nun weit zurück. Darüber brauchst du dir nicht den Kopf zu zerbrechen, mein Lieber!«

»Natürlich nicht! – Also, es ist alles in Ordnung, und ich darf die nächste Überraschung abwarten, die meine Frau für mich vorbereitet.«

Littlewood sagte in das unbehagliche Schweigen hinein: »Ich weiß, du hast es nicht leicht mit ihr! Aber sie ist erst vierundzwanzig Jahre alt. Sie hat das Leben vor sich! Du solltest sie nach Europa zurücknehmen, sobald sie reisefertig ist.«

»Selbstverständlich. Mein Vater hat sie nach Stockholm eingeladen.« Da Littlewood nicht antwortete, fragte Ekelund scharf: »Hast du etwas an Stockholm auszusetzen?«

»Im Gegenteil, es ist eine herrliche Stadt! Und dein Vater ist ein wunderbarer Mann! Aber . . . mein lieber Ekelund, die Sache liegt nicht ganz so einfach.«

»Was ist nun wieder los? Ich weiß, daß sie verrückt spielt.«

»Ihre Nerven sind schwer mitgenommen«, erwiderte Littlewood ruhig. »Ich glaube, sie sollte einige Zeit zu Professor Bonnard nach Zürich gehen. Er ist Nervenspezialist.«

»Ich bin einverstanden. – Sag mal, besteht eine Aussicht, daß sie verrückt werden wird?«

Littlewood fand die Frage merkwürdig. »Jeder kann verrückt werden«, erwiderte er ausweichend. »Vielleicht braucht Marie nur etwas mehr Freundlichkeit von deiner Seite! Entschuldige, Ekelund! Ich will mich nicht in deine Ehe mischen – aber . . .«

»Es ist keine Ehe. Du mischst dich in ein Vakuum ein! Ich danke dir für deine Auskunft, Littlewood! Und natürlich für alles, was du für meine Frau hier tust.«

»Das ist selbstverständlich. Wie gesagt, du brauchst dir keine Sorgen zu machen.«

»Ich mache mir keine Sorgen!«

Littlewood fand diese Antwort noch merkwürdiger als Ekelunds Frage, ob »Aussichten« beständen, daß Marie verrückt würde. Hoffte er etwa, seine Frau auf solche Weise loszuwerden? Trieb Ekelund dieses junge Geschöpf womöglich systematisch in eine Nervenkrise hinein? Littlewood war über sich selbst erstaunt. Wie konnte er so etwas von seinem besten Freunde annehmen? Er betrachtete verstohlen den Mann, den er so gut zu kennen geglaubt hatte. Wer kannte Menschen? Man kannte nur das, was sie zeigten. – Ekelund saß wie ein Steinbild da. Man konnte absolut nichts aus seinen Zügen herauslesen. Aber etwas war Littlewood klargeworden: Ekelund haßte seine Frau. Und Marie hatte panische Angst vor ihm . . . Littlewood fühlte plötzlich wieder das Mitleid mit Marie, das ihn in den ersten Monaten ihrer Bekanntschaft gepackt hatte. Ekelund war der Stärkere, und Marie hatte ihm nichts entgegenzusetzen als die Leidenschaften der Besiegten . . .

»Hab nicht soviel Mitleid mit meiner Frau«, sagte Ekelund mit kalter Ironie. »Es würde mir für *dich* leid tun, mein lieber Littlewood.«

Ein kühler Abendwind blies über die Veranda.

»Geht die Arbeit in Hongkong gut weiter?« fragte Littlewood.

»Ich gewinne täglich neue Eindrücke und Erkenntnisse. Morgen fliege ich zurück. Mein Buch werde ich später in Schweden schreiben.«

»Wann wirst du unsere Kolonie in Chiengmai besuchen?«

»Sobald ich meine Frau in Europa abgeliefert habe. Ich habe eine Menge Fragen zu stellen, lieber Freund!«

»Über Marie?«

»Über eure Kolonie«, erwiderte Ekelund. »Du darfst mir schon zutrauen, daß ich mir in zwei Jahren ein Urteil über meine Frau bilden konnte.«

III

Spät abends saß Ekelund auf der Veranda des großen Hauses in Chiengmai. Er hatte das Lepra-Hospital abrupt verlassen und Littlewoods Erstaunen ignoriert. Der prüfende Blick seines Freundes war ihm unangenehm geworden.

Ekelund saß an dem großen Teakholztisch, der mit Notizen und Photos bedeckt war, und rauchte geistesabwesend eine Zigarette nach der anderen. Er trug seidene indische Pyjamas, aber obwohl sie hauchdünn waren, rann ihm der Schweiß am Körper herunter. Er betrachtete die Bilder aus dem *Maxwell Memorial Medical Centre* auf der »Insel der glücklichen Heilung« bei Hongkong: Schöne, saubere Häuser, ein herrlicher Park mit tropischen Bäumen und Blumen, Momentaufnahmen von Patienten in allen möglichen Stadien der Krankheit. Patienten in ihrer Freizeit, bei der Arbeit, beim Spiel. Ein Photo zeigte eine feierliche Gruppe, die Entlassungs-Zertifikate erhielt. Diese Patienten waren geheilt und konnten in ihre Welt zurückkehren. Festlich gekleidete Menschen und überall Blumen! – Dieses Bild hatte Ekelund vor Monaten seiner Frau gezeigt. »Die Chinesen machen selbst aus einer Leprakolonie einen Blumengarten«, hatte Marie höhnisch gesagt und war in ihr Zimmer gegangen. Es war der Beginn der Entfremdung zwischen ihnen gewesen.

Ekelund zündete sich eine neue Zigarette an und blickte zum Nachthimmel auf. Er war allein – bis auf den ausgestopften Nashornvogel, den ein früherer Gast des Hauses im Klong-Plue-Wald geschossen hatte. Der Riesenvogel starrte Ekelund melancholisch an. Sein schwarzes Gefieder, der kahle Hals und der große gierige Schnabel wirkten grotesk. Der Vogel sah verloren aus auf der Teakholzveranda, die von einer kahlen elektrischen Glühbirne erhellt wurde. Es war ein Junggesellenhaus . . . Ekelund erinnerte sich plötzlich an die Geschichte des Nashornvogels, die Littlewood ihm erzählt hatte. Diese Urwaldvögel waren für ihre Monogamie bekannt. Wenn ein Vogel erschossen wurde, streifte der Partner noch stundenlang um die Stelle des Mordes herum. Er stieß heisere Klagelaute aus und ließ sich manchmal aus Verzweiflung fangen. Die Nashornvögel waren groteske, furchterregende Kreaturen, aber sie wußten offenbar allerhand über die Ehe.

Ekelund trank hastig sein dänisches Bier und holte sich eine zweite Flasche aus dem Eisschrank in der Diele des Hauses. Der Eisschrank war das einzige Kunstwerk in der leeren Halle. Ekelund dachte plötzlich an sein Stockholmer Elternhaus und an die vielen Kunstwerke, die seine Eltern und Ingrid über die Räume verteilt hatten. Ein solches Heim hatte ihm vorgeschwebt. Was nützte das Bedauern? Er war nun ein verheirateter Junggeselle, und Littlewood bedauerte seine Frau . . . Ob Littlewood in Marie verliebt war? In gesundem oder krankem Zustand verstand Marie sich auf Männerfang.

Ekelund zuckte die Achseln und betrachtete weitere Bilder von der

»Insel der glücklichen Heilung«. Warum sollten die Chinesen *keinen* Blumengarten aus einer Leprakolonie machen? Ekelund hatte diese Siedlung bei Hongkong schon vor einigen Jahren besucht – lange bevor er die Kusinen Bonnard kennengelernt hatte. Die Atmosphäre der Hoffnung in dieser Kolonie war ein Erlebnis gewesen. War es nicht erstaunlich, wie die Kranken langsam Hoffnung schöpften? Ekelund hatte niemals zuvor derartiges gesehen. Ärzte und Pfleger linderten die Angst und den fatalistischen asiatischen Kummer einfach durch liebevolle Behandlung. Ekelund hatte sich schon damals überzeugt, daß der biblische Schrecken vor der Lepra in diesen modernen Kolonien ein Phantom einer dunklen Vergangenheit geworden war. Der leitende Missionsarzt und Dr. Littlewood, der damals dort arbeitete, hatten Ekelund einige Fälle vorgeführt und ihm später die Geschichte dieser Patienten erzählt. Langsam hatten sich die Persönlichkeiten der Kranken wie Blumen im sanften Wind entfaltet. Ekelund hatte aufmerksam zugehört. Damals war in Littlewood der Plan entstanden, den bekannten schwedischen Soziologen realistische Berichte über die modernen Lepra-Missionen im Fernen Osten schreiben zu lassen. Aber Littlewood hatte bei Eriks erstem Besuch keinen solchen Vorschlag gemacht. Er war vorsichtig. Ekelunds anfängliches Entsetzen beim Anblick einiger verstümmelter Patienten war ihm nicht entgangen.

»Hier ist *trotz allem* ein Blumengarten«, hatte Littlewood fest gesagt. »Was hofftest du hier zu finden, Ekelund? Schwedische Götter? Schönheitsköniginnen? Wach auf, Mann! Es gibt doch auch Blumen, die durch unwissende Gärtner und scharfe Winde verletzt und geknickt werden.«

Ekelund hatte geschwiegen. Er sah immer noch die Handstümpfe, die zehenlosen Füße, die entstellten Gesichter . . . Nicht der scharfe Beobachter war davor zurückgeschreckt – der schwedische Schönheitsanbeter hatte einen Schock wegbekommen . . .

»Bitte, bemitleide unsere Patienten nicht«, sagte Littlewood scharf. »Niemand in dieser Kolonie braucht dein Mitleid! Ich meine, wir wollen nicht das Mitleid beleidigter Ästheten! Wir sind zufrieden, wenn unsere Besucher Verständnis aufbringen.«

Ekelund hatte genickt. Er war sentimental geworden, obwohl er prinzipiell die schnelle Träne und rhetorisches Mitleid verachtete. Sie waren die tönernen Schellen der Nächstenliebe. Sie demütigten die

Demütigen und schadeten den Geschädigten. Littlewood hatte recht. –

Monate später – in Stockholm – hatte Ekelund sich daran erinnert, wie viele Patienten der Kolonie bei Hongkong Freude am Leben gezeigt hatten. Er hatte ungläubig ihrem Gelächter und ihren Scherzen gelauscht. War es so unglaublich? Diese Kranken und Verstümmelten waren schließlich aus dem Dschungel der Unwissenheit und menschlichen Gleichgültigkeit in einen Blumengarten gekommen.

Auf der Insel Lidingö – im Schatten der schwedischen Götter und Nymphen – hatte Ekelund endlich die innere Schönheit jener Leidenden zu sehen vermocht. Sie leuchtete – ein unzerstörbarer Funke – durch die gebrochene Hülle des Leibes. Diese Schönheit lebte in geduldigen, entstellten Menschengesichtern, in tiefen chinesischen Augen, in dem Lächeln der Geheilten und der auf Heilung Hoffenden.

»Es ist ein Wunder . . .«, hatte der englische Missionsarzt auf der »Insel der glücklichen Heilung« gesagt. – In Lidingö – im schwedischen Inselreich der Schönheit – hatte Ekelund beschlossen, diese einzigartigen »Blumengärten« im Fernen Osten näher zu erforschen. An diesem Tag hatte er in einem Stockholmer Restaurant Louise Bonnard aus London kennengelernt.

Ekelund legte die Bilder aus Hongkong in eine Mappe zurück. Er hatte immer noch seine wichtigen beruflichen Aufgaben, die seine Gedanken und seine Energie voll beanspruchten. Seine Ehe bestand nur noch dem Namen nach, und Marie hatte etwas unfaßbar Bedrohliches, sobald sie den Mund aufmachte . . . Ekelund stand auf und atmete tief. Als er den Atem anhielt, um ihn so langsam wie möglich wieder ausströmen zu lassen, kam Ruhe über ihn.

Er öffnete die mit Teakholz umrahmte Drahttür und trat in den nächtlichen Garten. Es regnete nicht mehr. Die Rosen von Chiengmai dufteten. Die Berge ragten schroff hinter den dunklen Wäldern empor. Der silbergrüne Mond war unendlich still, aber er herrschte über flutende Wasser und die Gefühle der Menschen. Der Garten war eine tropische Lagune voll stoffloser, fragwürdiger Geheimnisse. Ekelund stand allein am Rand der Lagune und fing im Schweigen der Nacht seine seltsamen Fische . . . Jede menschliche Stimme würde die Fische verscheuchen und jede Umarmung den Zauber brechen. Ekelund atmete tief und methodisch. Die Nacht war ohne Heftigkeit. Sie verachtete die Geschäfte des Tages. –

Noch ein paar Atemübungen, und der heiße Tropentag würde mit seiner weltlichen Bürde in den Lotusteichen versinken. Erinnerungen, Konfliktstoffe, Liebes- und Haßgefühle lösten sich langsam in Ekelunds verkrampftem Innern und entwichen mit dem Atem ins Dunkel. – Was war Marie Bonnard in diesem Augenblick? Ein substanzloser Irrtum. Was war Louise? Eine erbitterte Schattenboxerin . . . Und Ulrika? – Ekelund entließ den Atem und überließ sich dem Nicht-Denken, der schöpferischen Leere, der meditativen Befreiung vom Ich. Er war jetzt so frei und allein wie die Steingötter von Lidingö. Nicht länger der Liebhaber, der Louise Bonnard von einer Stunde zur anderen verlassen hatte; nicht der Ehemann, der seine Frau in Angstzustände versetzte; nicht Ulrikas Gefährte, der ihren Tod auf der Landstraße mitangesehen hatte . . . Ekelund hatte den Tagmenschen abgestreift – denn der Beobachter der Gesellschaft, der soziologische Lösungen suchte, war ein Häftling des Tages. Aber es gab noch einen Erik Ekelund. Er war ein Sohn der schwedischen Nacht – ein Anbeter jener mystischen Einsamkeit, die die meisten Frauen hassen. Er war Adonis, dem die Frauen in Indien vergebliche Blumenopfer bringen. Nur würde er nicht wie sein klassischer Ahnherr mit den verdorrten Blumen in den Wassern versinken. Dazu war er zu vorsichtig. Er stand am Rand des Geschehens und beobachtete . . .

*

Auf Ekelunds Nachttisch lag ein Brief aus Stockholm, den sein Hotel in Kowloon ihm nachgesandt hatte. Er runzelte die Stirn. Warum brach der Tumult des Tages in seine köstliche Nacht ein? Am liebsten hätte er den Luftpostbrief nicht geöffnet. Aber die Macht der Gewohnheit war stärker. –

Ekelund wurde weiß im Gesicht, als er den Brief las. Er mußte gleich bei Tagesanbruch nach Stockholm fliegen. Die Magie der Stille war zerbrochen. Der *Tag* – Erzfeind der Nacht – kam durch die Verandatür herein. Er hielt Handschellen in der Rechten, Programme in der Linken, Ekelunds Tagesmaske hing ihm an einem goldenen Band um den Hals, und an den Füßen trug er die Siebenmeilenstiefel der Ruhelosen. –

Die Nacht entwich und mit ihr die Kraft und die Ruhe der Stille.

Ekelund nahm eine Flugtabelle zur Hand und studierte sie. Er war von einer Minute zur anderen wieder ein Sträfling des Alltags geworden. –

*

»Monsignore Bonnard aus Hongkong«, meldete Dr. Littlewoods Sekretärin. Der Chirurg war gerade aus dem Operationssaal zurückgekommen. Endlich war die Hand der Schneiderin aus Lampang zur Operation bereit gewesen. Die Orthopädin hatte so lange mit Nang Rae Übungen gemacht, bis die Hand wieder beweglich war. Das versteifte Gelenk war locker geworden, und Littlewood hatte vorsichtig eine Sehnenverpflanzung vorgenommen. Diese Operation verlangte einen Meister seines Fachs. Die Sehne eines Muskels mußte verpflanzt und in den gelähmten Muskel übertragen werden, damit die Finger sich wieder kräftig bewegen konnten. Littlewood hatte so vorsichtig vorgehen müssen, weil bei Leprapatienten die Gelenkkapseln beschädigt werden und Blutgefäße und Nerven sich zusammenziehen. Wenn der Chirurg zu kräftig das Gelenk ausdehnte, bestand die Gefahr, die Blutgefäße zu verletzen, und dann konnte kalter Brand in den Finger kommen. Nur große Erfahrung hatte Littlewood gelehrt, wie weit er einen verkrümmten Finger bei der Operation strecken durfte. Und bei allem mußte er außerordentlich vorsichtig sein.

Er war sehr abgespannt und hatte sich gerade an seinen Schreibtisch gesetzt, als Monsignore Bonnard ihm gemeldet wurde. Nahm diese Familie überhaupt kein Ende? Warum wollten sie alle eine junge Frau besuchen, die vor sich hinstarrte und ihre Besucher wie Luft behandelte? Nun war Jérome Bonnard durchaus kein Mensch, den jemand wie Luft behandeln konnte. Aber das wußte Littlewood nicht. –

Der Monsignore – ein Bruder von jenem Antoine Bonnard, der in geistiger Umnachtung starb – war sehr groß und dünn, hatte eine lange scharfe Nase und lebhafte dunkle Augen. Er war auf einer Inspektionsreise. Louis Bonnard aus Bangkok hatte ihn gebeten, seine Tochter im Mc.Kean Hospital aufzusuchen. Der Monsignore sah auf den ersten Blick, daß Littlewood erschöpft war. Er entschuldigte sich sehr höflich für die Störung mitten an einem Arbeitstag. Seine Stimme war so sanft, daß Littlewood kaum sein Erstaunen verbergen konnte. Denn sonst war alles eckig und scharf an Jérome Bonnard aus Hongkong. –

»Ich bin tief beeindruckt von dem Geist der Kolonie, Herr Doktor.«

»Haben Sie sich denn schon umgesehen, Monsignore?«

»Nurse Waterhouse führte mich herum. Meine junge Großnichte kann sich glücklich schätzen. Nurse ist ein wahrer Trost.«

»Hat Marie mit Ihnen gesprochen, Monsignore?«

Jérome Bonnard blickte den amerikanischen Arzt beinahe fassungslos an. Dann sagte er bescheiden: »Mit mir spricht jeder, Herr Doktor.«

Eine Pause entstand. Littlewood bot dem Priester eine Zigarette an und ließ Tee kommen. »Möchten Sie chinesischen oder indischen Tee?« fragte er. Dem Monsignore war es gleich. Was gerade vorrätig war. Littlewood nickte zufrieden. Ihm selbst war es auch gleich, was man ihm anbot, wenn es nur freundlich angeboten wurde. Er hatte noch niemals mit einem Würdenträger der katholischen Kirche zu tun gehabt und hatte immer geglaubt, diese Leute wären zeremoniell und machten die Dinge für Andersgläubige unbehaglich. Falls es solche Priester gab – Jérome Bonnard schien nicht zu ihnen zu gehören.

»Darf ich?« fragte er und goß Littlewood und sich ungeniert die zweite Tasse Tee ein. Der Arzt war aufgesprungen und wollte sich für seine Unaufmerksamkeit entschuldigen, aber der Monsignore machte eine delikate Handbewegung ... Nurse Waterhouse hatte ihm gesagt, daß Dr. Littlewood mitten in einer Operation wäre. Dadurch hatte der Monsignore die Schlafsäle und die Schule der kranken Kinder in Ruhe besichtigen können. Auch die Lehrer waren Patienten. Bei einigen war das Leiden zum Stillstand gekommen, aber sie hatten nicht in die Welt zurückgewollt.

»Haben sie Angst vor der Welt?« fragte Jérome Bonnard. Er hatte kein Hehl aus seiner Begeisterung für die Kinderabteilung der Kolonie gemacht. Die Kinder waren die Zukunft, ob sie krank oder gesund waren.

»Die meisten Lehrer wissen, wie nötig sie hier oben gebraucht werden«, erklärte Littlewood. »Sehen Sie, Monsignore – manche hatten schon drei Jahre Universitätsstudium hinter sich, als sie entdeckten, daß sie Lepra hatten. Wir sind sehr glücklich, daß sie hier lehren.«

»Wer finanziert die Schule für die kranken Kinder?« fragte der Monsignore. Littlewood blickte ihn erstaunt an. Die Frage gefiel ihm, aber er hatte sie nicht erwartet.

»Die *American Leprosy Mission* unterstützt die Anstalt und kommt auf für die Schuluniformen, Bücher, alle anderen Erfordernisse und die Lehrergehälter. Wir erhalten außerdem aus anderen Quellen Zuschüsse. Aber es ist trotz aller Spenden und der Regierungszuschüsse nicht immer leicht.«

»Wie bei uns«, sagte der Monsignore knapp, und Littlewood nickte.

Der Tee war getrunken. Das Einleitungsgespräch war erledigt.

»Wie lange muß Marie noch im Hospital bleiben?«

»Etwa vier Monate. Dann schlage ich vor, daß sie zu Professor Bonnard nach Zürich gebracht wird.«

»Ich habe Maurice vorige Woche geschrieben. Er hatte Geburtstag«, sagte der Monsignore, der wie alle Bonnards, zu all den zahlreichen Geburtstagen gratulierte. »Ich bat ihn, Marie aufzunehmen. Ihr Vater sagte mir am Telephon, daß sie hochgradig erregt wäre.«

Bei der Erwähnung von Louis Bonnard machte Littlewood ein Gesicht, als ob er Zahnschmerzen hätte. »Maries Vater hat sie nicht einmal hier oben besucht«, sagte er schroff.

»Louis hat Angst«, erklärte der Monsignore milde. »Der arme Bursche ist ein Skeptiker. Die haben immer die meiste Sorge um ihre Gesundheit, obwohl sie soviel an diesem Leben auszusetzen haben und an das nächste Leben nicht glauben. Es ist sehr komisch.«

Littlewood konnte nichts Komisches darin finden. Er preßte die Lippen zusammen. »Wie finden Sie Marie, Monsignore?«

»Ich sah sie heute zum erstenmal. Sie leidet in ganz falscher Weise. Sie ist in keiner Wirklichkeit zu Hause.«

Der Monsignore hüllte sich für einen Augenblick in Stillschweigen. Er hatte sich sein Urteil über Marie gebildet. Sie war liebebedürftig und suchte Liebe, wo es keine gab. Das kam häufig vor bei Menschen, die Fremdlinge in der Gottesstadt geworden waren. Die Liebe zwischen Mann und Frau würde stets ein Kampf bleiben. Marie hatte gekämpft und verloren, weil sie die unwirkliche und sterile Liebe gesucht hatte: Geschlecht in Isolierung! — Das Fleisch war in ihrer Ehe niemals zu Geist geworden. Wenn Marie diesen unbekannten Schweden überhaupt einmal geliebt hatte, dann hatte sie eine idealisierte Selbst-Projektion geliebt, aber nicht den wirklichen Menschen. Maries Entfremdung von der Wirklichkeit war ihr wahres Leiden. –

»Warum hat sie solche Angst vor ihrem Mann?« fragte der Monsignore beinahe brüsk.

»Sie bildet sich alles Mögliche ein.« Littlewood zögerte. Die Augen seines Gastes waren groß und forschend auf ihn gerichtet.

»Besteht ein Grund für Maries Ängste?« fragte der Monsignore. Was hatte Marie wohl alles geredet? Littlewood faßte einen Entschluß: »Es fällt mir schwer, abfällig über meinen Freund zu sprechen. Ekelund ist ein schwieriger Charakter, aber meiner Meinung nach würde er seine Frau niemals bedrohen. Das ist absurd, Monsignore! Er ist ziemlich kalt und gleichgültig gegen Marie, aber das ist ja noch kein Verbrechen.«

»Doch«, sagte der Monsignore. »Es *ist* ein Verbrechen, und zwar ein schweres! – Sagen Sie, haben Sie jemals Zeit gefunden, Dostojewski zu lesen?«

Littlewood nickte.

»Er behauptet, die wahre Hölle wäre die Unfähigkeit zu lieben«, murmelte Jérome Bonnard. »Und wenn zwei Unbegabte eine Ehe eingehen . . .« Der Monsignore zuckte mit einer sehr französischen Bewegung die Achseln.

»Es ist eine Tragödie.« Littlewood hatte niemals zuvor ein so starkes Wort gebraucht und hustete verlegen.

»Ich habe mir sagen lassen, daß die Amerikaner Tragödien mit einem *happy end* lieben. Ist das eigentlich der Fall?«

»Lieben die Franzosen Tragödien mit glücklichem Anfang?«

»*Touché!*« erwiderte Jérome Bonnard mit der objektiven französischen Lust an einer geschliffenen Antwort. Aber er wurde sofort wieder ernst.

»Ist Maries Ehemann auch Arzt?« fragte er.

»Er ist Soziologe und schon ziemlich bekannt. Im Augenblick macht er Studien in der Leprakolonie bei Hongkong.«

»Das ist sehr interessant. Ich kenne natürlich die ›Insel der glücklichen Heilung‹.«

»Ekelund leistet glänzende Arbeit«, sagte Littlewood mit einer gewissen Wärme. »Soziologie ist eine junge Wissenschaft. Ich meine – das Studium von Gruppen und Gemeinschaften, die unter einem gemeinsamen Nenner leben.«

»Nicht eigentlich eine junge Wissenschaft, Herr Doktor! Der heilige Ignatius von Loyola gilt zwar nicht als Soziologe und ist es auch nicht im heutigen Sinn, aber er hat das Leben von Gruppen und Gemeinschaften ziemlich gründlich studiert.« Der Monsignore räusperte sich. »Sankt Ignatius war natürlich ein Aufbauer, kein Zuschauer. Darin liegt wohl der Unterschied.«

»Das scheint mir auch so«, sagte Dr. Littlewood.

»Bei den heutigen Gruppenstudien kommt die Individualität ein wenig zu kurz, wenn ich mir diese Kritik erlauben darf. Die moderne Neigung zu klassifizieren, Abteilungen zu schaffen und hauptsächlich die Gruppe oder vielleicht die Partei im Auge zu haben, führt zu seelischer Verarmung – in manchen Fällen zur Verdummung . . .«

Littlewood lachte. »Das denke ich manchmal auch; allerdings nicht in bezug auf unsere Kolonie hier. Wir brauchen Propaganda, Monsignore! Ich versichere Ihnen, daß Ekelunds Programme für die Rehabilitierung unserer Patienten sehr postive Wirkungen haben können. Wir hoffen es von ganzem Herzen. Die meisten Leute sind heutzutage ganz unwissend, was die Lepra anbetrifft, und betrachten die Krankheit voll abergläubischem Schrecken. Sie ängstigen sich vor der Realität und bemühen sich nicht im geringsten um die Wahrheit in Theorie und Praxis.«

»Die Kirche leidet ebenfalls unter der Unwissenheit ihrer Anhänger«, erwiderte der Monsignore lächelnd. »Aber das Vorurteil endet, wo die Wahrheit beginnt.« Er erhob sich. »Ich danke Ihnen, daß Sie mir Ihre kostbare Zeit geschenkt haben, Herr Doktor! Ich weiß, daß Ihre Patienten alle Ihre Zeit und Kraft brauchen.« Wieder machte Jérome Bonnard die delikate, abschließende Handbewegung. »In dieser Kolonie weht ein günstiger Wind, wie die Chinesen sagen. Solange ich Marie unter Ihrer Obhut weiß, bin ich beruhigt. Wenn ich noch etwas fragen darf – kennen Sie eigentlich ein Mädchen namens Ulrika? Nurse Waterhouse sagte mir, Marie hätte zweimal im Schlaf geschrien und wäre schweißgebadet aufgewacht, weil diese Ulrika sie im Traum bedroht habe. Nurse Waterhouse ist wundervoll energisch, aber sie sagte mir, sie wisse nicht recht, wie sie einem Phantom zu Leibe rücken solle. Kennen *Sie* diese Ulrika?«

»Ich kannte sie«, erwiderte Dr. Littlewood. »Sie war eine Schwedin, die Ballerina des Königlichen Balletts in Stockholm und . . .«

»Und was noch?«

»Die Adoptivtochter von Erik Ekelunds Onkel. Staatsanwalt Ekelund in Stockholm war kinderlos. Ulrika galt als seine Tochter. Nur die engste Familie wußte Bescheid.«

Es entstand eine Pause.

»Ist das alles?« fragte Monsignore Bonnard sanft.

»Soviel ich weiß, erwartete Ulrika ein Kind von Erik Ekelund. Aber sie starb durch ein Autounglück zwischen Paris und Chantilly. Dies ist streng vertraulich, Monsignore!«

»Wußte Marie, daß Ulrika ein Kind erwartete?«

»Ich nehme es nicht an. Ekelund ist sehr schweigsam.«

»Das scheint mir der Fall zu sein«, sagte der Monsignore trocken und wandte sich zur Tür. –

SECHSTES KAPITEL

Ulrika im Regenwald

(Marie Bonnards zweiter Monolog)

I

Ich war noch niemals so einsam wie in dieser Kolonie, wo es nach Tugend und Nächstenliebe riecht. Wenn jemand mir in gesunden Tagen gesagt hätte, daß ich Patienten eines Leprahospitals beneiden würde, hätte ich mich krank gelacht. Aber es ist so. Ich sehe täglich Leute an meiner Veranda vorbeigehen oder -hinken, die vergnügt miteinander schwatzen, singen und mich anlächeln. Nurse Waterhouse kennt sie fast alle und unterhält sich glänzend mit ihnen durch Zeichensprache. Nurse spricht so einsilbig siamesisch wie jeder britische Oberst, der jahrelang in Asien gedient hat.

Natürlich glaube ich Francis Littlewood kein Wort! Ich werde niemals mehr gesund werden, und die Lepra wird mich auffressen. Ich sehe täglich Patienten in vorgeschrittenen Stadien. Wenn ich Francis sage, wie mich der Anblick der Vorgeschrittenen quält, erwidert er, diese Leute seien zu spät hierher gekommen. Bei mir läge der Fall anders. Er sieht mich dann ganz beschwörend an. »Sie müssen mir glauben, Marie! Ich bin nicht dafür, jemandem Unsinn zu erzählen.«

Francis gibt sich wirklich Mühe mit mir. Er ist niemals mehr schroff oder ungeduldig. Ich würde ihm glauben, wenn er mich liebte. Darin war ich immer komisch. Ich bin eine mißtrauische Person — das brachte Mama immer zur Raserei. Während ich Erik die paar Tage in Stockholm liebte, glaubte ich ihm all seinen Unsinn . . . Tsensky konnte mir während eines kurzen Pariser Frühlings das Blaue vom Himmel herunter lügen — ich schluckte es mit geschlossenen Augen. —

Francis liebt mich nicht. Er erzählt mir nicht einmal den üblichen Unsinn der Liebenden. Wahrscheinlich verbraucht Dr. Littlewood seine ganze Zuneigung für seine Patienten. Es ist nichts mehr für romantische Seitensprünge übrig. Großonkel Jérome Bonnard, der mich gestern besuchte, ist ähnlich, aber doch wieder anders. Ich lachte das erste Mal seit Monaten. Unser Monsignore ist eine Kanone! Er erzählte mir so lustige Sachen von seinen Chinesen. Er unkte nicht, erwähnte Erik nicht und behandelte mich nicht, als ob ich im nächsten Augenblick verrückt werden würde. Im Gegenteil. »Du hast einen guten Kopf auf deinen Schultern, Kind«, sagte er und segnete mich, obwohl er alles über das Opiumrauchen weiß. Was Großonkel Jérome nicht weiß, das erzählt man ihm.

In Eriks Augen bin ich doch das verkommenste Geschöpf der Welt! Und in meinen eigenen Augen auch nichts sehr Feines. Ich bin außen und innen von Lepra befallen. Vielleicht, weil niemand mich jemals geliebt hat. –

Ich haßte Ulrika, weil jeder sie liebte. Sie hatte keine Angst, weil sie niemals einsam war. Sie nahm mir alles weg, was ich in Paris hatte. Tsensky war wirklich kein moralisches Paradestück, aber er war eben alles, was ich hatte ...

Deswegen wünschte ich, daß Ulrika in irgendeinen Abgrund sausen würde. Sie sollte von ihrem Podest herunterfallen und sehen, wie es unten am Boden aussieht. Sie sollte nicht mehr strahlen. Nicht mehr die Menschen durch ihren Tanz bezaubern. Ulrika sollte für einige Zeit die dunkle Seite des Mondes bewohnen. Sie sollte krank und einsam sein. Tsensky sollte sie nicht mehr ansehen können, ohne sie zu hassen. Sie war seine Illusion ... Selbst Tsensky hatte Illusionen, wenn auch nicht gerade über Mama oder mich!

Ich wünschte so stark, daß Ulrika nähere Bekanntschaft mit dem Unglück machte, daß mein Wunsch in Erfüllung ging.

Sie verreckte auf der Landstraße zwischen Paris und Chantilly ... Ich dachte, sie wäre tot, aber sie ist lebendiger als ich ...

Vorgestern kam sie aus dem Regenwald auf mich zu.

Es war entsetzlich. –

II

Ich werde immer müder, und meine Gedanken laufen hin und her wie verirrte Kaninchen. Ich hatte als Kind in Paris ein Stoffkaninchen. Es war mein großer Freund, bevor »Zweikopf« in London auftauchte. Jetzt habe ich das Tier mit den zwei Köpfen aus der Versenkung geholt und unterhalte mich wieder mit ihm – wie damals in Haverstock Hill. Es ist eine Abwechslung nach Nurse Waterhouse's Anstrengungen. Sie ist jetzt beim Buchstaben »R« angelangt, und wir reden vom Regen. Das brachte mich auf den Regenwald, den ich seiner Zeit mit Miss Kuang sah . . . Verdammter Regen! Verdammte Krankheit! – Ich habe kein Gefühl in meinen Fingern. Das ist, als sei ich schon halbtot – nur ohne die Ruhe des Todes. Ich fragte Littlewood zum soundsovielten Mal, ob meine Finger wieder lebendig werden würden, so wie sie waren. Ich hatte immer mein ganzes Gefühl in den Fingerspitzen. Ich hatte ein elektrisches Gefühl darin, wenn ich als Kind mein Kaninchen Napoleon streichelte. Napoleon war so weich und sein Fell knisterte, wenn ich ihn berührte. –

»Meine Finger sind tot, Francis«, sagte ich neulich. »Wann werde ich wieder Hitze, Kälte und den ganzen Rest fühlen?«

Francis schwieg einen Augenblick.

»Na also«, sagte ich höhnisch. »Wozu erzählen Sie mir Märchen? Ich werde die Lepra nie loswerden.«

»Wenn ich Ihnen sage, Sie werden gesund, dann ist es so! Aber vergessen Sie nicht, Ihre Nerven sind angegriffen worden, und diese Attacke hat nun einmal ihre Spuren bei Ihnen hinterlassen. Von der Lepra werden Sie jedoch vollkommen geheilt werden. Haben Sie das verstanden?«

»Keine Silbe«, sagte ich. Ich wollte ihn ärgern. Ich weiß nicht, warum ich den anständigsten Kerl, der mir je über den Weg gelaufen ist, beständig ärgern will. Wahrscheinlich weil er nicht sieht, daß ich immer noch ziemlich hübsch bin. Mein Teint hat durchs Opium gelitten, meine Verdauung ist lausig, meine Augen sind vom Heulen gerötet – aber viele Damen könnten sich immer noch freuen, wenn sie halb so gut aussähen. Ich sehe Nurse Waterhouse *nicht* an. Rote Haare *und* Sommersprossen sind des Guten zuviel. Ich weiß, man hat es gern in England. Es ist so beliebt wie der Morgentee zu nachtschlafender Zeit und so englisch wie die roten Autobusse. Ich suchte als Kind immer einen Bus, der mich von Haverstock Hill nach Niemandsland bringen könnte. »*Sorry, dear!* Wir fahren nach Hammersmith!« – Meine ganze Kindheit in London überfällt mich wieder, weil ich nichts anderes zum Träumen habe. Außer Ulrika natürlich – und da denke ich noch lieber an London! Louise rümpfte die Nase über Hammersmith – nicht fein genug für Miss Bonnard. Madam besuchte manchmal eine frühere Kellnerin in Shepherd's Bush, und ich trottete mit. Madam war es überall in London fein genug. Jeden Donnerstag machten wir »Ausflüge« – meistens nach Ost- und Südlondon, wo die alten Kellner, Serviermädchen und Stubenmädchen mit ihren Familien wohnten. Wir gingen auch oft nach Notting Hill – damals gab es noch nicht so viele West-Inder und Negerstudenten in Portobello Road. London ist genauso groß wie der tropische Regenwald. Ein Labyrinth! Ich fuhr einmal mit Miss Kuang nach der Stadt Nakorn Sawan, wo sie geschäftlich zu tun hatte. Es ist ein sterbenslangweiliges siamesisches Nest am Menamfluß. Finsteres Hinterindien! Ich bin noch nie so viel bellenden Hunden begegnet wie in Nakorn Sawan. Unser chinesischer Gastgeber fuhr den nächsten Tag mit uns in den Dschungel von Uthai Thani. Natürlich blieben wir in einem Urwalddorf – Miss Kuang konnte nicht durch den ganzen Dschungel hüpfen! Ich mußte mit unseren Gastgebern in den Urwald hineinriechen. Die Regenwälder sind grauenvoll. Man weiß nie, was einen im nächsten Augenblick anspringen wird ... Seit jenem Ausflug finden alle meine Angstträume im Regenwald statt.

Meine Gedanken hüpfen herum wie Miss Kuang! Nur nicht so zielbewußt und einträglich! – Ich wünschte, sie wäre hier und hätte den *Mohn* in ihrer Handtasche. Dann würde ich endlich zur Ruhe kommen ...

Francis ist sagenhaft geduldig, aber er ist ein Grobian. Im Film sind die amerikanischen Männer professionelle Frauenanbeter. Die Leute in Hollywood haben keine Ahnung! Die sollten sich mal Dr. Littlewood aus Ohio etwas näher betrachten!

»Schön«, sagte ich. »Sie müssen es ja wissen. Es soll mich freuen, wenn Sie mich eines Tages gesundschreiben!«

»Mich erst recht«, sagte er.

»Das kann ich mir denken. Dann sind Sie mich endlich los! Das ist Ihr Ziel.«

»Allerdings! Das wäre ein komisches Hospital, das seine Patienten behalten möchte.« Er lachte.

»Sie wissen genau, was ich meine, Francis!«

»Wir haben das alles besprochen, Marie! – Ich will Sie gesund machen.«

»Ist das Ihr einziger Wunsch?«

»Selbstverständlich!«

»Haben Sie niemals nach anderen Dingen Sehnsucht, Francis? Bedeuten Ihnen Frauen überhaupt nichts?«

»Meine liebe Marie, wenn Sie wieder mit diesen Albernheiten anfangen, werde ich gehen! Beschäftigen Sie sich doch endlich – wie die anderen Patienten! Soll ich Ihnen Pinsel und Farben aus Chiengmai mitbringen?«

Ich sah ihn an. Er wurde plötzlich nervös. »Starren Sie mich nicht so an«, sagte er unfreundlich. »Haben Sie noch niemals einen Mann gesehen?«

»Sie sind der erste«, sagte ich leise.

Er besuchte mich immer am Abend, wenn er mit seiner Arbeit fertig war. Eigentlich hätte er Aufzeichnungen machen und seine internationale Korrespondenz mit Wissenschaftlern führen müssen. Ich hatte keine Ahnung, wie viele Forscher sich mit Lepra beschäftigen. Ich hatte auch von dieser Krankheit nichts geahnt. Francis schenkte mir seine Zeit, weil er wußte, daß ich mir im Mc.Kean Hospital verloren vorkam. Es lag nicht am Hospital – es lag an mir und meinen schrecklichen opiumlosen Nächten. Er tat für mich, was er konnte. Und mehr als das. Wenn ich mit Francis auf der Veranda saß und der Mond die schlafende Kolonie beschien, dachte ich manchmal: ›Mit ihm würde ich keine Angst kennen.‹ Und dann fiel mir die *Krankheit* wieder ein, und ich dachte an meine toten Finger und ...

»Würden Sie mit mir schlafen, wenn ich keine Lepra hätte, Francis?«

Er starrte mich an. Er war so sprachlos, daß er einen Augenblick nicht antworten konnte. Dann sagte er liebenswürdig: »Ich würde auch nicht mit Ihnen schlafen, wenn Sie Schnupfen hätten! Sie scheinen zu vergessen, daß Sie verheiratet sind.«

Ich begann zu weinen. Ich bin vierundzwanzig Jahre und brauche einen Mann. Ich sehne mich nach etwas, was unheilbare Optimisten ›Liebe‹ nennen, auch wenn es nur Gier oder unerträgliche Einsamkeit oder Angst vor der Dunkelheit ist. Wenn ich mit Francis zusammen bin, habe ich vor nichts Angst. Vielleicht, weil er den Kern seiner Persönlichkeit so sorgsam bewahrt, um anderen von seiner Kraft abzugeben. Francis ist der erste Mensch, für den ich etwas tun möchte – aber er braucht nichts. Er ist zu sehr daran gewöhnt, etwas für andere zu tun. Er ist kein Engel – er hat eine ganze Reihe irritierender Eigenschaften. Er kann sehr heftig werden. Er bewahrt alles auf; jeden Brief, jedes Stück Papier. Zu Haus hätten sie ihn den »Trödler« genannt, sagte er einmal. Er haßt Unordnung, auch im Reden. Er hat Grundsätze aus Ohio mitgebracht. Das ist alles zum Wände rauflaufen! Aber er ist ein Mann. Er weiß, was Leiden ist. Er sagt nichts darüber – aber in seinem Blick ist Mit-Leiden, nicht einfach Mitleid. Die Patienten beten ihn an. Nurse Waterhouse findet ihn *very decent* – das heißt, sie bewundert seine Leistung. Eigentlich bewundert man den Menschen Francis. Man weiß und sieht und fühlt ihn. Bei Erik weiß niemand, wer er ist. Er hat ein Tag- und ein Nachtgesicht. Das ist so unheimlich.

Francis zieht sich sehr nachlässig an. Oder alles sieht auf seiner langen schlenkrigen Figur nach nichts aus. Er hat nicht Eriks Eleganz. Seine Nase ist zu lang, seine Lippen sind zu schmal, seine Augenbrauen hängen wie Regendächer über seinen tiefliegenden grauen Augen, und er hat zu viele Falten in seinem mageren Gesicht. Aber er ist wunderbar. – Er ist sogar glücklich.

»Geben Sie mir doch ein Rezept fürs Glücklichsein«, habe ich ihn einmal gebeten.

»Ganz einfach, Küken! Man muß nur sein Ich vergessen, ohne sich selbst zu verlieren. Kapiert?«

»Nicht ganz! Mein Kopf tut weh. – Oh, Francis!«

»Was denn?« – Er blickte unauffällig – beinahe behutsam – auf seine Armbanduhr, aber ich sah es . . . Er hatte noch eine Menge Besuche zu machen. Gestern waren neue Einlieferungen gekommen, aus Chiengmai, Lampoon, Prae und wie die Nester im Norden alle heißen. Francis holte ein zerknittertes Paket aus der Tasche: »Ich habe Ihnen etwas aus Lampang mitgebracht.«

Es war gewebter Seidenbrokat – sehr hübsch, aber entsetzlich für meinen Typ. Viel zu kräftige Farben. Ich kann nur Pastellfarben tragen. Tsensky suchte alle Stoffe für mich aus. – Aber er hat mir nie etwas geschenkt, nicht einmal ein seidenes Band oder etwas Aufmerksamkeit, wenn *ich* redete. — Ich hielt den Brokat in den Fingern, aber ich wußte nicht, wie er sich anfühlte . . .

»Zu Haus sind sie ganz begeistert von diesen Thai Seiden«, bemerkte Francis. »Meine Kusinen machen sich Blusen daraus, aber sie sind eigentlich nicht schlank genug für diese Muster.«

›Sieh einmal an‹, dachte ich. ›Der heilige Franziskus von Chiengmai hat doch bemerkt, daß seine Kusinen zu voll ‚oben herum' sind.‹

»Für Sie würde so etwas nett sein«, meinte Francis, und da ich immer noch nichts sagte, fragte er ängstlich: »Gefällt das Zeug Ihnen nicht? Ich . . . ich weiß nicht so Bescheid damit, was junge Damen in Paris tragen.«

»Es ist wunderschön, Francis!«

*

Nurse Waterhouse sah sich beim Supper den Stoff an. »Genau das Richtige für Sie, *dear*!« Ich legte den Brokat unten in meine Reisetasche. Er sollte immer bei mir sein.

Francis ist der einzige Mann in meinem Leben, der mir etwas geschenkt hat, ohne eine Rechnung zu präsentieren. Er hatte an mich unausstehliches kleines Ding gedacht und wollte mir eine Freude machen. Das war eine so neue Erfahrung für mich, daß ich die ganze Nacht wach lag und zuhörte, wie Nurse Waterhouse schnarchte. Sie macht es relativ geräuschlos, aber alle ihre Äußerungen sind kräftig. Gestern erhielt sie einen Brief von ihrem Vater. Sie preßte die Lippen zusammen. Er schien ihr nicht zu gefallen. Da ich nicht schlafen konnte, schlich ich zu ihrer Truhe und las den Brief. Der Major will nicht, daß sie bei mir bleibt. Eltern sind zu blödsinnig. Ich bin überzeugt, daß Nurse Waterhouse schon deswegen bei mir bleibt, weil ihr Vater sich darüber ärgert. Ich glaube, sie hat ihren Vater nicht sehr gern. Aber sie würde das niemals zugeben. Man tut es nicht in britischen Kreisen. Alle sind *all right* oder *decent* oder *funny* — letzteres, wenn Familienmitglieder wahre Brechmittel sind . . .

Ich glaube manchmal, Francis hätte noch etwas Vernünftiges aus mir machen können. Aber er liebt mich nicht, und er hat keine Zeit. Ob die Frauen in früheren Jahrzehnten so viel erfreulicher als wir waren, weil die Männer mehr Zeit hatten? Es ist so beleidigend, wenn der eigene Mann niemals Zeit für einen hat. Nachdem Erik sich auf der Reise in den Fernen Osten an mir satt gesehen hatte, las er die Zeitung, wenn ich ihm des Abends etwas erzählen wollte. Einmal warf ich mit Eisstücken aus der Thermoskanne nach ihm – er war daraufhin noch eisiger als ein Stück Eis. Ob er wirklich zwanzig Jahre zu alt für mich ist? Aber Francis ist genauso alt. Bei ihm fühle ich mich geborgen. Gott sei Dank ahnt er es nicht. Er denkt, ich weine, weil ich diese Krankheit habe.

Neulich, als Francis nur zehn Minuten bei mir bleiben konnte, heulte ich wie ein Schloßhund. Francis ist kein Stein. Das hatte ich mir eingebildet, als ich ihn in Stockholm bei meiner Hochzeit sah. Er blickte mich damals wie ein Staatsanwalt an. Dabei fällt mir Ulrikas Vater ein. Eine schreckliche Familie bis auf meinen Schwiegervater. Wie können Vater und Sohn so verschieden sein? Erik ist in Stockholm zur Beerdigung meiner Schwiegermutter. Diese Dame war außerordentlich *funny*. –

Francis strich mir übers Haar, als ich den Weinkrampf hatte. »Husch«, sagte er wie zu einem kleinen Mädchen. Er sah tatsächlich betrübt aus. So einen Vater müßte ein Mädchen haben! Aber solche Männer bleiben Junggesellen. Francis hat ein Herz! Er scheint zu wissen, was Einsamkeit, eine lange Krankheit und eine unglückliche Ehe bedeuten. Ich bin sicher, daß Erik tagelang ausschließlich an seine Studien denkt. – Ich glaube, nur Geistliche und Ärzte lernen die Menschen wirklich kennen. Soziologen verstehen nur etwas von Gruppen. Beim Studium von Gruppen muß man in die Breite gehen, und für den einzelnen Menschen braucht man den »Blick in die Tiefe«. So nennt unser Monsignore das Geschäft der Menschenkenntnis. Auch ich lebte zu sehr nach außen hin, sagte er. Mein Aufenthalt in diesem Hospital wäre ein Segen in Verkleidung, wenn ich die Zeit richtig nützte. Ich fragte ihn nach einem Mittel gegen meine Angst. Erik spricht nicht mehr von Scheidung. Das beängstigt mich noch mehr. Was hat er vor? Manchmal wird mir eisig kalt, und trotzdem rinnt mir der Schweiß von der Stirn. Das kommt daher, daß ich weder Francis noch Opium habe. Die Zusammenstellung würde Dr. Littlewood nicht gefallen. Aber es ist nun einmal so: diese beiden ungleichen Artikel sind meine einzigen Trostmittel auf der Welt.

Francis spricht nie mit mir über Erik. Männer lassen sich nicht in Diskussionen über Freunde ein. Aber als ich einmal Erik regelrecht beschimpfte, sagte Francis: »Ich will Ihnen etwas verraten, Marie! Vielleicht verstehen Sie uns Männer dann besser.«

»Ich verstehe Sie sehr gut!«

»Ich bin nicht so sicher, Küken!«

»Es liegt an Erik«, sagte ich heftig und begann zu zittern. »Warum in aller Welt hat er sich mit uns verlobt – erst mit Louise und dann mit mir –, wenn er Frauen nicht leiden kann? Glauben Sie mir: er ist genau wie dieser gräßliche Strindberg! *Ein Frauenhasser.* Mama schenkte mir Strindbergs sämtliche Werke zur Hochzeit. Wie finden Sie das? Mama ist ein Wunder an Takt. Entschuldigen Sie, meine Gedanken laufen mir immer davon. Was wollten Sie sagen?«

»Nichts Besonderes, Kleines! Nur, daß Männer viel Alleinsein brauchen. *Versuchen* Sie doch Erik zu verstehen! Er ist nun mal ein Einsiedler, der Frauen braucht. Ein Dilemma für ihn . . .«

»Und für die Frauen«, sagte ich. »*Sie* können nicht so . . . so hart sein wie Erik! Und auch nicht so hinterhältig! Ich finde Sie fabelhaft, Francis! Einfach fabelhaft.«

»Haben Sie keinen Kamm, Marie? Warum frisieren Sie sich nicht so nett wie früher?«

»Es ist nichts wie früher. Und ich hab' doch immer meinen Hut auf. *Wo* ist er?« Ich sprang auf. »Wo ist mein Hut?« schrie ich. »Ich will meinen Hut haben!«

»Nehmen wir den«, sagte Francis. Der Hut lag im Zimmer hinter der Veranda. Er brachte mir den Hut und Kamm und Bürste.

»*Allons, enfants!*« Francis sprach jede Silbe verkehrt aus, und ich lachte endlich.

»Soll ich Ihnen französischen Unterricht geben? Sie sagen doch immer, ich soll mich beschäftigen.«

»Aber nicht mit *mir*«. Francis sagte es schrecklich freundlich, aber es gab mir einen Stich. Ich schluckte, weil ich einen Kloß im Hals hatte, und zog meinen Hut ganz tief ins Gesicht. »Wenn Erik später sein Buch in Stockholm schreibt und ich einen Urlaub nehme, können Sie mir französische Stunden geben, Marie!«

»Das wird niemals der Fall sein.«

»Warum nicht?«

»Weil Sie niemals Urlaub nehmen, und wenn Sie es täten, würden Sie Ihre dicken Kusinen in Ohio besuchen.«

Francis stand auf. »Morgen will ich ein sauber frisiertes Mädchen vorfinden«, sagte er munter. Der Mond war aufgegangen. Die Berge und Palmen waren schwarz. Francis trug einen weißen, seidenen Anzug, weil er in die Stadt Chiengmai zu Freunden fuhr, fürs Wochenende. Der Anzug war gut geschnitten, nur zu weit. Außerdem hatte Francis, ohne einen vernünftigen Menschen zu fragen, sein dunkelblondes Haar aus der Stirn gekämmt. Er hat eine hohe Stirn mit Denker-Wölbungen. Er sah ganz fremd aus im Mondlicht und so fein angezogen. In seinen Augen war ein undefinierbarer Ausdruck, als er die stille Kolonie im aufgehenden Mond betrachtete. Alles war ruhig und friedlich. Nur ich nicht. – Francis strich mir wieder übers Haar, wozu er den großen Strohhut abnahm und in die Ecke warf. »Sie brauchen den albernen Hut nicht! Sie müssen sich nicht immer solche Sachen einreden! Zuviel Phantasie, kleines Mädchen!«

Er lief die Holztreppe hinunter und winkte Nurse Waterhouse zu. Sie ging immer spazieren, wenn ich Gesellschaft hatte. Gleich würde sie mir Fruchtsaft bringen und mich unterhalten. Gute Nurse Waterhouse! Wir waren jetzt beim Buchstaben »W«. – Ich würde sämtliche Vettern und Kusinen Waterhouse serviert bekommen. Von der Wiege bis zum Hockeyklub. –

Francis war in seinem Auto über die Brücke in die Welt gefahren.

In dieser Nacht sah ich wieder Ulrika im Regenwald. –

III

Warum redet man immer von Liebe auf den ersten Blick? Abneigung auf den ersten Blick ist häufiger. Liebe auf den ersten Blick ist doch meistens nur ein kleines Wohlgefallen oder der dringende Wunsch, endlich die Liebe zu erleben. Wie oft wird die Liebe aber beim fünften oder achten Blick Langeweile oder Haß! Abneigung bleibt Abneigung. Man weiß, woran man ist. –

So ging es mir mit Ulrika.

Ich wußte sofort, warum ich Ulrika nicht leiden konnte. Ich war erst neunzehn Jahre, aber meine Erfahrungen mit Mama, Tsensky und Madeleine Boussac hatten mich mißtrauisch gemacht und meinen Blick geschärft. Vielleicht war Ulrika mit ihren fünfundzwanzig Jahren so unerfahren und gutgläubig, weil alle Leute sie liebten – privat und auf der Bühne. Das ist sehr nett für ein Mädchen; aber zuviel Glück oder Erfolg schläfert wohl unsere kritischen Fähigkeiten ein. Ulrika besaß keine Stacheln. Sie traute allen. Auch Tsensky. Auch mir ...

Ich sah sie das erste Mal bei Tsensky in seinem Studio in der Rue de la Grande Chaumière. Er entwarf gerade ihre Kostüme für »Das Mädchen vom Berge«. Da Tsensky keine anderen Schätze vor dem Mädchen vom Berge ausbreiten konnte, ließ er sie einen ausgiebigen Blick auf seinen Wortschatz werfen. Er redete wie drei Bücher, und seine magnetischen Augen saugten sich an Ulrika fest. Wie konnte ich ahnen, daß es dieses Mal bei Tsensky Liebe auf den ersten, zweiten und dreißigsten Blick war? –

Ulrika war eine Schwedin, wie die Illustrierten sie sich wünschen. Sie war groß, geschmeidig, vollkommen unbefangen, beherrschte ihren herrlichen Körper mit unbewußter Eleganz und verbreitete Sonnenschein. Mir wurde schlecht, wenn ich ihr strahlendes, unwissendes Lächeln sah. Sie warf manchmal den Kopf zurück, nicht um ihr entzückend reines Profil zur Geltung zu bringen – wie jede Pariserin es getan hätte –, sondern weil sie so herzlich über Tsenskys uralte Witze lachen mußte. Dabei zeigte sie eine Reihe makelloser Zähne, und ihre sensitiven Nasenflügel bebten. Ihre Lieblingsnahrungsmittel waren kalte Milch – auch im Winter –, grüner Salat und rohe Karotten. Haufen von Vitaminen vervollständigten das Menü. Ich dachte zunächst, Ulrika hatte eine eintönige, etwas säuerliche Joghurt-Mentalität, aber ich hatte mich geirrt. Das wurde mir klar, als ich sie tanzen sah. Sie liebte Balletts mit traurigem Ausgang: der Tod faszinierte sie in jeder Form. Ihr Lieblingsziel in Paris war der *Père Lachaise,* wo sie stundenlang die Grabstätten und Inschriften auf den Denkmälern studierte und Tsensky und mich über ihre Eindrücke auf dem laufenden hielt. Tsensky ist nun jemand, den keine zehn Pferde normalerweise auf einen Friedhof bringen. Er fürchtet sich vor Ansteckung ... Als er Ulrika daher zum dritten Mal zum Père Lachaise begleitete und geduldig mit ihr die Familiengräber bekannter und berühmter Leute besichtigte – da wußte ich, was die Glocke geschlagen hatte. Tsensky genierte sich vor mir – oder vielmehr vor meinen Blicken – und machte sich über gewisse Pariser Familien lustig, die aus Sparsamkeitsgründen gemeinsam eine Grabstätte bewohnten, Aufschrift: *Familien Bérard und Boitron.* Tsensky wurde allmählich eine Autorität in Friedhofsfragen. Er heuchelte Ergriffenheit vor den

Gräbern von Oscar Wilde, Delacroix, Balzac und Colette, weil Ulrika sichtlich ergriffen war. Er unterdrückte heroisch seinen Abscheu vor dem gotischen Zuckerwerk-Monument, das über dem unsterblichen Liebespaar Abélard und Héloise thront. Ulrika war feierlich gestimmt, weil Héloise so unglücklich gewesen war und Abélard . . . schweigen wir darüber! Ulrika bewunderte das Grabmal, Tsensky bewunderte Ulrikas Profil, und ich stand daneben, das überflüssigste Geschöpf im Père Lachaise – nicht tot und erst recht nicht lebendig.

An diesem Abend rauchte ich wieder Marihuanazigaretten. Ich wußte, daß Tsensky und Ulrika im Bois de Boulogne dinierten und Ulrika – animiert durch die unbekannten Toten: *Bon époux, excellent père, fils respectueux* – strahlend den Kopf zurückwerfen würde. Am nächsten Tag erzählte sie mir, sie hätten die Sterne über dem Restaurant gezählt, und Graf Tsensky hätte behauptet, »die guten Väter, die ausgezeichneten Ehemänner und die respektvollen Söhne« komponierten ihre Grabschriften vorsichtshalber selber, denn die Familie wüßte es besser . . . Aber sie glaubte das nicht! Sie frage sich öfter, warum ein so lieber und freundlicher Herr wie Graf Tsensky wohl solch respektlose Witze mache.

Es war Frühling in Paris. Ulrika hatte im Winter in einigen europäischen Städten großen Erfolg gehabt, und Tsensky hatte sie überredet, noch einige Monate mit ihm auf dem Père Lachaise zu verbringen. Man konnte Tsensky in diesen Wochen nie allein im Atelier sprechen – Ulrika kam so unerwartet wie der Tod. Sobald sie erschien, existierte nichts mehr für Tsensky, außer etwas Smörgåsbord, das Ulrika in seiner Kochecke bereitete – sie selbst aß nur ein hartes Ei und knabberte Petersilie dazu –, und Ulrikas Lachen. Sie lachte wie ein Kind – hingegeben und ahnungslos.

Tsensky wollte mit ihr die *grande saison* erleben, die Pariser Nächte im Juni mit den übermütigen und dekorativen Veranstaltungen, die Bälle, die kostümierten Künstler und Kunstjünger, die Opernnacht. Ich hatte ihn oft gebeten, mich einmal im Juni zu diesen traditionellen »Nächten« von Paris mitzunehmen oder wenigstens zu einer Nacht. Aber entweder war ich zu jung, oder er hatte kein Geld. In früheren Jahren war er mit Mama gegangen, aber da Mama allmählich immer beleidigter beim Anblick jüngerer und schönerer Mädchen aussah, hatte Tsensky die *grande saison* mit seinen Modellen oder mit einer kleinen Tänzerin gefeiert. Niemals mit mir – nicht eine einzige verdammte Nacht! Als er sich für diese Saison bei mir Geld pumpen wollte, um Ulrika zu zeigen, was Paris außerhalb des Friedhofs an Vergnügungen zu bieten hatte, verlor ich die Fassung. Ich beschimpfte ihn und zerriß einen Kostümentwurf für »Giselle«. Tsensky gab mir eine Ohrfeige und warf mich hinaus. Der alte Pedant konnte es nicht leiden, wenn man seine Skizzen anfaßte. –

Ich begann Ulrika zu hassen. Sie hatte mir Tsensky gestohlen. Er war manchmal brutal, aber er hatte mich fliegen gelehrt. Manchmal hatte er mich auf seinen Schoß genommen und getröstet. Seitdem das Mädchen vom Berge aufgetaucht war und sich bei ihm einschmeichelte, küßte er mich niemals mehr und schlief offenbar allein. Das heißt, Ulrika tat eigentlich gar nichts. Sie war da, warf lachend den Kopf zurück, und Tsensky betete sie an. Er hätte sie auch angebetet, wenn sie keine Ballerina gewesen wäre. Es mußte Liebe sein. Tsensky bewunderte Ulrika nicht nur wegen ihrer Leistungen; er liebte ihr Wesen. Ich kann auch heute nicht sagen, wie sie eigentlich war – aber ich fühlte instinktiv, daß sie das Gegenteil von mir war.

Ich erinnere mich nicht mehr an jene *grande saison*, für die ich Tsensky keinen roten Heller »lieh« und er einen Empire-Spiegel ins Hotel Drouot brachte, wo alle Spiegel, Bilder, Möbel und Habseligkeiten der Pariser eines Tages versteigert werden. Ich erinnere mich nur an den Frühling in Paris, als Ulrika auftauchte.

Der Frühling in Paris ist trotz aller Filme und Reiseprospekte tatsächlich himmlisch, wenn er nicht zufällig eine private Hölle ist. Tsensky wurde allmählich unsichtbar für mich. Er war mit Ulrika im Bois, oder an der Seine, wo er Küsse angelte, oder auf dem Blumenmarkt. Oder sie fuhren auf den Champs Elysées spazieren – in Ulrikas kleinem silbergrauen Wagen. Sie chauffierte ausgezeichnet. Sie rief mich oft an und lud mich ein mitzukommen. Es wäre jetzt so schön in Auteuil (wo der kleine Armand sich aus Liebe zu mir erschossen hatte) oder so lustig im Lateinischen Viertel, und der Wind wäre so milde über den Brücken der Seine. Ulrika verkündete stets solche Neuigkeiten – aber für sie *war* alles neu. Ich wunderte mich damals, warum sie manchmal schwermütig war, bis sie dann wieder den Kopf in den Nacken warf und lachte. –

Ulrika hatte sich eine Dachwohnung in der Avenue Montaigne gemietet. Sie liebte die Bäume, die Katzen, die über die Dachrinnen tanzten, und den Pariser Frühling. Sie hatte recht. Sie war verliebt und wurde geliebt, und für diesen Zustand ist Paris zuständig. Sie ahnte nicht, daß Tsensky sich vorher mit mir amüsiert hatte, und daß ich sein Bett selbst auf einer Auktion im Hotel Drouot sofort herausgekannt hätte. Sie war von Natur rein und gutgläubig. Aber warum war sie so oft melancholisch? Sie spazierte unter den blühenden Kastanienbäumen Arm in Arm mit Tsensky, und plötzlich fielen Schatten über ihre heitere Stirn. Immer dann, wenn sie von ihrem Vetter Erik sprach. Wir nahmen den Tee in ihrer Dachwohnung, die wenige Möbel, gewebte schwedische Teppiche und ein Photo von Vetter Erik Ekelund enthielt. Alles war geschmackvoll, licht und hygienisch. Ulrikas Vetter sah fabelhaft aus. Als ich es sagte, verdüsterte sie sich und schwieg. An jenem Tag trug sie ein eisblaues Kleid mit einem großen Ausschnitt. Ihr weizenblondes Haar war aus der Stirn gekämmt und mit einem blauen Band zusammengehalten. Ihre Augen waren auch eisblau. Im Privatleben gebrauchte sie keine Schminke. Sie hatte strahlende Farben. Ulrika Lundquist war das schönste Mädchen, das sich jemals in einem Empire-Spiegel betrachtet hatte. Mir sagten viele Leute, daß ich schön wäre, aber ich hatte niemals Selbstvertrauen und glaubte es ihnen nicht. Gegen Ulrika kam ich mir winzig und farblos vor. Dabei war ich neunzehn Jahre und sie Mitte zwanzig. Ich war niemals vorher hilflos gewesen. Ich hatte mich immer durchgeschwindelt und durchgelogen, und Tsensky hatte mich geküßt. Mein Minderwertigkeitsgefühl war Ulrikas Werk. Sie hatte wahrscheinlich keine Ahnung, was sie mir antat. Die Glücklichen sind immer ahnungslos.

»Sie haben ein schönes Kleid an, Ulrika! Eisblau ist Ihre Farbe!« Was immer Ulrika trug — Tsensky fand, daß es ihre Farbe wäre. Tsensky warf ihr einen leidenschaftlichen Blick zu. Wie schamlos war er in meiner Gegenwart!

»Meine Kusine Ingrid Ekelund hat den Stoff gewebt. Erik ist ihr Bruder. Er ist mein Vetter!«

»Das muß er ja wohl sein«, sagte ich.

Ulrika wurde rot. Sie war geistesabwesend gewesen. Die Röte stieg in ihre hohen Backenknochen, die sie etwas russisch aussehen ließen. Gerade genug, um Tsensky zu gefallen. Meine Mutter war ihm längst zu russisch geworden . . .

»Wie dumm von mir«, sagte Ulrika. In Paris gibt es keine Frau, die zugibt, daß sie etwas Dummes gesagt hat. Lieber gibt sie noch zu, daß sie im Augenblick keinen Liebhaber hat. Tsensky warf mir einen wütenden Blick zu, weil ich seine Schneekönigin blamiert hatte ...

In jenem Frühling erfuhr ich zum erstenmal, was die Liebe aus einem lieblosen Mann machen kann. Es war mein Pech, daß ich dies Wunder bei Tsensky nicht bewirken konnte. Er mochte zum Beispiel keine Narzissen. Da Ulrika sie liebte, wurde Tsenskys Atelier ein Narzissenbeet, in dem man sich nur mit Mühe den Weg zu den Teetassen bahnen konnte. Ich nahm die Narzissen zur Kenntnis. Ulrikas Schuldkonto wuchs in den Himmel — wie der Eiffelturm.

Sie hatte einige irritierende Eigenschaften, die Tsensky nicht zu bemerken schien. Zum Beispiel hatte sie eine Leidenschaft, die Tsensky normalerweise verabscheute. Ulrika veränderte gern die Welt zu ihrem Vorteil. Wenn sie richtig im Zuge war, änderte sie nicht nur die Männer, sondern auch deren Möbel, Gewohnheiten und Lieblingslaster. Tsenskys Studio wurde ein Platz der Ordnung und der Hygiene. Überall standen Milchflaschen herum — wie in einem Säuglingsheim. Ulrika ließ bei jedem Wetter den Wind herein, so daß man stets in Gefahr war, eine Lungenentzündung zu kriegen. Sie hatte Tsenskys türkischen Teppich gestopft und in eine Mottenkiste verstaut. Ein weißer schwedischer Teppich lag nun im Studio, Ulrika hatte außerdem eine Fußmatte angeschafft, auf der Graf Tsensky sich die Füße säubern mußte, bevor er auf seinen verdammten Teppich treten durfte. Eine bazillenfreie Luft wehte plötzlich in Tsenskys Studio, wo die Ballettratten in den Ecken gehockt hatten und wo ich hochbezahlte Marihuanazigaretten rauchen durfte ... Tja. Ich wunderte mich, woher Ulrika die Zeit genommen hatte, eine gefeierte Ballerina zu werden.

Einmal zeigte Tsensky ihr seine Skizzen zu *Coppélia*, dem »Mädchen mit den Glasaugen«. — »Sie sieht wie Marie aus«, sagte Ulrika und warf den Kopf zurück. Ihre Zähne glänzten, ihr Haar schien wie Weizen in der Sonne, ihre runden Brüste zeichneten sich unschuldig und vollendet unter dem eisblauen Kleid ab.

»Vielen Dank, Ulrika«, sagte ich. Ulrika blickte entsetzt. Sie hatte mich nicht kränken wollen. Sie nannte mich oft »Püppchen«. Coppélia war zufällig eine Ballettpuppe, die ein lebendiges Mädchen mimte ... Aber zum Schluß heiratet der Bursche natürlich ein Mädchen von Fleisch und Blut. Er ist doch nicht verrückt! Franz heiratet

Schwanhilda aus dem Heimatdorf, und sie nähren sich von Joghurt und Petersilie bis an ihr seliges Ende, Ulrika – ich meine: Schwanhilda – ist Franzens einzige wahre Liebe! Die beiden zeigen es der Puppe Coppélia! –

»Ich wollte dich nicht kränken, Marie«, Ulrika sah unglücklich aus.

»Vergiß es, meine Liebe!« Ich meinte es sogar. Die Hauptsache war, daß *ich* nichts vergaß. Keine Kränkung, keinen Scherz und vor allen Dingen nicht den höllischen Frühling, die blühenden Kastanienbäume in den Champs Elysées und Tsenskys hygienische Zauberbude . . .

Ulrika verabschiedete sich dann ziemlich unvermittelt. Sie mußte Vetter Erik vom Flugplatz abholen. Ihr kleiner silbergrauer Wagen rollte davon. Tsensky stand stumm am Fenster des Ateliers und blickte auf den Modellmarkt hinunter.

»Onkel Sascha, hast du mich noch ein bißchen gern?«

»Warum nicht?« fragte Graf Tsensky. Es war äußerst ermutigend. Ich schluckte. Ich trug ein entzückendes neues Kleid: blaßrosa mit der Chantillyspitze von Großmutter Bonnard. Meine Farbe!

»Gefällt dir mein neues Kleid?«

Keine Antwort. Tsensky lauschte der Nachtigall . . .

Ich fühlte mich gedemütigt – wie ein Staubkorn auf den gewebten schwedischen Vorhängen, das Ulrika mit dem Staubwedel morgen wegfegen würde. Die Atmosphäre in der Wohnung war Tsensky so unähnlich, daß es nur bedeuten konnte, daß er Ulrika nächstens heiraten würde. Auch dazu würde Tsensky sich verstehen, da er ganz offenbar Ulrika auf bequemere Weise nicht haben konnte und sich wohl schon an die kalte Milch und das Schlafen bei offenem Fenster gewöhnt hatte. Männer sind Gewohnheitstiere. Ulrika war viel klüger, als ich gedacht hatte. Sie hatte erst einmal den passenden Rahmen geschaffen, in den der Ehemann sich einfügen ließ. Ich grübelte darüber nach, ob Tsensky jetzt morgens Gymnastik trieb, statt bis ein Uhr im Bett zu liegen und dann das Frühstück mit einem kleinen Absinth zu beginnen.

»Wirst du Ulrika heiraten?« fragte ich unvermittelt.

Tsensky drehte sich brüsk zu mir um.

»Was geht dich das an?«

Ich war verwirrt. Ich interessiere mich immer erst glühend für einen Mann, wenn ich ihn nicht mehr haben kann. Tsensky stand

Arm in Arm mit der unsichtbaren Ulrika auf seinem schwedischen Teppich und wünschte, daß ich dahin verduftete, wo die Narzissen blühen. Sein Gesicht war fremd, sein Mund hart, und seine Augen glänzten melancholisch. Er sah plötzlich wie alle Russen aus, die jemals in einem Kabarett das Wolgalied gesungen haben. Er war Mitte Vierzig und von Liebe verzehrt. Es gibt keinen anderen Ausdruck.

»Ich bin nicht gut genug für Ulrika«, murmelte er.

Ich hätte nicht sprachloser sein können, wenn sie im Ritz statt Cocktails plötzlich Pfefferminztee serviert hätten. Ich erlebte die Metamorphose eines eleganten Lumpen in einen liebenden Mann. Jeder Mann verwandelt sich wohl, wenn er zum erstenmal liebt. Aber Tsensky sprach es aus. Dafür ist er Russe.

»Kannst du mir ein bißchen Rauch verkaufen, oder bist du jetzt zu tugendhaft dafür?« fragte ich sanft.

Er sprang auf mich zu und schüttelte mich, daß mir der Hut vom Kopf fiel, ein Nichts von einem Hütchen aus der Avenue Matignon, ein Gebilde aus einer rosa Blüte und einem silbrigen Schleier.

»Bitte, tritt nicht auf meinen Hut. Er hat ein Vermögen gekostet«, sagte ich noch sanfter.

»Wenn du dir einfallen läßt, Ulrika Marihuanazigaretten anzubieten, drehe ich dir den Hals um!« In Tsenskys Augen brannte ein gefährliches Feuer. Er machte keinen Spaß, sondern Riesenschritte zum Traualtar. –

Es war sehr still in Tsenskys schwedischem Studio. Ich setzte meine Rose wieder im richtigen Winkel auf meinen dumpfen Kopf, arrangierte den Schleier und verließ die hygienische Lasterklause ohne ein weiteres Wort.

Tsensky hatte mich auf eine Idee gebracht.

Hinterher konnte er mir den Hals umdrehen. Es war mir gleich.

IV

Ich lernte Ulrikas Vetter nicht kennen. Ulrika hatte irgendwelche Gründe, diesen schwedischen Adonis – wie Tsensky ihn nannte – vor mir zu verbergen. Sie war stets zurückhaltend gewesen – jetzt war sie frostig. Das paßte mir garnicht in meinen Plan. Nach vierzehn Tagen fuhr Vetter Erik ab. Er hatte irgendwo in Brüssel eine

Konferenz und wollte dann mit seinem amerikanischen Freund – Dr. Littlewood – nach Paris zurückkehren. Ich war in keinen von Ulrikas Plänen mehr eingeschlossen. Tsensky mußte sie vor mir gewarnt haben. Der Hund schien meine Gedanken noch immer so lesen zu können wie vor einem halben Jahr, als er entweder mit mir im Bett lag oder mir Marihuanazigaretten zu Phantasiepreisen verkaufte . . . Ich hatte noch einen kleinen Vorrat in einem Safe in meinem Atelier.

Ich lud Ulrika zum Lunch in mein Studio, um ihr meine Portraits zu zeigen. Sie konnte nicht gut absagen. Tsensky wollte natürlich mitkommen, obwohl er nicht eingeladen war. Auf solche Formalitäten legte Graf Tsensky keinen Wert. Aber er hatte sich durch die offenen Fenster im Schlaf erkältet und hustete. Wenn Tsensky die kleinste Kleinigkeit hat, geht die Welt unter. Er arrangierte Medizinen neben seinem Bett und bereitet sich auf die Schwindsucht vor. Ein Testament machte er nicht, da er nur Schulden besaß. Ulrika war ungerührt. Sie meinte, Tsensky würde sich schneller an gut gelüftete Räume gewöhnen, als er im Augenblick dächte. Es war urkomisch. Tsensky tat mir beinahe leid. Eine Gesundheitsfanatikerin hatte er nie zuvor in seiner Kollektion gehabt.

Ulrika war übrigens blasser als sonst, ihre Augen blickten trüber, und sie warf den Kopf nicht zurück. Aber ich war kein Mann. Ulrika sparte sich ihre privaten Galavorstellungen für Tsensky auf. Wir sprachen über die Vorschriften für Autofahrer in Stockholm und über Besichtigungsfahrten. Ulrika empfahl mir Straßenbahn Nummer 4, die mich für etwa 30 Öre zum Stadion, zur Stadtbibliothek und zum Sportpalast bringen würde. Wir sprachen über Stockholm im Sommer, im Schnee, am Morgen und am Abend. Über Körperkultur großgeschrieben, Fischen, Rudern und über den Verband schwedischer Fahrradhändler. Wir sprachen über alles mögliche – nur nicht über Tsensky oder Vetter Erik. Ulrika war in einer Stimmung, als ob sie bei den Familien Bérard und Boitron auf dem Père Lachaise übernachtet hätte. Aber es war unmöglich, die Ursache aus ihr herauszubekommen. Wenn Ulrika nicht tanzte oder Diätkost bereitete, dann schwieg sie. Sie war auch an diesem Nachmittag enorm höflich und freundlich, aber meilenfern mit ihren Gedanken. –

»Haben Sie Sorgen, Ulrika?« »Nein, nein«, erwiderte sie rasch.

Pause. – Ulrika hatte niemals etwas gegen Pausen im Gespräch.

Sie teilte nicht die Ansicht der Pariser, daß minutenlanges Schweigen eine Naturkatastrophe in einem Salon ist und die Gastgeberin zur Strafe entweder in heißem Öl sieden müßte oder gezwungen werden, in einem Hut vom vorigen Jahr bei einem Empfang im Faubourg zu erscheinen. Wobei jede Pariserin das heiße Öl vorziehen würde. Ulrika schwieg vollkommen unbefangen. Sie hatte sich nie etwas mit mir zu sagen gehabt. Warum die unnützen Anstrengungen? Sie mußte nur noch auf den Kaffee und die Zigaretten warten, dann konnte sie endlich Tanzübungen in ihrer Wohnung machen oder Tsensky besuchen.

Ulrika bekam den Kaffee, und sie bekam ihre Zigarette, ob Tsensky mir den Hals umdrehen würde oder nicht. Die Zigarette sah wie eine gewöhnliche Zigarette aus — aber sie hatte es in sich.

Die Marihuanazigarette schmeckte Ulrika. Der mexikanische Hanf versetzte sie innerhalb einer Stunde in einen von dämonischer Heiterkeit begleiteten Wachtraum. Dann schloß Ulrika die Augen. Sie schlief. Ich durchsuchte ihre handgewebte Tasche. Sie enthielt einen Brief, den Ulrika nicht fertig geschrieben hatte — Tränenspuren verwischten die Zeilen. »*Ich schreibe Dir auf französisch, lieber Erik . . .*« Ulrika hatte Vorsorge getroffen, daß schwedische Zimmermädchen den Brief nicht ohne Wörterbuch entziffern konnten. Vielleicht ließ Vetter Erik Briefe herumliegen — das war Männerart. Ulrika war klug im Umgang mit Männern. Sonst hätte sie Tsensky niemals eingefangen. »*Mache Dir weiter keine Sorgen, Erik!*« schrieb Ulrika. »*Es kommt alles in Ordnung. Ich werde Tsensky heiraten. Er ahnt nichts . . . Er ist sehr verliebt. Ich habe keine Wahl . . . Wann besuchst Du mich in Paris? Ich habe Dir soviel zu sagen. Ich muß Dich sehen! Ich fühle mich so verloren hier. Stets Deine Ulrika.*«

*

Sie hatte also keine Wahl. Warum mußte sie Vetter Erik sehen? Und Tsensky dachte, er wäre nicht gut genug für das Mädchen vom Berge! Es geschah ihm recht.

Ulrika erwachte kopfschüttelnd. Sie gähnte ausgiebig. So müde war sie niemals nach einer Zigarette gewesen. Ich möchte entschuldigen. Sie stand auf und dehnte sich wie eine weizenblonde Statue. Mein Gott — wie schön und vital sie war!

An diesem Abend lag ich allein in meinem Studio auf der Couch und hatte angenehme Visionen. Ulrika würde wiederkommen und mich um diese Zigaretten bitten. Sie war in guter Laune weggegangen und hatte wie in den besten Zeiten gestrahlt. Ich hielt es für unmöglich, daß jemand eine erste Bekanntschaft mit dem Rausch machte und dann darauf verzichtete, als Vogel im Azur zu schweben. Aber Ulrika besuchte mich nicht. Sie hatte die Müdigkeit und den seltsamen Frohsinn abgeschüttelt. Man mußte Disziplin üben, wenn man sich auf neue Balletts vorbereitete. Ich traf Ulrika nach sechs Tagen »zufällig« in der Avenue Montaigne, als sie in die Champs Elysées fahren wollte. Sie sah frisch, kühl und unnahbar aus. Ich hatte das bestimmte Gefühl, daß sie versuchte, ihr Auto zu erreichen, ohne mich zu begrüßen. Ich hatte aber vor ihrer Tür gewartet . . .

Wieder war Ulrika zu höflich, um mich einfach stehenzulassen. Ich hatte ihr neulich ja einen exquisiten Lunch vorgesetzt und Kaffee und Zigaretten. »Das Ding ist mir nicht bekommen«, sagte sie und drückte auf den Anlasser. »Ich war noch zwei Tage zu müde, um meine Übungen zu machen. Was war das für eine Marke?«

»Ich weiß es nicht mehr.« Ich verbarg mühsam meinen Schreck. Hatte Tsensky Lunte gerochen? Ich verabschiedete mich, so schnell es ging, und fuhr zu ihm. Er malte bereits wieder und hustete noch ein bißchen. Er war nicht entzückt, mich zu sehen, schien aber nichts Böses zu ahnen.

Er hatte indessen ein weiteres antikes Möbelstück zur Auktion gebracht. Er schien wirklich ein neues Leben anfangen zu wollen . . . Die neue Tugend saß Tsensky locker auf den Schultern. Die ganze Affaire paßte weder zu seinem Leben noch zu seinen Neigungen, falls ich nicht Tsensky zufällig von seiner schlechtesten Seite kennengelernt hatte. Da mein Anblick ihn an dunkle Kapitel erinnerte, wollte er mich möglichst nicht sehen . . . Es gab nur Ulrika. Ich war mit neunzehn Jahren ein Ding der Vergangenheit. Ich war unerträglich unglücklich. Aber ich rauchte nicht. Ich mußte einen klaren Kopf behalten, wenn Ulrika die dunkle Seite des Mondes bewohnen sollte. Wie ich sie haßte und beneidete! Sie hatte alles, was ich nicht hatte. Sie erschien, und die Leute liebten sie. Jeder vernünftige Mann hätte es sich verbeten, daß Ulrika alles in seiner Wohnung ummodelte! Aber Tsensky war eben nicht vernünftig.

Vetter Erik kam nach Paris zurück. Ich hörte von Tsensky übers

Telephon, daß sie alle – der amerikanische Arzt eingeschlossen – tanzen gingen, im Bois soupierten und Montparnasse unsicher machten. Ich existierte nicht mehr. Einmal traf ich Ulrika und Tsensky in einem Café in Saint-Germain-des-Près. – Sie hatten mich anstandshalber auffordern müssen, aber wir unterhielten uns wie Fremde. Am nächsten Tag wollte Ulrika mit Vetter Erik eine Fahrt nach Chantilly machen. – Sie hatten Familienangelegenheiten zu besprechen, und Tsensky wollte seinem Agenten neue Ballettskizzen vorlegen. Dr. Littlewood, den sie mir auch unterschlagen hatten, war schon wieder nach Asien abgereist. Ich war mutterseelenallein in Paris. Madeleine Boussac war mit ihrem Studenten verreist. Meine Mutter wollte ich nicht sehen. Ich mußte Tsensky wieder haben. Ich konnte nicht so leben: nur stumme vier Wände und Vernachlässigung.

Ich fragte Ulrika über ihren Ausflug aus. Sie gab immer genaue Zeiten und Verbindungen an. Ich wußte das von unserer Unterhaltung über Stockholm. Gegen sechs Uhr abends würden sie auf der Landstraße zwischen Paris und Chantilly in die Stadt zurückkehren.

Ulrika blieb tot auf der Landstraße.

Es war mir in dem Café in Saint-Germain gelungen, einige Marihuanazigaretten in ihr Etui zu schmuggeln, als sie mit Tsensky einen Bekannten begrüßte. Sie ließ ihre Tasche auf dem Tisch liegen. Ulrika vergaß sogar zurückzukommen, da Tsenskys Bekannter – ein Bewunderer seiner Décors – sie zu einem Glas Wein einlud. Sie saßen am anderen Ende der Terrasse. Ich brachte Ulrika ihre Tasche nach und wurde gnädig aufgefordert, Platz zu nehmen. Ich dankte ... Ich war zu taktvoll, mich in eine geschlossene Gesellschaft hineinzudrängen. Alle Menschen in Paris waren in diesen Frühlingsnächten geschlossene Gesellschaften.

Wer kann dem Zufall befehlen? Ich mußte mit einer Chance zufrieden sein. Vielleicht griff Ulrika nach den betäubenden Zigaretten und fuhr gegen einen Baum. Vielleicht würde die Ballerina sich ein Bein brechen und endlich Bekanntschaft mit dem Mißgeschick machen. –

Ich fuhr am folgenden Tag vorsichtig hinter Ulrika und Erik Ekelund her. Sie fuhr wie immer selbst. Ihr Haar wehte im Wind. Ich ließ möglichst eine Reihe von Autos zwischen mir und den beiden. Sie waren in ein Gespräch vertieft. Ich nahm es jedenfalls an, da sie sich niemals umdrehten. Vetter Erik hatte seinen Arm um Ulrikas Schulter gelegt. Einmal hielt sie und schien zu schluchzen. Vetter Erik küßte sie. Ich sah nur seinen eleganten Rücken und sein blondes Haar. – Ich beschloß, Tsensky reinen Wein einzuschenken. Zweimal hielten sie, um sich Zigaretten anzuzünden. Ulrika rauchte eine Menge, wenn sie nervös war. Sie liefen durch den Wald von Chantilly. Ich blieb währenddessen in sicherer Entfernung in meinem Wagen sitzen und las mit einer riesigen Sonnenbrille vor den Augen einen Kriminalroman. Mein Haar war von einem Tuch bedeckt. Ich sah aus wie jedes andere einsame Mädchen an einem sonnigen Tag. Auf dem Rückweg nach Paris hörte ich die erregten Stimmen der beiden. Die Landstraße war leer. Es dämmerte, und ich fuhr ziemlich dicht hinter ihnen. Dann geschah es. Vetter Erik riß Ulrika brutal das Steuer aus der Hand. Der Wagen begann zu schleudern, Vetter Erik sprang heraus, und Ulrika sauste gegen einen Baum. Vielmehr der Wagen. Ulrika rutschte vom Sitz – sie war nicht zu sehen. Kein Mensch weit und breit. Nur ich tauchte an der Unglücksstelle auf. Ulrika war tot. Sie war nach vorn gefallen und . . . ich mag nicht darüber nachdenken. Ich erbot mich, den kopflosen Schweden in sein Hotel zurückzufahren. Wozu sollte er auf die Polizei warten? Er konnte Ulrika nicht mehr lebendig machen. Ich nannte mich Madeleine Boussac. Wir wollten am Abend zusammen essen. Vetter Erik nickte nur. Er war weiß im Gesicht und wie erstarrt. Aber als ich abends in sein Hotel kam, war er einfach abgefahren. Er hatte mir nicht einmal eine Botschaft hinterlassen.

Die Zeitungen waren voll von dem Tod der Ballerina auf der Landstraße. Man hatte sie bald gefunden. Ich wußte nicht, ob das Zigarettenetui auch gefunden worden war. Es hatte drei Marihuanazigaretten enthalten. Ich zitterte jedesmal, wenn ich die Zeitung öffnete.

Tsensky war gebrochen. Ich besuchte ihn vierzehn Tage später und blieb wie früher über Nacht bei ihm. Einmal erwachte ich und sah, daß er die Wand anstarrte. Seine Augen waren voller Tränen. Ich war noch zu jung, um zu wissen, daß Männer auch weinen. Ich dachte, nur wir begössen unsere Erfahrungen wie vertrocknete Blumen in Töpfen. – Ich machte schnell die Augen zu. Tsensky war mir fremd durch die Tränen, die über sein Gesicht liefen. Er rührte sich nicht . . . Es war die intimste Entdeckung, die ich jemals bei Tsensky gemacht habe. Wie es meistens mit wahrer Intimität der Fall ist, ahnte mein Liebhaber nichts davon.

Ich konnte nicht verstehen, warum Vetter Erik vor mir ausgerissen war. Ich hatte ihn vor einem Polizeiverhör bewahrt, und das war der Dank. Inzwischen hatte ich begriffen, warum Tsensky diesen Dr. Ekelund spöttisch den »schwedischen Adonis« nannte. Er war ein Bild von einem Mann — wie Kusine Ulrika ein Bild von einer Frau gewesen war. Wir können nicht alle griechische Götter sein. Es muß auch Männer wie Tsensky geben — mit großen Ohren, einer dicken sinnlichen Unterlippe, Bauchansatz und russischen Nasenlöchern. Aber Tsenskys Augen sind Magneten — trotz der Tränensäcke infolge des lustigen Nachtlebens.

Als Tsensky am nächsten Morgen in die kleine Küche ging, um Tee mit Rum zu machen — er tat sich immer noch löffelweise Erdbeerkonfitüre hinein —, schlich ich an seinen Zeichentisch, der zwei große Schubladen hatte. In der rechten Lade lag Ulrikas silbernes Zigarettenetui. Es gab keinen Zweifel. Ich hatte es vor ihrem Tod in der Hand gehabt und flüchtig die gravierte Inschrift gelesen. »Ulrika — von Erik. Stockholm, 1956.« Mir wurde schwarz vor den Augen. Wie kam das Etui hierher? Ich zwang mich, es zu öffnen. Tsensky klapperte mit den Tassen. Er mußte jede Sekunde zurückkommen. Ich öffnete das Etui. Es war leer. In diesem Moment erschien Tsensky im Studio. Er rollte den Frühstückswagen an den Zeichentisch und fegte die Skizzen auf den Boden. Ulrikas Etui fiel mir aus der Hand und machte ein indiskretes Geräusch. Tsensky sprang wie ein Tiger auf mich zu. Ich dachte: ›Jetzt dreht er mir das Genick um — noch vor dem Frühstück!‹ Aber er hob nur das Etui auf, tat es in die Schublade, schloß ab und steckte den Schlüssel in den Bademantel. — »Ich suchte nach Streichhölzern«, stammelte ich.

»Das habe ich mir gedacht.« Tsensky sah mich aus zusammengekniffenen Augen an. Seine Pupillen glänzten wie bei Nachttieren. Seine Tränensäcke waren aufgeschwollen, und das Weiß der Augen war gelblich. Er beugte den Kopf etwas vor . . . »Komm essen!« Ich wußte nicht, was er wußte. Auf jeden Fall hatte Vetter Erik das Unglück verschuldet. Er hatte Ulrika aus irgendeinem Grund um die Ecke gebracht, ob sie Marihuana geraucht hatte oder nicht.

Schließlich kam ich zu dem Schluß, daß Tsensky eine lebende Geldquelle einer toten vorzog. Wenn er mir den Hals umdrehte, war es aus mit den milden Gaben. Aber ich hatte plötzlich grauenhafte Angst vor ihm. Er bot mir wieder Marihuana an und lachte, als ich ablehnte. Er lachte gräßlich, oder kam es mir so vor? Ich besuchte ihn nicht mehr, aber er besuchte mich. Er brachte mir die Marihuanazigaretten als Geschenk . . . Er »borgte« sich größere Summen, als er es jemals vorher gewagt hatte.

Ich wollte fort. Vielleicht war Tsensky vor Schmerz verrückt geworden? Aber sein neues Ballett wurde ein Triumph. Paris riß sich um ihn. Ich zog in eine andere Wohnung. Madeleine Boussac zog mit mir, und Tsensky tauchte immer wieder auf. Er borgte sich jetzt unerhörte Summen. Ich zahlte gehorsam. Mein böses Gewissen spielte mir wohl Streiche. Ulrika hatte sich damals nach der Marihuanazigarette vollkommen von mir zurückgezogen . . . Tsensky mußte um diesen Vorfall wissen, und das gab ihm Macht über mich. Ich war ganz entnervt. Manchmal sah ich ihn Monate lang nicht und dachte, er hätte mich endlich vergessen. Ich war zu ängstlich, andere Männer kennenzulernen. Ich ging selten aus und malte. Dann erschien Tsensky wieder. –

»Was hast du eigentlich, Marie? Hast du Angst vor mir?«

»Warum sollte ich vor dir Angst haben?«

»Ich weiß es nicht. Vielleicht weißt du es?«

Er sprach nie von Ulrika. Ich erst recht nicht. Ich fuhr zu Louise Bonnards Verlobung mit »Vetter Erik« nach London.

Als ich Dr. Ekelund beim Lunch bei Paul Bonnard wiedersah, wurde er so grün wie Louisens Hut. Was hatte eine gewisse Madeleine Boussac bei seinem Verlobungsessen in Mayfair zu suchen? »Ein Scherz, lieber Erik! Das ist unsere Kusine Marie!«

Erik sah mich ununterbrochen an.

Ich hatte ihm ein Polizeiverhör erspart. Ich war Augenzeugin des Unglücks gewesen. Er mußte mich heiraten. Ich wollte versuchen, nett mit ihm zu sein. Alles, alles – nur nicht nach Paris zurück! Ich hatte Ulrika beinahe vergessen. Man vergißt noch ganz andere Katastrophen: Weltkriege, Massenmorde, Epidemien, Erdbeben . . . Das Leben geht weiter – wie die Mahlzeiten, die neuen Moden und die alten Leiden. Alles geht weiter. Ich ging mit Erik nach dem Fernen Osten, und Tsensky stand allein mit den Engeln in Lidingö. –

Mit der Zeit war es mir gleichgültig geworden, was er sich dachte. Ich vergaß Ulrika und ihr infernalisches Zigarettenetui. Aber die

Angst vor der Angst muß die ganze Zeit in mir gehockt haben. Tsensky schrieb mir freundliche Bettelbriefe nach Thailand, und zweimal schickte ich ihm einen Scheck. Das war ein Fehler, aber wer macht alles richtig? Warum war Ulrikas Etui leer? Wieso hatte Tsensky es überhaupt in seinem Studio? Er konnte es sich doch nicht gut aus der Leichenhalle abgeholt haben? Aber Tsensky brachte alles fertig. Das hatte ich wohl inzwischen vergessen. –

In Doi Sutep war mir ziemlich wohl. Das Opium half mir, das Vergangene zu vergessen. Ich hatte natürlich nicht geahnt, daß Erik mich haßte. Ich dachte allen Ernstes, er mache einen guten Tausch mit mir. Ich war zehn Jahre jünger als Louise, hundertmal reicher und tausendmal hübscher ... Heute weiß ich, daß ich eine Kleinigkeit nicht beachtet hatte. Erik hatte sich Louise ausgesucht, während ich mir Erik ausgesucht hatte ...

Das war meine Fehlrechnung. Die Männer hassen uns, wenn wir sie zu ihrem Glück zwingen. Wenn Erik ins Zimmer kommt, wird mir elend. Er führt etwas im Schilde – wie damals, als er Ulrikas Wagen ins Schleudern brachte. –

Und wenn Tsensky mir jetzt einen Brief schreibt, werden meine Knie Gelee.

Als ich neulich nacht Ulrika im Regenwald begegnete, schrie ich wie am Spieß. Man konnte mich kaum beruhigen. Ich heulte wie ein Tier und klammerte mich mit meinen toten Händen an Nurse Waterhouse.

Ulrika ging lachend in den Dschungel der Vergangenheit zurück.

Sie wird wiederkommen.

Sie ist nicht tot. – Sie wird sterben, wenn Tsensky, Erik und ich ins Gras gebissen haben. Dann denkt niemand mehr an sie ... Das ist der wahre Tod. –

V

Der Dschungel der Vergangenheit sieht wie der Regenwald aus, den ich mit Miss Kuang sah. Nur ist der Dschungel im Traum noch undurchdringlicher. Er wuchs in meinem Zimmer im Mc.Kean Hospital dicht um mich herum. Der Himmel war verschwunden, weil die Kronen der Urwaldbäume zusammenwachsen. Die Gräser standen wie Messer in die Höhe, und ich konnte nicht zurück. Die Gräser zerschnitten mir Knie und Hände – aber ich fühlte selbst im Traum nur den Schmerz an meinen Knien. Auf meiner Veranda waren ebenfalls Urwaldbäume, Lalanggras und wilde Wasserbüffel mit Menschengesichtern. Die Gesichter waren zum Teil ohne Nase, oder die Ohren hingen wie Lappen herab, und die Haut hatte Knoten und Geschwüre. Aber es waren Menschengesichter – ich sah es an den Augen. Sie trabten stumm auf der Veranda hin und her und machten mir Angst. Wohin sollte ich fliehen? Ich wollte auf einen Baum klettern, aber ich hatte keine Kraft in den Händen. Ich hatte schrecklichen Hunger und wollte mir eine Nuß von einer Kokospalme pflücken. Sie saß fest wie Eisen. Ich rüttelte die Palme. Endlich fiel die Nuß herunter. Als ich sie öffnen wollte, blickte die Nuß mich an. Sie war ein Schädel mit Tsenskys Augen. Ich schrie und warf die Nuß den Wasserbüffeln vor die Füße. Sie lachten so gräßlich, daß ich mir die Ohren zuhielt. Und der modrige, feuchte Treibhausgeruch machte mich schwindlig. Die wilden Affen tanzten in den Bäumen, und die Papageien riefen »Ulrika, von Erik, Stockholm 1956!« Es war ein ohrenbetäubender Lärm. Ich schrie nach Nurse Waterhouse. Ich flehte Francis Littlewood an, mich aus dem Regenwald zu befreien. Aber es dringt kein Laut aus dem Dschungel in ein Hospital – ich war gefangen. Einmal sah ich einen Tiger. Ich dachte, er hätte Eriks Augen – aber es war wieder Tsensky. Er stand hinter einer Riesenpalme und beobachtete mich . . . genau wie in Paris, als das Etui mir aus der Hand fiel . . . Ich war verloren.

Dann trat Ulrika hinter den Bäumen hervor. Sie hatte ein Messer, nein, ein schwertartiges Palmenblatt. Sie warf den Kopf zurück und lachte so schrill, daß ich schrie. Aber ich hörte mich nicht schreien. »*Allons, enfants*«, rief Tsensky.

Als Ulrika auf mich zutrat, stellten sich die wilden Büffel im Kreis um mich herum . . . Ulrika kam langsam näher – vielmehr tanzte sie heran. Die Affen tanzten hinter ihr her, und die wilden Papageien schrien noch lauter: »Ulrika! von Erik!« Da war Erik! – Er hatte die ganze Zeit hinter Ulrika gestanden. Er betrachtete mich durch ein Fernglas und nickte.

»*Allons, enfants!*« riefen die Papageien.

Ulrika war an mich herangetreten. Sie steckte mir stumm eine Marihuanazigarette nach der anderen in den Hals, damit ich erstickte. Ich wollte fortrennen, aber die Wasserbüffel standen wie eine Mauer um mich herum. Ich hatte Ulrika nur drei Zigaretten in ihr Etui getan – sie holte aus ihrer gewebten Tasche immer neue heraus.

»*Allons, enfants!*« brüllte Tsensky.

Ich fühlte, wie ich langsam erstickte. Meine Augen traten aus dem Kopf, und meine Kehle war blockiert. Ich versuchte, Ulrika mit den Füßen wegzustoßen, aber sie stand groß und furchtbar vor mir und hielt meine Arme umklammert. Ich sollte mit ihr tanzen . . . »Ich kann nicht«, schrie ich lautlos. »Laß mich los!«

In diesem Augenblick lachte Ulrika und hinkte davon. Tatsächlich, sie hinkte plötzlich! Obwohl ich halbtot war und keine Luft bekam, sah ich, wie Ulrikas Kopf sich auf dem Hals umdrehte. Hatte sie zwei Gesichter? Ich starrte in Miss Kuangs dunkle harte Augen. Und sie humpelte an ihrem Stock auf mich zu und trug eine weiße Mohnblume in der Hand. Die Mohnblume war aber in Wirklichkeit eine Kobra. Miss Kuang flüsterte: »*Allons*«, und die Kobra sprang mir ins Gesicht . . . Ich versuchte zu schreien.

Nurse Waterhouse kam hereingestürzt. Ich bekam eine Spritze. Es war ein böser Traum gewesen. –

*

Zwei Tage später saß ich mit Nurse in der Abenddämmerung auf meiner Veranda. Francis war in seinem feinen Anzug aus der Stadt Chiengmai zurückgekommen. Plötzlich sah ich eine Gestalt zu uns herankommen. Sie hüpfte an ihrem Stock mit der Elfenbeinkrücke und trug eine bestickte Handtasche. Ich träumte wieder. Es war wieder Miss Kuang. In ihrer Tasche war bestimmt der weiße Mohn, der sich in eine Kobra verwandelt.

Ich zog meinen großen Hut tief ins Gesicht. Nurse Waterhouse stand auf. »Bleiben Sie bei mir«, schrie ich und klammerte mich fest an sie. »*Ich träume wieder*! Da ist Miss Kuang! Gleich kommen Ulrika und die wilden Wasserbüffel!«

*

Nurse Waterhouse überzeugte mich, daß ich diesmal *nicht* träumte. Es war Miss Kuang, die grußlos in der Abenddämmerung an mir vorbeihüpfte. Sie hatte den Kopf gesenkt, weil sie ihr »Gesicht« verloren hatte. Die Lepra, an der sie schon vor Jahren gelitten hatte, mußte wieder ausgebrochen sein. In ihrer Tasche war keine Schlange, sondern wahrscheinlich ihr Scheckbuch. – Ich hatte in Doi Sutep keine Ahnung gehabt, daß Miss Kuang einmal Lepra gehabt hatte. Aber hier sah ich einige Patienten genauso hüpfen – ich wußte Bescheid. –

Die Abendsonne stand einen Augenblick rotglühend am Horizont. Dann versank sie in den Wäldern. Die Nacht fiel um Miss Kuang wie ein schwarzer Mantel. Hier kommt niemand mehr heraus. –

SIEBENTES KAPITEL

Die Nacht der Seele

I

»Hier kommt niemand mehr heraus«, sagte Marie Bonnard.

»Ich habe nicht verstanden.« – Dr. Littlewood unterdrückte einen Seufzer. Seitdem Miss Kuang im Hospital aufgetaucht war, ging es mit Maries Stimmung bergab. Miss Kuang sprach niemals mit ihrer ehemaligen Kundin. Sie sprach überhaupt mit niemandem und hüpfte nur in der Dämmerung herum. Sie hatte eine Sekretärin, der sie stundenlang Briefe diktierte. Fräulein Shih kam zweimal in der Woche von Lampang ins Hospital und brachte eine Atmosphäre chinesischer Geschäftigkeit und schlauer Vernunft mit. Sie trug eine große Hornbrille, westliche Kleidung und lächelte mit sämtlichen Goldzähnen, die sie sich im Dienst der Kuangs verdient hatte. Die Sekretärinnendienste im Hospital ließ sie sich doppelt und dreifach bezahlen – und Miss Kuang zahlte ohne Widerrede, obwohl es nicht ihre Art war, ohne Widerrede zu dulden, daß man den Tarif ignorierte. Wenn sie jetzt in ihren Leinenschuhen in der Kolonie herumhumpelte, schien sie zusammengeschrumpft zu sein. Sie war nicht kleiner geworden – es sah aber so aus. Der erneute Ausbruch der Krankheit hatte Miss Kuangs Stolz zerfressen – und ein Mensch ohne Stolz sinkt auf die ihm angeborene Größe herab. Miss Kuang sah jetzt aus wie Millionen gebeugter Chinesinnen. Sie war maßlos verbittert und ignorierte die Tatsache, daß die Hoffnung auf Gesundung schon ein Teil Gesundung für Geist und Seele ist. Miss Kuang glaubte nur, was sie sah. Und sie sah, daß die Krankheit sie nach Jahren wieder gepackt hatte. Vor dem Tor des Hospitals ging das Leben weiter. Man bezahlte zu Neujahr seine Rechnungen und arbeitete, rauchte, kaufte und verkaufte. Miss Kuang hatte den Tag immer geliebt – er gab ihr Wichtigkeit und Tätigkeit. Jetzt sah sie nur zweimal in der Woche ihre Sekretärin, die bei jeder Visite um einen Kopf zu wachsen schien. Miss Shih stahl ihrer Chefin jedesmal eine Portion »Gesicht«. Gestern hatte Miss Kuang Blut gehustet. Panische Angst hatte sie ergriffen. Hatte sie jetzt außer der Lepra auch noch Tuberkulose? Es war Nacht um sie herum – auch wenn die Sonne schien, die Kinder spielten und die Patienten arbeiteten. Der Ping-Fluß rauschte unter der Brücke durch, die in den Alltag von Lampang zurückführte. Miss Kuang hustete, zahlte und schickte versiegelte Briefe an Vetter Kuang nach Hongkong. Dessen Neffe hatte »im Augenblick« Miss Kuangs Geschäfte mit den Opiumzüchtern bei Lampang übernommen. Vetter Kuangs Briefe waren so nüchtern wie eine chinesische Rechenmaschine. Es war ihm nicht gegeben, seine Verwandten zu trösten oder gar aufzuheitern. Man mußte sich in diesem Leben alles selbst beschaffen. Die Kuangs zuckten die Achseln über die »Hoffnung« der Christen. Sie hatten auch ein christliches Exemplar in der Familie. Aber Kusine Tu war eine Reis-Christin: sie bekam Reis und gute Verbindungen durch die Mission in Hongkong – das war ein mildernder Umstand in den Augen der Kuangs. »Die Hüpfende« war wieder von der Krankheit befallen, die die Chinesen »den reißenden Tiger« nennen. Warum sollte man sie trösten? Vetter Kuang schrieb aus Hongkong, daß der junge Neffe sehr gute Abschlüsse »im Seidenhandel« mache. Er wäre jung und gesund.

Als Miss Kuang diesen Brief las, kamen ihr nach Jahren zum erstenmal die Tränen. Sie warf den Brief auf den sauberen Boden des Bungalow und hüpfte darauf herum. Eine rasende Wut hatte sie gepackt. Sie wünschte Vetter Kuang sieben Krankheiten an den Hals und einen bösen Wind in sein Herz. Er hatte ein Herz von Bronze. Es war das Herz, wie es in der Familie üblich war, nur fielen seine Schattenseiten Miss Kuang in der »Verbannung« zum erstenmal auf. – Nachdem sie ihre Wut an dem Brief ausgelassen hatte, spuckte sie zum erstenmal Blut, und danach saß sie starr in ihrem Korbstuhl. Sie wartete fortan auf den Tod und hüpfte in der Abenddämmerung ans Tor, damit er sie nicht etwa übersah und andere Kunden zuerst bediente . . .

Jedesmal, wenn Marie Miss Kuang in ihrer wahren Gestalt herumschleichen sah, gab es ihr einen Stich. Niemand kam hier heraus, oder jeder kam doch nach einiger Zeit zurück. –

»Reden Sie keinen Unsinn, Marie! Ich habe Ihnen doch erklärt, daß Miss Kuang eine andere Art von Lepra hat.« Littlewood blickte auf seine Uhr – eine Geste, die Marie haßte. »Ich will mich kurz fassen«, sagte er seufzend. Marie nickte erfreut: Francis faßte sich so gut wie nie kurz. Es war ihm nicht gegeben. Er selbst hörte so geduldig zu, daß er annahm, andere Leute hätten ebenfalls geduldige Ohren. Marie ließ die Erklärungen an sich vorüberrauschen: Miss Kuang hatte die unzuverlässigste Form der Krankheit. Dieser Typ schwankte zwischen der lepramatösen und der tuberkuloiden Form. Diese Krankheit war ein Tiger, der unerwartet aus seiner Höhle hervorsprang. Miss Kuang hatte den Tiger nicht beachtet, als er sie vor Jahren zum erstenmal anfiel. Sie hatte auch die verräterischen Narben ignoriert, die der Tiger auf ihrem Körper hinterlassen hatte. Miss Kuang hatte Angst gehabt, ihren Verlobten, ihr eigenes Gesicht, das Gesicht der Familie und ihr Geld zu verlieren. Alle Kuangs waren der Ansicht, daß das Geld irgendwie weniger wurde, wenn man es nicht persönlich im Auge behielt. So hatte sich der Tiger in Miss Kuang festgesetzt und sie geplagt und zerrissen. Danach hatte der Tiger sich schlafen gelegt. Es passierte öfters, daß unbehandelte Lepra nach einiger Zeit verschwand. Miss Kuang vergaß daher die frühe Episode ihrer Krankengeschichte und war überzeugt, daß alle aktiven Symptome der Lepra verschwunden waren, obwohl ihre Füße hoffnungslos deformiert blieben. Eines Tages erwachte der feuerspeiende Tiger von neuem, und Miss Kuang fuhr endlich ins Mc.Kean Hospital nach Chiengmai. Sie saß stumm und verzweifelt vor Dr. Littlewood, der ihr die herrlichen Leinenschuhe von den verkrüppelten Füßen streifte.

»Warum kommen Sie erst jetzt?« fragte der Arzt. »Wie konnten Sie annehmen, daß alles in Ordnung sei, wo in Wirklichkeit nichts in Ordnung war! Ihre Krankheit ist ein Waldbrand. Hätten Sie mich zur Zeit den Brand löschen lassen, wären die schwelenden Reste nicht wieder aufgeflammt!«

Miss Kuang schwieg. Ihr Gesicht war eine Maske fatalistischer Verzweiflung.

»Sie müssen sofort ins Hospital, Miss Kuang! Wenn Sie sich jetzt sträuben, werden Sie sehr krank werden. Ihr Zustand ist gefährlich!«

Miss Kuang war viele Monate im Hospital gewesen. Ihre Gedanken wanderten beständig in ihren Bungalow in Doi Sutep zurück, wo sie sich versteckt hatte, bis der Tiger von neuem erwacht war. Bei wem hatte sie sich angesteckt? Sie grübelte Tag und Nacht darüber nach. Endlich kam ihr eine Erleuchtung. Sie sah im Geiste eine bestimmte junge Dienerin vor sich, die sie verhätschelt hatte. Wie es gelegentlich harten und einsamen Geschäftsfrauen passiert, hatte sich Miss Kuang an dieses Miao-Mädchen angeschlossen. Von Monat zu Monat wurde die junge Dienerin ihr unentbehrlicher. Das Kind war heiter, fleißig und gehorsam und sang Miss Kuang in den Schlaf. Die Kleine hatte die typische Stellung zwischen Dienerin und Familienmitglied eingenommen, wie sie in reichen altmodischen chinesischen Häusern heute vorkommt. Als die Kleine einmal sehr hustete, durfte sie mit Miss Kuang in deren Bett schlafen. Sie war das einzige Lebewesen, das der unfreundlichen Herrin aufrichtig und ohne Berechnung ergeben war. Eines Morgens war sie dann auf Nimmerwiedersehen verschwunden. Miss Kuang hatte sich an diesem Morgen aus Mangel an Glück in ihren Abrechnungen geirrt . . . Der Tiger in ihrem Körper, tief unter ihrer Haut, hatte gelächelt. – Er zerriß sie noch nicht, er zerstörte noch keine Nerven und kein »Gesicht« – er wartete. Es war ein chinesischer Tiger. Er hatte Zeit und Geduld . . . So hatte er lange in Miss Kuang gelauert. Sie hatte vergessen, wie lange. Aber eines Tages bemerkte sie Anzeichen. Es mochten drei oder vier Jahre nach dem Verschwinden der Dienerin vergangen sein, als sie die merkwürdigen Veränderungen ihrer Haut entdeckte. Sie hatte die kleinen Knoten und verwischten Flecke mit »Blumentinktur« aus der eigenen Apotheke behandelt. Diese Tinktur half immer. Man rieb sie des Abends ein und war am nächsten Tag glatt und sauber wie Elfenbein. Dr. Kuang hatte sein Vermögen mit dieser »Geheimmedizin« gemacht . . . Die Flecke waren unregelmäßig auf der Haut verteilt – Miss Kuang schloß daraus, daß sie »Zufallsflecke« waren – wie Tintenflecke oder Rote Tinktur gegen »Husten und schlechte Stimmung nach der Mahlzeit«. – Erst hatte die Blumentinktur versagt. – Dann waren die Zufallsflecke plötzlich verschwunden. Miss Kuang hatte triumphiert: Sie gehörte nicht zu den kopflosen Enten, die sofort Zetermord schreien und zu den Ärzten rennen. Sie kehrte in das große Haus nach Lampang zurück und machte mit neuem Eifer Geschäfte. Sie hatte natürlich auch in der Einsamkeit von Doi Sutep Geschäfte gemacht – wozu gab es Papier und Tinte? Miss Kuang verabscheute Schreibmaschinen – sie kannte viele hundert Schriftzeichen. Sie war gut erzogen und hatte Gelehrsamkeit im Bauch. Eines Tages war das Unglück endgültig geschehen. Als der Tiger sich rührte, rasten die winzigen Organismen durch Miss Kuangs Körper. Sie überschwemmten den Blutstrom und die Lymphgefäße und reisten zu den entferntesten Stellen des Körpers. Ganze Kübel der berühmten Blumentinktur hätten die winzigen Organismen in Miss Kuangs Körper nicht ertränken können.

Schließlich warf Miss Kuang die Tinktur in den Fluß ... Danach ließ sie sich die Leinenschuhe arbeiten, weil ihre flinken Füße zwei Stücke Holz geworden waren. Ihre Familie vergaß allmählich, daß Miss Kuang eine gute Tänzerin gewesen war. Und Marie Bonnard hatte es nie gewußt. Sie hatte Miss Kuang für einen gewöhnlichen Krüppel gehalten. Die Wahrheit hatte ihr einen Schock versetzt: Also Miss Kuang hatte auch die »große Krankheit«! Diese Entdeckung hatte Marie in Verzweiflung gestürzt. Es war alles umsonst. Man wurde niemals mehr gesund. Littlewood wollte sie nur beruhigen.

»Wann bin ich geheilt?« fragte Marie.

»Wenn alles weiter gut geht, können Sie uns in etwa zwei Monaten verlassen.«

»Ich kann es nicht glauben. Miss Kuang kam auch wieder zurück. Ich habe Angst, Francis!«

»Wer nicht zuhört, hat immer Angst!«

»Ist es nicht komisch, daß Miss Kuang niemals mit mir spricht?«

»Nein«, sagte Dr. Littlewood. »Sie soll nicht mit anderen Patienten sprechen. Sie hat Tuberkulose. Sie ist deshalb heute früh in den Flügel der Lungenkranken gekommen.«

Das war das letzte, was Marie Bonnard von Miss Violet Kuang – mit dem chinesischen Namen »Sanfter Wind« – hörte und sah. Marie fragte während der verbleibenden acht Wochen niemals mehr nach ihr. Die Chinesin hatte den Mohn des Vergessens geliefert und war von Marie dafür bezahlt worden. Wie Tsensky ...

»Ich werde nach Schweden gehen«, sagte Marie abrupt.

»Natürlich! Erik wird ja dort sein Buch schreiben. Aber vielleicht sollten Sie sich doch besser erst einmal in der Schweiz erholen, Marie.«

»Wo du hingehst, da will ich auch hingehen«, sagte Marie. »Ich gehe nach Schweden! Dort kennt mich niemand.«

»Sie haben keinen Grund, sich zu verstecken, Marie!«

»Ich habe einen Grund. Ich will bei meinem Schwiegervater unterkriechen – da kann mein Mann mir nichts antun. Es ist unmöglich, Erik in die Arme zu fallen, ohne in seine Hände zu fallen.«

»Sehr witzig! – Soll ich heute abend vorbeikommen?«

Marie veränderte sich auffallend. Sie lächelte und errötete wie ein glückliches junges Mädchen. Sie nickte.

»Also gut«, sagte Dr. Littlewood. »Warten Sie nicht! Sie brauchen noch viel Ruhe, Marie! Vielleicht wird es zu spät.«

»Das dürfen Sie mir nicht antun«, sagte Marie mit erstickter Stimme. Littlewood blickte erstaunt auf. Große Tränen rannen über ihr schmales Gesicht. »Warum weinen Sie?« fragte der Arzt. »In acht Wochen ist alles vorbei. Ist das nicht fein, Kleines?«

Marie schwieg. Sie konnte Francis nicht sagen, daß sie sich bei ihm sicher fühlte, daß sie angefangen hatte, die Stunden und Minuten zu zählen, bis er – hilfsbereit und unendlich beruhigend – auf ihrer Veranda erschien und sich mit ihr über nette beruhigende Dinge unterhielt. Sie sah ihn an. ›Ich liebe ihn wahrscheinlich‹, dachte sie. ›Es ist mir gleich, wie schlecht seine Anzüge sitzen, und daß er sich nur alle Jubeljahre sein Haar bürstet, und daß er keine Zeit für mich hat und viel zu alt für mich ist. Es ist mir gleich, gleich, gleich!‹

»Ich will immer hier bei Ihnen bleiben, Francis!«

»*Allons, enfants*«, sagte Dr. Littlewood. »Heute abend wird mir aber richtig gefuttert – sonst gibt es keine Gespräche auf der Veranda. Kapiert, junge Dame?«

II

Die letzten acht Wochen vergingen wie im Flug. Heute war Maries letzter Tag im Hospital. Morgen wollte Nurse Waterhouse sie nach Bangkok zu ihrem Vater bringen. Dr. Ekelund war auf dem Weg dorthin. Marie war einwandfrei geheilt.

»Es gibt keinen Zweifel, nicht wahr, Herr Doktor?« fragte Nurse Waterhouse.

»Nicht den geringsten! Es war die leichteste Form der Infektion, und wir hatten das Glück, daß ich sie sofort entdecken konnte. Wie finden Sie unser Sorgenkind, Nurse Waterhouse?«

»Sie ist sehr still, Herr Doktor! Ich weiß nicht – Mrs. Ekelund war doch schon ganz munter. Hoffentlich erholt sie sich in Schweden.«

»Sie fährt *nicht* nach Stockholm. Einen Augenblick bitte, Nurse! Marie weiß es nicht. Sie kommt erst einmal zu Professor Bonnard nach Zürich.«

»In die Klapsbude?« fragte Nurse Waterhouse ohne Zeremonie. »Aber Herr Doktor! Da wird sie uns erst richtig albern werden.«

»Ich bin anderer Ansicht. Sehen Sie, Maries Nerven sind schwer angegriffen. Der Professor ist ihr Verwandter und der Platz am Züricher See ideal. Die Kleine weint mir zuviel in der letzten Zeit.«

Nurse Waterhouse schwieg. Männer waren einfältig, auch wenn sie noch so klug waren. Ein Blinder konnte sehen, daß Mrs. Ekelund aus normalen Gründen traurig war. Sie hatte sich ein bißchen in den netten Doktor verliebt und vertrug sich nicht mit ihrem Ehemann. Wenn man alle jungen Frauen deswegen in eine Klapsbude stecken wollte . . . Nurse Waterhouse zuckte die Achseln.

»Marie braucht dringend eine Erholung«, sagte Littlewood beruhigend. Unbegreiflich, Nurse Waterhouse war doch sonst die Vernunft in Person! Sah sie nicht, daß Marie in diesem Zustand der Angst vor ihrem Mann psychische Behandlung brauchte?

»Glauben Sie mir, es ist das beste so! Mein Freund Ekelund fährt erst einmal mit seiner Frau nach London, wo er Interviews im Fernsehen gibt. Sie wohnen natürlich im Bonnard.«

»In Haverstock Hill?«

»In Mayfair. – Dr. Ekelund wohnt immer bei Paul Bonnard. Sie sind Freunde. Und Marie ist auch *dort* in der Familie. Eine gute Sache für eine so nervöse junge Frau.«

Nurse Waterhouse hatte ihre eigenen Ansichten über die Segnungen des Familienlebens, aber sie schwieg. Sie gehörte zu den Leuten, denen die richtige Antwort immer drei Stunden später einfällt. Sie konnte nun eigentlich gehen. Sie mußte packen. Übermorgen trat sie eine Pflege in Bangkok an. –

»Das wäre es dann«, sagte sie zögernd. Littlewood fragte prompt:

»Haben Sie noch was auf dem Herzen? Sonst möchte ich Ihnen jetzt gleich *sehr* herzlich danken, Nurse Waterhouse! Es war großartig von Ihnen!«

Nurse sah aus, als sei ihr ein Stück Konfekt in einen hohlen Zahn geraten. »Nichts zu danken«, sagte sie in britischer Verlegenheit. »Ich bin immer froh, wenn ich helfen kann. — Übrigens — ich bin etwas besorgt wegen des Abschiednehmens hier, Herr Doktor! Ich meine . . . Mrs. Ekelund wird sich vielleicht aufregen. Das müssen wir doch vermeiden, nicht wahr?«

Nurse hatte selten eine so lange Rede gehalten.

Einen Augenblick herrschte Schweigen. Francis Littlewood sah im Geiste Maries tränenüberströmtes Gesichtchen. Wie jung sie war, wie unglücklich! Eigentlich war es herrlich, jung und unglücklich zu sein. Aber es war auch ziemlich albern. In sechs Wochen würde Marie ihn vergessen haben. Und er sie? Littlewood räusperte sich. —

»Ich fliege heute nachmittag nach Indien zu einer Konferenz, Nurse Waterhouse! Es trifft sich gerade so. Bitte geben Sie Mrs. Ekelund diesen Brief, aber erst nachdem ich fort bin.«

»Schon gut«, sagte Nurse Waterhouse zweifelnd. —

Littlewood blickte ihr nach, als sie zu Maries Bungalow zurückging. Seine Konferenz fing erst in einer Woche in Madras an. Er fuhr einfach in die Stadt Chiengmai und machte sich unsichtbar. Er dachte wieder an Marie und wie sie sich nach einiger Zeit kindlich und vertrauensvoll an ihn angeschlossen hatte. Er setzte sich an seinen Schreibtisch und begann einen Brief an einen Kollegen in Madras. Seine Hände lagen auf der Schreibmaschine, ohne zu schreiben. Er ging dem Abschied aus dem Weg, weil es besser für Marie war. Es war das Übliche, daß Patientinnen sich in ihren Arzt verliebten. Es lag in der Natur der Sache und in der Natur der Frau. — Und was lag in der Natur des Mannes? Ein Arzt studierte ununterbrochen die menschliche Natur — dieses unklassifizierte Leiden. —

›Man studiert die menschliche Natur am besten, wenn man allein ist‹, dachte Francis Littlewood und schrieb seinen Brief. —

War es richtig, daß er Marie noch nicht gesagt hatte, daß Professor Bonnard sie in London abholen würde?

War es richtig, daß er französischen Abschied nahm?

Littlewood stand stirnrunzelnd auf. Er wurde offenbar sentimental, weil eine kleine Rauschgiftsüchtige ihn anhimmelte. Oder hatte die junge Marie noch den Mut zum Gefühl? Handelte er wirklich nur als Arzt, wenn er eine Abschiedsszene mit Weinzwang vermied? Oder lief er einfach davon? . . .

Wenn in diesem Fall nun das Richtige gerade verkehrt war? — Das wußte man immer erst hinterher. — Er würde Marie einen netten Brief ins Bonnard nach London schreiben . . .

Sein netter Brief erreichte die Empfängerin niemals.

III

Marie verbrachte ihren letzten Abend im Mc.Kean Hospital mit Nurse Waterhouse auf ihrer kleinen Veranda. Francis hatte noch einmal hineingeschaut und Marie übers Haar gestrichen. Sie würden sich morgen verabschieden. Bei diesem Gedanken liefen Marie die Tränen übers Gesicht. —

Nurse Waterhouse stand auf und begann drinnen zu packen. Marie hatte einen Scheck für das Mc.Kean Hospital ausgeschrieben. Nurse sollte ihn Francis übergeben. Marie hätte gern sein Gesicht gesehen. Es war ein großer Scheck. Marie hatte ganz gegen ihre Gewohnheit gehandelt. ›Francis wird sich freuen‹, dachte sie. Vielleicht konnten sie nun neue Bungalows bauen. Francis . . .

Es war sehr still in der Kolonie. Der Mond stand schon am Himmel. Marie saß regungslos da. Sie mußte es Francis wohl glauben, daß sie gesund war, auch wenn sie es noch nicht fassen konnte. Miss Kuangs Erscheinen hatte sie umgeworfen. Aber Francis mußte ja Bescheid wissen. — Marie überlegte, was sie ihm zum Abschied sagen wollte. Sie schloß die Augen. Um sie war Nacht, und in ihr war Nacht. Es war grausam, daß sie sich von Francis trennen mußte. Natürlich paßten sie nicht zusammen. Der strenge Dr. Littlewood verachtete die Vergnügungssüchtigen. Es sei unwichtig, eine amüsante Zeit zu erleben, hatte er behauptet. Es sei eine Bankrotterklärung gegenüber der Wirklichkeit.

»Seien Sie nicht langweilig, Francis.«

»Ich bin lieber langweilig als unnütz.« Francis hatte die Lippen zusammengepreßt. Das tat er immer, wenn er sich ärgerte. —

Francis würde nie nach Schweden kommen. Er hatte in der letzten Zeit immer häufiger auf die Uhr geblickt. Gesunde Leute interessierten ihn nicht . . . Aber er hatte gestrahlt, weil Marie gesund geworden war. Er strahlte unpersönlich . . . Er hatte sie gebeten, nie wieder den Mohn einzuatmen. »Versprechen Sie es mir, Marie!«

Was ihn das anginge? – »Es geht mich an. Du lieber Himmel, ich will doch Ihr Bestes!« – Das war ihr nicht genug. Er liebte sie nicht. Das alte Lied . . .

Marie fühlte sich wie nach einer tödlichen Niederlage. Und sie hatte Angst davor, in die Welt hinter der Brücke vom Ping Fluß zurückzugehen. Nur der Gedanke an ihren Schwiegervater hielt sie aufrecht. Oscar Ekelund würde aufpassen, daß Erik sie nicht in den Mälarsee warf.

Monsignore Bonnard behauptete, Verzweiflung wäre Sünde. Marie sollte Gott darum bitten, daß sie den rechten Weg gehen würde. Der HERR konnte die dunklen Distrikte der Seele erleuchten, wenn man ehrlich darum bat. Es war so lange her, daß Marie sich auf GOTT verlassen hatte. Eigentlich hatte sie sich schon seit dem Abgang aus der Klosterschule von IHM entfernt. Es war so schwer, Gott zu gefallen und dabei noch etwas Spaß zu haben, hatte Marie immer gedacht. Es war beinahe unmöglich, sich sündenleer zu machen, damit die Gnade in die Seele einziehen konnte. Marie hatte es als Klosterschülerin versucht. Dann war Tsensky gekommen. Er lebte so entfernt von Gottes Stadt, wie man in Chiengmai von Stockholm entfernt war. –

Es war draußen dunkel geworden.

Marie stand auf und ging ins Zimmer zurück. Ihre Reisetasche war gepackt.

Die Nacht war überall.

IV

Als Marie mit ihrem Mann im Flugzeug nach London saß, kam ihr alles wie ein Traum vor. Der Abschied von Chiengmai, ohne Francis noch einmal gesehen zu haben. Die Nacht im Bonnard in Bangkok. Ihr Vater, der sie verlegen aber erleichtert betrachtet hatte. »Zeit, daß du nach Europa zurückkommst, kleine Maus! Du machst schöne Geschichten!« –

Und da war Erik. – Er war ungewöhnlich freundlich. Er kümmerte sich um sie wie ein guter, besorgter Ehemann. Aber etwas gefiel Marie nicht – Erik blickte sie nicht an. Und alles, was er sagte, hatte verschwimmende Grenzen. Ihre Unterhaltungen verloren sich in einem rhetorischen Nebel. Mit Francis war alles einfach und freundlich gewesen, vielleicht weil er den Dialog mit dem Unendlichen ablehnte und die sichtbare Welt klar definierte. Sie bestand aus Kranken und Gesunden, aus Mineralien, Tieren, Pflanzen, Bungalows und medizinischem Fortschritt. Das wäre armselig gewesen, wenn Francis diese Welt nicht durch seine Güte bereichert hätte. Marie war noch immer deprimiert. Jetzt – auf dem Weg nach Europa – fühlte sie, daß ihre Zeit im Mc.Kean Hospital trotz aller Schwierigkeiten und Ängste eine glückliche Zeit gewesen war. Zum erstenmal in ihrem Leben waren zwei Menschen besorgt um sie gewesen und hatten ihr ein selbstloses Interesse entgegengebracht – Francis und Nurse Waterhouse! Marie sah im Geist noch einmal die Veranda in der Abendsonne, wo Nurse ihr gut zugeredet und Francis ihr übers Haar gestrichen hatte. Beide hatten sie immer wieder entwaffnet. Wenn es stimmte, daß jedes Treffen mit anderen Menschen einen Wandel im eigenen Wesen hervorbringt, dann war Marie im Hospital nach den ersten Wochen besser und glücklicher gewesen als jemals zuvor. Güte steckte offenbar genauso an, wie negative Einflüsse es taten. Marie hatte sogar etwas für Francis tun wollen – leider war er ohne persönliche Bedürfnisse. Dann hatte Marie nachgedacht, was Nurse eine Freude machen könnte. Schließlich hatte sie ihr einen Scheck gegeben – für einen netten Urlaub in Brighton, bevor Nurse in London wieder Pflegen übernahm. Marie war als Kind mit Madam und Louise in Brighton gewesen und hatte sich dort nicht gerade wohl gefühlt. Dann mußte es das Richtige für Nurse Waterhouse sein . . . Es war das Richtige. Marie hatte auf einen Zettel »Ferien in Brighton« geschrieben. Der Scheck war so reichlich bemessen, daß Nurse Sharples sich an dem Vergnügen beteiligen konnte. Ihre Tante wohnte in Brighton in einem roten sauberen Haus, das anderen Häusern hinter der Wasserfront aufs Haar glich. Nurse Waterhouse hatte ihren Augen nicht trauen wollen, als sie den Scheck sah. Die Sprache war ihr weggeblieben. *Das* hätte sie von Mrs. Ekelund niemals erwartet. Die Kleine regte sich für gewöhnlich um jeden Pfennig auf.

»Mögen Sie Brighton nicht?« hatte Marie ganz ängstlich gefragt, als Nurse immer noch schwieg.

»Brighton ist in Ordnung«, hatte Nurse gebrummt, hatte Mrs. Ekelund wegen ihrer sträflichen Verschwendungssucht gescholten und Tee aufgebrüht. Eine nette Tasse Tee brachte alles ins Gleichgewicht.

Marie kam sich ohne ihre beiden Beschützer verlassen vor. Es war natürlich lächerlich. Sie war eine erwachsene Person von bald fünfundzwanzig Jahren und sehnte sich nach einem überlasteten freundlichen Arzt und einer Krankenschwester, die über die eiserne Heiterkeit trainierter Löwenbändiger verfügte. Und doch – Marie brauchte nur an Nurse Waterhouse in Brighton zu denken, und sofort fühlte sie sich besser . . . Während sie im Flugzeug Länder und Horizonte hinter sich ließ, sah Marie das Meer in Brighton, die Hotels an der Wasserfront, das Aquarium mit den Sonnenterrassen, dem Restaurant und den See- und Frischwasserfischen, die sie mit Louise Bonnard stundenlang betrachten mußte. Louise liebte Fische in jedem Zustand – gebacken, gedämpft und im Aquarium. Marie sah sich lieber die Geschäfte in King's Road an, denen Louise keinen Blick schenkte. Louise hatte nicht einmal einen jungen Mann, mit dem sie des Abends Arm in Arm die großartige Promenade am Meer entlangschlendern konnte. Dabei war sie schon neunzehn Jahre und Marie neun. Sie wohnten im Old Ship Hotel zwischen Black Lion Street und Ship Street. Alle Leute liebten das Hotel, weil es zweihundert Jahre alt war. Es war genau das Richtige für Nurse Waterhouse und Nurse Sharples . . . Tee würden die Damen bei Nurse Sharples' Tante in Hove trinken . . . Wie zufrieden würden sie alle sein! Nurse Waterhouse sagte, die alte Miss Sharples hätte es sehr nett mit ihrer Katze und »ihrer« Bank an der Seefront und der guten Luft und ihrem Rheumatismus. – Nurse Sharples Tante war niemals aus Hove herausgekommen und hatte nicht den geringsten Wunsch, ihr Haus und die Katze zu verlassen. Sie hatten so viel Abwechslung in West Hove: die öffentliche Bibliothek in Church Road, Tennisplätze, große Stürme und die »Fremden« aus London. Die Damen trugen erschrekkende oder komische Hüte, und die alte Miss Sharples und ihre Freundinnen warfen sich auf »ihrer« Bank Blicke zu. Wenn Nurse Waterhouse von Hove erzählte, beneidete Marie sie und die Damen Sharples um ihre eintönigen Freuden. Die drei waren so sicher und zufrieden. Sie waren sehr britisch, und das hielten sie für das einzig Richtige auf der Welt. Marie dachte oft während ihrer Unterhaltungen mit Nurse Waterhouse, daß solchen Menschen gar nicht solche Dinge passieren konnten wie ihr selbst. Die alte Miss Sharples auf ihrer Bank hätte ihren Freundinnen nur Blicke zugeworfen, wenn sie den Grafen Tsensky oder Miss Kuang oder Marie selbst in West Hove hätten promenieren sehen. »*Ausländer*«! hätten die messerscharfen Blicke der Damen gesagt. »Was kann man erwarten? Alle Kleidungsstücke gebügelt wie im Schaufenster!«

Marie schloß die Augen. Mit jeder Stunde entfernte sie sich weiter von dem Hospital in den Bergen, das ihr Sicherheit gegeben hatte. Ihre Eltern hatten sich nicht bemüht, sie ihr zu geben. Und doch war es etwas, das jedes Kind von seinen Eltern und später jede junge Frau von ihrem Ehemann erwartete. Marie blickte Erik an. Er rauchte eine Zigarette nach der anderen, blätterte in einer Mappe mit Notizen und Schriftstücken und war beinahe behaglich isoliert.

»Erik«, murmelte Marie, »ich möchte dir etwas sagen.«

Dr. Ekelund schloß seine Mappe mit einer ergebenen Geste. Er hatte nachgelesen, was er in Hongkong über die Entwicklung des Geistes in bestimmten menschlichen Gesellschaften notiert hatte. Die Lepra-Kolonien des Fernen Ostens begrenzten die geistige Entwicklung in keiner Weise. Im Gegenteil, viele Patienten hatten dort überhaupt erst leben und denken gelernt — in der Gruppe und durch die Gruppe. Das Ziel sozialer Institutionen — Harmonie durch Selbstdisziplin und Nächstenliebe — wurde in diesen Kolonien nicht nur angestrebt, sondern zu einem beträchtlichen Teil verwirklicht. Der einzelne war nach zwei Weltkriegen nirgends in der Welt stark genug, um ohne die stützende Gruppe auszukommen. Dr. Ekelund dachte allerdings, er selbst würde eine gewisse Harmonie erreicht haben, wenn die kleinste Gruppe der Welt — die Ehe — ihn nicht daran gehindert hätte. Er fühlte Maries gläsernen Blick auf sich ruhen, aber es irritierte ihn nicht mehr. Bald würde Marie aus seinem Gesichtskreis verschwinden. Sie war ein Irrtum in seinem Leben gewesen. Irrtümer waren dazu da, daß man sie korrigierte . . .

»Wo sind wir hier?« fragte Marie.

»Ich weiß es nicht. Es ist Nacht. Soll ich die Stewardeß fragen?«

»Nein.«

»Was wolltest du mir sagen, Marie?«

Marie schwieg. Sie hatte in Chiengmai die Gedichte des Po Chü-I gelesen. Francis hatte sie ihr geschenkt. Sie lagen in dem rotgrünen Brokat in ihrer Reisetasche. Marie hatte niemals die Geduld gehabt, Gedichte zu lesen. Sie blätterte auch nur in dem Bändchen, weil Francis es ihr geschenkt hatte. Er fand es merkwürdig, daß der Geist des Fernen Ostens so wenig Eindruck auf Marie machte. »Ich brauche wenig Dinge«, hatte der chinesische Dichter im neunten Jahrhundert geschrieben. »Einen einzigen Teppich, um mich zu wärmen! Man kann nur in einem einzigen Raum schlafen und kann nur ein Pferd zur Zeit reiten. Ich bin glücklich, daß mein Weniges mir genügt.« – Vielleicht hatte sie selbst immer zuviel gebraucht oder haben wollen?

»Erik«, flüsterte sie, »wir wollen einen neuen Anfang machen.«

»Wie meinst du das, mein Kind?«

Marie errötete vor Unsicherheit. Mit Francis konnte sie so leicht sprechen. Bei ihm schadete es auch nichts, wenn sie einmal etwas Unüberlegtes sagte. Francis war ein gelernter Zuhörer, kein Kritiker und Wortzerpflücker wie Erik. –

»Ich war nicht immer so, wie ich hätte sein sollen«, sagte Marie leise. »Ich bin vielleicht zu jung für dich, Erik.«

»Du kanntest mein Alter, als wir heirateten, nicht wahr?«

»Ja – natürlich! Aber ich kannte dich nicht.«

»Möchtest du nicht zur Sache kommen?«

»Ich meine nur, wir sollten versuchen, besser zusammen zu leben.«

Dr. Ekelund schwieg. Sie waren längst an einen toten Punkt gelangt. Marie war neurotisch, und ihre moralische Widerstandskraft war durch das Opium gebrochen. Jeder Einfluß machte jetzt etwas anderes aus ihr. Littlewood hatte sie zufällig einige Monate lang günstig beeinflußt. –

»Warum sagst du nichts, Erik?«

»Ich denke darüber nach, was du von mir willst.«

»Ich will nichts von dir.« Ein Hauch von Verzweiflung wehte Marie an. War Erik so unversöhnlich, weil sie ihn – noch unter dem Einfluß der Drogen – im Krankenhaus in Chiengmai beschimpft hatte? Jetzt war sie nüchtern. Sie würde niemandem verraten, daß Erik sich auf der Landstraße von Chantilly merkwürdig benommen hatte. Aber er traute ihr nicht mehr.

»Ich werde dich niemals verraten«, flüsterte Marie. »Du kannst ganz sicher sein, Erik!«

»Das ist nett von dir«, sagte Dr. Ekelund freundlich. »Möchtest du jetzt Tee haben?«

V

Paul Bonnard empfing die Ekelunds auf dem modernen, weißleuchtenden Flugplatz von London, der so elegant und hygienisch wie ein teures Hospital ist. Paul war immer etwas feierlich. Seine Gäste sahen unsichtbare rote Teppiche zum Empfang ausgebreitet.

»Hallo«, begrüßte er Marie. »Wie geht's? – Mal wieder im Lande?«

Paul Bonnard war ein Meister der Fragen, die sich von selbst beantworten. Das überbrückte jede Pause und jede Verlegenheit zwischen Verwandten. Marie war wie immer bildschön – aber Paul fand sie sehr verändert. Sie war verängstigt – er hatte sie ganz anders gekannt. Sie war sehr gut angezogen, aber keineswegs mit dem raffinierten Chic, der sie vor einigen Jahren zum Blickfang von Pauls Hotelhalle gemacht hatte.

»Hoffentlich bekommt dir das Klima im alten London, Marie! Wir haben ja komisches Wetter«, bemerkte Paul nicht ohne Stolz.

»Wir bleiben nur wenige Tage«, sagte Dr. Ekelund. »Nett, daß du zum Flugplatz gekommen bist, Paul! Tat wirklich nicht nötig.«

»Ein Vergnügen, alter Junge«, erwiderte Paul Bonnard ohne sichtliche Überzeugung. Was war nur mit den beiden los? Paul rühmte sich nicht, ein Seelenforscher zu sein, aber diese beiden Leute waren offenbar sehr »ungemütlich« miteinander. Wenn Paul solche Ehepaare sah, gratulierte er sich immer bei seinem feinsten, trockenen Sherry, daß er sich keine »Missus« auf den Rücken geladen hatte. –

Sie fuhren in Pauls großem elegantem Wagen durch London. Marie hatte die Augen geschlossen, was Paul ungehörig fand. So ein junges Ding und so schlapp! Marie hätte als Säugling aufs Pferd gesetzt werden müssen, dann hätte sie den ganzen Blödsinn nicht gemacht. Natürlich wußten alle Bonnards, daß Marie Opium geraucht hatte. Von ihrer unmöglichen Krankheit hatte niemand Notiz genommen. Allein beim Gedanken daran konnte einem der Yorkshire-Pudding im Halse stecken bleiben! –

»Wollt ihr heut abend ins Theater gehen?« fragte Paul unbehaglich. »Ich kann immer Karten bekommen.«

»Leider treffe ich schon Kollegen heut abend«, sagte Dr. Ekelund. »*Sehr* nett von dir, mein Lieber! Aber Marie vielleicht?«

»Ich bin todmüde, Paul! Vielen Dank. Ich werde mich schlafen legen. Ich will in Stockholm ausgeruht ankommen.«

Ekelund warf Paul Bonnard einen Blick zu. Paul nickte steif.

»Ganz richtig, *dear*«, murmelte er. »Schlaf ist gut für die Schönheit. – Wollt ihr den Lunch auf eurem Zimmer haben?«

»Vielen Dank! Wir essen natürlich im Speisesaal«, sagte Dr. Ekelund.

»Wir sind keine Turteltauben«, bemerkte Marie. »Ich will sowieso nichts essen. Nur Tee und Toast aufs Zimmer bitte!«

»Alles was du willst, *dear*!«

Sie waren in Brook Street angelangt. Paul Bonnard half Marie zeremoniell aus dem Wagen. Er brachte seine Verwandten in die große lautlose Halle. »In einer Viertelstunde in der Bar, *dears*«, sagte er munter. »Entschuldigt mich bitte! Die Marchioness von Waddingham wird jede Minute erwartet.«

Im Bonnard in Mayfair hatte sich nichts geändert. Es gab kein lautes Wort, keinen billigen Wein und keine Skandale in der Empfangshalle. Sie war im Queen Anne-Stil anmutig und würdevoll dekoriert und war Richard Bonnards ganzer Stolz gewesen. Paul sah immer noch seinen Vater in der Queen Anne-Halle: eine hohe würdevolle Gestalt mit dem bekannten Backenbart. »Whiskers« hatte jede Einzelheit der Halle geliebt – den kostbaren Teppich, die Säulen, die Blumendécors an den crèmefarbenen Wänden, die Sessel, die Tische mit den eingelegten Mustern. Alles war beste britische Qualität und Facharbeit. In seiner zurückhaltenden Art war das Bonnard in Mayfair großartig – ein glorifiziertes Heim von großer Bequemlichkeit und Würde. –

Whiskers hatte manchmal beim Portwein gesagt, die Atmosphäre seines Hauses bestimme die Gäste – und nicht umgekehrt.

Es war auch unter Paul Bonnard unausdenkbar, daß die Queen Anne-Halle, der berühmte Grillroom oder das Restaurant und der riesige Ballsaal laute Worte oder Familienskandale mitanhörten.

Die Marchioness von Waddingham zankte sich mit ihrer Tochter in ihren Zimmer. –

*

Marie verbrachte den Nachmittag im Hyde Park. Ihr Mann war nach dem Lunch sofort verschwunden. Er wollte zum Dinner wieder im Hotel sein und danach Freunde in Kensington treffen. Marie war zu müde, um Eriks Freunde zu treffen – außerdem hatte er sie nicht dazu aufgefordert. Er führte in Paul Bonnards Privaträumen einige Telephongespräche, obwohl ihre Zimmer Telephon hatten. Erik und Marie hatten jeder ein eigenes Schlafzimmer. Das Badezimmer und ein kleiner Salon rechts von Maries Zimmer boten jede Möglichkeit, einander aus dem Weg zu gehen. Sie wollten drei Tage bleiben, hatte Dr. Ekelund gesagt.

Marie saß in dem kleinen Salon mit den Chippendale Möbeln und der hellen Seidentapete. Auf einem Tischchen stand ein riesiger Blumenstrauß von Bonnards aus Haverstock Hill. Madam hatte warme Willkommensworte dazu geschrieben, und Louise und Miss Sunshine hatten Grüße gesandt. Morgen abend erwartete man Erik und Marie in Haverstock Hill zum Dinner. Morgen abend – dazwischen lag die Ewigkeit, dachte Marie. Sie stand auf und betrachtete sich im Badezimmer im Spiegel. Sie fand sich sehr blaß und starrte sich an, bis ein leichter Schwindel sie packte. »Ich bin's doch . . .«, murmelte sie und nickte ihrem Spiegelbild zu. Das Geschöpf im Spiegel blickte so starr, daß man Angst bekommen konnte. Aber wer hatte vor sich selbst Angst? »Ich brauche Luft«, sagte Marie langsam. »Ich soll täglich spazierengehen, hat Francis gesagt. Und der Fremde ist fort.« – Sie hatte sich schon in Chiengmai angewöhnt, ihren Mann in Gedanken »Der Fremde« zu nennen. Sie mußte immer ein Kichern unterdrücken, wenn sie Erik so nannte. – Es war ihr kleines Geheimnis . . . Damit strafte sie ihn für seine Kälte und Gleichgültigkeit. Eigentlich für etwas anderes. Ekelund hatte es fertiggebracht, ihr starke Minderwertigkeitsgefühle einzuflößen – wahrscheinlich durch die neue Freundlichkeit, mit der er ihre Bemerkungen ignorierte. Was führte er jetzt im Schilde? Marie hatte plötzlich das Gefühl, daß sie Schweden niemals erreichen würde. Warum hatten Paul Bonnard und der Fremde einander im Auto angeblickt, als von der Weiterreise die Rede gewesen war? Oder hatte sie sich das eingebildet? –

Sie trank eine Tasse Tee und aß ein Stück kalten Toast. Der Tee stand schon einige Zeit auf dem Mahagonitischchen im Salon. Der Tisch war ein kleines Kunstwerk aus der Mitte des 18. Jahrhunderts. Er hatte eine polierte runde Platte »für den Teekessel« und einen geschnitzten Dreifuß. Whiskers hatte diese Kostbarkeit bei einer

Auktion erworben. Die Londoner Bonnards waren Sammler antiker Möbel und Geräte — bis auf die Damen in Haverstock Hill. Madam sammelte lebende Antiquitäten, und Louise sammelte Erfahrungen. Marie hatte früher einen Blick für die schönen Dinge in Brook Street gehabt. Sie war in Paris mit Louis XV-Möbeln aufgewachsen. Nur jetzt hatte sie keinen Blick dafür. Sie brauchte *Luft*. —

Im Hyde Park war es ziemlich leer um drei Uhr nachmittags. Die schwache Februarsonne beschien die hohen Bäume, die breiten gepflegten Wege und einen einzelnen Herrn im runden schwarzen Hut, der auf einer Bank saß. Es war sehr still. Die Sonne war so schwach, als schiene sie durch Glas. Marie setzte sich auf die Bank, wo der Herr im steifen Hut seine Butterbrote aß. Er war klein und dünn, hatte ein lebhaftes blasses Städtergesicht und unterhielt sich halblaut mit seinem Hund, dessen Leine er um sein linkes Handgelenk geschlungen hatte. Herr und Hund waren sehr zufrieden und hatten nichts an der Welt und am Hyde Park auszusetzen. Mr. Stanley W. Sharples — erster Sekretär bei einem bekannten Anwalt — hatte gerade »seine Januarerkältung« hinter sich und verbrachte die letzten drei Tage der Rekonvaleszenz im Hyde Park, bevor er ins Büro zurückging. Er wußte, wie unentbehrlich er dort war und wie alles drunter und drüber ging — mit den Terminen, mit den Besuchern und mit seinem Anwalt selbst —, wenn er seine Januargrippe hatte. Dieses Wissen trug beträchtlich zu Mr. Sharples' Wohlbehagen bei. Er wohnte in einem Zimmer hinter der Brompton Road mit Gartenbenutzung für Bertie den Hund. Seitdem seine Frau tot und seine Tochter mit Nurse Waterhouse nach Bangkok geflogen war, hatte Mr. Sharples nur Bertie, den Hyde Park und seine unverheiratete Schwester in Brighton. Er schätzte diese drei Abwechslungen in der angegebenen Reihenfolge. Er hatte unzähligen Rednern auf dem Platz gegenüber dem Marble Arch zugehört und sich stets wunderbar dabei unterhalten. Diese Bank nun, auf der Mr. Sharples an diesem Februarnachmittag zusammen mit Bertie friedlich seine Sandwiches verzehrte — er hatte stets Wurstbelag wegen Bertie —, diese Bank war Mr. Sharples' Bank. Genau wie eine bestimmte Bank an der Seepromenade in West Hove seiner lieben Schwester gehörte. Ein unnahbarer Zug in Mr. Sharples' lebhaftem Stadtgesicht scheuchte im großen ganzen alle Leute von seinem Stammplatz. Mr. Sharples hatte denselben abweisenden Zug um den Mund, wenn er zu seiner Schwester nach West

Hove fuhr. Er belegte dann mehrere Plätze mit seinem Gepäck: Tageszeitung auf dem gegenüberliegenden Fensterplatz, Reisetasche neben seinem eigenen Fensterplatz . . . Es gab genug Plätze im Zug, und es gab genug Sitzgelegenheiten im Hyde Park. Diese junge Person, die sich neben ihn setzte, brauchte nur die Augen aufzusperren. Bertie knurrte. Er war, was Bänke und Privatleben anbetraf, genauso exklusiv wie sein Herr. Berties Herr und Meister wählte Labour, aber im Hyde Park wollte er seine Ruhe haben. Er raschelte mit dem Butterbrotpapier, knurrte unhörbar mit Bertie um die Wette und beobachtete einen Schäferhund an der Leine. Der Hund war ein langjähriger Feind, und Mr. Sharples mußte Bertie gut zureden, damit alles friedlich blieb. Die junge Person saß immer noch auf der Bank – es war nicht zu glauben. Sie hatte die Augen geschlossen. Daher konnte sie nicht sehen, daß Mr. Sharples und Bertie lieber allein gewesen wären. Warum schlief die junge Person nicht zu Haus? Da sie nun einmal da war, betrachtete Mr. Sharples sie aus zusammengekniffenen Augen. Er hätte sich niemals zu einer offensichtlichen Inspektion erniedrigt, falls die junge Dame die Augen offen gehalten hätte. Mr. Sharples sah bei seinem Anwalt genug Leute, er hatte es nicht nötig, zusätzliche Personen zu betrachten. Da sah sich Mr. Sharples immer noch lieber die Achillesstatue beim Hyde Park Corner an. Übrigens erinnerte die junge Person ihn an eine Statue – sie saß so unbeweglich und war weiß im Gesicht. Plötzlich stieß sie einen stöhnenden Laut aus und fuhr empor. Bertie erschreckte sich und bellte beleidigt. Bertie war sehr sensitiv. Mr. Sharples war im geheimen stolz darauf. –

»Die Bäume . . . «, flüsterte die junge Dame und riß die Augen auf.

Ihre Handtasche fiel herunter. Bertie schnappte danach – nicht um die Tasche zu essen, sondern weil die verstorbene Mrs. Sharples stets ihre Handtasche auf den Boden gleiten ließ und Bertie darauf trainiert war. »Guter Hund«, brummte Mr. Sharples mit Vaterstolz und reichte Marie ihre Tasche. Sie bemerkte es nicht und zwang daher Mr. Sharples, in persönliche Beziehungen einzutreten. Das hatte ihm noch auf seiner Bank gefehlt! –

»Ihre Tasche, Miss!« –

»Oh, danke!« Marie schloß wieder die Augen. Es war ein sonderbares Benehmen und gefiel Mr. Sharples nicht sehr. War die junge

Person betrunken? Sie riß plötzlich wieder die Augen auf. Marie hatte vom Dschungel geträumt und mußte sich erst überzeugen, daß die Bäume im Hyde Park sie nicht bedrohten. Diese Bäume waren auch Riesen, aber sie kamen nicht auf Marie zu – *noch* nicht! Sie stand auf, schwankte und wäre gefallen, wenn Mr. Sharples ihr nicht eine helfende Hand gereicht hätte.

»Sind Sie nicht wohl, Miss?« fragte er ganz besorgt, denn er war ja im Grunde ein freundlicher Herr. Die junge Dame trug großartigen Schmuck, genau wie eine kürzlich im *Daily Express* abgebildete Hochstaplerin. Außerdem einen erstklassigen Tweedmantel. ›Harrods‹ dachte Mr. Sharples. Ihm entging so leicht nichts. »Schöner Tag heute«, sagte er unbehaglich, da die junge Dame ihn wortlos anstarrte. »So milde!«

»Was wollen Sie von mir?« Die junge Person riß die Augen auf. Das war Mr. S. W. Sharples noch nicht passiert. *Wer* hatte sich zu *wem* gesetzt, he? Bertie war Zeuge. Aber bevor Mr. Sharples in seiner kühlsten Bürostimme den Irrtum hätte richtigstellen können, war die junge Dame ohne ein weiteres Wort davongerannt. Jawohl, sie war gerannt – gerade als ob Mr. Sharples und Bertie hinter ihr her wären! Um der Wahrheit die Ehre zu geben: Bertie rannte laut bellend hinter der Unbekannten her, wurde aber von Mr. Sharples unverzüglich zurückgerufen. Bertie hatte nichts mit der Fremden zu schaffen. Sie mußte doch betrunken gewesen sein.

»Es ist alles in Ordnung«, sagte Mr. Sharples zu Bertie. »Rege dich nicht auf, alter Knabe! *Diese* Person sehen wir nicht wieder, soweit es an mir liegt.«

Mr. Stanley W. Sharples, die Seele im Büro der Herren Gosling, Gosling und Huddleston auf der Brompton Road (Rechtsanwälte und Notare), war der letzte Mensch, der Marie Bonnard im Hyde Park Luft schnappen sah. Aber obwohl wenig Dinge Mr. Sharples entgingen, wußte er nicht, daß diese junge Dame wenige Stunden später in ganz London gesucht wurde. Mr. Sharples konnte es nicht wissen, da die Familie Bonnard diese Tatsache weder in der Zeitung bekanntmachte noch sonst an die große Glocke hing. –

Bertie hatte die junge Person zwar beschnuppert, aber er interessierte sich in der Hauptsache für Wurstenden und die Achillesstatue, um die er jedesmal beim Aufbruch aus dem Park herumtanzte. –

Marie winkte einer Taxe und fuhr nach Brook Street zurück. Sie war schweißgebadet, und ihr Herz hämmerte. Was hatte dieser Mann in dem schwarzen steifen Hut von ihr gewollt? War er ein Dieb, ein Mädchenhändler, oder hatte er ihr den Hund verkaufen wollen? Wenn sie nur erst bei ihrem Schwiegervater in Stockholm wäre! Erik wollte nur eine Woche dort bleiben, und dann führte seine Arbeit ihn in den Fernen Osten zurück. Warum sagte Erik jetzt zu allem »Ja und Amen«, wenn sie etwas zu ihm sagte? Das ging nicht mit rechten Dingen zu.

Marie erreichte unbemerkt ihr Zimmer und schloß die Tür ab. Sie stand schwer atmend vor ihrem Toilettentisch und zählte ihr Geld — ein Dieb war der Mann auf der Bank nicht gewesen. —

Es war sehr still im Zimmer. Marie hatte niemals die Stille vertragen können. Sie warf sich aufs Bett und gähnte. Es war erst fünf Uhr nachmittags. Die Sonne schien durch die Vorhänge in das lichte Zimmer mit den Blumenbildern an den Wänden und den zierlichen Möbeln mit den Seidenbezügen. Alles war wie für eine Hochzeitsreisende — auch der entzückende kleine Salon mit dem antiken Schreibtisch! Dort hatte Erik einige Dokumente und Briefe in einer Schublade verschlossen, da er nicht alles bei sich tragen konnte. Marie hatte gesehen, wie er den Schlüssel in seine Brieftasche legte. Er kannte seine Frau.

Marie kämmte sich das Haar und zog einen seidenen Schlafrock an. Sie puderte sich und saß so lange still auf ihrem Frisiersessel, bis ihr Gesicht nicht mehr zuckte. Dann klingelte sie dem Stubenmädchen und bat um den zweiten Schlüssel zur Schreibtischschublade. Ihr Mann habe den Schlüssel versehentlich mitgenommen und sie wolle bis zum Dinner Briefe beantworten. Das Stubenmädchen holte den zweiten Direktor, der sofort das Fach öffnete. Marie schloß die Türen ab. Sie war allein. Sie suchte fieberhaft in Eriks Papieren und Briefen — nichts! Sie wollte gerade die Schublade schließen und den Schlüssel in ihre Handtasche tun, als sie den Brief entdeckte.

Zwischen Eriks Notizen lag ein Brief aus Zürich, den Marie vorher nicht gesehen hatte. Der Brief war an Erik gerichtet. Professor Maurice Bonnard würde morgen in London ankommen und Marie in sein Sanatorium mitnehmen. Nach allem, was Dr. Littlewood geschrieben hatte, brauchte Marie ärztliche Aufsicht . . . Man konnte unmöglich sagen, ob Maries Aufenthalt im Sanatorium länger dauern würde . . . Man mußte abwarten und das Beste hoffen, schrieb der Professor. Er selbst würde Marie behandeln . . .

›Die Klapsbude‹, dachte Marie. Großonkel Antoine war niemals mehr dort herausgekommen! Das war Eriks Werk. Er hatte allen Leuten Schauergeschichten berichtet. Marie hatte im Flugzeug das Komplott geahnt ... Sie kleidete sich hastig an und ließ den Brief aus Zürich liegen, wo er lag. Ihre Hände zitterten, als sie ihre Reisetasche packte. Sie konnte nur das Notwendigste mitnehmen und mußte aufpassen, daß niemand sie sah. Sie würde die Hintertreppe benutzen. Sie wickelte ihren Schmuck in den Fetzen Brokat, den Francis ihr geschenkt hatte, und zog ihren Regenmantel über ihr Kostüm. Es war dunkelgrau und nicht mehr die letzte Mode. Das war gut. Wo Marie untertauchen wollte, durfte man nicht auffallen. Sie wußte, daß sie nicht nach Stockholm fahren konnte – Maurice würde sie dort abholen. Sie konnte nicht zu Madam flüchten – Maurice würde nach Haverstock Hill kommen. Erik würde keine Ruhe geben. Er wollte sie lebendig begraben. Marie dachte scharf nach – sie war so wenig verrückt wie Paul Bonnard oder der Mann im steifen Hut auf der Bank im Hyde Park. Erik war verrückt! Und nur sie wußte es. Sie mußte vorsichtig vorgehen. Maurice Bonnard würde ihr niemals glauben, daß Soziologe Ekelund nicht alle Tassen im Schrank hatte. Erik hatte Ulrika in den Tod gesteuert. Dieses Experiment konnte er nicht wiederholen. Jetzt wollte er seine Frau verschwinden lassen. Nurse Waterhouse hatte die Drohbriefe gelesen. *Wo* waren die Briefe! Natürlich – Nurse hatte sie eingeschlossen! Nurse war noch in Bangkok ...

Im ersten Schreck hatte Marie an Paris gedacht. Welch ein Unsinn! In Paris kannte jeder jeden. Und da war Tsensky mit Ulrikas Zigarettenetui! In Paris würde sie Tsensky sofort in die Arme laufen. Tsensky war überall. Auf den Champs Elysées, auf dem Modellmarkt, in Montparnasse –

In London kannte niemand niemanden. Diese Stadt war ein Labyrinth. London war die Nacht, die alle einhüllte und versteckte: die Londoner selbst, die Ausländer, die Verbrecher und die unschuldig Verfolgten wie sie selbst oder wie jene Kellnerin, die vor ihrem Verlobten in eine Seitengasse von Soho oder Notting Hill geflohen war. Egal, wie sie hieß. Sie habe ein Kopftuch und einen Regenmantel unbestimmter Farbe getragen, hatte in der Zeitung gestanden. –

Marie suchte ein Kopftuch heraus. Das war richtig für die Gegend, in der sie untertauchen wollte, bis sie Madam in Haverstock Hill benachrichtigen konnte, daß Erik verrückt geworden war. Wenn sie jetzt vorsichtig war und nie wieder rauchte, dann war alles in Ordnung.

Wie gut, daß sie als Kind mit Madam an den Donnerstagen alte Kellnerinnen besucht hatte. Dort würde niemand sie suchen. Sie hatte noch viel Geld und den Schmuck und ihren guten Kopf. Sie mußte nur erst aus dem verdammten Bonnard herauskommen — danach konnte sie untertauchen. Maurice konnte Erik gleich mitnehmen, das Zimmer in der Klapsbude war ja reserviert . . . London war ein Ozean mit unzähligen Straßen — einige elegant und hochmütig und andere, wo der Ozean das Strandgut anschwemmte. Bröckelnde Fassaden, schmutzige Kinder, armselige Geschäfte und dann wieder Lichter, Restaurants, Nachtklubs, Nachtfalter, Rauch in allen Preislagen und Tanz und Himmel und Hölle in Soho.

Ein Mädchen im alten Regenmantel, mit dunkler Brille und einem verblichenen Kopftuch schlich die Treppe hinunter. Niemand schenkte dem Mädchen auf der Hintertreppe einen Blick. Es war wohl die Tochter des Portiers, oder die Blumenfee ohne Make-up, oder — hol's der Teufel, wer das Mädchen war . . .

Dr. Erik Ekelund fuhr im Fahrstuhl in das bezaubernde Behelfsheim im zweiten Stock des Bonnard, gerade als Marie über die Hintertreppe, vorbei an der Wäscherei, die Straße erreichte.

Eine Taxe brachte sie in eine Gegend, die sie als Kind mit Madam besucht hatte. Dort gab es keine Queen Anne-Halle, kein Chippendale — noch nicht einmal einen Tisch, der in der Nähe eines Chippendale-Exemplars gestanden hatte. Es gab lange Reihen grauer Häuser mit kleinen Erkern. Es gab Ascheimer, Geschäfte, die nichts von Harrods-Mänteln und Hüten ahnten, Frauen mit Einkaufsbeuteln und herumschlotternden Jacken und Strümpfen und menschliches Strandgut in allen Farben — weiß, braun, gelb und schwarz.

Der Hyde Park, die Hotels Bonnard, der Hund Bertie, die Lichter von Piccadilly, Barclays Bank und Selfridges in Oxford Street waren versunken, oder sie hatten niemals existiert. Die Parks, die Paläste, Trafalgar Square im Mondlicht, wo die Fontänen für die Touristen rieselten, die Westminster-Brücke und Madame Toussauds Wachsfiguren in Marylebone Road — sie verschwanden im Mantel der Nacht. Die Nacht war ungeheuer und tröstlich und undurchdringlich — sie verschluckte die Schaufenster von Marks & Spencer, sie verschlang ganz Whitehall und das chinesische *Welcome-Restaurant* in Golders Green. Sie verschluckte Primrose Hill, wo Madam in jungen Jahren mit Antoine Bonnard gestanden und über Londons Häusermeer geblickt hatte, bis der arme Antoine in der Klapsbude am Züricher See verschwunden war. Genau, wie Marie Bonnard verschwunden wäre, wenn die gigantische Stadt nicht ganze Distrikte und Parks und die Themse und das siamesische Reis-Restaurant in Kensington High Street zwischen Marie und ihre Verfolger geschoben hätte. Es war schon ein Hauch vom Frühling in dieser Februarnacht und eine Ahnung von millionenfacher Einsamkeit, von eigensinniger Lebenskraft und Nachtigallen in Berkeley Square oder in den Vororten, wo man langsam und gern und auch preiswert lebte . . . Die Nacht verschluckte alles — die Seelen, die Ängste und die Freuden von Sportsmännern und Hausfrauen in Camden Town und Kensington und Hammersmith. In diesem Augenblick würden sie sich im Bonnard in Mayfair zum Dinner umziehen, und in Haverstock Hill würde die »Alte Garde« die Fernsehprogramme für den Abend studieren. Die alten Leute wollten nicht schlafen — das war schon beinahe der Tod — und sie versteckten sich hinter den dichten Vorhängen des Bonnard vor der gleichen Nacht, die Marie auf ihrem Weg in die Vergessenheit beschützte. — Die alte Garde in Haverstock Hill haßte die Nacht. Sie wartete aufs Frühstück, auf den Tag, auf Eier mit Schinkenspeck und Porridge und starken süßen Tee — da wußte man, woran man war. Die Nacht war so ungreifbar in dieser riesigen Stadt. Sie war eine bittere Prophetin, eine Keimzelle des Grauens.

Marie Bonnard fuhr durch die Nacht. In einer bestimmten Straße sah sie alte hohe Häuser, dann wieder alte niedrige Häuser, und verwahrloste Treppen, armselige Geschäfte und Fenster ohne Gardinen. In den Zimmern saßen unzählige Menschen, von einer kalten elektrischen Birne angestrahlt. Sie hatten alle Hautfarben, welche die Erde bis jetzt geliefert hat, und sie saßen auf abgeteilten Inseln. Nur wenn diese Leute in die Nacht von London traten, sahen sie alle gleich aus. Bei Nacht sind alle Mieter grau . . . In einem kleinen Büro saß jedesmal eine ältere Frau, die die Inseln vermietete. Mrs. Tubbs oder Miss Goodman saßen schon viele Jahre in ihrem Büro mit dem wackligen Tisch, den verstaubten Gardinen und dem kleinen Gasofen, der mit Shillingen gefüttert werden mußte, wenn er Wärme spenden sollte. Die Damen trugen alte Strickjacken in sonderbaren

Farben und studierten durch ihre Brille ein blaues Heft mit der Aufschrift: *Was ist in London los?* – London bei Nacht schien eine Stadt in Gold und Purpur zu sein: Theater, Nachtklubs, Bälle, Frohsinn, Modellkleider, Gelächter, Zigeunermusik in Baker Street und »Gute Weine und französische Atmosphäre« in Chelsea! Nicht daß Mrs. Tubbs oder die hinkende Miss Goodman ein Wort aus diesem Märchenbuch glaubten! Sie hatten dreiundfünfzig oder einundsechzig Jahre und die entsprechenden Nächte in ihrem Winkel von London verbracht und immer nur gelesen, was es alles gab . . . Selbst Mrs. Tubbs' kleiner Piepvogel – der einzige Bewohner, der ein tägliches Bad nehmen konnte – glaubte kein Wort aus dem blauen Märchenbuch.

Dann hatte die Nacht alles verschluckt: Mrs. Tubbs und ihren Betrieb in vielen Farben, Miss Goodman's Etablissement (Farbige Gäste *nicht* willkommen!), den Piepvogel Jonathan und die Public Bar an der Ecke, wo Mrs. Tubbs Stammgast war. –

Marie Bonnard fuhr weiter. Die Nacht war überall – in den Schatten der Hauseingänge, in den möblierten Zimmern, im Hyde Park, im Britischen Museum, in Barclays Bank und in den Seelen.

Die Londoner Nacht war ein mächtiger Wind. Der Wind wehte Marie schließlich in ein bestimmtes Haus, in ein Zimmer, in ein Bett. –

Morgen mußte sie Pläne fassen. Sie waren hinter ihr her, wie damals hinter dem armen Antoine! Die Tage in der Klapsbude wurden so schnell Wochen, Monate, Jahre, Jahrzehnte . . . Wer kümmerte sich darum? Marie seufzte in dem fremden Zimmer. *»Nur für eine Nacht!«* hatte sie gemurmelt. Morgen mußte sie umziehen. Die Bonnards würden sie suchen lassen.

Marie hörte Geräusche von der Straße. Sie blickte auf ihre Uhr. Ein berühmtes Schweizer Werk, das alles überlebt hatte.

Irgendwo auf der Straße lachten Leute – auch das gab es auf der Welt! Der Deckel eines Ascheimers fiel klirrend auf das holprige Pflaster vor Maries Fenster. Jemand stieß einen kernigen Londoner Fluch aus. Eine Männerstimme sang heiser: *Don't laugh at my jokes too much!«* Wer lachte? – Dann hatte die Nacht die Stimmen verschluckt.

Ihr schwarzer Mantel hüllt das steinerne Labyrinth von einem Ende zum anderen ein. Die Nacht breitete ihr Riesentuch über die

Themsebrücken, über den weißen Triumphbogen von Marble Arch und über *Old Bailey* mit dem Kupferdach, der Publikumsgalerie und den Verbrechern, die so ungern nach Newgate kamen . . . Jetzt schliefen sie alle: die Gerechtigkeit mit der weißen Perücke, die Verbrecher mit der dunklen Tat und die Steine von Old Bailey. Die roten Autobusse und Trolleybusse, die am Tag das Labyrinth an der Themse von einer Ecke zur anderen durchkreuzten, schliefen in ihren Höfen. Morgen war wieder ein Verkehrstag. Die Untergrundbahnen waren gelähmt, und ihre Gewölbe, die tagsüber Horden von Londonern sahen, waren Katakomben ohne Gesang und ohne Geräusch. Morgen war wieder ein Tag. Die Katakomben würden die Geschäftsleute aufnehmen, die Büroangestellten, die Hausfrauen, die Kinder und die vielen Fremden, die von einem Distrikt in den anderen rasten. Die Fahrgäste erfuhren in der »Untergrund«, daß sie Haigs Whisky trinken sollten, daß Milch jedesmal den Tag verschönte und daß es rechts nach Charing Cross ging. Genieße den Tag mit Cadburys Schokolade!

In Brook Street war das letzte Dinner, das letzte Getränk und das letzte Gespräch von der Nacht verschluckt worden. Paul Bonnard hatte um zehn Uhr abends das Telephon in Bewegung gesetzt. Dann um elf. Er hatte zu Ekelund gesagt: »Sie kann ja nicht weit kommen!« Woher konnte er das wissen? –

Die Nacht hüllte das Bonnard in Haverstock Hill in ihren Mantel. Hampstead wurde eine Welt fliehender Schatten. Das Allgemeine Krankenhaus mit den Nachtlichtern und dem schwarzen Gebüsch im Garten, die Heide, die »Grausame See« mit der blitzenden Theke, wo Louise Bonnard und Erik Ekelund Lachsbrote gegessen und Sherry dazu getrunken hatten, umfing die Nacht, die alles besiegte. Die Cafés und die Montmartre-Lokale in High Street entließen die letzten Nachtschwärmer – »Teddy-Boys« mit ihren Mädchen, ärgerliche junge und vergnügte alte Männer und die Stammgäste beiderlei Geschlechts, die jeden Stein und jeden Maler und jeden Gastwirt in Hampstead kannten. – Zum Beispiel Keats Bank in Well Walk – mit der Heide im Hintergrund, wo Louise und Erik Arm in Arm gewandelt waren und nicht gewußt hatten, daß ihre gemeinsame Zukunft sich bereits im Abendnebel auflöste. Und da war auch das Café, wo Marie Bonnard als Kind mit Madam Kuchen mit rosa Zuckerguß gegessen hatte, und wo sie gewünscht hatte, daß dieser Nachmittag niemals zu Ende gehen würde. Aber die Nacht war doch herangeschlichen und war in Maries Seele gedrungen. Die Nacht breitete ihren Mantel aus, ob es den Leuten gefiel oder nicht. Alles versank in der Dunkelheit: Romneys Haus und der Whitestone-Teich und »Jack Straws Schloß« und die Freuden des Tages. Im Whitestone-Teich hatte Marie zum ersten Mal den Schreck vor der Tiefe erlebt. Sie sah seltsame Geschöpfe in den bebenden Wassern, und Madam hatte sie ins Auto gepackt und zurück ins Bonnard genommen . . .

Die Nacht schnitt jeden Gesprächsfaden entzwei, die Diskussionen der jungen Leute in den Jugendklubs in Lambeth und die Erinnerungen eines weißhaarigen Klubmannes im Klubland und die geflüsterten Liebkosungen der jungen Paare und Mrs. Biggs Bericht über die letzte Spiritistensitzung. Die Nacht machte sogar den Fernsehprogrammen in Haverstock Hill den Garaus. Die alte Garde saß plötzlich vor einem schwarzen Viereck und ahnte die Leere in ihren Zimmern.

Miss Hilda Sunshine von der Rezeption hatte um 11 Uhr und 30 Minuten den Telephonhörer aus der Hand gelegt. Paul Bonnard hatte angefragt, ob Marie bei ihnen wäre. Hilda hatte den vernünftigen Kopf mit der eisernen Dauerwelle geschüttelt. Natürlich war Marie nicht in Haverstock Hill! Warum sollte sie dort sein? Sie wurde morgen mit ihrem Ehemann zum Dinner bei Madam erwartet. Louise besuchte gerade Freunde in Richmond, konnte also zu ihrem Bedauern das Ehepaar Ekelund nicht begrüßen. *Wie* bitte? Marie wäre verschwunden? Miss Sunshine hatte zweimal nachgefragt. Herr Paul gebrauchte doch sonst nicht so starke Worte. Marie verschwunden? Das sah man im Kino, oder man las es in den Romanen der Öffentlichen Bibliotheken in Hampstead. Hilda hatte schließlich Madam ans Telephon gerufen.

Die Nacht schritt sanft durch Gärten und Häusermeere. Sie kannte sich aus in dem uralten Sammelplatz am Themsefluß. Sie verschluckte die harten Ecken des Tages, die bröckelnden Fassaden in den Slums, Sadler's Wells Theater, wo Ulrika getanzt hatte, die Filmpaläste im Westend und die letzten Spaziergänger in Westminster oder Stepney. Die Nacht warf ihren gigantischen Mantel über Gerechte und Ungerechte, über Heiratsschwindler, westindische Einwanderer, Rauschgifthändler mit oder ohne den alten Schulschlips, über die Einzelgänger in ihren Wohnschlafzimmern ohne allen Komfort oder

Trost und über die Kricketspiele bei Lord's. — Die Nacht war ein sanfter Moloch mit einem mythischen Appetit: sie verschlang Greifbares und Ungreifbares, die subjektive und die objektive Wirklichkeit, die Mühlsteine des Tages, die Steuerbehörde und die Königliche Oper. Die Nacht fraß die verwelkten Hoffnungen und die eisgekühlte Vegetation in den Kühlschränken und die geldverdienenden Magier der City. Sie verschluckte die Singvögel in Kenwood und in den Nachtklubs von Soho, die Haustiere und Ehemänner in den Vororten, die sanfte Schönheit von Kew Gardens und die grimmige Häßlichkeit des Eastend. Die Nacht verschlang Flüche und Predigten, Emporkömmlinge und Herabsinkende, die Fruchtbaren und Unfruchtbaren, die Schwätzer und Schweiger. Ihr Hunger war unparteiisch und ihr Bauch war eine Katakombe. Die Nacht verschluckte jedes Lebewesen — die Eingeborenen und die Fremden. Sie breitete ihren Mantel aus, und verschwunden war Lady Melfords süße kleine Wohnung in St. John's Wood — das *pied-à-terre* mit der lausigen Zentralheizung, das Lady Melford niemals von innen gesehen hatte . . . Schwamm darüber! Morgen war wieder ein Tag.

Marie wollte nachdenken, wie sie dem dämmernden Tag entgegentreten und dennoch entgehen könnte. *Sie* waren hinter ihr her . . . Sie mußte sorglos wie ein Kanarienvogel zwitschern und die Schlauheit der Schlange beweisen. Sie mußte überall und nirgends sein. Das war in London besser zu machen als in jeder anderen Stadt des Westens. Denn London war keine Stadt, sondern ein Dschungel mit hoher Zivilisation und fürstlichen Traditionen und grimmigen steinernen Wohnhöhlen . . . London war Idyll und Schlachtfeld, magische Schönheit und magische Häßlichkeit, schüchternes Raubtier und ein Verkehrsnetz und eine Vision. —

Marie Bonnard lag angezogen auf dem Bett in einer Gegend, die weit von den Bonnard-Hotels entfernt war. Die Nacht löschte alles aus — Maries Erinnerungen, ihre Ängste, ihren Haß gegen den schwedischen Adonis. Morgen war wieder ein Tag. —

Marie Bonnard schlief.

DRITTES BUCH

Das Zeitalter der Einsamkeit

»Wir tauchen beständig aus der radikalen Einsamkeit unseres Lebens empor, weil wir von einer nicht minder radikalen Sehnsucht nach Gesellschaft in die Welt getrieben werden.«

José Ortega y Gasset
»El Hombre y la Gente« (1957)

ERSTES KAPITEL

Porridge

I

»Wer ist am Telephon, bitte?«

»Ist dort Hotel Bonnard, Brook Street?«

»Hotel Bonnard. Wen möchten Sie sprechen?«

»Dr. Ekelund, bitte.«

»Einen Augenblick, bitte! Ich glaube, Dr. Ekelund ist nicht hier.«

»Ist er abgereist?«

»Einen Augenblick! Wollen Sie bitte am Apparat bleiben!«

»Danke sehr!«

»Sind Sie noch dort? Herr Dr. Ekelund ist ausgegangen. Darf ich etwas ausrichten?«

»Nein, danke sehr! Wie lange wird Dr. Ekelund noch in London sein?«

»Das ist unbestimmt. Wer spricht dort, bitte?«

*

Marie Bonnard legte den Hörer auf. Sie war in einer öffentlichen Telephonzelle und blickte sich durch dunkle Brillengläser scheu um. Warum reiste ihr Mann nicht nach Stockholm zurück? Sie durfte nicht in London bleiben. Sonst würde es Erik oder den Bonnards doch noch gelingen, sie zu finden . . . Sie hatte in ihrem Zimmer in Hammersmith immer die Zeitungen gelesen. Es hatte nichts über Marie Ekelunds Verschwinden darin gestanden. Was planten die Bonnards? –

Marie hatte ihr Handgepäck bereits auf dem Bahnhof deponiert. Sie wollte nur nach Brighton fahren. Niemand würde sie dort suchen. Niemand kannte sie dort. Sie war als Kind mit Madam und Louise in Brighton gewesen. Dort war die Welt ohne Kanten und Härten – wie Porridge.

Marie stand immer noch in der öffentlichen Telephonzelle. Sie starrte die Knöpfe des Apparats an. Hier mußte man drücken, hier drehen, warten und einen anderen Knopf drücken. Sie hatte das alles als Kind in London gelernt.

Vor der Zelle wartete ein Mädchen. Sie trug einen roten Regenmantel und sah wie eine Farbenpalette aus: Blauschwarze Lider, dämonische grüne Schatten unter den Augen, ein schneeweißes Maskengesicht und scharlachrote Lippen. Die junge Dame hieß aber nur Mary Button und war so diabolisch wie die Schale Porridge mit Milch, die sie vor wenigen Minuten in ihrem Elternhaus mit Daddy, Mum und den beiden Brüdern zum Frühstück genossen hatte. Miss Button malte sich nur zum Spaß an. Das taten alle Mädchen in den Läden und Büros. Miss Buttons Lasterleben beschränkte sich auf einen Abend mit ihrem jungen Mann im »Palais de Danse« von Hammersmith. Und gestern hatte ihr junger Mann den ganzen Abend ihre beste Freundin, die im Nebenhaus in Shepherd's Bush wohnte, angeglotzt. Miss Button wollte ihrem Verehrer über das geduldige öffentliche Telephon sagen, was sie über ihn dachte, und das war eine Menge. Miss Button pflegte alles zu sagen, was ihr in den Kopf mit der kostspieligen Dauerwelle kam, und sie wollte es jetzt sagen. Aber da stand diese Unbekannte in der Zelle, als ob sie aus Stein wäre. Miss Button wartete geduldig – hinter ihr wartete Mr. Drummond von »Cadby Hall«, die London Mahlzeiten liefert. Auch der rosige Mr. Drummond war zufrieden, weil sie Schlange standen. Hinter Mr. Drummond hatten sich weitere Telephonfreunde angesammelt, die irgend jemanden vor Beginn der Geschäftszeit ihre Meinung sagen oder Botschaften an eine Dame aus dem Tanzpalast durch den öffentlichen Apparat flöten wollten. Was konnte man machen? Die Dame in der Zelle telephonierte schon lange nicht mehr.

Alle blickten auf die Uhr. Niemand beklagte sich. Niemand schimpfte. Man war nicht auf dem Kontinent, daher drängelte auch niemand ... Alle würden zu spät zur Arbeit kommen, da es niemandem einfiel, auf das Telephongespräch zu verzichten ... Es war ein

Dilemma, das Londoner auf ihre Weise lösten. Sie standen Schlange.

Endlich öffnete Marie die Tür des roten Häuschens. Sie starrte entsetzt auf all die Menschen, die offenbar sämtlich auf sie warteten, um sie an die Bonnards auszuliefern. Sie stieß Miss Mary Button zur Seite und rannte davon.

Miss Button hatte gerade noch Zeit gehabt, eine höfliche Entschuldigung zu murmeln, weil die Unbekannte sie beiseite gestoßen hatte. »*I am sorry*«, hatte Miss Button gemurmelt. Das murmelte man in Hammersmith wie in Mayfair, wenn Ausländer sich daneben benahmen. Es war keine Redensart. Miss Button bedauerte tatsächlich alle Ausländer. Aber woher wußte sie, daß die Dame in der Telephonzelle nicht britisch war? Das ließ sich leicht erkennen: Wenn jemand sich nicht entschuldigte oder sich nicht bedankte, dann kam er vom Kontinent ...

II

In Mr. Hamiltons Laden in Hove herrschte reger Betrieb. Das Wochenende und die Besucher aus London nahten. Am Sonntag saßen Miss Sharples und ihre Freundinnen auf ihrer Bank und begutachteten den Import aus der Stadt. An Wochentagen saß Miss Sharples im Postamt. Die Damen Russel, die Hotels in Brighton und Hove hatten, waren Miss Sharples' beste Freundinnen. Alle drei Damen mißbilligten junge Männer und Mädchen, die Arm in Arm über die Promenade schlenderten und miteinander flüsterten. Die drei Damen hatten das niemals getan. Sie schritten kerzengrade am Meer entlang und hatten nicht das Bedürfnis, sich an jemanden anzuklammern. Die jüngere Miss Russel war früher nicht ganz so strikt wie die beiden anderen — das kam daher, daß sie Gedichte gelesen hatte. Jetzt las sie die Zeitung, und alles war in Ordnung. Ihre Schwester Judith hatte niemals Gedichte gelesen. Sie hatte zuviel in Brighton und Hove zu tun. Diese beiden Städte bildeten ein kleines »London an der See«. Miss Judith Russel leitete das Hotel in Brighton, das erst zur Saison aufmachte, und »die jüngere Miss Russel«, die keinen Vornamen hatte, pusselte in dem »Privathotel« in Hove herum. Es war eigentlich nur eine Familienpension mit sechs Zimmern, und die jüngere Miss Russel hatte dort ihre Eltern betreut und in Hove begraben. Aber sie hatte immer einige Gäste — inner- und außerhalb der Saison. Es gab stets Leute, die leere Promenaden und Restaurants liebten. Das Haus in Hove war wenige Minuten von der See entfernt. Ein Schwalbennest. Hier ruhten sich flügellahme Leute aus London aus. Die hohen Hügel und Dünen im Rücken der Stadt beschützten die Gäste des Schwalbennestes. Wenigstens dachte das Marie Ekelund. Sie war vor drei Tagen in Hove angekommen, auf das Schwalbennest zugelaufen, und die jüngere Miss Russel hatte sie mit vager Freundlichkeit begrüßt. Die Ausländerin war so jung und dünn. ›Unterernährt‹, dachte die jüngere Miss Russel. Sie mußte tüchtig futtern. Eine große Schüssel Porridge zum Frühstück mit der guten fetten Milch – das war das Richtige. Miss Russel hatte niemals begriffen, warum man im Ausland die Achseln über die englische Küche zuckte. Die junge Ausländerin hatte den Porridge nicht angerührt, hatte aber ihre Rechnung ohne Miss Russel gemacht. Jeden Morgen erschien der Porridge wieder auf dem Frühstückstisch – wenn jemand in dieser Frage nachgab, dann bestimmt nicht Miss Russel und ihr Haferbrei . . . Die junge Dame hatte einen unaussprechbaren Namen – Madeleine Boussac aus Paris. Aber für ihre Namen konnten die Leute vom Kontinent nichts. Miss Boussac hatte kostbaren Schmuck und ihre Reisetasche trugen das Monogramm »M. B.«. – Marie hatte niemals das »Bonnard« in »Ekelund« geändert.

Natürlich hatte die jüngere Miss Russel einen Vornamen, auch wenn jedermann es längst vergessen hatte. Sie hieß Margaret. Sie war freundlich, vergeßlich und hatte Angst vor ihrer älteren Schwester. Miss Judith Russel war eine hochgewachsene, knochige, streng blickende Dame, die aussah, als ob sie ein General hätte werden sollen. Aber sie war die ältere Miss Russel in Brighton geworden. Sie vergaß niemals etwas und war nicht vage. Im Gegenteil. Miss Judith – jeder in Brighton und Hove kannte *ihren* Vornamen – hatte entschiedene Ansichten und äußerte sie zu jeder Tageszeit. Sie hielt nicht viel von Margaret und fand, daß sie im »Schwalbennest« alle zusammen die Zeit vertrödelten. Das erzählte Miss Judith aber nur ihrer Freundin Miss Sharples, deren Bruder die rechte Hand eines Londoner Anwalts war. Vor der Welt lobte Miss Judith ihre Schwester ohne Wimperzucken. Die jüngere Miss Russel war auch wirklich ein Segen – wenn auch in Verkleidung. Sie vergaß zum Beispiel Wochenabrechnungen fertigzumachen, gab den Gästen zu reichliche Portionen und war ganz unnötig nett mit ihnen. Miss Judith war niemals unnötig nett. Miss Judith hatte einen einzigen Blick auf »die Pariserin« im Schwalbennest geworfen und keine Lust verspürt, unnötig nett mit Miss Boussac zu sein. Wie die kleine Person einen anstarrte! »Manieren gleich null«, hatte Miss Judith gesagt. »Was will sie eigentlich hier bei uns?«

»Was alle anderen wollen. Erholung! Sie ist müde.«

»Müde?« fragte Miss Judith angewidert. »*Das* junge Ding? Ich bin dreiundsechzig und niemals müde.«

»Ja ... du ...«, sagte die jüngere Miss Russel gedehnt. »Ich meine, du bist bewundernswert, Judith«, fügte sie eilends hinzu, da ihre Schwester die dunklen Brauen zusammengezogen hatte. Margaret gestand es nicht einmal sich selbst ein, wie anstrengend es war, ihre Schwester jahrein und jahraus zu bewundern und in guter Stimmung zu erhalten. Margaret liebte ihre Schwester selbstverständlich. Alle Leute liebten ihre Geschwister, aber die meisten Leute waren heilfroh, wenn sie getrennt von den Gegenständen ihrer Zuneigung leben konnten ... Die jüngere Miss Russel hatte niemals über dieses Phänomen nachgedacht. Sie war zu nett dazu.

Das Schwalbennest war altmodisch behaglich. In Margarets Zimmer mit den Familienbildern stand der Hepplewhite Stuhl ihres Vaters. Der Stuhl hatte den echten Stil. Wenn die jüngere Miss Russel ihren Kopf an die harte herzförmige Rückenlehne legte — dann war sie mit ihrem Vater zusammen. Sie war sein Liebling gewesen, und Judith hatte es ihr nie verziehen. Er hatte Margaret zu ihrem zwanzigsten Geburtstag eine echte Jettbrosche geschenkt — kein schwarzes Glas, sondern eine Art Kohle, die seit der Römerzeit in Großbritannien zu Ornamenten verarbeitet wird. Die Brosche war eigentlich ein viktorianischer Trauerschmuck — viel zu düster und schwer für die blonde zierliche Margaret. Aber sie trug sie jahraus, jahrein auf ihren Kleidern oder Jacken. Die Brosche erinnerte Miss Judith daran, daß Margaret — dieses törichte Geschöpf — der Liebling ihres Vaters gewesen war. Miss Judith hatte ihn verstanden. Sie war schon in jungen Jahren seine rechte Hand im Hotel in Brighton gewesen, aber er hatte ihr niemals ein Schmuckstück geschenkt. Als Margaret die Jettbrosche bekam, hatte die ältere Miss Russel nach Jahren zum erstenmal in ihrem Bett geweint. Sie war damals zweiundreißig Jahre und ihre »kleine« Schwester zwanzig.

Margaret war unheilbar nett. Die Zimmer im Schwalbennest waren trotz der sommerlichen Tapeten und der Chintzvorhänge in der Vorsaison kalt. Margaret hatte in Maries Zimmer einen Ölofen aufgestellt, da der elektrische nicht funktionierte. Margaret vergaß immer die Reparaturen. Miss Judith haßte diese Eigenart ihrer Schwester. Wer Gäste aufnahm, durfte nichts vergessen. Miss Judith zerbrach sich seit Jahrzehnten den Kopf, warum sich die Gäste im Schwalbennest so wohl fühlten, wo doch alles drunter und drüber ging. Margaret hatte stets alle Zimmer besetzt, und die meisten Londoner kamen immer wieder und sandten Grüße und kleine Geschenke ins Schwalbennest. Die Weihnachtskarten häuften sich auf Margarets Kamin.

Im Augenblick kaufte die jüngere Miss Russel bei Mr. Hamilton Vorräte fürs Wochenende ein. Sie hatte die richtige Liste zu Haus auf dem Küchentisch gelassen und mußte aus dem Gedächtnis bestellen. Das war schwierig, da ihr im Augenblick nur Speck für die Eier und Haferflocken für den Porridge einfielen.

»Was machen die Gäste, Miss Russel?« erkundigte sich Mr. Hamilton, der Margarets vergessene Listen gewohnt war und einfach einpackte, was sie brauchen würde . . .

»Ich habe jetzt eine Ausländerin im Eckzimmer im ersten Stock. Sie redet kein Wort und ißt so gut wie nichts.«

»Das ist ja nicht Ihre Angelegenheit, Miss Russel«, meinte Mr. Hamilton menschenfreundlich.

»Ist es nicht schrecklich?« fragte Miss Russel vage. »Denken Sie, mir fiel gestern unsere große Porzellanschale aus der Hand. Chelsea-Derby! Mein Vater sammelte doch – erinnern Sie sich?«

»Sicherlich. Der alte Herr schleppte ja jede Woche irgendwas aus London heran. Wie geht's Miss Judith?«

»Ich habe es ihr noch nicht gesagt. Ich meine – die Sache mit der Schale! Aber die junge Dame aus Paris starrte mich so an, daß mir ganz anders wurde.«

»Ausländer, Miss Russel! – Aber schließlich ist Vorsaison. Da muß man ein Auge zudrücken.«

»Das sagt meine Schwester auch«, erwiderte die jüngere Miss Russel. »Vielleicht bleibt diese merkwürdige Dame nicht lange. Sie paßt nicht recht zu uns.«

Mr. Hamilton nickte. Er kannte die Gäste der jüngeren Miss Russel. Sie waren alle britisch, und da gab es kein dummes Zeug. –

»Ist Lady Melford schon bei Ihnen, Miss Russel?«

»Sie wird dieses Mal wohl erst in der Nachsaison kommen. Sie ist gerade erst aus Bangkok zurück.«

Lady Melford war das Paradestück des Schwalbennestes. Judith konnte es ihrer Schwester nicht verzeihen, daß Lord Melfords Witwe nicht in ihrem erstklassigen Haus in Brighton abstieg. Was wollte sie bei Margaret? »Niemand« ging dahin.

»Lady Melford liebt die Ruhe«, sagte die jüngere Miss Russel. »Sie ist sehr eigen in dieser Beziehung. Denken Sie, ich muß ihr immer die Liste meiner Gäste geben. Sie ist menschenscheu aber *sehr* nett. Nur ihre Hüte sind ein bißchen komisch.«

Mr. Hamilton nickte. Lady Melford durfte komische Hüte tragen, wenn es ihr so paßte. Sie konnte sich auf den Kopf stellen, wenn sie wollte, deswegen blieb sie doch Lady Melford. Sie kam jedes Jahr ins Schwalbennest. Eine Welt trennte sie von dem Pariser Zugvogel der jüngeren Miss Russel, meinte man in Brighton. »Hoffentlich bleibt Ihre Ausländerin nicht lange«, wiederholte Mr. Hamilton.

Margaret antwortete nicht. Sie hatte gestern die Fremde gefragt, ob sie etwas für sie tun könne. Und was hatte Miss Boussac geantwortet? Sie möchte in Ruhe gelassen werden. Es wäre das einzige, was Miss Russel für sie tun könne. Die Fremde hatte Margaret dabei wieder so seltsam angestarrt. Glücklicherweise hatte Margaret dieses Mal kein Erbstück aus der väterlichen Sammlung in Händen gehabt. –

Die jüngere Miss Russel bezahlte ihre Rechnung und erzählte den Vorfall nicht einmal ihrem alten Freund hinter dem Ladentisch.

Dazu war sie zu nett.

Marie nannte sich nach ihrer verstorbenen Freundin »Madeleine Boussac«. Nicht nur, weil es eine liebe alte Gewohnheit aus ihren Pariser Tagen war, sondern weil es mit den Monogrammen auf ihren Taschen stimmte und sie sich außerdem wie eine Tote fühlte. Sie saß hinter der Gardine ihres Zimmers und blickte hinaus. Miss Russel machte Einkäufe. Niemand war weit und breit zu sehen. Das Schwalbennest lag versteckt hinter Hecken. Das war Marie recht. Hier wollte sie bleiben ... Wie lange? Das kam darauf an. Mindestens so lange, wie Erik in London war. Marie strich sich mit der Hand über ihr frischgefärbtes schwarzes Haar. Die Bonnards würden ein silberblondes Mädchen suchen ... Marie kicherte, aber der Ton stand zerbrochen in der muffigen Luft. Das gepolsterte Sofa roch nach Vergangenheit und Plüsch. Es hatte Einbuchtungen dort, wo früher Miss Russels Mutter und Tanten gesessen hatten. Das Sofa war einsam – es hatte stets zu der viktorianischen Stehlampe gehört, unter der Miss Russels Mutter verschollene Romane gelesen und ihre Abrechnungen gemacht hatte. Judith hatte sich die Lampe gesichert. Sie war nicht schön, aber wertvoll heutzutage, wo man in London Phantasiepreise für jedes antike Stück zahlte. Auf dem Kamin in Maries Zimmer stand eine ererbte Blumenvase aus farbigem Glas. Sie hatte drei viktorianisch geschwungene Kelche und einen verzierten Fuß. Tsensky hätte sich totgelacht, wenn er die Vase gesehen hätte, dachte Marie flüchtig. Daneben stand eine echte Ormulu-Uhr von großer Schönheit und beträchtlichem Wert. Miss Russels Vater hatte gewußt, was er kaufte. Die Uhr war Messing mit Goldlack – keine billige Nachahmung. Sie zeigte immer neun Uhr an. Margaret hätte sie längst nachsehen lassen sollen.

Wann immer Marie in den Spiegel sah, zuckte sie zusammen. Sie hatte sich noch nicht an das schwarze Haar gewöhnt. Sie wirkte fremd und auffallend mit den hellen Augen und dem dunklen Haar. Und sie wollte doch nicht auffallen. Sie zog ihren Regenmantel an, bedeckte ihr Haar mit einem Tuch und schlich aus dem Haus. Sie schlich wieder wie als Kind und stotterte, wenn die freundliche Miss Russel sie ansprach. Aber sie hatte ihren Verstand beisammen – die Bonnards sollten sich wundern! Sobald Erik abgereist war, mußte sie sich mit Madam in Haverstock Hill in Verbindung setzen und ihr in aller Ruhe klarmachen, daß Erik wahnsinnig geworden war. Es hatte nichts mit seinen Vorträgen und Büchern zu tun. Es war ja bekannt, daß bestimmte Gehirnfunktionen bei Verrückten weiter arbeiteten und alle Welt erstaunten.

Marie schloß leise die Tür ihres Zimmers und blickte sich auf dem dunklen Korridor um. Die Treppen waren eng und so gewunden, daß man nicht sehen konnte, wer da heraufkam, bis er direkt vor einem stand. Marie fühlte sich unsicher auf den Treppen im Schwalbennest. –

Sie ging immer nach Rottingdean. Sie nahm erst eine Taxe und ging den Rest des Weges zu Fuß. Sie hatte Lufthunger wie eine Gefangene. Und genau betrachtet war sie im Kerker. In Rottingdean fühlte sie sich sicher. In diesem bezaubernden, altmodischen Dorf war man von Brighton und Hove abgeschlossen. Es lag in einem Dünental am Meeresufer, und die Promenade war nur für Fußgänger. Jetzt in der Vorsaison gab es wenig Fußgänger, und am Wochenende, das Gäste aus London brachte, ließ sich Marie nicht in Rottingdean sehen. Die Kreidefelsen schützten sie vor der Welt; aber ein Zimmer hatte sie hier nicht gefunden. Sie war zu ängstlich gewesen, um zu fragen. Sie kannte Hove aus ihrer Kindheit, und auch in Brighton wußte sie Bescheid. An Rottingdean konnte sie sich nicht erinnern. Und vielleicht würde sie hier auch nicht entkommen können, falls jemand aus London sie entdeckte. Hove war sicherer. Es gab dort mehr Mädchen in Regenmänteln und mit dunklen Brillen.

Marie wanderte langsam am Meer entlang. Sie ging leicht gebeugt – beladen mit Ängsten, Erinnerungen und Heimatlosigkeit. Ihre Intelligenz war nur Zuschauer ihrer Angst. In Rottingdean erlebte Marie zum erstenmal die restlose Einsamkeit. Es gab nur die Wellen, den bedeckten Februarhimmel und die Kreidefelsen. Sie dachte einen Augenblick an Francis, und wie er sie immer beruhigt hatte. Sie schrieb ihm niemals. Er hatte sie zum Schluß verraten – wie alle anderen.

Ein älterer Herr schritt rüstig hinter Marie her. Sie drehte sich hastig um und starrte dem Verfolger ins Gesicht. Der Herr hatte eine harte gebogene Raubvogelnase und blickte kurzsichtig umher. Er hatte eine gewaltige Stirn und einen schüchternen Mund, der sich unter einem rötlichen Bart verkroch. Da er kurzsichtig war, blickte er Marie scharf an. Was wollte diese Person von ihm? Warum hatte sie sich umgedreht? – Aber bevor Mr. Clark aus Brighton diese Frage lösen konnte, war die Person fortgelaufen.

›Umso besser‹, dachte Mr. Clark und putzte sich zufrieden seine Raubvogelnase. Nun konnte er seinen Spaziergang am Meer ungestört fortsetzen. Dieser Spaziergang war Mr. Clarks einzige Abwechslung. Er war ein pensionierter Staatsbeamter und hatte zu Haus keinen Spaß, nur eine schwerhörige Frau und Porridge. –

Er sah Marie Bonnard niemals wieder. Er hätte auch keinen Wert darauf gelegt.

Mr. Clark hatte es nicht gern, wenn junge Damen ihn anstarrten. –

III

Marie traf die jüngere Miss Russel auf der Treppe. ›Verdammtes Pech‹, dachte sie. Die farblose freundliche Dame blickte sie zerstreut an. »Haben Sie einen netten Spaziergang gemacht?«

Marie nickte. Miss Russel blickte sie genauer an und sah, daß die Ausländerin zitterte. »Haben Sie sich erkältet?« fragte sie besorgt. »Sie sehen aus, als ob Sie Fieber hätten, Miss Boussac. Soll ich einen Arzt bestellen?«

Margaret sprach atemlos, weil das junge Ding sie wieder anstarrte. Was war nur mit diesem Mädchen aus Paris los? War sie etwa eine Verbrecherin, die sich im Schwalbennest versteckte? Sie fuhr jedesmal zusammen, wenn Margaret etwas fragte oder versuchte, es ihr behaglich zu machen. Sie standen vor Miss Boussacs Tür. »Kommen Sie«, sagte Margaret, »legen Sie sich hin. Ich bringe Ihnen gleich eine Tasse Tee.«

Miss Boussac sah sich in ihrem Zimmer um, als ob sie die Uhr und die Glasvase noch nie gesehen hätte. »Ist sie etwa verrückt?« fragte sich die jüngere Miss Russel. Das würde gar nicht nett sein. Sie hatte kürzlich einen Brief von Lady Melford aus London bekommen. Er enthielt die übliche Bitte um Aufklärung über die Gäste. Leider bewohnte Lady Melford stets Miss Boussacs Zimmer, und alle anderen Zimmer waren besetzt, obwohl es Vorsaison war. Margaret hatte Miss Boussac fragen wollen, wie lange sie noch bliebe, aber sie fragte nicht. Irgend etwas in ihrer scheuen konventionellen Seele warnte sie, wahrscheinlich war es die Angst vor einer Szene. Miss Boussac sah so aus, als ob sie explodieren könnte.

Aber es war in Wahrheit Margarets unheilbare Freundlichkeit, die sie daran hinderte, diesem lästigen kleinen Ding den Stuhl vor die Tür zu setzen. Lady Melford würde dieses Mal bei Judith in Brighton wohnen müssen.

Einen Augenblick blickten die jüngere Miss Russel und die Ausländerin sich stumm an. Dieser Augenblick prägte sich Margaret unauslöschlich ein. Sie wußte jetzt und auch später nicht den Grund. Sie fühlte sich aber zum erstenmal hilflos. Sie hatte ihre nette angenehme Art, mit Menschen umzugehen, und diese Art versagte gegenüber Miss Boussac. Man konnte Wunden nicht mit freundlichen Redensarten verbinden. Die jüngere Miss Russel war hilflos, weil sie in ihrer britischen Schüchternheit keine konkrete Beziehung zu Leuten aus anderen Welten herstellen konnte. Die Unglücklichen brauchen mehr als die Kupfermünzen distanzierter Freundlichkeit. Miss Russel fühlte es, aber sie wußte nicht, wie sie dem jungen Geschöpf mit den starren aufgerissenen Augen helfen konnte. Margaret lebte in einem gesicherten Kreis, in dem der Umgang mit Logiergästen keine Probleme bot. Dieser Umgang vollzog sich auf dem Nullpunkt der Intimität – und das war bis jetzt allen Gästen angenehm gewesen. Aktive Beziehungen waren der jüngeren Miss Russel unbekannt. Sie bedeuteten Unannehmlichkeiten, Verlegenheit im Angesicht seelischer Not und Verlust der eigenen Seelenruhe. Niemand konnte verlangen, daß man sich im Schwalbennest auf derartige Abenteuer einließ. –

Trotzdem fühlte die jüngere Miss Russel eine Bedrückung – und große Verlegenheit. Das Aroma der Einsamkeit wehte von Miss Boussac zu ihr herüber ...

»Ich bringe Ihnen den Tee. Und was möchten Sie zum Supper haben, Miss Boussac? Wir haben Fische ...«

»Ich möchte nichts essen. Vielen Dank!«

»Aber Sie müssen essen, Miss Boussac!« Endlich war Margaret wieder auf festem Boden. »Ist es wieder der Magen, wenn ich fragen darf?«

Keine Antwort. Marie stand am Fenster. Was gab es dort für sie zu sehen?

»Dann bringe ich Ihnen wieder Porridge. Das ist immer das beste bei Magenverstimmung.«

»Mir liegt die ganze Welt im Magen«, sagte Miss Boussac tonlos. Ihre hellen Augen füllten sich mit Tränen. Miss Russel war entsetzt. Was in aller Welt tat man mit weinenden Logiergästen?

»*Bitte* beruhigen Sie sich, Miss Boussac! Sie haben sich erkältet. Das ist alles!« Da sie keine Antwort erhielt, murmelte Miss Russel: »Man weiß nie, was im nächsten Augenblick um die Ecke kommt, *dear*!«

Sie hatte ein großes Wort gelassen ausgesprochen.

*

Um die Ecke kamen Mr. Stanley W. Sharples und der Hund Bertie. Mr. Sharples besuchte seine Schwester in West Hove über das Wochenende. Er machte seinen gewohnten Teebesuch bei der jüngeren Miss Russel, da seine Schwester noch im Postgebäude beschäftigt war. Mr. Sharples trug seinen diskreten Stadtanzug, seinen steifen schwarzen Hut und seinen eingerollten Regenschirm. Bertie war von einem Kollegen im Auto mitgenommen worden und suchte in seiner Unschuld die Achillesstatue aus dem Hyde Park, um die er herumtanzen wollte.

Mr. Sharples hatte heute morgen Mrs. Catherine Bonnard zu seinem Anwalt hereingelassen. Es gab da irgendeine Familien-Angelegenheit, die Mrs. Bonnard von Haverstock Hill mit den Herren Gosling, Gosling und Huddleston besprechen wollte. Genau genommen mit Mr. Huddleston, der die Bonnards beriet. Die alte Dame war sehr blaß gewesen. Mr. Sharples hatte sie selten im Büro gesehen. Sie erschien das letzte Mal, als Mr. Antoine Bonnard so »komisch« wurde. Was war wohl jetzt los?

Als Marie den Londoner Besucher und den Hund ankommen sah, erkannte sie den Hund. Mr. Sharples sah aus wie alle anderen älteren Londoner. Aber Marie erkannte ihn plötzlich, und ihr Herz tat einen Sprung. Sie hatte schon damals im Hyde Park geahnt, daß dieser Mann ein Mädchenhändler oder Detektiv war. Ein Detektiv natürlich! Und der Hund war ein Polizeihund!

Mr. Sharples wäre empört gewesen, wenn er gewußt hätte, daß jemand seinen Bertie für eine Schnüffelnase hielt. Bertie war zurückhaltend, treu und verfressen! Mr. Sharples, der selbst ein mäßiger Esser war, freute sich täglich über Berties Appetit. Berties einziger Charakterfehler war seine Sucht, alte Fehden mit den Hunden von Hove zu bereinigen. Er konnte die Hunde von Hove nicht leiden. Mr. Sharples mußte ihm im geheimen recht geben. Die Burschen konnten sich mit seinem Bertie nicht messen! Mr. Sharples zog die Leine fester an und schob sich rasch mit Bertie durch das Tor des Schwalbennestes. Er hatte Miss Margaret sehr gern und war froh, wenn die ältere Miss Russel durch Abwesenheit glänzte. Sie war sarkastisch. Mr. Sharples, der selbst recht scharf werden konnte, wenn es im Büro nicht klappte, schätzte Sarkasmus bei weiblichen Wesen so wenig wie Wimperntusche oder lautes Lachen. Die jüngere Miss Russel war von allen drei Charakterfehlern frei. Mr. Sharples hatte schon zweimal überlegt, ob er Margaret zur zweiten Mrs. Sharples machen sollte, aber er wußte nicht, wie Bertie sich dazu stellen würde. Der liebe

Hund hatte zwar der ersten Mrs. Sharples stets ihre Handtasche im Hyde Park aufgeschnappt und zurückgeliefert, aber sonst hatte er nicht viel mit ihr im Sinn gehabt. Bertie war ein Männerhund, wie London eine Männerstadt war. Allerdings machte Miss Margaret eine glänzende Apfelpastete, aber davon hatte Bertie nichts. Er teilte nicht die Vorliebe seines Herrn für Süßes. ›Kommt Zeit, kommt Rat‹, dachte Mr. Sharples, während er in Miss Margarets Wohnzimmer behaglich Tee, Apfelpastete, geräucherten Fisch und kaltes Fleisch genoß. Außerdem hatte Margaret Muffins gemacht. Sie waren heiß, und die Butter rann sachte herunter. So mußten Muffins sein. Die erste Mrs. Sharples hatte sie lauwarm serviert und mit der Butter gespart. Es war schwer zu verzeihen gewesen.

Margaret freute sich so herzlich über den lieben Mr. Sharples und Bertie, daß sie den Tee für die Ausländerin vergaß. Es war wunderbar, mit Mr. Sharples anstatt mit Miss Boussac zu plaudern! Er aß sparsam, aber mit Anerkennung, erzählte Londoner Episoden, die durch Wiederholung nur gewannen – Miss Russel verstand so wenig vom Gericht! – und er weinte niemals.

Nur eine leise unbewußte Unbehaglichkeit lag noch wie ein Schatten auf Margarets heiterer Stirn. Die Unbehaglichkeit wurde akut, als ihr nach einer Stunde klar wurde, daß die Miss Boussac (auf der ersten Silbe betont!) weder Tee noch Porridge hatte hinaufbringen lassen. Wie unbeschreiblich unfreundlich von ihr! Es war bereits sechs Uhr fünfunddreißig Minuten, und das arme Ding mußte das Gefühl haben, daß sich niemand im Schwalbennest um sie kümmerte... Margaret dachte daran, wie sie und Judith sich seiner Zeit um die Beerdigung einer Tante gedrückt hatten, weil es Katzen und Hunde regnete. »Wir würden uns eine Lungenentzündung holen und selber begraben werden«, hatte Judith entschieden. Wie immer hatte Margaret dem »General« nicht widersprochen. Judith sagte auch immer, man brauche sich nicht über die Fliegen zu wundern, wenn man ganz Honig mit den Logiergästen wäre...

Die jüngere Miss Russel lauschte Mr. Sharples letzter Anekdote aus dem Old Bailey mit halbem Ohr. Sie hatte die Bürde der Nächstenliebe ihrem Vergnügen geopfert. Sie war betroffen über ihren Mangel an... woran? Sie zuckte vor der Formulierung zurück.

Margaret wurde unruhig. Sie mußte die nette Teestunde mit ihrem alten Freund abbrechen. Ihr war kalt trotz des behaglichen Kaminfeuers. Sie mußte an die merkwürdigsten Dinge denken. Es war sehr peinlich ... Sie sah im Geist den Text einer Anzeige in der Sonntagsausgabe ihres Blattes: »Bitte helft denen, die sich nicht selbst helfen können! In dieser Saison der Osterhoffnung wollen wir uns an jene erinnern, die krank sind oder Mangel leiden.» Ein Londoner Verein hatte unterzeichnet. Ja, Margaret, die sonst alles vergaß, erinnerte sich, daß es der »Verein zur Unterstützung verschämter Armer« gewesen war. Sie hatte nie auch nur den kleinsten Scheck geschickt, obwohl ihr im Kino die Tränen kamen, wenn sie die Leiden verarmter Leute aus gutem Hause mitansehen mußte. –

»Entschuldigen Sie mich bitte einen Augenblick, Mr. Sharples«, murmelte Margaret trostlos. Beinahe hätte ihre Stimme gezittert, aber ihre Selbstbeherrschung – mit der Muttermilch und dem Porridge eingesogen – verhinderte diese Bloßstellung im letzten Augenblick. Margaret schämte sich, weil sie es so gut im Vergleich zu armen verlassenen Logiergästen hatte! Sie hatte ihr Heim, das sie von Kindheit auf kannte – einschließlich viktorianischer Kunstgegenstände und tropfender Wasserhähne –, sie hatte ihre liebe Schwester Judith in Brighton und jedes Jahr die Chelsea Blumenschau – die herrlichste Blumenausstellung der Welt, die beide Damen Russel regelmäßig besuchten. Judith musterte jedes Mal die ausgestellten Gartengeräte, Gartenmöbel und künstlichen Düngemittel, während Margaret zwischen den Blumen und dem Felsengarten herumwanderte. Sie liebte die Orchideen und Rosen, die blühenden Büsche, die Treibhausgewächse und die üppigen köstlich kühlen Farnkräuter ... Margaret mußte in Chelsea an Lieder und Gedichte denken, die sie als junges Mädchen geliebt hatte.

»I must be going, no longer staying,
the burning Thames I have to cross ...«

Die Lieder waren verklungen – aber die Blumen blieben und das Elend, dem man nicht abhelfen konnte, das blieb auch. –

Als die jüngere Miss Russel mit dem Tablett mit Tee und dampfendem Haferbrei das Zimmer des Pariser Gastes betrat, sah sie nur das alte Sofa, die Vase aus farbigem Glas und die Ormulu Uhr auf dem kalten Kamin. Das Tablett zitterte so sehr in ihren Händen, daß sie es hastig auf dem kleinen Schreibtisch absetzte.

Die junge Dame war verschwunden. Auf dem Schreibtisch lag die

Miete für eine Woche in einem Umschlag, obwohl Miss Boussac nur drei Tage in Hove gewesen war.

Miss Russel setzte sich auf das Plüschsofa. Sie fühlte ihre Migräne kommen. Die Unbekannte war fortgegangen, weil sich niemand im Schwalbennest um sie gekümmert hatte.

Nicht einmal den Porridge hatte Margaret ihr heraufgebracht!

*

Eine Stunde später stieg Lady Melford im Schwalbennest ab. Ihr brandrotes Haar leuchtete unter dem verrücktesten Hut, den Miss Russel jemals gesehen hatte.

»Ist mein Zimmer frei, meine Liebe?« fragte Lady Melford munter. »Ich habe mich ganz plötzlich entschlossen. London hängt mir schon wieder zum Halse heraus. Ich meine – die Leute und alles mögliche! Ich sehne mich schrecklich nach Ruhe, Miss Russel.«

»Ihr Zimmer ist eben frei geworden, Lady Melford. Wir hatten eine junge Pariserin drin. Sie ist vorhin abgereist.«

Sheila kniff die Augen zusammen. »Seit wann haben Sie Ausländer im Schwalbennest? Wie hieß der fremde Vogel? *Boussac?* Kenne ich nicht! Ich kannte in Asien eine Pariserin. Fing auch mit »B« an. Komisch!«

Sheila stieg mit Miss Russel die dunklen gewundenen Treppen hinauf. »Die Uhr ist immer noch nicht repariert«, sagte sie beruhigt.

Die jüngere Miss Russel begleitete Mr. Sharples noch ein Stück auf dem Weg zu seiner Schwester. Der Abend war milde. Mr. Sharples schwang seinen eingerollten Regenschirm in der Luft herum – ein Zeichen, daß er guter Laune war. Bertie spähte scharf nach seinen Erzfeinden in der Nachbarschaft aus, aber er tat es nur zum Spaß oder aus Gründen der Selbstachtung – er hatte zu gut bei Miss Russel gefuttert. – Es war alles wieder im Gleichgewicht. Margarets Welt war wieder gesichert – mit dem Schwalbennest als friedlichem Mittelpunkt.

Sie schüttelte über sich selbst den Kopf. Diese junge Ausländerin hatte sie ganz aus dem Gleichgewicht gebracht. Gab es Leute, die Unglück brachten? Margaret wollte nicht darüber nachdenken. Auf jeden Fall war es ein Unglück, wenn ein Mensch nirgends hingehörte. Um die junge Ausländerin war die Aura der Verlorenheit gewesen.

Die jüngere Miss Russel hatte sich sehr erschrocken – sie hatte nie zuvor heimatlose Logiergäste gehabt. Lady Melford war natürlich nicht so solide wie Miss Turley oder Mr. Bridgewater im zweiten Stock, aber auch sie ließ ihren Porridge nicht kalt werden ... Die Russels hatten stets in Sussex gelebt. Sie waren Farmer gewesen und später Hoteliers. Margaret und Judith kannten jeden Stein am Strand von Brighton und Hove, jedes alte träumerische Dorf, jeden Kirchturm, die Dünen, die Kreidefelsen und die ewige See. Die Heimat gab ihnen Sicherheit. Das war wichtiger als alles andere, was hinter Brighton und Hove begann. –

Wie milde die Luft heute abend war! Miss Russel atmete tief. Vielleicht machte sie sich selbst vor, daß das Leben ruhig und angenehm wäre. Vielleicht war sie deshalb so erleichtert, daß Miss Boussac das Schwalbennest verlassen hatte. Steckte sie wirklich, wie Judith behauptete, den Kopf in den Sand? Margaret vermied es in der Tat, sich über die dunklen Rätsel des Lebens den Kopf zu zerbrechen. Eine plötzliche Enthüllung der Seele war ihr so unerträglich wie der unvermutete Anblick der körperlichen Nacktheit. Gestern früh hatte Miss Boussac im Evakostüm im Zimmer gestanden und hatte sich keinen Morgenrock umgeworfen, als Margaret ihr den Porridge brachte. Wenn *das* die Sitten der Leute vom Kontinent waren, dann hatte die jüngere Miss Russel ein für alle Mal genug davon.

»Ich glaube, wir werden einen milden Frühling haben«, sagte Mr. Sharples. »Kommen Sie wieder zur Blumenschau nach Chelsea?«

»Ich hoffe es. Wir wollen dieses Mal Flieder von dort mitbringen – es würde so hüsch im Garten aussehen.«

»Ziemiich teuer, Miss Russel, aber es lohnt sich! Mein Anwalt kaufte sich in der vorigen Saison Flieder – eine schöne kräftige Sorte!«

»Bläulich?«

»Bläulich und lila. Tadellos, muß ich schon sagen. Das Zeug gibt seinem Garten ein ganz anderes Gesicht. Seine Frau hat grüne Finger. Die versteht's mit den Pflanzen. Genau wie Sie, Miss Russel! Was machen Ihre Kakteen? Ich muß mir die Dinger morgen genau ansehen. Das heißt, wenn ich nicht störe?«

»Ich darf Sie also zum Tee erwarten – wie immer? Wir backen morgen früh Ihre Lieblingstorte.«

»Prächtig, Miss Russel!« Mr. Sharples blieb stehen und blinzelte durch seine Hornbrille in den Himmel. Ein blasser Mond ging auf. Die See rauschte ... »Hier lüftet man sich aus«, sagte er befriedigt. »Es geht einfach nichts über die Luft in Sussex.«

Margaret nickte. Kein Schatten lagerte auf ihrer glatten Stirn. Endlich hatte sie Miss Boussac vergessen. Man bemühte sich nett zu sein, und man war es auch. Aber wahrscheinlich machte ein gutes Gedächtnis das Leben vollkommen unerträglich.

*

Auf der Strecke zwischen Brighton und London las Marie die Abendnachrichten. Professor Maurice Bonnard war in London angekommen. Der Schweizer Psychiater hielt einen Vortrag und gab Interviews. Er war – wie viele Berühmtheiten – im Bonnard in Mayfair abgestiegen. –

Marie schloß die Augen. Sie waren hinter ihr her. Die Klapsbude wartete. Erik wartete. Louise Bonnard wartete. Alle warteten ...

Marie war jetzt seit vier Tagen verschwunden. Ein wahres Glück, daß sie den Detektiv aus London mit seinem Hund vom Fenster des Schwalbennestes aus gesehen hatte! So fing man sie nicht!

Marie war jetzt ganz ruhig. Aber was hatte die komische alte Jungfer im Schwalbennest gesagt? Man wüßte nie, was im nächsten Augenblick um die Ecke käme.

ZWEITES KAPITEL

Ein Bett, ein Tisch, ein Spiegel

I

London kann sich vieler Sehenswürdigkeiten rühmen. Sie sind mit drei Sternen im »Baedeker« bezeichnet und verdienen jeden einzelnen Stern. Jahraus, jahrein, zu Wasser, zu Lande und durch die Luft kommen Tausende aus allen Teilen der Welt nach London, um die Westminster Abtei, die Blumen in Kew Gardens und den Tower zu besichtigen. Niemand kommt nach London, um das Etablissement von Mrs. Tubbs zu besichtigen. Dieses Logierhaus ist nicht im Baedeker angegeben – nicht einmal mit einem Warnungszeichen. Etwa: »Hüten Sie sich vor den Wohnschlafzimmern von Mrs. Tubbs! – Machen Sie einen großen Bogen um Mrs. Tubbs oder Miss Goodman (Farbige Gäste *nicht* erwünscht!). Sehen Sie sich alles in London an – die Paläste, die Museen, die Theater und Soho! Aber meiden Sie die Wohnschlafzimmer in Hammersmith oder Notting Hill oder ganz weit draußen, wo die Schiffer sich gute Nacht sagen! Meiden Sie Mrs. Tubbs! (Farbige Gäste willkommen). Meiden Sie die Wüste am Themsefluß! Lesen Sie niemals die irreführenden Zeitungsannoncen! Blicken Sie nie zu einer Zimmerdecke empor! Es regnet durch. Die Tapeten blättern wie die Kastanienbäume im Herbst! Das Gasfeuer stöhnt und zischt! Der Tisch wackelt, das Bett ist ein Grab mit Matratzenhügeln, die nackte elektrische Birne an der Decke verbreitet ein trostloses Licht, und die Erinnerungen der verschollenen Mieter stürzen sich wie Hyänen auf den neuen Bewohner.

Es wird im voraus für eine Woche bezahlt. Das ist weise von den Damen Tubbs und Goodman, denn sie wissen nicht, wie lange die

Gäste es aushalten. Vierundzwanzig Stunden? Zwei Tage? . . . Oder bis die Luft des Wohnschlafzimmers vor Staub und Einsamkeit grau wie der Londoner Nebel geworden ist? In solchem Fall erscheinen die Damen Tubbs und Goodman mit einer Pechfackel, beleuchten die Nebellandschaft und verlangen Zulage. Die Damen haben recht. Sie bieten ein Bett, einen Tisch und einen Spiegel. Der Spiegel ist das Schlimmste. Angenommen, der Gast blickt aus Versehen in den Spiegel! Was sieht er in dem halbblinden Glas? Er sieht nicht etwa Mr. Smith senior oder Herrn Wollsack oder Miss Rani aus dem Märchenland Indien. Er sieht auch nicht Herrn und Frau Unbekannt aus Jamaica mit vier Kindern und das fünfte unterwegs oder Stripteaser Claudette oder Madeleine Boussac, geborene Bonnard, aus Paris. Der Spiegel reflektiert nur den Bewohner eines Londoner Wohnschlafzimmers mit allem Komfort: zwei müde Augen, eine Nase, die ihren Geruchssinn vergessen muß, und einen Mund, der das Lächeln verlernt hat. Es gibt nichts zu lachen und zu lächeln für die Gäste der Damen Tubbs und Goodman. Ihre Zimmer sind Wüsten und ihre Logiergäste Kamele, denn sie bezahlen eine Woche im voraus . . .

Wer kann sich wundern, wenn die Logiergäste plötzlich fortrennen, als ob der Satan mit Miss Goodman's Scheuerbesen hinter ihnen her sei? Oder wenn ein Mädchen nachts schreit, als ob sie in einer Klapsbude wäre und nicht bei Mrs. Tubbs, die Frühstück und Kalamitäten bietet? Wer wird staunen, daß es in diesen Zimmern nach Heimweh, dunklen Geschäften, Verbrechen und Heroin riecht?

Wer sich im möblierten Hades mit Frühstück einquartiert, der muß irgendeinen Grund haben, einen guten Grund oder einen schlechten, einen fadenscheinigen oder einen wetterfesten Grund, einen echten oder falschen oder einen verrückten Grund. –

Marie Bonnard versteckte sich vor Psychiater Maurice Bonnard und seiner luxuriösen Klapsbude, wo ihr Ehemann sie einquartieren wollte. Ist es so verrückt, daß man nicht unter Verrückten wohnen will, selbst wenn es am Züricher See niemals durch die Decke regnet und alle Spiegel zur Vorsicht entfernt sind?

Es war auch nicht so, daß die Damen Tubbs und Goodman außer Bett, Tisch und Spiegel nichts lieferten. Einmal lieferten sie den Anblick ihrer eigenen Person und einen Schlupfwinkel mit Wasserklosett im zweiten Stock, ferner guten Tee, und eine Essenz, die es in London in rauhen Mengen gibt: das Aroma der grenzenlosen Verlassenheit. Es ist ein zeitloses Aroma, das im frühen Britannien von der Flut auf die Inseln getragen worden ist und weder von den Römern noch von den Angelsachsen oder Normannen oder Schotten ausgemottet wurde.

Im Gegenteil! Die heutigen Nachkommen der Eroberer sitzen einsam in ihren steifen schwarzen Hüten und mit eingerolltem Regenschirm in der Untergrundbahn und fahren in die Regierungs- und Finanzpaläste der City oder in ihre Sommerhäuser auf dem Lande. Dort halten sie sich von allen zurück — von ihren Kollegen in den Bowlerhüten, von ihrer Familie im zentralgeheizten Flat oder im Wohnschlafraum im kälteren London und natürlich von den Einwanderern des 20. Jahrhunderts, die nicht mehr als Eroberer, sondern als politische Flüchtlinge oder Illusionisten aus sonnigen, lerneifrigen Kontinenten nach England gekommen sind. Um sie alle weht das Aroma der Verlassenheit. Es ist stark und vertraut, und die Londoner Mischung geht niemals mehr aus den Kleidern oder der Seele heraus. —

Mrs. Tubbs und Miss Goodman waren in dieser Luft aufgewachsen. Sie hatten sie als Kinder vergnügt eingeatmet und lieferten sie zusammen mit dem übrigen Mobiliar.

»Sie dürfen nachts nicht schreien, Miss«, sagte Mrs. Tubbs zu Marie Bonnard. »Meine Wände sind dünn. Bitte, denken Sie daran!«

Mrs. Tubbs fragte nicht, warum Marie nachts geschrien hatte, und Marie sagte es ihr nicht. Sie hatte wieder von ihrem Mann geträumt.

II

Marie war von Brighton direkt nach Lambeth gefahren. Vor fünfzehn Jahren hatte sie dort mit ihrer Großtante Bonnard ein altes Kellner-Ehepaar besucht. Damals hatte sie nachts wie ein Murmeltier geschlafen. Jetzt schrie sie nachts, und das war bei Mrs. Tubbs nicht erwünscht. Geräusche um Mitternacht konnten die Polizei anlocken. Mrs. Tubbs und die Polizei von Lambeth hatten verschiedene Ansichten über Recht und Unrecht. Und mit der Baupolizei stand diese Dame ebenfalls auf Kriegsfuß. Ihr Logierhaus bedurfte verschiedener Reparaturen. Wer schrie, lenkte die Blicke der Baufanatiker auf ihr Haus. —

»Es ist meine neue Mieterin«, sagte Mrs. Tubbs zu ihrer Nachbarin, als sie beide die Morgenmilch hereinholten. »Sie zahlt aber gut.«

»Wie sieht sie aus, Mrs. Tubbs?«

»Als ob sie aus einem Film herausgesprungen wäre.« Mrs. Tubbs gab ihrem riesigen Busen einen freundschaftlichen Stoß. »Von mir aus kann Miss Boussac in den Film zurückgehen. Ich bekomme immer neue Mieter.«

»Aber sie bleiben nicht lange!«

»Um so besser«, sagte Mrs. Tubbs dunkel. »*Meine* Schuld ist es nicht.«

Mrs. Tubbs hatte niemals im Leben an irgend etwas schuld gehabt. Sie war daher zum Vermieten von Zimmern geboren. Sie stand riesig und blondgelockt vor ihren Mietern und schüttelte ihr Doppelkinn, während ihre scharfen, hellblauen Augen das zerbrochene Schloß an der Kommode examinierten. »Nicht meine Schuld, Miss! Das Schloß war in Ordnung, als Sie das Zimmer nahmen.« – Marie Bonnard trug daraufhin ihr Bargeld und ihren Schmuck in ihrer Handtasche mit sich herum. Sie wagte nicht, auf die Bank zu gehen. Sie würde nach und nach ihre Juwelen verkaufen.

Mrs. Tubbs hatte einige farbige Gäste. – »Alle Farben willkommen!« pflegte sie beim Krämer zu sagen. – Und dann gab es bei ihr einige ältere Männer und Frauen unbestimmter Beschäftigung. Die Mieter verließen des Morgens ihre Zimmer und kehrten gegen abend – mit den Sandwiches von Lyons in ihren Taschen und Mappen versteckt – in ihre Höhlen zurück. Gekocht durfte nicht werden. Mrs. Tubbs lieferte auf Wunsch abends eine Teemahlzeit.

»Sie sind zu jung, um allein hier zu wohnen, Miss«, hatte sie zu Marie gesagt. »Haben Sie etwas ausgefressen? Mit der Polizei will ich nichts zu schaffen haben.«

»Ich habe mich mit meiner Familie gezankt«, erklärte Marie. »Es macht nichts mit der Kommode! Ich werde ein Schloß machen lassen. Entschuldigen Sie, Mrs. Tubbs!«

Mrs. Tubbs betrachtete schweigend das junge Ding mit den starren Augen. Niemals zuvor war Marie demütig oder beinahe kriechend gewesen. Die Angst und die Einsamkeit der zwei Tage und Nächte bei Mrs. Tubbs hatten sie dahin gebracht. Sie zitterte unter dem Blick der dicken, schlauen Zimmervermieterin. ›Ich darf mich niemals entschuldigen‹, dachte sie gehetzt. ›Ich darf niemals etwas erklären.‹ –

»Ich gehe an den Fluß«, murmelte sie. Sie wagte nicht, um einen anderen Tisch zu bitten, obwohl ihr Tisch in dem Dachzimmer wakkelte, er hatte zu kurze Beine. »Das ist Shorty's Schuld«, hatte Mrs. Tubbs erklärt. Shorty war ihr entschwundener Ehemann, der immer unrecht gehabt hatte. Shorty hatte als junger Seemann seine zukünftige Frau in einer Hafenkneipe kennengelernt und sie vom Fleck weg geheiratet. Sie war naturblond und vergnügt gewesen, und alles saß bei ihr auf dem rechten Fleck . . . »Shorty« war kleingewachsen. Er hatte in der kurzen Zeit, in der seine Frau ihm an allem schuld gab, die Füße eines Tisches abgesägt, weil der Tisch zu hoch war und Shorty auf dem niedrigen Sessel, den er in die Ehe gebracht hatte, nicht an einem Tisch für Riesen essen wollte. Danach war Shorty auf einem Frachter in die weite und friedliche Welt gefahren, und Mrs. Tubbs war mit dem wackligen Tisch und Shorty's Sündenregister in dem baufälligen Haus in Lambeth zurückgeblieben. »Nicht, daß es mir etwas ausmacht«, hatte sie ihrer Nachbarin anvertraut. »Shorty war sowieso nicht mein Fall! Aber er hat den Ring mitgenommen, den er mir zur Verlobung kaufte.«

»Was Sie nicht sagen, Mrs. Tubbs! Wer hätte das von Shorty gedacht?«

»Der Ring war keine wirkliche Wertsache. Aber er war doch ein nettes Andenken. Aber so war Shorty immer! Kein Taktgefühl, Mrs. McGuire!«

*

Marie war vor dem scharfen Blick ihrer Wirtin ausgerissen. Nach dem täglichen Anruf von einem öffentlichen Fernsprecher ging sie zur Lambeth Bridge. Erik war noch in London. Professor Bonnard war in London. Und Marie war in London. Es gab hier Millionen von Wohnschlafzimmern. Marie hatte ihr Köfferchen bei sich. Sie wollte nicht zu Mrs. Tubbs zurückgehen. Diese dicke Dame blickte sie so durchdringend an. Und heute früh hatte sie telephoniert und den Hörer aufgelegt, als Marie die Treppe herunterkam. Aber in keiner Zeitung hatte gestanden, daß Mrs. M. Ekelund, geborene Bonnard, gesucht wurde. Was hatten die Bonnards vor? –

Marie stand auf der Lambeth-Brücke und starrte auf den Fluß. Sie mußte Geduld haben. Sie blickte durch ihre dunkle Brille scheu umher. Ihr schwarzgefärbtes Haar kroch unter dem Kopftuch hervor.

Marie sah aus wie unzählige Mädchen, die bei Mrs. Tubbs an Tischen mit abgesägten Beinen Tee tranken. –

Es dämmerte. Ein kühler Wind wehte über den Fluß. Marie blickte von der neuen Lambeth-Brücke auf die großen modernen Gebäude – das Arbeitsministerium, die Büros von »Doulton und Söhnen« und das imposante Zeitungsreich von »W. H. Smith & Söhnen« mit dem Uhrenturm und Filialen in allen Teilen Englands! – Marie starrte stirnrunzelnd auf »W. H. Smith«. Von dort aus gingen die Nachrichten in die Welt. Vielleicht stand schon heute in den Abendzeitungen, daß die silberblonde Marie vermißt wurde. Silberblond! Marie kicherte. W. H. Smith und die Söhne, die alles wußten, hatten keine Ahnung, daß sie jetzt dunkelhaarig war . . .

Die Themse wurde dunkel. Lambeth verschwamm zwischen Gegenwart und Vergangenheit. Der Palast war nur noch eine Silhouette. Aber eine Lichtspur fiel sekundenlang auf den Londoner Sitz der Erzbischöfe von Canterbury. – Vielleicht war es eine helle Wolke oder die Aura eines Gebets, das sieben Jahrhunderte alt war. – Dann war die Lichtspur von Wolken verschluckt. Marie sah den dunklen Fluß und die Spiegelungen der Lichter. Sie beugte sich über das Brükkengeländer. Die Lichter tanzten und verwirrten sie.

»Aufpassen, Miss!« sagte eine freundliche Männerstimme. »Sie wollen doch nicht in die Themse fallen, nicht wahr?«

Marie sah dem Fremden sekundenlang ins Gesicht. Ein Schutzmann. Ihr wurde eiskalt. Aber sie durfte nicht davonlaufen. Sonst würde der Polizist sie auf dem kürzesten Weg im Bonnard abliefern. Sah er sie nicht merkwürdig forschend an?

»Die Them- . . . Themse ist so sch . . .schön«, stotterte sie.

»Schön und naß! Gehen Sie nach Haus zu Ihrer Mum, Miss! Dort ist es netter als auf der Lambeth-Brücke.«

Marie nickte und ging so langsam wie möglich davon. Der Polizist blickte ihr nach. Hatte er eine Selbstmörderin am Springen verhindert, oder hatte das Fräulein geschwankt, weil es betrunken war? Aber vielleicht wartete die Miss nur auf ihren jungen Mann? Der Bobby pfiff leise und ging auf seinen Posten zurück. Die Nacht in Lambeth hatte noch nicht begonnen.

Marie nahm den ersten besten Bus. Nur fort!

Sie sprang an der nächsten Haltestelle ab, nahm dort eine Taxe und dann nochmals einen Bus. Endlich betrat sie in Golders Green ein altes Gartenhaus, das die Besitzerin von ihren Eltern geerbt hatte. Es war einmal ein nettes Gartenhaus gewesen, war aber von der Zeit, vom Londoner Wetter und Miss Goodman's grandioser Gleichgültigkeit mitgenommen. Sie hatte in den Zeitungen »Luxusräume« zu mäßigen Preisen annonciert. Marie hatte eine ganze Liste von Anzeigen. Falls hier nichts frei war, würde sie wieder einige Nächte in Hammersmith verbringen. Einmal mußten Erik und Maurice doch abreisen! –

Aber Miss Goodman (Farbige Gäste *nicht* willkommen) hatte einen Luxusraum frei. Er enthielt ein Bett, einen Tisch, einen Spiegel und die grauenhafte Gipsstatue eines Jünglings, der eine Kreuzung zwischen einem Engel und einem Briefträger war. In jedem Fall trug dieser Jüngling einen Sack auf dem Rücken.

»Orpheus«, stellte Miss Goodman vor. »Eine freie Gestaltung.«

Marie sah sich im Zimmer um. Es war acht Uhr abends. Die Lampe mit dem fleckigen Schirm warf ein trostloses Licht auf die fadenscheinigen Chintzvorhänge, den wurmstichigen Tisch und den Spiegel mit der vergoldeten Blumenranke. »Ein Erbstück«, erklärte Miss Goodman. »Es muß eine Woche im voraus bezahlt werden, Miss! Vorige Woche ging mir eine Musikstudentin durch die Lappen. Sie hatte für einen Monat gemietet. Ich hatte ihr meinen Orpheus zur Gesellschaft hereingestellt. Mir wird immer ganz elend, wenn die Menschen mich betrügen.«

Miss Goodman litt an manischer Bekenntniswut. »Ich habe nur Mieter aus den besten Kreisen. Wenigstens behaupten sie es. Wem kann man nach zwei Kriegen trauen?« fragte Miss Goodman den griechischen Sänger. »Gestern wollte ein farbiger Herr dieses Zimmer mieten. Er war entzückt. Leider vermiete ich nicht an farbige Gäste. Es tat mir soooo leid.«

Die Dame Goodman putzte ihre Brillengläser, da weder Marie Bonnard noch Orpheus ihre Frage beantworteten. Marie musterte angewidert die Statue, Miss Goodman's graue Strickjacke und das Bett, den Tisch und den Spiegel. Miss Goodman, die ihre Zeit mit Spiritisten verbrachte, statt sich um das Wohl ihrer Zimmergäste zu kümmern, hustete.

»Es ist natürlich nicht Buckingham Palace! Ich biete, was *ich* bieten kann! Frühstück bis neun Uhr und dreißig Minuten, Miss! Ist das Ihr ganzes Gepäck?«

»Mein Gepäck ist noch beim Zoll. Ich komme gerade aus Paris.«

»Da sind Sie bei mir richtig, Mademoiselle«, bemerkte Miss Goodman aus unerfindlichen Gründen. »Frühstück ist – ach so, das sagte ich schon. Es ist bis auf das Hundegebell sehr ruhig hier. Ich möchte nicht wagen, etwas an der Schöpfung auszusetzen! Aber warum gibt es bellende Hunde? Können Sie es mir sagen?«

»Ich habe keine Ahnung.«

»Es muß eine Woche im voraus bezahlt werden, Mademoiselle! Es tut mir sooo leid, aber wo bliebe ich ohne . . . Entschuldigen Sie! Ich muß in die Küche. Wir geben Abendessen auf Wunsch. Möchten Sie Rühreier mit Speck oder gehacktes Fleisch oder Fisch mit Kartoffelscheiben? Leider darf in meinen Räumen nicht gekocht werden. Es tut mir so leid!«

Ein außerordentlich schlampiges Mädchen erschien in der Tür. »Miss Cracklewood ist am Telephon, Miss Goodman! Sie kann nicht warten.«

»Miss Cracklewood hat alle Zeit auf der Welt«, sagte Miss Goodman mit einer gewissen Schärfe. Das junge Ding starrte die neue Mieterin an. »Ach so«, sagte Miss Goodman nachlässig und nickte vage in die Richtung ihrer Hausangestellten.

»Das ist nur Lily!«

*

Lily Biggins war immer »nur Lily« gewesen. Sie hatte sich niemals dagegen aufgelehnt. So war es am bequemsten. Lily hatte rotes Haar, Sommersprossen, entzündete Augenlider und ein uneheliches Kind. Das Kind lebte bei Lilys Mutter irgendwo in Stepney. Miss Goodman bezahlte Lily unter dem Tarif, weil sie erstens »nur Lily« war und dann, um sie für ihren Fehltritt zu strafen. Miss Goodman teilte Zensuren aus – deswegen hatte sie keinen Mann bekommen. Lily hatte nie etwas Richtiges anzuziehen. – Ihr junger Mann aus der Finchley Road nahm sie manchmal ins Kino mit. Lily trug dann einen verwaschenen Pullover, einen rosa Rock, der seine Laufbahn als Unterrock eines Abendkleides begonnen hatte, und einen abgetragenen Mantel, den sie geschenkt bekommen hatte. Der Mantel hatte auf der Brust einige unauslöschliche Flecke, aber Lily war damit zufrieden. Ihr junger Mann sah auch nicht eleganter aus, da er alle Kleidungsstücke von seinem älteren Bruder erbte. Der ältere Bruder war groß und breit. Lilys junger Mann war klein und schmächtig. Er half in einem Gemüseladen in der Finchley Road. Er wäre gern Rennfahrer geworden, und Lily träumte von einer Filmkarriere. Das Wochenende stand vor der Tür. – Was sollte Lily tragen? Sie brachte stirnrunzelnd dem neuen Gast den Tee. Marie stand vor dem Spiegel und betrachtete sich unverwandt. Lily setzte das Tablett auf den Tisch und wartete. Endlich fragte sie, ob die Dame ein abgelegtes Kleidungsstück übrig hätte. Lily fragte leise, damit Miss Goodman es nicht hörte. Marie antwortete nicht. Ob dieses Haus in Golders Green sicher war? – Lily ließ sich nicht abschrecken. Sie fragte nochmals. Sie hatte eine dumpfe, aber trotzdem durchdringende Stimme. Marie erschrak. Was wollte diese entsetzliche junge Person? Kleider? »Irgendeinen Fetzen«, verbesserte Lily. Mutter schneiderte. Lily selbst war zu dumm dazu, sagte Mutter. Lily stimmte stets mit Mutter überein. Die Freuden der Selbstverherrlichung waren ihr unbekannt.

Die Fremde hielt beide Hände gegen den Spiegel und examinierte ihre Haut. Es sah sehr merkwürdig aus. War die junge Dame krank? Hatte sie einen Ausschlag? Lily blickte Marie scheu von der Seite an. War die Dame vielleicht verrückt? Lily hatte nur einen Verrückten in ihrem Leben gesehen, einen Schiffer in Stepney, der im Pub sein Gebiß herausnahm und darauf herumtanzte. Lily entsann sich des Vorfalls, weil sie an diesem Abend statt eines Gebisses ihre Unschuld verloren hatte. Lily hatte kein Gebiß – nur schlechte Zähne. Die Zähne und Zahnlöcher langten für Lily, hatte ihre Mutter entschieden. Damals hatte Lily sich die Zeitung vorgenommen und sich bei Miss Goodman für ewig und drei Tage in die Sklaverei begeben. Sie besuchte niemals ihre Mutter oder den Kleinen, aber sie schickte ihnen stets eine schöne, bunte Weihnachtskarte. –

Die Fremde ließ die Hände sinken und schenkte endlich Lily ihre Aufmerksamkeit. Marie hatte sich nie mit Unbekannten unterhalten, aber die wenigen Tage seit ihrer Flucht aus dem Bonnard hatten bei ihr eine schmerzhafte Lust an Unterhaltungen mit wildfremden Personen geweckt. Das Schweigen in den möblierten Zimmern war unheimlich. Marie hatte die Stille selbst in besseren Zeiten nicht aushalten können.

»Bitte, erzählen Sie mir etwas«, sagte sie in ihrem fehlerfreien, französisch gefärbten Englisch.

Lily riß die Augen auf. *Sie* sollte jemandem etwas erzählen? Sie trat verlegen von einem Riesenfuß auf den anderen. Die Fremde blickte unbeweglich in den Spiegel. Sie atmete schwer. Lily sagte schüchtern, daß sie nichts zu erzählen hätte. Da die Fremde schwieg, bat Lily nochmals um ein Kleidungsstück. Die Fremde wühlte endlich in ihrem Handkoffer herum und zog ein Stück grün-, rot- und goldgemusterten Brokat heraus, wie man ihn in Chiengmai webt.

»Wenn Sie das haben wollen? Ich habe keine Verwendung dafür.«

Lily schnappte nach Luft. Der Stoff war *neu*! Sie würde ihn Mutter schicken, und Mutter würde eine großartige Bluse daraus schneidern und ihr zuschicken. Eine Mutter blieb eine Mutter, selbst wenn sie halb London zwischen sich und Lily gelegt hatte. Die Nachbarn hatten über Lily gelacht und über das Baby getuschelt. Jetzt war Ruhe.

Lily war blaß geworden. Sie konnte ihr Glück nicht fassen. Sie hatte niemals im Leben etwas Neues getragen. Mutter hatte alle ihre Sachen entweder in Petticoat Lane eingehandelt oder ihre eigenen alten Röcke abgeschnitten. Lilys jüngere Schwester Lizzie hatte neue Sachen bekommen, wenn Mutter sich etwas erschneidert hatte . . . Lizzie war hübsch, goldblond, hatte gute Zähne und neuerdings einen Schiffskoch zum Ehemann. –

»Vielen Dank, Lady!« Lily strich sich mit der roten zitternden Hand über die Stirn. Ihr war heiß geworden, und sie schwitzte in den Achselhöhlen. Es gab bei Boots feine Mittel gegen Achselschweiß – aber Lily konnte sie nicht kaufen. Sie umkrampfte den Brokat für die Bluse mit ihren derben roten Händen. Wenn die Dame sich nun anders besann? Lily würde es nicht überleben. Sie fühlte es in ihren Knochen . . .

Aber die unheimliche junge Dame hatte sich wieder dem Spiegel zugewandt. Sie hatte Lily und den Brokat vergessen. Sie hatte auch Francis Littlewood vergessen, der ihr den Stoff aus der Stadt Chiengmai mitgebracht hatte. Wenn Mangel an Gefühl das erste Anzeichen von Wahnsinn ist, dann war Marie in dieser Stunde wahnsinnig geworden. –

Aber Lily wußte es nicht. Woher sollte sie es wissen? Sie hatte nie ein gemartertes Gehirn von innen gesehen. Sie sah nur das leicht verzerrte Gesicht der Fremden, die Schätze wegschenkte. Die Fremde lebte mit Londoner Schreckgestalten, die immer zudringlicher wurden. Sie unterhielt sich mit Pariser Gespenstern und mit dem stummen Sänger Orpheus im Hades von Miss Goodman. –

»Vielen Dank, Lady«, wiederholte Lily verlegen.

»Was wollen Sie von mir?« schrie die Fremde. Sie trat einen Schritt vom Spiegel weg, als sei sie von einer Welt plötzlich in die andere getreten und habe *nur Lily* vorgefunden.

Lily floh aus dem Zimmer.

III

Im gleichen Augenblick trank Miss Goodman mit einer Freundin ihren Nachmittagstee. Es war sehr ruhig in ihrem Etablissement. Die Dame aus Paris schlief offenbar, Lily wusch Teller und Tassen, und Mr. Frank im ersten Stock ruhte sich für den Abend aus. Er besuchte Abendkurse, die einen Stotterer angeblich in einen beliebten öffentlichen Redner verwandeln konnten. Mr. Frank glaubte an die in seiner Abendzeitung in Aussicht gestellte Verwandlung. Man brauchte nur Selbstbewußtsein, Disziplin und ein sicheres Auftreten. Mr. Frank lebte seit über zwanzig Jahren in London. In seiner Heimatstadt Berlin hatte er niemals gestottert. Bis die Nazis gekommen waren, hatte Mr. Frank sogar als Schnellredner gegolten. Vor der Gestapo hatte er dann mit dem Stottern begonnen. Und die Anwendung der rhetorischen Frage »*How do you do?*« hatte Mr. Frank auch nicht weitergeholfen. Seit dem Tod seiner Frau lebte er bei Miss Goodman in Golders Green. Sie hatten sich jahrelang beim Einkaufen auf der Finchley Road getroffen. Mr. Frank hatte ein reizendes kleines Haus mit seiner Frau bewohnt – es war von Liebe erwärmt gewesen. Das Bett, der Tisch und der Spiegel bei Miss Goodman waren so stumm, daß Mr. Frank nun einen Rednerkurs besuchte. – Er betrachtete Miss Goodman's wechselnde Mieter mit der unstillbaren Neugierde der Vereinsamten. –

Während er vor dem Abendkursus ruhte, plauderte Miss Goodman mit einem Dauergast aus dem Bonnard in Haverstock Hill. Das war trotz der Entfernung die natürlichste Sache von der Welt. Miss Goodman und die ewig klagende Mrs. Biggs – die jüngste von Madams »Alter Garde« – waren Spiritistinnen und hatten sich beim Tee nach den Séancen angefreundet. Mrs. Biggs unterhielt sich mit dem seligen

Mr. Biggs auf diesem Wege. Miss Goodman war ein Kulturgeier, sofern es sich nicht um Raumkultur handelte. Der Umgang mit der Geisterwelt gab ihr ein Gefühl der Überlegenheit über ihre Mieter, ihr schadhaftes Wasserklosett, ihr sparsames Frühstück und Golders Green im allgemeinen. Sie hätte gern in Westminster gewohnt – ohne Mieter, aber dafür mit einem reichlichen Einkommen. Die lieben Geister glichen das alles aus. Trotzdem erinnerte Miss Goodman auch weiterhin selbst wohlwollende Mitmenschen an eine Spinne. Besonders ihre Mieter zuckten bei ihrem Erscheinen zusammen, denn sie gab nach Spinnenart keine Warnungssignale – sie nahte schweigend und drohend mit der Rechnung oder schoß wie ein Blitz herbei, wenn ein Mieter heimlich seinen elektrischen Kochtopf anschloß – Mr. Frank war mehrere Male ertappt worden. Manchmal spann Miss Goodman jedoch ihr Netz in tödlicher Stille.

»Was gibt's im Bonnard?« fragte sie. Sie kannte die Alte Garde und die Bonnards aus Mrs. Biggs Schilderungen, als tränke sie täglich mit ihnen Tee. Mrs. Biggs hatte vom Verschwinden Marie Bonnards gehört. Nicht etwa, daß Madam oder Louise mit ihr darüber gesprochen hätten; aber Mrs. Biggs hatte im Bonnard ihre Kuriere. Ihre Tochter Nancy wurde ganz böse, wenn ihre Mutter von diesem Thema anfing. Mrs. Biggs hatte sich niemals von ihrem Erstaunen erholt, daß Nancy – die vor den Gästen den Mund kaum aufmachte und als scheue alte Jungfer galt – eine erstklassige Hoteldetektivin war. Jetzt klatschte Mrs. Biggs fröhlich mit Miss Goodman, aber von Marie Bonnard sagte sie kein Wort. Dazu hatte sie zuviel Angst vor ihrer Tochter.

Seitdem Marie verschwunden war, arbeitete Nancy bei Paul Bonnard in Brook Street. Ein Instinkt sagte ihr, daß die Lösung dort zu finden sein müßte. Dort wohnten Ekelund und Professor Bonnard. Marie war jetzt zehn Tage verschwunden. Sie hatte acht Mal angerufen. –

»Was macht Ihre Tochter, Mrs. Biggs?« fragte Miss Goodman.

»Nancy hockt an der Schreibmaschine in ihrem langweiligen Büro! Alle anderen Mädchen heiraten früher oder später ihren Chef – oder wenigstens den Buchhalter. Aber Nancy versteht es nicht mit den Männern.«

»Entschuldigen Sie mich bitte einen Moment, *dear*!« – Miss Goodman spitzte die Ohren, stand auf und schlich zur Tür. Mrs. Biggs riß ihre porzellanblauen Augen auf. Es sah ganz merkwürdig aus, wie Miss Goodman mit ihrem Zitronengesicht, der starken Brille und den Spinnenfingern zur Tür schlich.

»Haben Sie nichts gehört?« fragte Miss Goodman.

Etwas klirrte im oberen Stock. Es klang, als ob ein Spiegel splitterte. Jemand schrie. Das mußte Lily sein. Als Miss Goodman atemlos oben ankam, standen Mr. Frank und Lily in dem leeren Zimmer der jungen Dame aus Paris.

»Was gibt es hier?« fragte Miss Goodman in drohendem Ton. Orpheus lag zerbrochen am Boden. In seinem Sack hatten keine Briefe und keine goldene Leier gesteckt. »Hast du das getan, Lily?«

Lily wich einen Schritt zurück. »Ich warte auf Antwort«, sagte Miss Goodman und krümmte ihre Finger.

»Be . . . be . . . beruhigen Sie sich, Miss Good . . . Goodman«, stotterte Mr. Frank. Er erklärte mühsam, daß die junge Dame auf die gemeinsame Toilette im zweiten Stock gehen wollte. Mr. Frank, der ebenfalls diesen Ort aufsuchen mußte, war hinter ihr hergegangen. Es tat ihm leid. Er wollte nur gleich zur Stelle sein. »Wir sind alle nur Menschen«, erklärte Mr. Frank, der ein Blasenleiden hatte. Miss Goodman sah Lily an. War Lily ein Mensch? Na gut, aber — was war geschehen? Die junge Dame aus Paris hatte sich nach Mr. Frank umgeblickt, hatte einen leisen Schrei ausgestoßen und war in ihr Zimmer zurückgerannt. Der unschuldige Mr. Frank war sich wie ein Mädchenjäger vorgekommen.

Er versicherte Miss Goodman, daß er nur ans Zimmer der jungen Dame geklopft hätte. Er wollte sich entschuldigen und alles erklären. Mr. Frank war immer ein großer Erklärer gewesen. Seine liebe Frau hatte ihn oft bitten müssen, sich kürzer zu fassen. Kurz und gut, die junge Dame hatte den Orpheus nach ihm geschleudert. Aber Mr. Frank, der nicht umsonst Gast der Berliner Gestapo gewesen war, hatte Deckung genommen, und Orpheus hatte den Spiegel zertrümmert. An und für sich eine gute Sache! Mr. Frank verschluckte diese Ketzerei über einem Abgesang von Stotterei. Er erkannte nämlich einen Kunstgegenstand, wenn er einen sah . . .

Die junge Unbekannte hatte ihren Handkoffer ergriffen und war in Regenmantel und Kopftuch die Treppen hinuntergerannt. Fort war sie!

»Wenigstens hat sie im voraus bezahlt«, sagte Mrs. Goodman trocken. — Sie hatte den Orpheus nicht so berückend gefunden, wie sie vorgab. Sonst hätte er neben einem Porzellanhund und zwei Porzellanenten – Geschenken von Mr. Frank und echt Meißen – auf ihrem Kamin gethront.

»Den Orpheus können Sie jeder Zeit in Portobello Road kaufen«, tröstete Mr. Frank.

»Woher wissen Sie das so genau?« fragte Miss Goodman spitz. »Steh nicht herum, Lily! Fege die Scherben zusammen.«

»Wir haben keinen Spiegel mehr, Miss Goodman!«

»Wer wünscht einen Spiegel im Zimmer? Bringe uns frischen Tee, Lily! Aber ich möchte nicht bis Pfingsten darauf warten.«

Miss Goodman streifte Mr. Frank mit einem ihrer Dolchstoßblicke. »Ich möchte Ihnen raten, sich *nicht* mit meinen Mieterinnen einzulassen, Mr. Frank!«

»Darf ich Ihnen erklären, Miss Goodman . . .«

»Danke«, erwiderte Miss Goodman mit Nachdruck. »Ich kenne alle Antworten!«

IV

In diesem Augenblick saßen die alte Mrs. Bonnard und Nancy Biggs beim Tee in Haverstock Hill. Madams Wohnzimmer war ein großer ovaler Raum in matten Farben. Auf dem Kamin standen zwei kostbare Metalleuchter, die Antoine Bonnard auf einer Auktion erworben hatte. Madam putzte die Leuchter seit vielen Jahren persönlich. Die Zimmermädchen rieben sie zu blank. Über dem Kamin hing ein Gemälde, das der arme Antoine in der Klapsbude in Zürich gemalt hatte. Das Bild zeigte Figuren und Tiere, die in fernen Wolken schwebten. Es war ein seltsames Bild – wie mit zerbrochenem Pinsel gemalt. In der Mitte der Leinwand war ein Männerkopf: zwei brennende dunkle Augen, eine scharfe Adlernase und ein schmaler, sanft lächelnder Mund. Der Kopf war von einem Kardinalshut gekrönt. Der arme Antoine hatte sich im letzten Stadium der Krankheit eingebildet, er wäre ein Kirchenfürst. Sein Selbstbildnis hatte den Augenblick einer seligen Illusion festgehalten. Catherine Bonnard betrachtete das Gemälde mit gequältem Ausdruck, während Miss Biggs ihren Tee trank. »Es muß nicht sein, Mrs. Bonnard«, sagte Nancy sanft.

»Haben Sie eine Spur von Marie gefunden, Nancy? Wollen Sie weiter in Brook Street warten?«

»Ich glaube schon, Mrs. Bonnard! Ich habe zum erstenmal eine Spur entdeckt, die mir nicht ins Leere zu führen scheint. Heute früh ist eine Person in Brook Street abgestiegen, die mit Marie in Asien war«, sagte Nancy Biggs langsam. »Dr. Ekelund kennt sie auch. Er sagte es mir, bevor er heut nach Stockholm abflog. Ich hatte ihn schon vorige Woche gebeten abzureisen, damit Marie sich hervorwagt.«

»Kam heute ein Telephonanruf?«

»Nein«, sagte Miss Biggs. »Wenn Marie nicht telephoniert, dann zieht sie wieder um. Der Anruf kommt entweder morgen oder gar nicht. Ich weiß es nicht. Wir tappen im dunkeln.« – Miss Biggs schwieg. Jemanden in London zu suchen, war genauso einfach, wie die Themse Tropfen für Tropfen zu entwässern.

»Wer ist denn der Gast aus dem Fernen Osten?« fragte die alte Mrs. Bonnard.

Miss Biggs nannte den Namen. Madam hatte ihn niemals gehört. Ihr Herz sank. Marie und ihre Geheimnisse!

»Meinen Sie wirklich, daß Sie auf einer Fährte sind, Nancy?«

»Ich glaube es fast, Mrs. Bonnard! Es kann sehr gut eine Verbindung zwischen Marie und dieser Person bestehen, von der wir nichts ahnen.«

In diesem Augenblick klingelte das Telephon auf Madams altem Walnuß-Schreibtisch. Die Privatdetektivin trank langsam ihre letzte Tasse Tee. Sie betrachtete noch einmal das Selbstportrait von Maries Großonkel und stand dann auf. Sie hatte zu tun. Sie verehrte die alte Mrs. Bonnard und diente ihr mit dem Scharfsinn, den echtes Gefühl verleiht.

Miss Biggs hatte lange mit Dr. Ekelund gesprochen. Ihr erster Verdacht, daß der schwedische Wissenschaftler am Verschwinden seiner Frau beteiligt sein könnte, war absurd gewesen. Aber am Beginn eines Falles durfte man niemandem trauen oder glauben.

Nancy Biggs würde Marie Bonnard weitersuchen – und wenn sie ihr bis an die Ufer des Styx folgen mußte. –

»Paul war am Telephon. Mr. Paul Bonnard«, sagte Madam eilig. »Er konnte mir nicht viel sagen, weil Gäste in der Halle auf ihn warteten.«

»Ist etwas passiert, Mrs. Bonnard?«

»Wie man es nehmen will, meine Liebe! Graf Tsensky aus Paris ist soeben in Brook Street erschienen.«

DRITTES KAPITEL

Die Verschwörung der Wachsfiguren

I

Tsenskys Besuch in London hatte nicht das geringste mit der Suche nach Marie Bonnard zu tun. Weder Nancy Biggs, noch die Bonnards, noch die zufälligen Beobachter in den Londoner Logierhäusern waren sich der Ungereimtheiten bewußt, welche die Suche nach der jungen Frau kennzeichneten. Alle liefen beständig aneinander vorbei. Viele Leute hatten Marie gesehen und hätten sie greifen können. Aber sie identifizierten die junge Person im Regenmantel und mit dem Kopftuch über dem schwarzen Haar nicht mit Marie Ekelund, die von der Polizei gesucht wurde. Mittlerweile war Maries Photo in den Abendzeitungen erschienen – aber die elegante blonde Schönheit, die Tsensky einmal als »Goldmarie« gemalt hatte, ließ niemand an die »Pechmarie« bei Miss Goodman denken. Noch paradoxer war die Tatsache, daß Marie stets aus den falschen Gründen vor ihren Zufallsbekanntschaften davonlief. Weder Mr. Sharples und Bertie, noch der arglose Herr Frank hatten Marie verfolgen wollen. Und Lily wollte erst recht nichts von der Mieterin.

In diese Komödie der Irrungen platzten Graf Tsensky und Lady Melford ahnungslos hinein. Sie trafen sich wie immer im Bonnard in Brook Street und betrachteten beim Tee Lady Melfords Photos aus dem Fernen Osten. Tsensky steckte dann das mit Rohopium gepolsterte Album in seine Mappe. Miss Biggs hatte den Vorgang in der Halle beobachtet und sich nichts Schlimmes dabei gedacht. Weltreisende zeigten immer Photos. Lady Melford und Tsensky saßen die ganze Zeit vor aller Augen in Paul Bonnards Halle. Nancy hatte am

Nebentisch gelauscht. Lady Melford erklärte die Masken des siamesischen »Klassischen Balletts«, und Graf Tsensky, der bekannte Bühnenmaler, bat sich das Album für einige Tage aus. Er wolle die weltberühmten Kostüme und Masken der Ramayana-Tänzer in Ruhe studieren und erhoffe sich Anregungen für orientalische Balletts. Nicht einmal eine Detektivin konnte an Tsenskys Bitte etwas Verdächtiges finden, wenigstens nicht, solange sie nicht ahnte, daß Lady Melford und Graf Tsensky Agenten eines Schmuggelrings zwischen Lampang, Hongkong, London, Paris und den italienischen Laboratorien waren, denen Tsensky das Rohopium lieferte. Er studierte nebenbei die Szenerie und die Kostüme der Völker — das war die reine Wahrheit. Über das Verschwinden von Marie Bonnard hatten die beiden kein Wort gesprochen. Es war keine Vorsichtsmaßnahme, daß sie sich nicht darüber unterhielten. Lady Melford hatte die Zeitung mit Maries Bild achtlos in den Papierkorb geworfen. Sie hatte die junge, nervöse Person, die sie bei Miss Kuang getroffen hatte, längst vergessen. Und Tsensky hatte alle Frauen bis auf Ulrika vergessen. Er hatte Marie zunächst gehaßt, nachdem er in Ulrikas Etui die Marihuanazigaretten entdeckt und fortgeworfen hatte. Aber das war lange her. Marie war ihm jetzt ziemlich gleichgültig. Sie hatte von ihm nichts zu befürchten. Aber die Angst saß in ihrem Gehirn und in ihren beschädigten Nerven — sie war irrational und sozusagen historisch. Es war Tsensky jetzt gleichgültig, ob Marie vor ihm Angst hatte oder nicht. Er wäre wahrscheinlich erstaunt gewesen, wenn er gewußt hätte, daß sie sich noch vor ihm fürchtete. Er hatte längst andere Geldquellen gefunden. Jenen freundlichen Brief ins Lepra-Hospital hatte er Marie geschrieben, weil er zuweilen Anfälle von russischer Weichherzigkeit bekam und das launische kleine Ding ihm aufrichtig leid getan hatte.

Marie und ihre Mutter Natalya hatten für Tsensky jetzt nicht mehr Bedeutung als Lady Melford oder die Wachsfiguren in Madame Tussauds Kabinett auf der Marylebone Road. Nur daß Tsensky die Wachsfiguren lebendiger fand . . .

Tsensky stattete Madame Tussauds Museum jedesmal einen Besuch ab, wenn er in London war. Er fuhr auch diesmal in die Marylebone Road, nachdem er sich von Lady Melford verabschiedet hatte. Miss Biggs folgte ihm nicht zu den Wachsfiguren, sondern beschloß, Lady Melford zu beschatten. Miss Biggs war nun überall, wo Lady

Melford weilte – außer in Sheilas eigenen Räumen. Lady Melford hatte keine Ahnung, daß die alte Jungfer in dem gutgeschnittenen Kostüm und dem grauen Filzhut sie beobachtete.

Tsensky verweilte längere Zeit bei den sonderbaren Schöpfungen der Madame Tussaud, die zunächst die Opfer der Französischen Revolution in Wachs modelliert hatte. Sie eröffnete ihr Museum im Jahre 1802 im *Strand* in London und zog 1835 in die Baker Street. Später wurde das Museum in die Marylebone Road verlegt, und nach einem Brand im Jahr 1928 wurde die ganze Kollektion rekonstruiert. Tsensky interessierte sich leidenschaftlich für jede Einzelheit des Wachsfigurenkabinetts. Die gefrorene menschliche Erfahrung hinter der Wachshülle sprach ihn an. Es kam ihm vor, als habe Madame Tussaud den Tod hintergangen – das gefiel Tsensky, der große Angst vor dem Tod hatte. Die alte Schweizerin mit ihrer Brille, ihren Schuhschnallen und ihrem altmodischen Hütchen – alles in Wachs in der Marylebone Road zu sehen – war für Tsensky die große Mutter der Toten, denen sie rührende und absurde Unsterblichkeit verliehen hatte. Als Tsensky das erste Mal die Wachsfiguren besucht und eine hübsche Blondine ihm einen Führer angeboten hatte, war es ihm mit einem angenehmen Gruseln klargeworden, daß auch die Blondine eine Wachsfigur war. Später hatte er auf den Marmortreppen einen Aufseher in Livree nach dem Weg in die Schreckenskammer gefragt – der Aufseher war ebenfalls aus Wachs, aber nicht von einem lebendigen Manne zu unterscheiden. Das hatte Tsensky in einen Rausch der Heiterkeit versetzt. Er war lachend und pustend in der Schreckenskammer angekommen. – Tsensky hatte eigentlich stets die Gesellschaft der Puppen der Gesellschaft lebendiger Frauen vorgezogen, vielleicht, weil die Puppen besser zuhörten.

Er betrachtete gerade eines der großen *Tableaux* – die Hinrichtung der Maria Stuart –, als Marie Bonnard die Halle des Museums betrat. Sie verbrachte alle ihre Nachmittage bei Madame Tussaud. Dort betrachteten die Besucher ausschließlich Wachsfiguren, und Marie verbrachte einige Stunden in relativer Verborgenheit. Man konnte jedem Menschen den Rücken zudrehen und anscheinend hingegeben die *Verhaftung von Guy Fawkes* oder die Berühmtheiten in historischer und moderner Kleidung betrachten.

Niemand alterte bei Madame Tussaud. Niemand war einsam, denn zahllose Gefährten in Wachs umgaben einen. Und die Wachsfiguren waren verschwiegen. Weder Stalin noch Tschu-En-lai noch Charlie Chaplin oder Dr. Konrad Adenauer würden Marie an die Bonnards verraten. Diese Prominenten – sorgfältig geschminkt und kleiner und zarter als im Leben – blickten über das Mädchen im dunklen Mantel hinweg in den gleichmütigen Spiegel der Zeit . . .

Zwei Besucher standen neben Tsensky vor dem Tableau der Hinrichtung der Maria Stuart. Der ältere Herr blätterte in dem Führer, den er soeben unten in der Halle gekauft hatte. Beide betrachteten aufmerksam die vielen Figuren in den alten Kostümen und die ganze Szenerie.

»Recht saubere Arbeit«, bemerkte der ältere Herr. Meinte er die Hinrichtung des Jahres 1587 oder Madame Tussauds Reproduktion dieses Ereignisses?

»Ich könnte eine Tasse Tee gebrauchen«, erwiderte der Neffe aus Dulwich. Er war ein Produkt des berühmten Dulwich College und im nahen Umgang mit den holländischen und englischen Meistern der Gemäldegalerie aufgewachsen. »Wenn schon Wachs – dann finde ich die Schreckenskammer viel netter. Komm doch, Onkel Jim!«

Tsensky betrachtete gerade in bester Laune das Messer der Guillotine – eine echte Reliquie aus der Französischen Revolution –, als Marie Bonnard am oberen Ende der großen Treppe zum zweiten Stock anlangte. Tsensky wandte ihr zwar den Rücken zu, aber sie erkannte seine Haltung, seine abstehenden Ohren, seinen Pariser Hut und sein Profil.

In diesem Moment des Erkennens konnte sie es mit jeder Wachsfigur in Madame Tussauds Kollektion aufnehmen. Sie war allein mit Tsensky. –

II

Sie war vor Furcht erstarrt. Seit ihrer Flucht aus Brook Street hatte sie gegenstandslose Angst gehabt. Sie hatte das Gefühl, man verfolge sie – aber sie wußte nicht, wer sie verfolgte. Jetzt verfiel sie in Panik. Ihre Glieder wurden bei Tsenskys Anblick steinerne Gewichte. Dann begann sie zu zittern. Ihr Körper verkrampfte sich in dem weiten Mantel, und sie fühlte einen Druck auf Brust und Kehle, als müsse sie ersticken. »Ulrika«, summte es in ihrem Kopf. Das Summen wurde lauter – ein Sirenengeheul, das Maries Gedanken auslöschte. *Wo* konnte sie sich vor Tsensky verbergen? Sie hatte Welten zwischen sich und ihn gelegt. Nun begegnete sie ihm hier – zwischen den Wachsfiguren, die keinen Finger für sie rühren würden. Wie konnten sie auch? Die unglückliche Schottenkönigin stand gerade vor ihrer eigenen Hinrichtung, und nebenan lag Lord Nelson im Sterben.

Im nächsten Moment mußten Tsenskys hypnotische Augen Marie erspähen, aufsaugen und zerstören ...

Marie schrie einmal laut auf. Sie hatte ihre Beweglichkeit wieder erlangt und floh zwischen ein paar Besuchern hindurch aus dem Raum. Tsensky hatte sich bei dem Schrei umgedreht und gerade noch den Rücken eines Mädchens mit schwarzem Haar im wehenden Regenmantel gesehen. Er betrachtete kopfschüttelnd Tableau Nummer acht, das die Ermordung der jungen Prinzen im Londoner Tower im Jahr 1483 darstellte. Tsensky blätterte in seinem Büchlein, um die Geschichte nachzulesen. Es war das »Tower-Mysterium«. Niemand wußte, wer die kleinen Prinzen wirklich ermordet hatte. Tsensky liebte Ungewißheit – sie machte ein Tableau künstlerischer ... Dadurch, daß er fünf Minuten zu spät in die Schreckenskammer hinunterstieg und zu dieser Zeit ein Strom von Touristen die engen Gänge in den Keller blockierten, versäumte er Marie in der Schreckenskammer. Er erfuhr niemals, daß er an diesem grauen Frühlingstag beinahe mit Marie Bonnard in einem Raum gewesen war. Das war Maries Unglück. Tsensky hatte ihr schon manchmal aus der Patsche geholfen. Vielleicht hätte er sie jetzt nach Paris mitgenommen. *Er* hätte verstanden, daß sie nicht in die Klapsbude nach Zürich wollte. Dort gab es keine Balletts. –

Marie raste aus der »Halle der Könige« in die Schreckenskammer. Dort waren die Schrecken wenigstens sichtbar, und es war halb dunkel in den Gewölben. Marie lief unter der alten Gefängnisglocke von Newgate an Mördern, Giftmischern und Folterinstrumenten vorbei in die Arme von Mrs. Dyer. – Diese Dame mit den großen Zähnen und Händen war im Jahr 1896 hingerichtet worden, weil sie Säuglinge »adoptierte«, später erwürgte und dann in die Themse warf. Marie Bonnard mußte wirklich vor Furcht ihren Verstand verloren haben, wenn sie Mrs. Dyer dem Grafen Tsensky vorzog. Mrs. Dyer war übrigens zwischen Freunden: Dr. Crippen, George Joseph Smith mit seiner Badewanne, in der er seine drei Ehefrauen ertränkt hatte, und weitere Damen und Herren der Zunft leisteten ihr Gesellschaft. Marie war ganz allein ...

»Sie sieht eigentlich ganz nett aus«, sagte der Neffe aus Dulwich zu seinem Onkel. Er betrachtete eine Krankenschwester mit rosigem Gesicht, die gegen die Berufsetikette verstoßen hatte. – Onkel begutachtete indessen ausgewählte mittelalterliche Folterinstrumente. »Saubere Arbeit«, murmelte er. Diese Instrumente hatten in der Tat in Europa saubere Arbeit geleistet ...

Onkel und Neffe suchten beharrlich nach den Wachsfiguren der Herren Hitler, Göring und Goebbels, die neben den anderen auch geistige Instrumente zur Folterung ihrer Zeitgenossen angewendet hatten. Aber es gab nur einen leeren Raum auf ihrem Stammplatz. Diese Wachsfiguren wurden entweder restauriert oder zogen gerade um. Sie waren nach dem zweiten Weltkrieg in die Schreckenskammer eingezogen ...

Marie Bonnard betrachtete schweratmend Dr. Marcel Petiot, der in seinem Haus in der Rue Lesueur vierundzwanzig politische Flüchtlinge beraubt und durch Injektion von Drogen getötet hatte. Der Doktor war auch ein Pariser – wie Tsensky. Der Arzt war 1946 in Paris durch die Guillotine hingerichtet worden und blickte nun – vierzehn Jahre später – Marie freundlich lächelnd ins Gesicht. Dr. Petiot lächelte von Minute zu Minute gräßlicher – es wurde Marie heiß und kalt dabei. Was war das? Marcel Petiot, der wie alle Pariser nach Abwechslung dürstete, begann sich langsam zu regen. Er trat von einem Wachsfuß auf den anderen und rieb sich die Hände, die seine Opfer so geschickt durch Injektionen stumm und dumm gemacht hatten. Marie stand reglos. Sie traute ihren Augen nicht. Sie blickte wild umher und sah, daß auch Dr. Petiots Kollegen im Mordgeschäft sich in ihren Nischen regten und langsam auf sie zukamen. Dr. Petiot tänzelte zierlich zu der alten Newgate Glocke, die man in früherer Zeit bei den öffentlichen Hinrichtungen läutete. Marie hatte es in ihrer Kindheit in Haverstock Hill gehört. Madam hatte zwar niemals erlaubt, daß Marie die Schreckenskammer der Tussauds besuchte, aber die Tussauds waren eine Dynastie – genau wie die Bonnards. Was Madame Tussaud vor einhundertfünfzig Jahren begonnen hatte, wurde jetzt von Mr. Bernard Tussaud, ihrem Urgroßenkel, weitergeführt. Die Tussauds und die Bonnards hatten in der Schweiz begonnen und boten später dem Publikum Unterhaltung in Paris und London. Die Bonnards hatten niemals den Standard der Kochkunst in ihren Hotels geändert, und die Tussauds lieferten weiterhin im Kellergewölbe wächserne Schrecken, die eine Bonnard in diesem Augenblick um den Verstand brachten. Marie rannte vor Dr. Petiot und der Henkersglocke in eine dunkle Ecke des Kellers. Sie hielt sich den Kopf mit beiden Händen, denn die Furcht saß bei ihr im Kopf. »Wo bin ich?« murmelte sie und blickte dem Neffen aus Dulwich ins Auge. Der junge Mann sagte freundlich: »In der Schreckenskammer, Miss! Ist es zuviel für Sie?«

Marie klammerte sich an den jungen Herrn, was ihm sehr peinlich war. »Onkel Jim«, rief er leise, »der jungen Dame ist nicht wohl.«

»Ich habe niemanden umgebracht«, flüsterte Marie.

Die beiden Herren blickten sich verlegen an. Die Ausländerin wurde immer merkwürdiger. Onkel Jim, der in dem Glauben erzogen war, daß man jungen Damen in Not helfen müsse, aber möglichst ohne sich selber in Peinlichkeiten zu verstricken, rief leise einen anderen Besucher, der den »Eisernen Käfig« studierte. »John . . . ich glaube, die Dame braucht einen Arzt.« Onkel Jim hatte sein Problem gelöst und wollte die komische junge Dame bei Dr. John Wilton abladen. Aber als der Arzt auf Marie zutreten wollte, kam eine Menge amerikanischer Touristen die Treppe zur Schreckenskammer herunter. Sie schoben sich zwischen Dr. John Wilton aus der benachbarten Harley Street und Marie Bonnard. Auf der dunklen Treppe warteten weitere Touristen. Tsensky wartete mit ihnen. Er wollte ebenfalls den Herrschaften der Unterwelt seinen Besuch abstatten. Als Tsensky die lange Schlange der Wartenden sah, packte ihn Ungeduld. Er blickte auf seine Uhr. Heute abend aß er mit Lady Melford in einem kleinen feinen Lokal im Westend, wo man Geschäfte in gepflegter Umgebung besprechen konnte. Graf Tsensky verließ Madame Tussauds Museum, ohne sich noch einmal umzublicken. Sonst hätte er wahrscheinlich gesehen, daß Marie sich rücksichtslos durch das Gedränge zwängte. Sie wäre ihm um ein Haar in die Arme gelaufen.

Tsensky winkte eine Taxe herbei und pfiff vor sich hin: »Morgen gehe ich mit dir spazieren!« Madeleine Boussac hatte dieses Lied in den Kellern von Paris gesungen. Madeleine war tot. –

Tsensky lancierte zur Zeit eine andere Sängerin. Er entwarf ihre Kostüme und nahm sie oft in sein Atelier, wo Ulrika lachend den Kopf in den Nacken geworfen hatte. Das Atelier war wieder wie früher – es gab keine Milchflaschen und keinen Narren, der sich eingebildet hatte, er sei nicht gut genug für eine Frau . . .

Tsenskys Gedanken waren so kühl wie der Regen, der unvermutet in der Baker Street fiel.

III

Marie hatte die Straße erreicht. Langsam klärte sich etwas in ihrem Kopf. Tsensky war nirgends zu erblicken. Die Wachsfiguren hatten die Verfolgung eingestellt und waren in ihre Nischen zurückgetreten. Marie wußte nicht, warum sich sogar Wachsfiguren gegen sie verschworen.

Der Regen wurde heftiger. Er peitschte Maries schmale Schultern und durchnäßte ihr Haar unter dem dünnen Kopftuch. Aber sie war der Schreckenskammer entronnen. Wenigstens glaubte sie es. –

An der Ecke der Baker Street stand ein alter Mann und geigte. Die Lichter eines Pubs glänzten durch den Regen. Marie war müde. Einen Augenblick sah sie das Hotel Bonnard in Haverstock Hill vor sich. Wenn sie nun doch zu Madam flüchten und ihr alles erklären würde? Aber wie konnte Madam sie gegen Erik schützen? Sicherlich hielten sie sie alle für verrückt. Sie würde nie wieder aus der Klapsbude herauskommen . . .

Die Vision des Bonnard verflüchtigte sich im Regen. Madams Zimmer mit dem kleinen Walnuß-Schreibtisch und Antoine Bonnards Selbstbildnis über dem Kamin versank – ein entschwindender Schattenriß der Intimität.

Ein Straßensänger sang von Nachtigallen, Liebeslust und Trennungsschmerz. Sein Hund bellte den Refrain. Der kleine braune Hund schnupperte auf dem Straßenpflaster herum und wackelte entschuldigend mit dem Schwanz, wenn ein feiner Hund mit glänzendem Fell hochmütig vorbeiwandelte. Marie gab dem Kleinen einen Fußtritt, als er sie freundschaftlich beschnupperte. Das Hündchen war sehr erstaunt. Der Kleine hatte es nicht leicht mit seinem Herrn auf der windigen Straße, aber er wurde gut behandelt. Einen Augenblick betrachtete er die unfreundliche Menschenfrau aus nachdenklichen, glänzenden Augen – dann schüttelte er die Beleidigung ab und kehrte zu seinem Herrn zurück.

Zwei Frauen gingen mit Papiertaschen beladen zur Haltestelle des Autobus 2, der nach Swiss Cottage fährt. Die Papiertaschen trugen die Namen teurer Westend-Geschäfte. »Ich hoffe, dieser Büstenhalter wird wirklich den Trick fertigbringen«, murmelte die üppigere Dame.

»Er tut Wunder«, beruhigte die Freundin. »Elsies Mann war drauf und dran, seine Sekretärin zu heiraten, aber dieser Büstenhalter hat buchstäblich die Ehe gerettet, meine Liebe!«

Marie Bonnard hörte nicht, was die besorgte Rubensfigur antwortete. Sie wollte es auch nicht hören. Ehemänner! Sie verlangten eine Venus, die kochen konnte, ihre Socken stopfte und stundenlang ihren Reden lauschte oder – wie sie bei Erik – ihr Schweigen selig lächelnd ertragen sollte . . . Die beiden Damen waren in ihren Autobus gesprungen. Marie blickte ihnen nach. Niemals war sie so einsam gewesen. Alle anderen Leute auf der Baker Street gehörten zu irgend jemandem und irgendwohin. Die Frauen machten zusammen Einkäufe, tranken Tee, betrachteten die Schaufenster in der Oxford Street und fuhren dann in ihr Heim zurück, wo die Familie sie erwartete. Sie lebten in eigenen Wohnungen – nicht in Hotels oder Schreckenskammern. Sie hatten Verwandte oder Ehemänner aus Fleisch und Blut und unterhielten sich jahrelang mit ihnen, zankten sich und vertrugen sich wieder. Die Frauen schliefen in eigenen Betten, zeugten Kinder und brauchten nach einer Reihe von Jahren magische Büstenhalter. Aber was schadete das? Sie wurden geliebt oder wenigstens geschätzt – wurden alt und durch die Resignation sogar vergnügt, und ihre Kinder und Enkel in dieser Riesenstadt machten es wie sie. Die Briten waren Genies der Anpassung, und selbst spontane Ausbrüche in die Welt der individuellen Leidenschaften blieben stillschweigend in einem festgefügten Rahmen. Ein englischer Ehemann beschimpfte nicht die betrogene Ehefrau, wie es auf dem Kontinent nicht selten vorkommt. Er verschmähte diese bequeme Form der Rechtfertigung und sagte korrekt und nicht wenig heuchlerisch, »daß es ihm leid täte«. Damit war alles und nichts gesagt. Jede englische Ehefrau verstand die Formel – und niemand endete deswegen in der Klapsbude. Die Kunst der Anpassung, die auf dieser Insel gepflegt wurde, hielt das komplizierte Netzwerk menschlicher Beziehungen trotz aller politischen und wirtschaftlichen Wandlungen zusammen. Marie stand außerhalb des Netzwerkes. Sie hatte sich niemals anpassen können und fühlte zum erstenmal, daß diese Tatsache entscheidend zu ihrem Unglück beigetragen hatte. Seit dem Tag, da sie als verirrtes Schaf im runden Schulhut in Haverstock Hill herumlief, hatte sie sich mit niemandem vertragen können ...

Jetzt war es zu allem zu spät. Weder Erik noch die Bonnards hätten ihr irgendwelche Versuche, sich einzufügen, geglaubt. Da wäre ein Wunder nötig gewesen. Für Marie tat niemand ein Wunder. Sie hatte vergessen, daß man Gott darum bitten konnte. – Wachsfiguren beteten nicht. Marie hatte ihre Entscheidung getroffen. Für sie führte der Weg aus der beleuchteten Baker Street direkt an die Ufer des Styx. –

Sie winkte einer Taxe. Der Fahrer nickte, als Marie die Adresse nannte. Er war ein Londoner und kannte die Ufer des Styx ...

VIERTES KAPITEL

An den Ufern des Styx

»Styx — der schwarze Strom — trennt unsere Welt
im Sonnenlicht von der Schattenwelt des Hades.«
Griechische Sagen und Legenden

I

Der Übergang von Piccadilly Circus in den Hades von Soho ist ganz einfach. Marie Bonnard brauchte nur die Eros-Statue hinter sich zu lassen, und schon trieb sie durch Shaftesbury Avenue in den schwarzen Strom hinein. Sie gehörte zu den wenigen Passanten in London, die der Eros-Statue keinen Blick mehr schenkten. Sie hatte den hinterlistigen Liebesgott schon lange ignoriert. Eigentlich seitdem sie den weißen Mohn in den Bergen gesehen hatte. —

Der kleine Gott in Piccadilly dachte sich nichts Schlimmes, als Marie Bonnard an ihm vorüberhastete. Er stand im Mittelpunkt des *Circus* — im Mittelpunkt der Welt — und hatte genügend Anhänger. Seit 1893 schoß Eros seine Pfeile in die Herzen der Vorübergehenden — an welcher Stelle das Herz der Londoner nun auch sitzen mochte. —

Obwohl Soho eine Welt fliehender Schatten ist, ähnelt es dem griechischen Hades nicht auf den ersten Blick. Beim sechsten oder achtzehnten Blick kommen die Ähnlichkeiten zutage. Vom klassischen Hellas ist heutzutage nur *Greek Street* nachgeblieben. Und Greek Street liegt direkt am Ufer der mythologischen Flüsse Styx und Lethe. In Nummer 61 logierte der Essayist de Quincey in seiner Privathölle und nahm von Zeit zu Zeit einen kräftigen Schluck aus dem Fluß Lethe, um Vergessen zu finden. Opium, Heroin, Marihuana — die Seitenstraßen von Soho hatten, genau wie der klassische Hades, zwei Flüsse und zwei Seiten. Wer zuviel aus dem Strom des

Vergessens trank, der erwachte am Styx. Er hatte alles vergessen und stand am schwarzen Strom, ohne zu wissen, wohin die Fähre oder die Taxe ihn brachte. Entweder landete der Besucher der Schattenwelt in seinem eigenen Mietzimmer – jenseits von Greek Street –, oder im Krankenhaus. Manchmal erwachte er auch in einem fremden Schlafzimmer zwischen Soho und Leicester Square, oder auf der Städtischen Polizei. Die *Laster-Squadron* von Scotland Yard kennt den Hades von Soho recht genau. Die Detektive und ihre Helfer fahren auf dem schwarzen Strom hin und her, als ob sie in der Welt im Sonnenlicht eine kleine Dampferfahrt nach Richmond unternähmen. Sie kennen viele Restaurants und Nachtclubs; sie kennen Striptease-Tänzerinnen, Erpresser, Spitzel, Rauschgifthändler und ihre Kunden jeglichen Geschlechts – vom männlichen zum weiblichen Mann, vom Teenager zur Virago, vom Gentleman zum Cockney und von herabgekommenen zu hinaufgefallenen Damen mit und ohne Schamgefühl und mit und ohne Décor. Die Herren von Scotland Yard kennen auch viele Ausländer, die Soho bevölkern, beschnuppern und besudeln. Die kommen aus allen Ländern der Welt und fahren oder schleichen ohne Wimperzucken am Eros in Piccadilly vorbei. In Soho – wie in jedem steinernen Hades – ist Sex ein Geschäft, und wer in einem Geschäftbetrieb etwas fürs Herz sucht, der hat selber schuld. Es gibt soviel im Hades – für die Augen, den Gaumen, die Nase und den Rest. Aber der Hades hat nun einmal die Eigenart, für Gespenster oder Neugierige oder die Besiegten des Tageslichts zu sorgen, deren Herz sowieso nur noch aus alter schlechter Gewohnheit schlägt. Wenn man Glück im Hades hat und an den richtigen Club zwischen Greek Street und Charlotte Street gerät, wenn man dem Fährmann seinen Obolus entrichtet und sich nun wie ein Schneekönig amüsieren kann – dann erscheint einem die Hölle ohne Spaß und Übertreibung als Elysium. Es kostet nur mehr. Die Hölle kostet alles und noch ein paar Kleinigkeiten: Nerven, Anstand, Geld und die Zukunft. –

Das wäre auch seltsam, wenn die Vergnügungen an den Ufern des Styx nichts kosteten! Daß sie teuer sind, wissen sogar die Onkels aus der Provinz und die westindischen und afrikanischen Einwanderer und die Bummler der Mittelklasse, die ohne Hilfe aus Soho in ihre Hotels und Vorortvillen zurückfinden. Diese flüchtigen Besucher trinken Chianti statt Lethe, rauchen *Bachelors* statt Marihuana oder Mohn, essen exotische Gerichte statt Bitterkraut und merken nicht einmal, daß rechts und links von der Old Compton Street der schwarze Strom fließt und der Fährmann wartet ... Was geht es die Touristen und die »Eine Nacht in Soho-Spezialisten« an? Sie haben in den Bussen und in der Untergrundbahn so viele Plakate mit spärlich bekleideten Damen gesehen, so viele Hinterteile in Spitzenhöschen und Busen in Reizwäsche, daß sie nun endlich einen ehrlichen Stripteaser in Soho sehen wollen. Nachher schmeckt die Ehe oder die Verlobung aus Finanzgründen oder sonst was viel besser.

Der Styx schluckt sie alle auf – die Sucher, die Besucher, die Stammkundschaft und Marie Bonnard. Sie werden nach Mitternacht eins mit dem Höllenfluß – eine anonyme, gierige, auf Seifenblasen schwebende Menschenmasse, die sich vorwärts schiebt, sich teilt, in Schlupfwinkel verschwindet, Geld ausgibt oder kassiert und den großen Rausch oder den kleinen Rausch in den Fluß spuckt ... Denn die Schatten im Hades haben nicht wirklich Spaß – das reden ihnen nur die Unternehmer, die Clubbesitzer, die Striptease-Bändiger und die Restaurateure aus aller Esser Ländern ein; nicht zu vergessen die Lustverkäufer, die mit dem Scheckbuch im Herzen an den Straßenecken lauern. Die sehen mit einem halben Blick, wer es ernst mit dem Spaß meint und wer nur von Muttern Erlaubnis bis elf Uhr und zehn Minuten bekommen hat. Dem darf die letzte Untergrund nicht davonfahren, denn für den Preis einer Taxe kann die ganze Familie sich den Sonntagsbraten – Montag noch kalt aufgeschnitten und Dienstag als Hackbraten verkleidet – leisten.

Wer im Hades zwischen Greek Street und Charlotte Street an den Ecken wartet, der kennt sich in den Ausflüglern aus. Und wenn es nicht immer neue Beamte von Scotland Yard in Zivil gäbe, dann würde kein Aas, kein Zuhälter und kein *Puscher* (Rauschgifthändler) jemals geschnappt werden, und es wäre immer Sonntag in der Hölle.

Aber die Sendboten des Hades warten nicht alle an den Straßenecken. Soho ist berühmt für seine Restaurants, Kaffee-Bars und die mehr oder weniger bekannten Erholungsheime vom Tageslicht. –

Eines Abends – zwei Tage nach Marie Bonnards Flucht aus der Hochburg der Respektabilität in Golders Green – setzte sich Mr. Daniel Leech aus Kingston, Jamaica, zu »Mademoiselle Boussac«. Marie war nicht so einfältig, daß sie den Höllenfluß mit Vater Themse verwechselte. Aber selbst der Styx hat *eine* rettende Eigenschaft: man kann in seinen Wassern untertauchen.

Die Kaffeebar war auf der Old Compton Street und hieß »Himmel und Hölle«. – Oben waren die Kasse und der Himmel. Dann stieg man auf einer Hühnerleiter, die bessere Tage gesehen hatte, direkt in die Hölle. Dort war es rauchig, drückend voll und heiß – dafür war man schließlich in der Hölle – und irgend jemand hinter der Miniaturtheke sang Liedchen über den Frühling und die Nachtigallen in Berkeley Square. Niemand hörte zu. Der Frühling war eine Illusion und ein Geschäft der Textdichter, und bei Nacht sind alle Stripteaser grau. –

»Sie sind allein, *Lady*«, sagte Mr. D. Leech aus Kingston sanft. »Darf ich mich zu Ihnen setzen?«

Marie Bonnard nickte.

Sie hatte wieder seit zwei Tagen kein Wort gesprochen. Ihr war jeder recht. – Sie verbarg sich tagsüber in Notting Hill und saß in der Dunkelheit an den Ufern des Styx.

II

Mr. Daniel Leech betrachtete das weiße Mädchen mit kritischen Blikken. Er gehörte nicht zu den westindischen Gästen in London, die stolz auf jede weiße Begleiterin sind. Dieses Mädchen sah krank und schäbig aus. Aber Mr. Leech war auch schrecklich allein, obwohl sein Vetter ihn vor einem Jahr in Paddington abgeholt und aufgenommen hatte. Mr. Leech war daheim in Kingston niemals einsam gewesen. Es mußte an London liegen. – Die junge Dame, die unbeweglich am Ecktisch der »Hölle« saß und ihren Kaffee kalt werden ließ, war nicht einmal geschminkt, und keine Dauerwelle verschönte ihre schwarzen Haare. Mr. Leech wäre auf eine Blondine allerdings stolz gewesen – da sah man doch gleich, vielmehr die Freunde sahen gleich, daß er die Farbgrenze übersprungen hatte. Es *gab* sie, auch wenn die Zeitungen behaupteten, es gäbe keine Unterschiede und alle wären britisch. Letzteres stimmte allerdings. Mr. Daniel Leech hatte einen britischen Paß wie Tausende seiner Landsleute, aber trotzdem hatten drei Londoner Wirtinnen einen farbigen Studenten nicht aufnehmen wollen. Er hatte endlich ein Zimmer in der Nähe von Notting Hill Gate gefunden – wie diese junge Dame. Sie starrte vor sich hin. Mr. Leech nickte sich selbst in einem Wandspiegel verständnisinnig zu. Die Dame war auch allein. Es gab in London und Liverpool eine Unmenge von Studenten, die tagsüber entweder arbeiteten oder in ihren Mietzimmern hockten und nachts ausgingen. Manchmal scheuten sie das Tageslicht. Manchmal wollten sie aber nur vergessen, daß man wieder den Rest eines Tages um die Ecke bringen mußte. Oft schlossen sie einfach die Vorhänge, legten sich ins Bett und spielten Nacht. Das tat beispielsweise Mr. Leech sehr häufig, obwohl er eigentlich zur Universität gehen sollte. Er kam aus guter Familie, und man war ehrgeizig für Daniel. Nach beendetem Studium konnte er es weit in Kingston bringen. Auch Daniel war ehrgeizig, aber er war erstaunt und beleidigt, daß man als Student täglich arbeiten und wie eine Ameise von einem Kolleg ins andere kriechen sollte, anstatt zu singen und Spaß zu haben. –

»Ich bin Student«, sagte er ernsthaft und trank seinen Kaffee. Er hätte viel lieber den heimatlichen Rumpunsch gehabt, aber für den hatte er heute abend nicht genug Geld. Er hatte sich natürlich längst Nebenverdienste gesucht für die Spanne Zeit, bis er daheim ein führender Politiker werden würde. Bei diesen Nebenverdiensten spielte die Hautfarbe keine Rolle. –

»Was studieren Sie?« fragte Marie und unterdrückte ein Gähnen. Ihr neuer Bekannter war groß und schlank, hatte traurige Augen, einen vollen sinnlichen Mund und eine dunkle Hautfarbe.

»Ich studiere Staatswissenschaft, Technik und allgemeine Poesie«, erwiderte der junge Herr aus Jamaica. »Was studieren Sie, *Lady*?«

»Bestellen Sie mir bitte noch einen Kaffee, *Darkie*!«

Mr. Daniel Leech erblaßte, auch wenn man es nicht sah. Er kam aus den besten Kreisen und war Student. Aber er hatte bereits erfahren, daß manche weißen Leute unhöflich waren. Man mußte sie belehren.

»Ich bin Mr. Daniel Leech. Ich komme aus Kingston.«

»Wo ist das?«

Mr. Leech riß die schönen dunklen Augen auf. An welche Schildkröte war er da geraten? Kingston war der Mittelpunkt der Welt. Und diese Dame im Regenmantel wußte nichts davon. Was in aller Welt studierte sie in London?

»Mein Vater ist Offizier bei der Zollbehörde, und mein Onkel, Mr. Joshua Leech, ist Vorsitzender der Vereinigung der Zuckerfabrikanten in Kingston.«

Mr. Leech war eisern entschlossen, dieser Zufallsbekannten kniefällige Bewunderung abzuringen. Doch er konnte nicht das geringste Zeichen der Hochachtung wahrnehmen. Die Fremde hatte die dunkle Brille abgenommen und starrte Mr. Leech ungeniert an. Vielleicht hätte sie das nicht tun sollen. Mr. Leech starrte nämlich zurück. Er examinierte die seltsamen hellblauen Augen – er hatte in Jamaica nie einem blauäugigen Dämon Kaffee bestellt –, die zierliche Figur unter dem dünnen Regenmantel, die sehr weiße Haut und die schlanken Beine.

»Sie sind sehr schön«, murmelte er und rückte etwas näher.

Eine Pause entstand. Um die beiden herum lärmte und lachte es – es war zehn Uhr abends. Immer neue Besucher zwängten sich Arm in Arm in die Bar und tranken Kaffee oder Coca-Cola. Die Luft war voll von Rauch. Einige junge Paare sangen.

»Warum sagen Sie nichts?« fragte Marie Bonnard. «Ist Ihnen eine Laus über die Leber gelaufen?«

Mr. Daniel Leech schwieg immer noch. Was für einen dreisten Ton diese schöne Dame hatte! Und dabei sah sie auf den ersten Blick aus wie eine Fledermaus – aber sie *war* eine zierliche Puppe. ›Kleine Fische sind süß‹, dachte Daniel. Er hätte dem Mädchen gern von seiner Heimat erzählt – wie vornehm seine Familie war, wie reich und lustig. Aber die Fremde hatte ihm ›auf die Zunge getreten‹. Oder bildete er sich ein, daß sie ihn mit Verachtung behandelte? Auf seiner Leber gab es keine Laus. Er badete jeden Tag im öffentlichen Badehaus. Er litt seit seiner Ankunft in England an allen Martern des Exils, an übergroßer Empfindlichkeit, Prahlsucht und Unsicherheit. Dagegen gab es nur ein einziges Mittel ...

Er schob sachte sein Bein dicht an das zierliche Bein der jungen Dame. Sie zog sofort ihr Bein zurück und runzelte unmerklich die Stirn. Mr. Leech hustete. Wer kannte sich mit diesen Europäerinnen aus? Eine wirkliche Dame setzte sich doch nicht allein in die »Hölle« von Soho? Sie gehörte nicht zum Betrieb. Das hatte Daniel sofort gesehen. Sie war bis zum Hals zugeknöpft, obwohl sie sich bestimmt nackt sehen lassen könnte. Wut stieg in ihm auf. Hier war er – dreiundzwanzig Jahre, schön gewachsen und ein guter Liebhaber. Er hatte eine wohlklingende Stimme und studierte Regierungskunst. Wo blieb da die Gerechtigkeit? –

»Warum kommst du so spät?« fragte am Nebentisch ein junger Mann in Pullover und Backenbart ein wild geschminktes junges

Mädchen in engen Hosen. Ihr Haar wehte in die Kaffeetassen, und ihre Augenlider waren fliederblau. Sie sah so lasterhaft aus wie drei Soho-Sirenen zusammengerollt.

»Ich hab' Großmutter Abendbrot gemacht und ihr dann die Abendzeitung vorgelesen«, sagte das lasterhafte junge Mädchen und warf das blonde Haar aus der Kinderstirn. »Großmutter ist gelähmt – weißt du?«

»Ach so.« Das war in Ordnung. Die beiden steckten die blonden Köpfe zusammen und küßten sich, ohne auf Mr. Leech Rücksicht zu nehmen. Er fühlte sich so verlassen, daß er begann, über seine Nebenverdienste nachzugrübeln. Er musterte seine Dame verstohlen von der Seite. Wenn sie nun eine Polizistin war? Aber das war unwahrscheinlich. Mr. Leech schalt sich schweigend aus, daß er bereits so mißtrauisch und unsozial war wie gewisse Landsleute von ihm, die einige Jahre London hinter sich hatten. Er bekämpfte seine Wut. Er wußte es selbst: er war so wütend, weil er so schrecklich gern von den weißen Leuten akzeptiert und nett behandelt werden wollte. Nett in natürlicher Art! Wie dieser junge Mann am Nebentisch und seine angemalte Braut miteinander umgingen. Sie hatte dicke Hüften, und ihre *blue jeans* machten sie noch dicker. Aber die beiden gehörten in den Himmel und in die Hölle dieser Stadt. Sie waren hier aufgewachsen und sprachen dieselbe Sprache. –

Marie trank ihren Kaffee. Warum sagte der Mann aus Jamaica nichts mehr? Allmählich wurde sie so unsicher, wie sie als Kind gewesen war. Warum verfolgte die Familie sie? Was hatte sie getan? Und Erik durfte frei herumlaufen und war viel verrückter als sie! Sie dachte an ihr kaltes, stummes Zimmer in Notting Hill, und die Tränen traten ihr in die Augen. Mr. Leech sah es mit Erstaunen. Seine Wut war wie weggeblasen. Ein Strom von lyrischem Mitleid überflutete seine empfindsame Seele, die schon so viel Schmerz und Demütigungen seit seiner Ankunft in Paddington erlitten hatte. Das weiße Mädchen war so klein und jung.

»Wenn die Polizei hinter Ihnen her ist – ich weiß gute Verstekke«, flüsterte er. Er sah Marie mit unstillbarer Neugierde in die Augen. Sie war eine Giftmörderin aus Liebe. Daß er es nicht gleich gesehen hatte! Dieses Verbrechen machte ihm die junge Dame ungeheuer sympathisch. Es zeigte, daß sie Herz und Gemüt hatte.

»Sie sind krank, *Lady*?«

Marie schüttelte den Kopf. Für ihre Krankheit gab es nur *ein* Mittel. Sie wagte nicht, irgend jemanden darum zu bitten. Sie war seit ihrer Flucht aus dem Bonnard mißtrauisch, von panischer Angst getrieben und litt an irrationalen Haßgefühlen.

»Haben Sie eine Zigarette?« fragte sie heiser.

Ihre Hände zitterten, als Mr. Leech ihr Feuer gab. Es war eine sehr starke süßliche Zigarette, – allem Anschein nach ein Produkt aus Jamaica. Sie schloß die Augen und rauchte hastig.

Mr. Daniel Leech beobachtete sie verstohlen. Er war jung und unerfahren, aber er kannte Raucher. Er erkannte sie an der Art, wie sie zitternd selbst nach einer gewöhnlichen Zigarette griffen – wie die Nasenlöcher sich weiteten und die Augen sich schlossen, obwohl es nur ein Surrogat des Großen Rauches war. Während Marie hastig die Zigarette zu Ende rauchte und mit einer typischen Handbewegung nach einer zweiten griff, wanderte Daniel aus der schäbigen »Hölle« in Soho in seine sonnige Inselheimat. Dort pflanzte man Zuckerrohr, Kaffeestauden, Früchte und Hanf. Den Hanf des Vergessens! Selbst die ärmsten Bauern hatten etwas Hanf neben den Bananenstauden und dem Feld. Dorther kam der Himmel, das Ende der Tränen und der Flug in eine Region, wo man ohne Arbeit und Examen und höfliche Feinde glücklich war. Das gesegnete Unkraut der karibischen Inseln. *Marihuana!* Rausch ohne Mühe! Nach einigen Zügen sah die Hölle genau wie das Paradies aus. –

»Ich glaube, ich kann Ihnen helfen, *Lady*«, murmelte Mr. Leech.

Sie verließen das kleine Lokal und gingen langsam die Old Compton Road hinunter. Zwei junge Negerstudenten grüßten Mr. Leech und unterhielten sich dann in ihrer eigenen Sprache. »Sprechen Sie doch Englisch«, rief Mr. Leech ihnen nach. »Sie sind hier nicht in Afrika!« Er war noch untoleranter als die weißen Briten, über deren Intoleranz er sich in jedem Brief an seine Familie bitter beklagte . . .

Die Nachtluft wirkte belebend auf Marie.

»Wo gehen wir hin, Mr. Leech?«

»Ein kleines Lokal. Es wird sie aufheitern, *Lady*! Aber – es ist ein Club. Es kostet Geld.«

Mr. Leech hatte an der Hand des Mädchens einen kostbaren Ring bemerkt. Man konnte ihn versetzen oder verkaufen. Es war alles in der Schwebe.

»Haben Sie Geld, *Lady*?«

»Es wird reichen ...« Marie wußte, daß er ihr den Rauch verschaffen würde. Sie hatte es zuerst in seinen Augen gesehen. Er hatte eine andere Verkaufsmethode als Miss Kuang, aber er gehörte zur Bruderschaft. Er hatte den Arm gehoben. Marie hatte die Stiche der Heroinspritze gesehen. *Das* war sein Studium der allgemeinen Poesie! Es war sehr komisch. Marie wollte nur etwas Marihuana ... Mr. Leech würde schön den Mund halten mit seinem punktierten Arm. Der war froh, wenn Scotland Yard in Soho Square schlief! –

»Ist Kingston eine hübsche Stadt?« fragte Marie plötzlich liebenswürdig.

»Die Journalisten schreiben, Kingston wäre größer und häßlicher als jede andere Stadt in Britisch-Westindien«, erwiderte Mr. Leech stolz. »Ist das wirklich der Fall?«

»Natürlich, *Lady!* Leider ist London noch häßlicher«, erwiderte Mr. Leech bedauernd. Bei seinem Wunsch, Rekorde für Jamaica zu erzielen, kam es ihm auf die Natur des Rekords nicht so genau an. Sie sahen sehr seltsam aus, wie sie so in immer engere und dunklere Seitenstraßen von Soho einbogen. Marie verschwand beinahe in ihrem dunklen Mantel, und Mr. Leech trug an dem Märzabend einen hellen theatralischen Strohhut, unter dem sein aristokratisches Gesicht dunkel leuchtete. Er bewegte sich rasch und anmutig und blickte sich alle zwei Minuten um, ob jemand ihnen folgte ... Einige junge Männer in Lederjacken gingen an ihnen vorüber.

»Ich könnte ein Glas Carlsberg gebrauchen«, meinte einer der jungen Leute. Die anderen hatten auch nichts gegen Bier. Die drei jungen Männer sprachen korrektes, aber hartes Englisch. Sie mußten Skandinavier sein.

»Wie kommen wir aus diesem Labyrinth heraus?« fragte der große rötlichblonde Tourist. »Aber Sie werden wohl Bescheid wissen, Mr. Miles!«

Mr. Miles, der einzige gebürtige Londoner der Gruppe, nickte gleichmütig. »Keine Sorge, Jungens! Mein Wagen wartet an der Shaftesbury Avenue.« Sein volles Gesicht mit der hohen klugen Stirn und den leicht tränenden hellblauen Augen sah im aufgehenden Vollmond bleich aus. Er hatte schmale Lippen, einige Zahnlükken und Tränensäcke unter den Augen. Natürlich trug Mr. Miles, ein gesuchter Londoner Architekt, einen korrekten dunklen Überzieher von einem sehr teuren Schneider und einen Bowlerhut.

»Nun . . .«, sagte er munter, »wie hat Ihnen Soho gefallen, meine Herren?«

»*Sehr* harmlos, Mr. Miles! Offen gestanden, wir hatten uns Lasterhöhlen vorgestellt, Spielhöllen und den ganzen Rest. Was hört und liest man daheim nicht alles über Soho!«

»Man soll nicht lesen, Ingmar«, bemerkte Mr. Miles. »Es verdirbt die Augen.«

»Schön«, sagte Ingmar aus Stockholm. »Wir haben endlich Striptease gesehen! Aber das war ziemlich lauwarm, nicht, Jungens?«

Die anderen Lederjacken nickten bedauernd.

»Immerhin – es war schrecklich nett von Ihnen, Sir! Ich meine, wie sie uns verlorene Schafe in London herumgeführt haben! Papa wird noch schreiben.« Ingmar runzelte die glatte Stirn. »Paris ist doch wohl kompetenter, was die Mädchen und so weiter anbetrifft! Wenn Sie wissen, was ich meine!«

»Ich weiß es!«

»In Soho kann die Polizei schlafen gehen«, sagte Ingmar. »Ich habe nichts Gesetzwidriges entdecken können, nicht einmal einen kleinen Rauschgiftkeller! Ziemlich schläfriges Viertel – dieses berühmte Soho! Ich hoffe, Sie nehmen es mir nicht übel, Sir!«

»Nicht im geringsten, mein Junge! *Sie* wollten doch durchaus einen Soho-Bummel machen! *Ich* wollte mit Ihnen ins Theater gehen. Macht nichts. Übermorgen abend seid ihr in Paris, Jungens! Da stehen die Mädchen schon Schlange an der Gare du Nord!«

»Die Stripteaser waren ganz lustig«, meinte Ingmar. »Nur schon etwas vom Zahn der Zeit angeknabbert.«

»Angeknabbert ist gut«, bemerkte Mr. Miles. »Muß ich mir merken!« – Er und Mrs. Miles machten viele Abendessen mit, und seine Frau beklagte sich, daß er immer dieselben Witze erzählte. Vielleicht war sein Repertoire erschöpft. Seine Scherze handelten von langsamen Rennpferden, tauben Großtanten, Buchmachern mit absurden Namen, alten Jungfern und eisernen Biskuits, an denen der Erbonkel sich die Zähne ausbiß und daraufhin sein Vermögen einem Erholungsheim für Hunde vermachte. Konnte man alles glatt vor den Damen erzählen.

Innenarchitekt Miles, der sich ein Vermögen damit erworben hatte, die Wände eines Zimmers in verschiedenen Farben anzustreichen und Sitzgelegenheiten zu erfinden, die anders konstruierte menschliche Körper erforderten, wischte sich die tränenden Augen. In seinem eigenen Haus hing ein Chippendale Spiegel aus dem achtzehnten Jahrhundert. Die Wände waren silbergrau, und in den Sesseln konnte man sitzen und liegen. Aber aushalten konnte man es nicht in dem schönen Heim in der Park Lane. Dafür sorgte Dorothy Miles.

Mr. Miles hatte lange versucht, mit privaten Tagträumen, Hogarth-Zeichnungen und Musik über sein Eheleben hinwegzukommen. Aber Soho war besser. Mr. Miles hatte nicht mit der Wimper gezuckt, als der Student Leech mit einem Mädchen im dünnen Regenmantel an ihm und seinen Gästen vorbeiging. Gordon Miles bezog von dem jungen Westinder gelegentlich Heroin, wenn seine Frau ihre Mutter in Cornwall besuchte. Mrs. Miles tat das zwei- bis dreimal im Jahr. In dieser Ferienzeit verbrachte Mr. Miles sein Wochenende nicht in dem Nachtclub in Soho, sondern rauchte zu Hause und schickte die Aufwartefrau heim. Er konnte sich dann am Sonntag morgen erbrechen, soviel er wollte, trotz mehrerer Wolldecken im Sommer vor Kälte erschauern und auf dem Fußboden schlafen, wenn er die Berührung der Decken nicht aushalten konnte. Wenn seine Frau zu Haus war, verreiste Mr. Miles »geschäftlich«. Mr. Leech hatte ihm ein Zimmer verschafft, wo er seinen Heroinkater ausschlafen oder auszittern konnte. Mr. Miles war – genau genommen – kein Enthusiast, was westindische Einwanderer anbetraf. Sie kamen in solchen Mengen nach England, daß sie allmählich ein Problem wurden, wie Mr. Miles in seinem Club unter seinesgleichen erklärte. Er war das einzige Mitglied, dessen Augen dauernd tränten, aber seine Freunde, die niemals an den Ufern des Styx lustwandelten, schrieben die Tränen in seinen Augen seinen dauernden Erkältungen zu. Armer Bursche! Was konnte er machen, wenn Mrs. Miles nachts alle Fenster aufriß? Im Augenblick litt sie unter den Nachwirkungen einer Lungenentzündung, die sie sich im Februarwind in ihrem Schlafzimmer geholt hatte. In einer Woche wurde Nurse Waterhouse aus Bangkok erwartet. Dorothy wollte zu Haus gepflegt werden, und Nurse Waterhouse war ihr empfohlen worden.

Mr. Miles sah der Ankunft von »Waterhouse« ohne Begeisterung entgegen. Diese Privatpflegerinnen waren alle Schnüffelnasen. Er würde vorsichtig sein müssen. – Er hatte keine Ahnung, daß Mr. Leech mit einer früheren Patientin von Nurse Waterhouse soeben an ihm vorübergeschlichen war. Erstens sah er jungen Damen nicht ins

Gesicht, und zweitens hatte der schwarze Strom seinen *Puscher* samt Damenbegleitung in der nächsten Sekunde verschluckt. –

Als Mr. Miles die junge Dame später ganz woanders wiedertraf, wußte er nicht, daß er sie schon einmal in Soho gesehen hatte. Das ist das Nette am Londoner Dschungel: entweder man begegnet sich und kennt sich nicht, oder man kennt sich und begegnet sich nicht. –

Mittlerweile waren Mr. Miles und seine jungen Gäste an der Shaftesbury Avenue angelangt. »Kommt, Jungens! Ich weiß ein ganz ordentliches kleines Lokal hierherum.«

»Gibt's auch Bier?«

»Wir können in ein *Pub* gehen. Wart ihr überhaupt in einem Londoner Pub?«

»Noch nicht, Sir!«

Sie stiegen ins Auto. »Wir fahren woanders hin«, versprach Mr. Miles. Es war zehn Uhr und dreißig Minuten. Um elf Uhr schlossen die meisten *Public Bars*. Mr. Miles war müde und ein wenig gelangweilt, aber er lächelte genauso freundlich wie am Anfang dieses langen Abends. Sie hatten zuerst das Dinner eingenommen, dann waren sie in Soho herumgebummelt, und jetzt war es Zeit für ein bitteres Bier.

»Unsere Ahnen hatten mehr Spaß in Soho«, sagte Mr. Miles. Die Behauptung war durchaus unwahr. Er nannte seine Privatausflüge in den Hades »Spaß«. Man konnte einen Sturz in die Tiefe nicht englischer bezeichnen. Gordon Miles hatte seine glänzende Karriere nicht als Heroinsüchtiger begonnen. Er hatte zuerst nach einer schweren Operation Morphium zur Schmerzbetäubung bekommen. Später erhielt er durch den »Nationalen Gesundheitsdienst« ein Rezept für drei Gran (0,064 Gramm) Heroin, da er ohne diese Aufmunterung weder sein Leben ertragen noch seine erstaunlichen Innendekorationen entwerfen konnte. Er war nun einer der paar hundert Süchtigen, die den englischen Behörden bekannt sind. Sein Arzt hatte versucht, ihn auf die halbe Dosis Heroin zu bringen – aber es war nicht geglückt. Es ging bergab mit ihm. Manchmal weinte er nachts, und einmal schlug er seine Frau. Daraufhin hatte er sich zu einer Entziehungskur zu Professor Bonnard nach Zürich begeben. Er war in ziemlich guter Verfassung nach London zurückgekommen; aber das Eheleben mit einer von Natur herrschsüchtigen Frau war für Gordon Miles zuviel. Dann traf er in seinem Nachtclub in Soho den jungen

Westinder. Und das war schlimm. Gordon Miles bezog weiter seine Ration Heroin und leistete sich von Zeit zu Zeit den Absturz. Er hatte immer noch seinen starken Willen, seine Erfindungkraft und seine gesellschaftliche Stellung. Er konnte immer noch reizend liebenswürdig sein und eine Party zu einem Fest machen. Aber vor drei Tagen war er wie ein Gejagter aus seinem herrlichen Haus in der Park Lane fortgelaufen – sonst hätte er seine Frau erwürgt. Dabei war er nie gewalttätig gewesen – dank seiner hohen Intelligenz und seiner erstklassigen Erziehung hatte er einen Abscheu vor der Gewalt. – Er dachte manchmal, er wäre nicht mehr er selbst. Vielleicht war es sein Doppelgänger, der mit der Maske der Bonhomie die jungen schwedischen Gäste in Soho herumführte . . . Letzte Weihnachten – vor einem Vierteljahr – hatte Gordon Miles seine Eltern nicht besucht. Sie lebten friedlich auf dem Familiensitz in Wiltshire. Sein Vater war ein Petroleummagnat. Sir Alan und Lady Miles hatten seitdem nicht an Gordon geschrieben. Sie waren tief betroffen gewesen, daß der einzige Sohn das Fest »mit Freunden« irgendwo in der Schweiz verlebte . . . Er war bei Professor Bonnard zu einer zweiten Entziehungskur gewesen.

Gordon Miles riß sich zusammen. Er konnte mit seinen jungen Gästen nicht ewig und drei Nächte in Soho herumstehen. –

»Habt ihr Hunger, Jungens?« –

»Aber mächtig, Sir! – Und wie ist's mit Ihnen?«

»Soso . . .«, sagte Mr. Miles ausweichend. Ihm ekelte bei der Vorstellung einer Platte des heimischen Roastbeefs. Der Schweiß brach ihm bei dem Gedanken aus allen Poren. Verdammte Schweinerei! Er brauchte einen »fix« (Portion Rauschgift). – Gar nichts sonst! Du lieber Himmel, wo hatte Architekt Miles – zweimal preisgekrönt für Entwürfe für Hotelhallen – seine Manieren gelassen? Er suggerierte sich einen Durst auf Bier. Im Bier war wenigstens der verdammte Hopfen – ein tugendhafter Verwandter des Hanfs und um die fernste Straßenecke herum mit Haschisch verwandt. Bier machte ihn wenigstens schläfrig – im Fall er es bei sich behalten konnte.

Aus einer Bar plärrte eine heisere Stimme:

»I have lived and I have loved.
I have waked und I have slept.
I have sung and I have danced –

I have smiled and I have wept.
And alle these things were weariness —
And some of them where dreariness . . .«

Mr. Miles wischte sich die Augen. Verdammt!

»Einsteigen, meine Herren«, sagte er munter. Seine Gesichtsmuskeln schmerzten vom Lächeln. Wenn er etwas im Augenblick nicht ertragen konnte, dann war es die objektive Realität: die Reklameschilder von Soho, das regenfeuchte Pflaster, die Gesangstimme aus der »Hölle« und die ganze lackierte und traditionsgeheiligte »Legende vom sorglosen Gentleman« . . . Das Leben eines Gentleman im Nachkriegs-England war bitterer als das starke bittere Bier in den Londoner Pubs mit ihren seltsamen Namen — »Lamm und Flagge« oder »Der alte Stier und der Busch« und ähnliche Zusammenstellungen. Und in diesen heimatlichen und stillvergnügten Wirtshäusern trank Mr. Miles in der vertrauten Dämmerluft ein »mildes und bitteres Bier« — eine unlogische und tröstliche Mischung, die ihn manchmal sein Elend vergessen ließ. Er würde seine jungen Gäste flußabwärts fahren. Im »Anker«, wo Dr. Johnson schon sein Mildes mit dem Bitteren gemischt hatte, würde Miles sich so weit erholen, daß er am nächsten Morgen seine Frau über den Frühstückstisch hinüber anlächeln und merkwürdige Sitzgelegenheiten für seine Kundschaft in Belgravia erfinden konnte. Mr. und Mrs. Miles würden morgen früh in seidenbezogenen Armsesseln aus der Hepplewhite Periode sitzen. Die Milch- und Rahmkannen waren aus irischem Glas geschliffen. Eine hatte kürzlich in Gordons Hand so gezittert, daß Milch auf die polierte Platte gespritzt war. Dorothy hatte einen mittleren Tobsuchtsanfall bekommen, und Gordon hatte seine ganze Beherrschung aufbieten müssen, um sie nicht auf der Stelle zu erwürgen. Er hatte nicht einmal den Milchkrug nach ihr geworfen. Er liebte sein Glas und sein Porzellan, und mit seiner zittrigen Hand hätte er wahrscheinlich die Vitrine mit dem Chelsea-Porzellan getroffen. So weit war er schon in den Hades hinuntergestiegen, daß er nicht einmal mehr richtig nach seiner Frau zielen konnte . . .

Auf dem Weg in das alte Wirtshaus am Fluß dachte Mr. Miles flüchtig an den westindischen Studenten Leech und an seine junge Begleiterin. Ein weißes Mädchen . . . ›Es nimmt wirklich überhand mit den *Darkies*‹, dachte Gordon flüchtig und milde. Er hatte sich nicht im geringsten für das junge Ding im Regenmantel interessiert, aber eine Laterne hatte sekundenlang ihr Gesicht beschienen. Miles war ein Augenmensch. Er behielt Gesichter, ob er wollte oder nicht. Das junge Ding an der Seite seines *Puschers* hatte ihn an irgend jemanden erinnert. Oder an ein Bild . . . Konnte es sein, daß Mr. Miles einen Zwilling dieses schwarzhaarigen Mädchens im Sanatorium Bonnard in Zürich gesehen hatte? Vielmehr ihr Portrait? Es hing in einem der Privaträume des Professors, in dem Gordon ein Abschiedsdiner verzehrt hatte. –

Was ging es ihn an? Der Teufel sollte alle Mädchen holen!

Er gab Gas und fuhr, so schnell es eben noch gestattet war, aus dem Westend heraus. Vielleicht würde er später noch einmal in den Nachtclub »hineinschauen«.

III

»Love's a baby, he grows up wild.
He won't do what you want him to.
Love ain't nobody's honey child
He don't pay any mind to you« –

sang eine dunkle Stimme in der halbdunklen Bar eines Nachtclubs. Der Club war früher in Lisle Street gewesen und war nach einem Besuch von Scotland Yards *Rauschgift-Squadron* (Drug Squad) in eine versteckte Seitenstraße von Soho umgezogen. Alle waren nach einiger Zeit wieder im »Club 63« erschienen. Manager, Kellner, Musiker, Gäste und Händler waren eine Bruderschaft, die sich Botschaften vermittelten, ohne die Post und das Telephon zu bemühen. Club 63 lag in einem Keller. Vorn in der Bar war der Negersänger, der soeben den Gästen unter Klavierbegleitung mitgeteilt hatte, daß Gott Amor niemals tut, was du möchtest, und niemals über dich nachdenkt . . . Diese bittere Weisheit trieb dann einen Teil der Gäste durch einen Korridor in ein Hinterzimmer. Es war in keiner Weise luxuriös wie das »Drachenboot« in Lampang. Es war ein elender, luftleerer und nicht allzu sauberer Raum, wo Rauschgiftverbraucher aller Hautfarben sich zusammenfanden, um allein mit ihren Träumen zu sein. Dort kostete Marie Bonnard durch die freundliche Vermittlung des

Studenten Leech aus Jamaica die seelentötende Droge Heroin. Bevor sie in den tiefen Rausch verfiel, dachte sie flüchtig und nach langen Wochen zum ersten Mal wieder an Francis Littlewood, der sie damals auf seinen Armen aus dem »Drachenboot« herausgetragen hatte. Er hatte ihre Liebe verschmäht. Der Teufel sollte ihn holen! Bevor der Schmerz um Francis unerträglich wurde, hatte Marie einen Liter Lethe getrunken. Neben ihr ruhten in tiefen Sesseln und auf fleckigen Sofas einige westindische Gleichgesinnte. In einer Ecke saß Gordon Miles, der seine jungen Gäste soeben in ihrem Hotel in Piccadilly abgeliefert hatte.

Mr. Miles warf Marie wieder einen Blick zu, bevor er sich selbst bediente. ›Eigentlich ein Skandal mit diesen jungen Dingern‹, dachte er. So ein schönes Mädchen! Dann vergaß er Marie. Der manische Bewegungsdrang, der ihn tagsüber ruhelos durch die Stadt jagte, seine Sorgen und stummen Qualen versanken . . . Es war sehr still in dem Hinterzimmer. Ab und zu seufzte ein Mensch im Rausch . . . Irgend jemand hatte die Wirklichkeit noch nicht komplett besiegt. *Wenn* diese gelähmten Nachtfalter sich hätten sehen können, dann wären Marie Bonnard oder Mr. Miles oder der Student Leech vielleicht erschrocken gewesen. In ihren Mienen stand stumpfe Trauer. Sie sahen aus wie Raubtiere, die für immer ihre Freiheit verloren haben. Die Freiheit dieser Gäste war merkwürdigerweise ihre an eine bestimmte Ordnung gebundene Existenz. Aber um diese paradoxe Tatsache zu erfassen, mußte man einen klaren Kopf haben. Im Club 63 splitterte die Schicht Kultur und Zivilisation, jeder Rassenstolz – oder bei der dunkleren Bruderschaft Rassentrauer – wie billiger japanischer Lack ab.

Unwissenheit lag wie eine Dunstwolke über den Träumern in Club 63. Wer von ihnen wußte, daß Heroin ein Derivat des Morphin und ein destruktiver Abkömmling des Mohns in den Bergen war, aber sechsmal so stark wie Morphin wirkte? Die flüchtige Euphorie wurde mit einem grauenhaften Kater bezahlt. – Wie lange dauerte Maries Euphorie im Club 63? Wie lange konnte Gordon Miles – zweimal preisgekrönt und unpassend verheiratet – aus dem Fluß Lethe trinken, ehe er die Früchte des Schreckens und Kummers auf kahlen Morgenstraßen erntete? Morgen war Sonntag. Gordon war offiziell verreist. Er wohnte im selben Logierhaus wie Marie hinter der Portobello Road. Aber die beiden kannten sich nicht. – Mr. Miles schritt in einen sterbenden Sommer – Marie Bonnard lebte in einem verrotteten Frühling, und Daniel Leech studierte allgemeine Poesie.

Club 63 gehörte im Augenblick noch nicht zu den der Polizei bekannten Nachtclubs in Soho und Leicester Square. Aber man konnte natürlich nie wissen, wer um die Ecke kam. Scotland Yard und der *Dangerous Drugs Branch* des Home Office arbeiteten eng zusammen. Die Kriegstrophäen der britischen Rauschgiftschlacht standen friedlich auf dem Kaminsims der Rauschgift-Abteilung des Home Office: Blätter des Hanfs, Opiumpfeifen und andere Werkzeuge der Selbstvernichtung. Verglichen mit den Vereinigten Staaten, war die Rauschgiftseuche in Großbritannien nur eine Unterabteilung des Hades. Im Jahr 1932 hatten zwei Nachkommen der klassischen Griechen versucht, ihr Rauschgiftnetz vom Kontinent aus über London auszuspannen – aber die Profite waren zu klein. Das lag nicht daran, daß englische Flüchtlinge vor der Wirklichkeit soviel tugendhafter als die Amerikaner waren. Wer dem Zwang verfallen war, der blieb im Netz hängen. Es lag an der britischen Gesetzgebung, die vor etwa vierzig Jahren eine gewisse milde Großzügigkeit gegen die Süchtigen eingeführt hatte, aber die schleichenden Händler als schwere Kriminelle betrachtete. Deswegen bezog Mr. Miles durch den Öffentlichen Gesundheitsdienst offiziell eine Ration Heroin, mit der er ein paar Jahre lang durchaus zufrieden gewesen war. Hunderte waren und blieben zufrieden. Infolge dieser Gesetze gab es nur einen unbedeutenden Rauschgifthandel unter den Süchtigen in London. Lady Melford übergab daher das Opium ihrem Geschäftskollegen Tsensky, der es zur weiteren Verarbeitung nach Italien brachte, von wo aus es den Weg nach den USA antreten würde. Daniel Leech konnte neue Kunden mit Marihuanazigaretten in den Hades von Soho locken, weil der Hanf nicht unter die gleiche strenge Kontrolle fiel, wie die anderen Narkotika. Englische Ärzte konnten *reefers* (Marihuanazigaretten) nicht wie Morphium und Heroin zu medizinischen Zwecken verschreiben. Daher blühte der ungesetzliche Handel mit Marihuanazigaretten in den Kellern der Londoner Unterwelt und warb unter der Jugend in der Form von Süßigkeiten, Limonaden oder Zigaretten neue Kunden für die tiefere Hölle. Diese Zigaretten kosteten in manchen Gegenden Londons nicht mehr als eine gute Zigarre. Und doch war Marihuana – obwohl man es leichter erwarb und sich rascher wieder abgewöhnte – eine Gefahr für junge nervöse Geschöpfe wie Marie Bonnard. Ohne die *Reefers*, die Tsensky ihr gegeben hatte, wäre Marie niemals auf die Idee gekommen, im Unterbewußtsein den Tod für Ulrika zu planen. (Marie hatte sich später eingeredet, sie habe nur gewollt, daß Ulrika, betäubt von Marihuana, »einen kleinen Unfall« in ihrem Auto erlitte.) Der Hanf gebar in manchen Naturen die Neigung zur Gewalttätigkeit. Scotland Yard und das Home Office hatten genügend Material über Verbrechen, die durch Haschisch verursacht waren. Es bestand kein Zweifel, daß die Masse der Einwanderer aus West-Indien, Afrika und Indien den Hanf-Rausch in englische Hafenstädte importiert hatte. Einwanderer brachten nicht nur ihre Familien — sie brachten ihre Lebensgewohnheiten, ihre Vorurteile, ihre besondere Art der Lebensangst und der allgemeinen Poesie. So importierte der Student Leech aus Jamaica seine Gesänge, seine krankhafte Empfindlichkeit, seine Begabung, sich unsichtbar zu machen, und seine Neigung, die Nacht in den Tag und den Tag in die Nacht zu verwandeln. Mr. Leech war, wie wir alle, ein Individuum mit besonderen Tugenden und Schwächen, aber er war ebenfalls ein Instrument der Vernichtung für Marie Bonnard, die von ihrer Familie privat und durch die Zeitung gesucht wurde. Marie konnte es nicht wissen. Der Student Daniel Leech konnte es ebenfalls nicht wissen. Sie lebten beide im Zeitalter der Einsamkeit, und so hatten sie sich — mit Gordon Miles als Kollegen im Schattenreich — in Soho getroffen. Nun ist die Wirklichkeit unordentlicher als ein Roman, in dem es keine losen Fäden geben darf. Sie ist unberechenbar, und ihre Moral liegt tief unter dem Zuckerguß der Sentimentalität. Zum Beispiel blieb Francis Littlewood schön im Mc.Kean Leprahospital, wo er alle Hände voll zu tun hatte. Er war nicht romantisch veranlagt und hatte Marie schon fast vergessen.

Aber jemand verliebte sich in Marie Bonnard in ihrem Versteck hinter der Portobello Road. Dieser Mann hatte kein Recht auf eine neue Liebe. Er war an den Ufern der Styx zu Haus, er hatte bereits eine Ehefrau in der Park Lane und konnte dem jungen Ding im Regenmantel nichts bieten als seine eigene Hölle.

Gordon Miles verliebte sich in Marie Bonnard.

FÜNFTES KAPITEL

Portrait eines schüchternen Mannes

I

Gordon Miles war immer schüchtern gewesen. Und er hatte immer nach Anerkennung gedürstet. Eigentlich dürstete er nach Erlösung von seiner Schüchternheit. Aber er war zu englisch, um ein so großes Wort wie Erlösung mit seinen unbedeutenden Affairen in Verbindung zu bringen. –

Als er Marie Bonnard traf, war er gerade fünfzig Jahre alt geworden. Er hatte die Gewohnheit, Bilanzen seiner Existenz aufzustellen. An seinem Geburtstag, an dem seine Frau eine große Gesellschaft in der Park Lane gab, machte Gordon Bilanz, anstatt sich um seine Gäste zu kümmern. Genau genommen, waren die Gäste alles andere als seine eigenen Gäste. Seine Frau hatte sie eingeladen, und alle Leute, die Gordon gern hatte – er konnte sie sowieso an fünf Fingern abzählen –, hatten keine Einladung erhalten. Dorothy konnte die Freunde ihres Mannes nicht leiden. Da sie seinen Geburtstag nicht mit ihm allein feiern wollte – so vergnügungssüchtig war sie nun wieder nicht –, gab sie eben die Party. Sie sah sehr dekorativ aus und sprach kein Wort mit Gordon. Das war das Beste an seiner Party. Er trank vorsichtig und unterhielt sich mit den Freunden seiner Frau über alles mögliche. Es war ihm einerlei, wovon man sprach. Niemand in diesem Kreis interessierte sich für die Oper oder den Maler Hogarth oder Gordon Miles. Dorothy hatte vor ihrer Heirat ein Modelädchen geleitet. Sie war tüchtig, energisch und zielbewußt und die Enkelin eines Peers. In diesen Nachkriegszeiten gilt es als chic für die Enkelinnen alter englischer Familien, einen Hutsalon in Mayfair zugrunde zu richten oder in einer »Boutique« im Westend ziemlich billige Modeartikel zu Phantasiepreisen zu verkaufen. Aber Dorothy richtete ihr Boutique nicht zugrunde, sondern verdiente eine Menge Geld. Sie war einige Jahre älter als Miles. Er hatte sie auf einer Tennisgesellschaft bei Freunden seiner Eltern in Wiltshire kennengelernt. Dorothy mit ihrer Energie, ihrem Geschäftssinn und ihrem blendenden Tennis war die Richtige für eine Schlafmütze wie Gordon, hatte Lady Miles bestimmt. Gordons Mutter hatte sich mit Dorothys Familie ins Einvernehmen gesetzt. Gordon war etwas »komisch« – das war ziemlich bekannt. Komisch Mädchen gegenüber, versteht sich! Er blickte den jungen Damen nie in die Augen, vermied es, mit ihnen Mondscheinfahrten im Auto zu machen – und Wiltshire war entzückend im Mondschein! – und unterhielt sich auf Gesellschaften stets mit den Herren. Gordon war für den Club geboren.

»Er ist doch nicht etwa????« fragte Lady Miles eines Abends ihren Mann, als Gordon einen Freund aus Oxford zu den Ferien nach Wiltshire brachte und unzertrennlich von dem jungen Mann war.

»Unsinn, meine Liebe!« Sir Alan Miles war schockiert. »Gordon ist unter euch Frauenzimmern aufgewachsen – das ist alles. Er sucht den Kontrast.«

Gordon war bei seiner Mutter und mit vier Schwestern in dem weißen Herrenhaus in Wiltshire aufgewachsen. Die Schwestern – die alle älter waren – kümmerten sich nicht um den kleinen Nachkömmling. Sie tuschelten und schwatzten miteinander, und wenn sie geruhten, sich mit Gordon zu beschäftigen, dann sprachen sie mit ihm in dem eigentümlich spöttischen Ton, in dem Teenager mit kleinen, hilflosen Jungen sprechen. Sie lachten, wenn Gordon schlecht beim Tennis oder Schwimmen abschnitt, und neckten ihn wegen seiner Angst vor Pferden. Es war eine Schande: Gordon Miles – aus einer alten Reiterfamilie – hatte Angst vor dem Reiten. Als er sich mit elf Jahren dabei das Bein brach, hatte niemand Mitleid. Seine Schwestern zuckten die Achseln, und seine Mutter betrachtete auch das als Schande. Es war ein Wettreiten aller Kinder der Nachbarschaft gewesen. Gordon hatte nicht nur eine traurige Figur auf seinem Pony gemacht, sondern die Angst stand ihm auf dem blassen Gesicht geschrieben. Sein weiches blondes Haar fiel ihm in die Augen. Sein Herz klopfte rasend, und seine schlanken feinen Zeichnerhände in den neuen Handschuhen zitterten. »Immer mit der Ruhe, Master Gordon«, hatte der Reitlehrer gesagt. Er war ein freundlicher Mann, aber er schüttelte heimlich den Kopf über den einzigen Sohn von Sir Alan! Solche tadellosen Reiter! Die jungen Damen gewannen dauernd Preise, und auch Lady Miles machte trotz ihrer etwas sauren Miene eine gute Figur zu Pferde.

Gordons Mutter war nur kurz im Krankenzimmer erschienen, als sein Bein gegipst wurde. Er schluchzte. »Nimm dich doch zusammen!« sagte Lady Miles. Sie war eine große, dünne, kritische Frau, die in späteren Jahren eine höfliche Zanksucht entwickelte. Gordon dachte an seine Mutter, wie man an eine Tante denkt. Es war gar keine Intimität zwischen ihnen. Lady Miles lobte ihn niemals, obwohl er sich in seinen Schuljahren glühend um ihre Anerkennung bemühte. Einmal hatte er seiner Mutter zu ihrem Geburtstag im Juni ein Aquarell gemalt: die Rosen im elterlichen Garten und davor ein Teezelt mit kleinen Figuren und sonderbaren Stühlen. Lady Miles hatte die gerahmte Zeichnung – Gordon hatte den Rahmen von seinem Taschengeld bezahlt – kritisch betrachtet und sich flüchtig bedankt. Sie fand, daß die Figuren und die Stühle zu klein waren und sonderbar vor den Rosen wirkten. Lady Miles hatte niemals etwas von Malerei verstanden und hatte nur in der Brautzeit Sir Alan gelegentlich in die Tate Galerie in London begleitet, wo sie sich zu Tode gelangweilt hatte. Das Interesse für die Künste war Alans einziger Charakterfehler. Lady Miles kam aus einer vornehmen verarmten Familie – Alan Miles war eine zukünftige Größe in der City. Die Heirat war ein großes Glück für sie. Dafür konnte man sich schon in der Tate Galerie mopsen! Das Paar führte eine gute Ehe. Sir Alan liebte seine Frau, auch wenn sie noch so sauer blickte, und sie gab ihm alles, was sie an kargen und stummen Gefühlen aufbringen konnte. Sie war schüchtern von Natur. Die Töchter waren alle wie Sir Alan: vergnügt, selbstbewußt und liebenswürdig. Gordon hatte von seiner Mutter die Schüchternheit geerbt. Als er an seinem fünfzigsten Geburtstag Bilanz machte, kam er zu dem Schluß, daß er nur bis zu seinem fünften Lebensjahr glücklich gewesen war. Damals lebte er in seiner eigenen Welt mit seiner »Nannie«. Die Eltern und die Schwestern waren flüchtige Erscheinungen im Kinderzimmer. Sir Alan verbrachte viel Zeit in der City und in seinem Club. Lady Miles spielte ihre vorgeschriebene Rolle in Wohltätigkeitsveranstaltungen in Wiltshire, und die Schwestern kicherten in ihrer Schule. Sie kamen in den Ferien nach

Haus, verursachten Unruhe und zwangen Gordon auf ein Pony zu steigen. Sie hielten ihn fest, aber er schrie wie am Spieß. Dann fuhren die »Störenfriede« – wie Gordon seine Schwestern heimlich nannte – wieder weg.

Der kleine Gordon war allein mit Nannie in dem großen Garten.

Er war vollkommen glücklich.

II

Wenn jemand dem erwachsenen Gordon Miles gesagt hätte, daß er als Kind so glücklich gewesen war, weil er seiner Neigung zum In-sich-hinein-Leben folgen konnte, hätte er laut gelacht. Mr. Miles hatte nichts mit Psychologie im Sinn. Das Herumwühlen in unterdrückten oder maskierten Gefühlen erschien ihm unanständig. Diese Methoden waren vom Kontinent nach England gekommen. Gordon zeigte bereits in Oxford kritischen Verstand. Er vertrat schüchtern, aber bestimmt die Ansicht, daß man nicht glücklicher wurde, wenn man erzählt bekam, daß man als Kind entweder seinen Vater gehaßt oder die Mutter vergöttert hatte oder umgekehrt. Gordon hatte seinen Vater stets verehrt und bewundert. In seinen Knabenjahren war Sir Alan sein einziger Freund gewesen. Gordon hatte niemals einen Ödipuskomplex entwickelt, aber er haßte seine Mutter auch nicht. Er versuchte jahrelang ihr zu gefallen, bis er es achselzuckend aufgab. Er wäre keineswegs unglücklich gewesen, wenn Lady Miles ihn nicht durchaus hätte verheiraten wollen. Er war der geborene Junggeselle. Mit seiner tiefen, im heimischen Wiltshire geborenen Liebe zur Natur und mit seinem vitalen Interesse an den schönen Künsten hätte er sich sehr behaglich mit einem gleichgesinnten Freund in London »eingerichtet«. – Gordon Miles war keineswegs, was seine Mutter während seiner Oxford-Zeit befürchtet hatte. Körperliche Kontakte mit Männern kamen ihm niemals in den Sinn. Er litt höchstens an jugendlichen Neigungen zur Homo-Erotik – einer reinen und geistigen Hinneigung zu jungen Männern, die seine Interessen teilten und ihn anerkannten. Es war mit der Zeit allerhand an Gordon Miles anzuerkennen, auch wenn seine eigene Mutter es nicht sah. Er hatte kühne und eigenartige Ideen für Bauten und Möbel und war eine Autorität hinsichtlich des Werks von Hogarth, des satirischen Moralisten. Er hatte ein feines Verständnis für die Oper und war ein anregender Gesellschafter, wenn er die richtige Gesellschaft fand. Aber er hatte sich niemals in ein Mädchen verliebt – außer in die sechzehnjährige Kate Barrow, eine Großnichte von Nannie und Welten von seiner eigenen Welt entfernt. Kate war zart und blond wie Marie Bonnard. Damals war auch Gordon sechzehn Jahre alt gewesen ...

Er hatte sich eine kindliche Anhänglichkeit an »Nannie« durch die Schuljahre hindurch bewahrt. Wenn er seinen Vater gelegentlich in den Ferien in der City abholte, dann besuchte er die alte Frau in Southwark. Nannies Nichte hatte einen kleinen Süßwaren-Laden in der Nähe der Kathedrale, und ihre Tochter Kate half die altmodischen Leckereien zu verkaufen: Brandybälle, kandierte Früchte, Karamellen und Gerstenzucker. Einmal war Kate unpäßlich gewesen, aber sie wollte Gordon nicht sagen, warum das Stehen sie anstrengte. Gordon verkaufte kurz entschlossen und voller Beschützer-Instinkt die bunten Süßigkeiten, bis Nannie aus dem Hinterzimmer heranhumpelte und den beiden ihre Meinung sagte. Die vierzehnjährige Kate war sehr rot geworden und hatte Tränen in den Augen. Als Nannie kopfschüttelnd verschwunden war, trat Gordon an die bildhübsche Kleine heran. Sie war so schüchtern und hatte soviel Respekt vor »Master Gordon«, daß er seine eigene Schüchternheit vollkommen vergaß. »Weine nicht, Kate«, murmelte er. Sie blickte auf und zog ein kariertes Taschentuch aus ihrer Kleidertasche. Es war rotgewürfelt und gehörte Kates verstorbenem Vater, der auf dem Fischmarkt von Billingsgate gearbeitet und sich im Sommer den Schweiß mit dem Tuch gewischt hatte. Das Tuch hatte den unauslöschlichen Duft vom Fischmarkt. Kates Vater hatte seine freie Zeit in den Bars und Wirtshäusern von Southwark High Street verbracht und hatte anschließend auf London Bridge Luft geschnappt. Ohne die Süßwaren wären Kate Barrow und ihre Mutter schlimm dran gewesen.

Gordon nahm sein irisches Leinentaschentuch aus seiner Hose und wischte Kate schüchtern die Tränen ab. Sein Herz klopfte. Er neigte sein blasses Gesicht mit den hellen blauen Augen und dem Knabenmund über das Mädchen. Aus Kates Haar stieg ein Rosenduft auf – oder bildete Gordon es sich ein? Er liebte immer noch die Rosen in Wiltshire, aber er malte sie nicht mehr für seine Mutter. Er hatte allerdings eine Skizze in seiner Tasche – Rosen für Kate. Aber er scheute sich, sie ihr zu geben. –

»Weine nicht, Kate! Dein Haar riecht nett!«

Die kleine Miss Barrow starrte Master Gordon an. Bislang hatten sie sich über Süßigkeiten, die Sonntagszeitung und die Southwark Kathedrale unterhalten, die Kate mit Gordon besichtigen mußte. Kate wurde noch röter, weil Master Gordon sie so komisch ansah. Plötzlich – beide wußten nicht, wie es geschah – beugte Gordon sich hastig zu Kate hinunter und küßte verlegen und schüchtern ihre Lippen. Ihm war heiß und kalt. Er stotterte eine Entschuldigung. Aber das junge Mädchen aus Southwark fand den Vorfall logisch. Sie ging jeden Sonnabend ins Kino. Die Leute auf der Leinwand zappelten solange herum, bis Junge und Mädchen sich küßten. Am Sonnabend abend in der High Street taten Jungen und Mädchen dasselbe. Man fing früh in Southwark an. Man ließ sich auch nichts von einem Jungen schenken. Man erwiderte den Kuß.

»Kate«, stammelte Gordon, »oh, Kate!« Er würde Kate heiraten. Sie war so klein und hilfsbedürftig, und ihr silberblondes Haar leuchtete.

»Bist du krank?« fragte er besorgt. »Was hast du denn?«

Wieder errötete Kate bis an die Haarwurzeln. War es möglich, daß Master Gordon mit seiner teuren Schulbildung und seinen sechzehn Jahren nicht wußte, daß Mädchen alle vier Wochen »unwohl« waren?

»Es ist nichts«, murmelte sie. »Wir wollen jetzt Tee trinken.«

Gordon hatte versprochen, Kate zu heiraten, aber sie fand mit dem praktischen Verstand ihrer Welt den Plan unmöglich. Was würde Lady Miles dazu sagen? Sie, Kate, gehöre nach Southwark und zu Nannie und zu dem Laden in der High Street. – Nach dieser Unterhaltung brachen die Beziehungen ab. Gordon fuhr mit seinem Vater in die Ferien nach Haus und unterrichtete mit ungewohnt erhobener Stimme seine Eltern von seinen Heiratsplänen. Lady Miles machte das sauerste Gesicht der Welt, und Sir Alan klopfte seinem heiratslustigen Schuljungen auf die Schulter . . . »Wir werden über diese Brücke gehen, wenn wir soweit sind, mein Junge!« –

Gordon verbrachte seine Ferien mit langen Wanderungen in den Dünen, besuchte die Kathedrale und die alten Bauten in dem heimischen Salisbury und kehrte, von Sir Alan vorsorglich auf den Weg gebracht, in die Schule zurück.

Er gab Kate niemals das Aquarell mit den Rosen, weil sie nicht mehr in dem kleinen bunten Laden war, als er zu den Weihnachtsferien heimlich einen Tag früher nach London kam, wo er bei einem Freund in Kensington übernachtete. Kate hätte eine Stellung angenommen, sagte Mrs. Barrow. Gordon war zu schüchtern, nach Einzelheiten zu fragen. Nannie war tot.

Mrs. Barrow konnte die Süßigkeiten ohne Kates Hilfe verkaufen – dafür hatte Lady Miles gesorgt. Kate hatte wirklich eine Stellung als Kindermädchen, und Mrs. Barrow war sehr dankbar. Sie konnte das Geld wahrhaftig gebrauchen. Sie weinte in Vaters karierte Taschentücher, als Kate – so jung und klein und zart – nach Sussex fuhr, wo sie ein kleines Mädchen beaufsichtigen sollte. Dabei war sie selbst noch ein Kind. – Kate schrieb zwei Briefe an Master Gordon nach Wiltshire. Lady Miles öffnete die Briefe und zerriß sie.

Gordon schrieb niemals. Er arbeitete hart. Vor den Ferien war er stets einen oder zwei Tage bei seinem Freund Charles in Kensington. Sie gingen in die großen Museen und Bildergalerien, und Gordon sah zum erstenmal einige Werke von Hogarth. Er hörte seine erste Oper zusammen mit Charles, der später kunsthistorische Bücher schrieb, die jeder bewunderte und keiner kaufte.

Gordon fand die Diskussionen mit Charles bedeutend interessanter als seine Unterhaltungen mit Kate. Aber er dachte trotzdem an das zierliche Mädchen und ihre scheue Art. Sie hatte einmal gesagt: »Wie klug Sie sind, Master Gordon! Wie kann man nur soviel wissen!«

Damals hatten sie in Southwark Cathedral Shakespeares Ehrengrabmal betrachtet. Gordon wußte bereits eine Menge über Shakespeares Aufenthalt in Süd-London, wo er *Hamlet* und *Macbeth* für das benachbarte Globe Theater geschrieben hatte. Kate hatte Kopfschmerzen, und ihre Füße in den Schuhen mit den hohen Absätzen schmerzten. Sie wollte Tee und Kuchen haben, und Master Gordon redete und redete. ›Wie ein Betrunkener‹, dachte Kate. Aber Gordon hatte keinen Alkohol getrunken, er war in einem architektonischen Rausch. Diese alten Mauern, die Schnitzereien, die gotischen Bögen in Southwark Cathedral! Er las Kate leise, aber begeistert aus einem kleinen Buch vor, wie die Kathedrale gegründet worden war und wie alt ein Teil dieser Mauern und Steine war. Gordon wies mit seiner feinen Hand auf das Grab von John Gower, »dem ersten englischen

Dichter«, einem Freund von Chaucer! Gowers Haupt im Nordflügel ruhte auf seinen drei Büchern. Gordon machte Kate auf diese Einzelheit aufmerksam.

»Es muß sehr hart sein«, bemerkte die kleine Miss Barrow. »Wollen wir jetzt Tee trinken?«

Gordon Miles dachte immer seltener an Kate. Sie wurde ein lieblicher Schatten, und er hatte sie geküßt. In seiner Oxford-Zeit traf er die Schwestern und Kusinen seiner Freunde. Es waren selbstbewußte junge Damen zwischen zwei Weltkriegen. Sie waren kameradschaftlich, oder sie gingen aufs Ganze, was Gordon in Panik versetzte. Kate Barrow hatte sein Wunschbild bestimmt. Er suchte ein Mädchen, das klein, zart und hilfsbedürftig war und ihn bewunderte. Er war ein einsamer Student. Sein Freund Charles wurde einmal in das Herrenhaus in Wiltshire eingeladen und niemals wieder. Lady Miles empfand eine instinktive Abneigung gegen diesen jungen Mann.

Gordon wurde ein Fremder in dem herrlichen weißen Haus in Wiltshire. Sein Vater war von seinen Geschäften absorbiert — er war nicht umsonst ein City-Magnat —, und seine Mutter wurde in höflicher Weise feindselig, weil ihr einziger Sohn, der bereits ein gesuchter junger Architekt war, nicht heiraten wollte. Die Störenfriede waren in der Nachbarschaft verheiratet. Sie luden ihren Bruder pflichtschuldig zu Taufen, Geburtstagen und Sportveranstaltungen »in der Gegend« ein, und Gordon sagte meistens ab. Lady Miles beriet sich öfters mit Gordons Schwestern, mit wem man ihn verheiraten könnte. Es gab genug junge Damen in der Gegend, Mädchen aus besten Familien, und Lady Miles fand sie alle »ziemlich nett«. Sie war im geheimen unglücklich. Es wurde über jeden geredet, der sich so absonderte ... Über Gordons Freund Charles gingen häßliche Gerüchte um. Falls sie auf Wahrheit beruhten — Gordon hatte nichts damit zu tun. Er verteidigte seinen Freund vor seiner Mutter. Leider wurde er rot und begann zu stottern, obwohl er sich nichts vorzuwerfen hatte. Seine Mutter hatte diese Wirkung auf ihn. Lady Miles betrachtete Gordon, als ob sie ihn noch niemals gesehen hätte und sich wunderte, was dieser junge Mann mit dem hochroten Gesicht, dem das böse Gewissen aus den Augen sprach, in ihrem Morgenzimmer wolle. Sie preßte die schmalen Lippen zusammen.

»Es ist gut, Gordon«, sagte sie kalt.

Es war nicht gut, und Gordon wußte es. Er war so einsam, daß er sich immer mehr in sein Zimmer in Knightsbridge zurückzog und seine Eltern nur noch zu Ostern und Weihnachten besuchte. Er hatte keine Zeit. Er machte Italienreisen. Er ging in die Oper. In Paris sah er die Oper Undine, und die Sängerin erinnerte ihn an Kate. Sie stand so zart und blond und verloren auf der Bühne . . . Er war zu scheu, die Künstlerin zum Souper einzuladen, und sie sprach wohl auch kein Wort Englisch. Gordons Französisch war ziemlich dürftig und nicht sehr elegant. Er war zweiunddreißig Jahre alt und entwickelte eine leicht psychopathische Furcht vor der Lächerlichkeit. Wenn Undine über sein Französisch lächelte? Seitdem seine Schwestern über seine Angst vor Pferden gelacht hatten, quälte Gordon Miles die Angst vor der Angst. – Die Frauen seiner Kreise sagten ihm nicht zu, und er fürchtete niederschmetternde Überraschungen. Diese jungen Damen hatten keine Geduld mit Männern und hörten kaum zu, wenn man über englische Kirchen, Regency-Häuser oder altes Glas sprach. Sie wollten tanzen oder reiten, oder sich in einer Ecke des Gartens knutschen. Gordon knutschte sich nicht mit Mädchen. Die Gerüchte wuchsen. Lady Miles erfand eine Freundin, die angeblich Gordons ganze Zeit in Anspruch nahm. Ach sooo! Dann war alles in Ordnung. –

An jenem Abend in der Pariser Oper war Gordon deprimiert. Er verließ Undine für immer und suchte sich irgendein Mädchen dort, wo man sie in Paris leicht finden konnte. Schließlich war er zweiunddreißig Jahre, und er fand selbst manchmal, daß er wie ein Greis lebte. Die Steine waren so kalt, die Mauern der alten Bauten so hoch, und Hogarth war so bitter. –

Gordon Miles mußte es verlernt haben, sich mit einem Mädchen für eine Nacht zu amüsieren. Claudette war ein nettes kleines Ding – eine kecke, charmante und praktische Pariserin, die natürlich sehen mußte, daß sie auf ihre Kosten kam, besonders bei Ausländern! Sie bat mit reizendem Lächeln um Vorauszahlung, während sie ihr Kleid in ihrem möblierten Zimmer abstreifte. Sie war natürlich klein und silberblond, aber schüchtern war sie nicht. Sie sprach sogar gebrochen Englisch, und als Gordon sie verließ, sagte sie etwas, was man in Wiltshire oder Oxford nicht ausspricht. Es war ein niederschmetterndes Erlebnis für einen so sensitiven jungen Mann aus den besten englischen Kreisen. Gordon bildete sich nun ein, impotent zu sein. Obwohl ihm jede Übertreibung zuwider war, wünschte er sich in seinem Hotelzimmer im Morgengrauen den Tod. Er verachtete das Geschwätz der Psychologen und wußte nicht, daß nur seine Nerven versagt hatten. Er war gesund, gutaussehend, hatte alles, was er wollte, und hatte nichts.

Er weinte in seinem Hotelzimmer und war außer sich, daß er weinte. –

Drei Monate später verlobte er sich mit Dorothy St. John – der Enkelin eines Peers. Sie war etwas älter als Gordon und wollte endlich heiraten. Sie war herrschsüchtig, verbarg aber diese Eigenschaft während ihrer Verlobungszeit. Ihre erste Verlobung war auseinandergegangen, weil Dorothy in profunder Unkenntnis der normalen männlichen Psyche ihren Zukünftigen herumkommandiert hatte. Sie war damals erst neunzehn Jahre gewesen und wußte noch nicht, daß Männer alles besser wissen wollen, auch wenn sie keine Ahnung von einer Sache haben, und daß sie schon aus Trägheit zum Schluß tun, was die Frauen wollen. – Gordon Miles war für Dorothy ein guter Fang, und er würde später das Haus in Wiltshire erben. Dorothy wünschte ihren Schwiegereltern durchaus kein plötzliches Ende, aber der gesunde Menschenverstand sagte einem, daß Sir Alan und Lady Miles genau wie alle älteren Leute eines Tages das Zeitliche segnen mußten. Dorothy schlief zur Zeit in ihrer Boutique auf einer Couch im Hinterzimmer, weil sie ihr eigenes Reitpferd hielt und das süße Geschöpf eine sündhafte Menge Geld verschlang . . .

Dorothy St. John war groß, elegant und weder schön noch häßlich. Sie hatte sogar eine ausgesprochene Schönheit: ihr langes dunkles Haar, das sie hoch aufgetürmt auf ihrem schmalen Kopf trug. Sie wirkte dadurch noch größer. Gordon war etwas kleiner und etwas jünger und etwas sensitiver, und dieses Etwas in drei Punkten hätte die Ehe sogar gefährdet, wenn Dorothy ihre Herrschsucht und ihre Neigung zur Promiskuität weise gezügelt hätte. Sie war eine Frau, die einen robusten und sinnlichen Mann brauchte. Dem hätte sie mit geschlossenen Augen in allen Stücken nachgegeben. Aber Gordon Miles – über den man so seltsame Gerüchte hörte und der trotz seiner gesicherten Position noch unverheiratet war – Gordon war einfach eine andere Welt, eine andere Art Mann, und er wurde sehr schnell ein hassenswerter Flüchtling aus dem ehelichen Schlafzimmer. Es passierte nichts so Niederschmetterndes zwischen den beiden, wie in Montparnasse mit Mlle. Claudette – Gordon überstand die

Flitterwochen in allen Ehren. Dorothy verlangte keine Vorauszahlung auf den Genuß, hüpfte nicht schamlos im Evakostüm herum, und sie verstand sich bei ihren Erfahrungen auf einen schüchternen Mann. Sie schützte in der Hochzeitsnacht Müdigkeit vor, woraufhin Gordon sofort Vertrauen faßte. Er gab ihr ein Kopfschmerzpulver, strich ihr über ihr aufgelöstes schönes Haar, und als Dorothy nicht mehr »müde« war, wurde es noch ein sehr netter Abend. – Sie waren in Rom, und Gordon freute sich schon auf die vielen historischen Schönheiten, die er seiner Frau zeigen wollte. Das junge Paar schrieb zufriedene Postkarten aus Rom, und Lady Miles sagte, man müsse eben manche Leute zu ihrem Glück zwingen. Sir Alan sagte nichts. – Er mochte Dorothy nicht besonders gern.

Dorothy gab nun ihre Boutique auf und behielt nur ihr Reitpferd und ihre Herrschsucht. Natürlich ist jede enge Gemeinschaft zwischen zwei Menschen voller Fallstricke und Fußangeln, und es ist nicht gerade förderlich, wenn zwei Menschen so verschieden sind, wie es Gordon Miles und seine Frau waren. Dorothy ließ sich nicht scheiden, als Gordon nach drei Jahren sein eigenes Zimmer bezog. Sie war gesellschaftlich ehrgeizig, außerdem liefen gerade genug geschiedene Frauen in London herum. Sie entschädigte sich für ihre eheliche Niederlage, indem sie ihre alten Verehrer wieder einlud oder sie heimlich besuchte. Aber es fraß an ihr, daß Gordon sich völlig zurückzog, nachdem sie einmal vollkommen ihre Fassung verloren hatte. Gordon Miles ließ sich nicht beschimpfen, und er ließ sich nichts befehlen. Aber der ewige häusliche Unfriede und seine radikale Einsamkeit lösten nach dem zweiten Weltkrieg bei ihm ein Gallenleiden aus, das mit einer schweren Operation endete. Dorothy erholte sich gerade in Nizza von ihrem Eheleben. –

Gordon bekam Morphium zur Schmerzbetäubung. Es gab ihm ein Gefühl der Erlösung. Er geriet in eine ihm wesensfremde, fast schwebende Stimmung, scherzte mit seiner Krankenschwester und war beinahe vollkommen glücklich, sobald er eine Spritze bekam. In diesen Wochen in der Klinik begann er etwas, was er sein »Erinnerungsspiel« nannte. Unter dem Einfluß der Droge versank die quälende Gegenwart mitsamt Dorothys Weigerung, in eine Scheidung zu willigen. Miles wollte niemanden heiraten. Er wollte nur in Ruhe leben, arbeiten und seine Oper und seinen Hogarth genießen. Er war im wahren Sinn eine schüchterne Natur, obwohl er es längst gelernt hatte, der Außenwelt die überzeugende Imitation eines witzigen, liebenswürdigen und erfolgreichen Mannes vorzuführen. Mit seinem Jugendfreund Charles kam er selten zusammen. Charles hatte geheiratet und war glücklich mit seiner Oxford-Kollegin, die ebenfalls kunsthistorische Bücher schrieb, die niemand kaufte. Aber sie hatten zwei reizende Kinder, und sie liebten dieselben Dinge. Sie lachten auch über dieselben Dinge, und das ist ein guter Zement für eine Ehe. Charles hatte seine Jugendsünden vergessen. Er hatte auch Gordon Miles vergessen, mit dem er einträchtig durch London gepilgert war und Plato gelesen hatte. Vielleicht war es gut, daß Charles seinen Jugendfreund vergessen hatte. Gordon Miles und glückliche Leute paßten nicht zusammen.

Das Erinnerungsspiel führte Gordon aus den Schrecken des zweiten Weltkrieges, den er übrigens mit einer Auszeichnung für persönliche Tapferkeit absolviert hatte, in seine Kindheit zurück. Wieder roch er Rosenduft in dem Garten in Wiltshire. Es war Frühling, und Nannie sang. Nannie sang falsch und mit Begeisterung, und Gordon fand es herrlich. Er lief im Obstgarten herum, er streichelte vorsichtig mit seinen molligen Händchen die Primeln und Narzissen und schnupperte an den Rosen. Das Gras leuchtete, und da war auch ein Teich. In Wirklichkeit verschwand das Kindheitsparadies ziemlich bald. Der junge Gordon fand nämlich die Zeichnung mit den Rosen, die er für seine Mutter gemacht hatte, verstaubt in einer Dachkammer. Der Rahmen war geborsten, das Glas blind — das Bild war niemals in dem großen Haus aufgehängt worden. Gordon war fünfzehn Jahre alt, als er die Zeichnung in der Dachkammer entdeckte. Trotz seiner Jugend rationalisierte er seinen Schock mit großer Geschicklichkeit. Das Bild war unmöglich. Verzeichnet in jeder Einzelheit! Mama hatte recht gehabt. Jeder hätte über das Bild gelacht, wenn Mama es wirklich im »Morgenzimmer« aufgehängt hätte, wie Gordon es eigentlich erwartet hatte. Es war alles in bester Ordnung.

An diesem Tag ahnte der Schuljunge Gordon, daß das enge Zusammenleben mit anderen viele Überraschungen birgt und nur wenige angenehme darunter sind.

Nach seiner Heirat war Gordon einmal in Southwark gewesen, um die alte Kathedrale zu besuchen. Danach war er herumgeschlendert. Mrs. Barrows kleiner Laden war nicht mehr da, aber ein größerer und unpersönlicher Laden war an seine Stelle getreten. Auch die altmodischen Süßigkeiten hatten anderen Dingen Platz gemacht – fertigen Packungen, die alle gleich aussahen und Mr. Miles nicht interessierten. Genauso wenig interessierte ihn eine kleine rundliche Frau mit blondem, durch eine steife Dauerwelle ruiniertem Haar, die mit zwei Kindern herumschalt und dem kleinen Jungen die Nase putzte. Als Miles noch einmal hinsah, erkannte er die ehemalige Kate Barrow. Es war grausam. Diese Frau in mittleren Jahren hatte nichts Zartes, nichts von Undine. Sie war in die Breite gegangen. Ihr Gesicht war flach und freundlich und erinnerte an Nannie in ihren jüngeren Jahren. Gordon Miles war rasch fortgegangen, bevor der kleine Junge die Ladentür öffnete, um auf die Straße zu hopsen. Mr. Miles verweilte geraume Zeit auf der London Bridge, wo er so oft mit Kate oder Undine gestanden hatte. Danach besuchte er noch die kleine schöne Kirche des heiligen Magnus in der Lower Thames Street, die Sir Christopher Wren im siebzehnten Jahrhundert wieder erbaut hatte. Überall in diesem Viertel roch es nach Fisch. Gordon Miles zog seinen Bowlerhut tiefer in die Stirn. Die Rosen verblühten, und der Fischgeruch blieb. Es war ein Gesetz. –

Daheim machte seine Frau ihm eine Szene, weil er so spät kam und Gäste erwartet wurden. Er ging schnell in sein Zimmer, ehe die Wut ihn übermannte.

Gordon Miles war besonders amüsant an diesem Abend. Er blickte nur niemals in Dorothys Richtung, und sie blickte den Tröster des Augenblicks an. Sie war mit einem Standbild verheiratet und wußte nicht, daß das Standbild wackelte. Weil Gordon ihr niemals seine Gefühle zeigte, nahm Dorothy an, er hätte keine. Sie nahm auch an, er hätte eine Abneigung gegen die Frauen, wo der doch nur gegen sie eine Abneigung hatte ... Es war alles ziemlich komisch ...

III

Als Gordon Miles zum erstenmal die Nachwirkungen des zusätzlichen Heroins spürte, bekam er einen Schreck. Er sah sich gerade vor der Auktion bei Christie einige chinesische Vasen an. In der Regel lag sein Interesse in der Richtung westlichen Kunstgewerbes, aber Lady Melford, eine Freundin seiner Frau, die öfters in den Fernen Osten fuhr, hatte ihm am Nachmittag Appetit auf die Kunst des

Ostens gemacht. Er konnte Lady Melford nicht besser leiden als die anderen Freundinnen seiner Frau. Sie war eine Schnellrednerin und versetzte ihn mit ihrer Manieriertheit in höfliche und stumme Raserei. »Und alles Mögliche . . .«, sagte Lady Melford, weil sie zu nachlässig war, ihre Gedanken zu Ende zu denken und ihre Sätze zu Ende zu sprechen. Aber Dorothy war von Lady Melford sehr angetan, wobei der Titel — so eine bekannte irische Familie! — auch eine Rolle spielte.

Sie lauschte Lady Melfords Erzählungen mit gierigem Interesse. Dorothy war schon lange eine einsame und verbitterte Frau. Die Zufallsmänner blieben immer häufiger weg. Entweder hatten sie verbitterte Frauen im eigenen Heim, oder sie fanden »die alte Dorothy« nicht mehr jung genug für wirklichen Spaß. Dorothy saß steif und eckig in ihrem Sessel und schenkte den Tee ein. Wenn Gordon nur endlich gehen würde! Aber er wartete höflich darauf, daß Lady Melford Luft schnappte. Sie erzählte gerade, daß sie diese junge Marie Bonnard, die verschwunden war, im Fernen Osten getroffen hatte. Wirklich ein Skandal! Marie Bonnard hatte es doch nicht nötig, solches Theater zu machen. Sie hatte einen bildschönen Ehemann und alles Mögliche! —

Gordon Miles schwieg. — ›Ehemänner . . .‹ dachte Dorothy. — Am Schluß erzählte Lady Melford ganz vernünftig von Auktionen im Fernen Osten. »Kuriositäten in jedem Winkel, Mr. Miles!« Man könne verrückt vor Begeisterung werden! Sie habe beim Drachenbootfest in Hongkong ein winziges Boot als Andenken gekauft — einfach toll! Daß sie in dem Boot Opium versteckt und es Louise Bonnard ins Gepäck geschmuggelt hatte, davon schwieg Lady Melford. Sie blickte Mr. Miles verstohlen an. Sie wollte einen Besen fressen, wenn er wirklich so langweilig war, wie Dorothy behauptete. Lady Melford wollte einen zweiten Besen fressen, wenn der vornehme Mr. Miles sich nicht gelegentlich eine kleine Spritze verpaßte oder rauchte. Das waren doch Herointränen in seinen milden blauen Augen! Und seine übertünchte Schüchternheit! Da stimmte etwas nicht. Aber auf den Kopf gefallen war Mr. Miles nicht! Er blickte sie einen Augenblick überraschend scharf an, als ob er sich ihre Musterung verbäte. ›Hochmütiges Aas‹, dachte Sheila. Landedelmann in London! Wahrscheinlich arbeitete er in Wiltshire stundenlang im Park oder redete endlos über Rosen.

»Sie müßten gelegentlich in die Portobello Road gehen, Mr. Miles«, sagte Lady Melford und sah zur Seite, weil sie Gordons Blick auf sich ruhen fühlte. Ganz träumerisch blickte er . . . Lady Melford wußte Bescheid. Der Heuchler gehörte zur Bruderschaft der Mohnblüte — genau wie damals in Lampang die kleine Marie Bonnard. Nur Gordons eigene Frau hatte keine Ahnung. Es war rasend komisch.

»Portobello Markt?« fragte Mr. Miles gedehnt. »Richtig. Mr. Ashton, ein Kollege von mir, hat da neulich eine ganz ordentliche Sache gefunden: einen Kandelaber, Regency-Periode! Tatsächlich ein seltenes Stück! Zwischen Trödelkram und imitiertem Zeug aus China. *Sehr* bemerkenswert — die Lampe! Ich hab' sie mir angesehen. Aber natürlich — Ashton hat den Röntgenblick.«

Mr. Miles hatte selten eine so lange Rede im Zimmer seiner Frau gehalten. Dorothy unterdrückte heldenhaft einen Gähnkrampf. Da war er wieder bei dem alten verstaubten Zeug! Es war zum Auswachsen mit diesen Innenarchitekten! Keine Ahnung von Pferden!

»Sie finden großartige chinesische Sachen in der Portobello Gegend«, sagte Lady Melford animiert. Sie verstand tatsächlich etwas von dem Zeug und hatte selten Gelegenheit, mit jemandem darüber zu reden. Immerhin hatte diese Unterhaltung Gordon Miles angeregt, sich gelegentlich fernöstliche Kunstwerke anzusehen. Er war ein regelmäßiger Besucher der weltberühmten Londoner Auktionen und kaufte dort für seinen Ausstellungsraum in Sloane Street antike Möbel, Silber und Aquarelle. Sein Raum in Sloane Street war bekannt. Seine Schaufenster waren eine verblüffende Mischung moderner Raumkunst und schöner alter Dinge, die sich durch Gordons Arrangements gegenseitig ins rechte Licht setzten. Er hatte vielen Leuten Sitzgelegenheiten, alte Spiegel und englische Porzellane sämtlicher Perioden verkauft. Mr. Miles war ein schüchternes Verkaufsgenie. Er wurde rot, wenn er seine Phantasiepreise für eigene Entwürfe nannte, und stotterte vor Verlegenheit, wenn er das einzig richtige Bild für das Teezimmer der gnädigen Frau und alte kostbare Stiche mit Szenen aus dem englischen Jagdleben für die getäfelte »Bude« des Hausherrn vorschlug. Selbstverständlich waren Gordons Vorschläge goldrichtig in jedem Sinn. Sein Stottern, sein Rotwerden, sein Zögern, und gelegentlich ehrliches Abraten — »Dieses Holz wird, fürchte ich, zu kostspielig sein, Sir Rupert! Wir können gern *etwas* billigere Qualität verwenden. Immer noch *sehr* anständig« —, alles das gewann Mr. Miles die lebenslängliche Anhänglichkeit seiner Kunden.

Man hatte in England eine Schwäche für Leute aus gutem Stall, die stotterten, rot wurden und so taten, als ob sie nichts von ihrer Sache verständen. Natürlich mußten sie — wie Gordon Miles — so viel verstehen, daß einem schwindlig wurde. Sonst nützten das Stottern und die Schüchternheit nichts. — Im Prinzip kaufte und verkaufte man gern unter sich. Und es schadete durchaus nichts, wenn man den gleichen alten Schulschlips trug und Sir Alan und Lady Miles gelegentlich in der Nachbarschaft traf. — Auch die richtige Frau war kein Fehler. Kate Barrow aus Southwark hätte Gordon nicht solche Kunden verschaffen können wie Dorothy. Sie war sehr gewandt; ihr Kreis hatte Gordon in Mode gebracht. Dorothy hatte auch damals die Räume in Sloane Street für ihn gefunden. Zu jener Zeit schliefen sie noch in einem Zimmer. Dorothy war ganz zufrieden und umgänglich gewesen, weil Gordon sie brauchte — damals . . .

Als Gordon Miles sich eines Morgens einen *Boddisattva* in Goldbronze aus der Ming Dynastie ansah, geschah ihm etwas, was er sich nicht erklären konnte. Nicht nur drehte sich der Auktionsraum wie ein Flugzeug vorm Abstürzen. Die Buddhafigur stand plötzlich in dreifacher Ausführung vor Architekt Miles, der gekommen war, um einen ausgiebigen dritten Blick auf die in den Zeitungen angezeigten Chippendale Möbel zu werfen. Es war ziemlich schauerlich. Der Buddha hatte ein riesiges Gesicht — vielmehr drei Gesichter, die vor Gordons Nase herumtanzten. Die reglosen Bronzegesichter mit dem statischen Lächeln reisten mit unglaublicher Geschwindigkeit durch die Luft. Gleich mußten sie sich Gordon auf die Brust setzen und ihn erdrükken. Er stand einen Augenblick mit fest geschlossenen Augen und lehnte sich an einen hohen Schrank mit Schreibtischplatte und Schubladen — Walnuß und herrlich gearbeitete Schlösser. Queen Anne Periode! — In den Schubladen, die wie gebuttert in die Fächer glitten, konnten ganze Familien ihre Skelette begraben! — Endlich kam Mr. Miles wieder zu sich. Ihm war nur wenige Sekunden zum Sterben schlecht gewesen. Sein Herz klopfte rasend, und er hatte einen lächerlichen Druck auf der Brust . . . Er betrachtete sich flüchtig in einem Chippendale-Spiegel und bemerkte trotz des Schwindelgefühls die köstliche Schnitzerei des Rahmens. Achtzehntes Jahrhundert! Er hätte gern in dieser Periode gelebt. Die Frauen trugen keine Tweedröcke und waren zart und schutzbedürftig — wie Kate Barrow es gewesen war. Wenigstens sahen sie auf den Gemälden der Periode so aus. —

Miles fröstelte, als er Christies' verließ. Er fuhr in seinen Club und versank in seinen Sessel. »Was soll ich . . . tun? Du lieber Himmel . . . die Wände wackeln . . . Ich . . . bekomme . . . keine Luft.« –

Gordon Miles erholte sich und schlief diese Nacht im Club. Er ließ die ganze Nacht das Licht brennen. Er zitterte bei dem Gedanken, Gestalten könnten aus der Wand treten und sich auf ihn stürzen. Er hatte kein Heroin zur Hand – das wäre auch noch schöner in dem verdammten Club! Er litt vor dem Einschlafen Höllenqualen an Schwindel, Einsamkeit und Angst. Er konnte niemanden um Hilfe bitten. Er war wie ein Ausgestoßener in der endlosen, mitleidslosen Nacht. – Am nächsten Tag erhielt er seine erlaubte Ration Heroin und konnte dem Leben wieder einigermaßen ins Gesicht sehen. Er mußte an diesem Tag viel lächeln, seine Gedanken einmotten, mit Sir Rupert zu Mittag essen, wobei ihm jeder Bissen des Roastbeefs im Halse stecken blieb, und abends mit seiner Frau ins Theater gehen. Er begleitete Dorothy pflichttreu zu den *Musicals*, die er verabscheute. Aber in die Oper ging seine Frau nicht – sie wollte etwas Spaß haben. Gordon tadelte sie nicht. Es war kein Vergnügen, mit ihm verheiratet zu sein. Er hatte die arme Person – wie er in Gedanken seine herrschsüchtige Frau nannte – vor der Zeit alt gemacht.

An diesem Abend im Theater, während Gordon Miles Qualen beim Anhören der Sprechstimmen und schrillen Soprane litt, faßte er den Entschluß, sich irgendein Versteck in einer »finsteren Gegend« zu suchen, wo er sich verkriechen konnte, wenn er nicht mehr lächeln mochte. Hatte er sich nur eingebildet, daß man ihn im Club sonderbar angesehen hatte? Beim nächsten Schrecktraum würde er schreien! Er fühlte sich von unbekannten Gestalten oder »Einflüssen« bedroht. Er hörte manchmal ein Kichern, aber niemand lachte. Sein Kopf platzte, obwohl nur Stroh und Angst in seinem Schädel saßen. Die Entziehungskur in der Schweiz lag lange hinter ihm. Vor ihm lagen eine Menge guter Aufträge und – im Augenblick – die Portobello Road. Er war entsetzlich einsam. Die Augen käuflicher Frauen waren ohne Traum und ohne Ruhe. Der Teufel sollte sie holen! Oder ihn – Gordon Miles mit dem alten Schulschlips und den trüben Augen und dem Hunger nach dem Zeug . . .

Die Leute in der Portobello Road waren teils weiß, teils dunkelhäutig und hasteten genauso wie im Westend. Gordon Miles kam viermal in diese Gegend. Dann stieß er auf die »Sackgasse«.

Das Haus in den *Mews* – ehemaligen Ställen – war eng, verbaut, und man sah von außen, daß niemals ein Chippendale Spiegel die Wohnschlafzimmer geziert hatte. Vor der Sackgasse war der große Markt. Eingeborene Londoner, Westinder, Afrikaner, Händler, Käufer, Studenten, Mädchen . . . es war alles in Mengen da.

In einem Papiergeschäft hingen kleine, zum Teil handgeschriebene Anzeigen. Irgendwo gab es immer noch ein Mietzimmer für einen einzelnen Mann oder ein Mädchen oder ein westindisches Ehepaar mit drei weinenden Kindern. –

Er hielt sich unnatürlich gerade und sah trotz des alten Mantels wie ein Gentleman aus. Mrs. Burstow betrachtete ihn mißtrauisch. Ja – sie hatte ein Dachzimmer frei, eigentlich nur eine Kammer. Und durch die Decke tropfte es durch. Nur bei Regen natürlich.

»Natürlich«, erwiderte der fremde Herr. Sein Name war George Miller, angeblich war er Geschäftsreisender. Mrs. Burstow hatte viel Erfahrung mit Mietern. Sie wußte sofort, daß dieser Gent nicht George Miller hieß, aber es war ihr egal. Sie hatte ihn vor dem Dachzimmer gewarnt. Trotzdem wollte sie ihn eigentlich abwimmeln. Ihr war nicht behaglich zu Mut. Wer weiß, wer sich hinter George Miller verbarg?

»Ich habe auch farbige Gäste«, bemerkte sie in der Hoffnung, diesen steifen, scheuen Vogel abzuschrecken – Mrs. Burstow hatte sogar einen farbigen Dauergast: ihren Ehemann.

»Ist das Zimmer ruhig?«

»Nebenan wohnt eine junge Dame«, sagte Mrs. Burstow. »Sie ist sehr ruhig. Ich fürchte, es wird Ihnen zu einfach sein, Sir! Wollen Sie nicht lieber woanders . . .«

»Kann ich gleich einziehen?« fragte Gordon Miles. »Ich werde das Zimmer nur gelegentlich brauchen. Ich bin meistens auf Reisen.«

Gordon Miles mietete einen Raum bei Mrs. Diana Burstow. – Er hielt sich vierzehn Tage tadellos, weil er nun eine Zuflucht hatte. Der unbenutzte Dachraum in den *Mews* gab ihm Ruhe. Es war unglaubhaft, aber es war eben so. Gordon gab sich mit seiner erlaubten Ration zufrieden, scherzte sogar mit Dorothy am Frühstückstisch und verbarg seine zitternden Hände in den Taschen seines Hausrocks. Eines Morgens beim Frühstück hatte er das Gefühl, daß sämtliche Zähne in diesem Augenblick in seinem Mund verfaulten. Sie bröckelten ab wie eine geborstene Mauer, sie rochen nach Verfall, und gleich würden sie einzeln in seine Tasse fallen, und der Tee würde die polierte Platte bespritzen. Gordon stand so heftig auf, daß die Tasse umfiel. Seine Frau machte eine noch ärgere Szene als vor einiger Zeit, als Gordons Hand beim Eingießen gezittert hatte. »Meine Zähne«, murmelte er. Hörte seine Frau nicht, daß die Zähne wie Würfel klapperten?

»Ich habe dir längst gesagt, daß du zum Zahnarzt gehen mußt«, sagte Mrs. Miles. »Idiot!« fügte sie hinzu. Dann begann sie zu toben. Die Tischplatte! »Trunkenbold«, sagte sie leise und haßerfüllt! »Saufen ist das einzige, was du noch fertigbringst.« Sie lachte so unangenehm, daß Gordon Miles fluchtartig den Raum verließ. Sonst hätte er die Person erwürgt. –

*

Drei Tage später führte Gordon Miles seine jungen skandinavischen Gäste in Soho herum. Er war offiziell auf dem Land bei einem Kunden. Spät in der Nacht hörte er im Nebenzimmer im Logierhaus sonderbare Laute. Es mußte die ruhige junge Dame sein. Miles war gerade dabei gewesen, endlich einmal alles zu verschlafen. Aber die Laute störten ihn in der Ruhe. Sie klangen wie das Winseln eines kleinen Tieres: hochgezogen, dünn und schauerlich.

Schließlich stand Gordon auf. Er schwankte ein wenig und goß sich kaltes Wasser über die Stirn. Nun war er ganz wach. Er zog sich einen Morgenmantel an – billiges wollenes Zeug, das kratzte, aber in diesen Raum paßte – und klopfte an die Nebentür.

Nur das Winseln und Stöhnen antwortete ihm. Jetzt ein schwacher Laut: »Hilfe!«

Er stieß die Tür auf und blieb wie angewurzelt stehen. Ein nacktes Mädchen, dessen silberblonde Haarwurzeln durch das schwarz gefärbte Haar schimmerten, stürzte auf ihn zu und wimmerte:

»Hilf mir, Francis!« Das junge Ding zitterte und schmiegte sich an ihn. ›Wer ist Francis?‹ dachte Gordon Miles verwirrt. Wer war das Mädchen? Was sollte er tun?

Das Mädchen hob den Kopf. Gordon Miles blickte in ein zartes, schönes Gesicht mit hellen blauen Augen. ›Kate‹, dachte er verwirrt. Dann nahm er die Kleine auf seine Arme und trug sie ins Bett. »Sie träumen«, murmelte er. Er wollte leise hinausgehen. »Bleib«, keuchte das Mädchen und ergriff mit geschlossenen Augen seine Hand. Es mußte im Delirium sein. Wieder rief das Mädchen: »Francis!« Tränen liefen über das blasse kleine Gesicht. Miles wischte die Tränen ungeschickt mit seinem Taschentuch ab. Warum weinte das Kind? Was kümmerten ihn Tränen, die um einen Unbekannten vergossen wurden? Niemals hatte ein Mädchen um Gordon Miles geweint. Vielleicht die süße kleine Kate in dem Laden in Southwark, aber das war Jahrhunderte her . . . — Miles stand unbeweglich am Bett des stöhnenden jungen Geschöpfs. So hätte seine Tochter aussehen sollen, dachte er flüchtig. Seine Tochter hätte auch seine Hand ergriffen. »Bleib, Daddy«, hätte sie gemurmelt . . . Vielleicht träumte er die ganze Sache, weil er sich manchmal — in einer anderen Dimension des Raumes und der Zeit — mit seiner Wunschtochter unterhielt?

Er wußte nicht, wie viele Sekunden oder Minuten er am Bett der jungen Unbekannten verbrachte. Er konnte sich nicht losreißen von dem Anblick. Er war allein mit diesem Kind in einer Welt zwischen Vergangenheit und Zukunft, und in dieser kurzen Spanne zwischen Nacht und Tag vergaß er, daß sein Geschick ihn in eine Sackgasse verschlagen hatte. Er nahm die verlassene Kleine in Gedanken nach Wiltshire und setzte sie zwischen die Rosenbüsche. Er brachte ihr ein hübsches Kleid, eine zarte rosa Perlenkette und Rosen. Aber die Rosen hatten die Farbe der Illusion. Der grenzenlose Kontinent der Wirklichkeit schob sich vor das Traumbild in Wiltshire. Gordon Miles strich sich mit der Hand über die Stirn. Er fröstelte in seinem Morgenmantel. Morgen mußte er zurück in seine Welt. Nur ein junger Narr konnte die Gegenwart ignorieren. Und nur ein unerfüllter alternder Mann benahm sich minutenlang wie ein junger Narr. Er würde die knarrende Tür hinter sich schließen müssen. Für ihn gab es keine Türen mehr, hinter denen sich Bündel von Glück verbargen. —

*

Die junge Unbekannte richtete sich im Bett auf und begann zu stöhnen und zu würgen. Was sollte Miles tun? ›Einen Arzt holen‹, dachte er gehetzt. Einen Arzt um drei Uhr nachts? Und in welche Situation würde Architekt Miles aus der Park Lane — nur die besten Schulen und das beste Unglück — dadurch geraten? Das fremde Mädchen hatte nicht einmal ein Nachthemd an. Tatsächlich — er mußte den Rest seines Verstandes verloren haben! —

Die Fremde warf die dünne Bettdecke von sich, als könne sie die Berührung nicht ertragen. Miles erkannte das Symptom mit einem Schock. Er war jetzt sehr wach – beinahe hellsichtig – und erkannte das junge Geschöpf. Es war mit dem westindischen Studenten Leech in dem Nachtclub in Soho gewesen. Unglückliches kleines Ding! Was konnte ein so schönes junges Mädchen in die Schattenwelt treiben? Miles dachte wie viele alternde Leute, die Jugend habe prinzipell ein herrliches Leben vor sich. Er nannte die »zornigen jungen Männer« insgeheim Poseure. Sie verdienten einen netten Batzen Geld auf der Bühne und im Film damit, daß sie den zeitlosen Weltschmerz für das Jahr 1959 umfrisierten. –

Das fremde junge Mädchen unterbrach Gordons Gedankengänge. Es erbrach sich heftig mitten im Zimmer. Miles kannte die Magenkrämpfe nach dem Rauschgiftgenuß, das Abgrundgefühl in einem Zimmer ohne Wände. Er kannte das Würgen in der Kehle und die Qual. Er hielt dem Mädchen den Kopf, bis die Attacke zu Ende war, und wusch den zitternden jungen Körper wie ein barmherziger Samariter. Was machte seine kleine Kate für Sachen? Mutterseelenallein in einem finsteren Logierhaus. Und kein Francis kam! Wie konnte ein Mann nur dieses zarte bezaubernde Geschöpf sich selbst überlassen? – Während das Mädchen zähneklappernd unter der Decke lag und schwach stöhnte, suchte Miles ein Nachthemd in dem barbarischen Schrank: schlechtes Holz, gemeine Arbeit und in einer Senftönung gestrichen. Kein Wunder, daß die Kleine sich übergab! Miles hatte ein ähnliches Schrank-Ungetüm in seinem Zimmer nebenan – er schenkte ihm keinen halben Blick. Man konnte das Leben sowieso nur ertragen, wenn man konsequent die Augen vor der Häßlichkeit schloß. Das Kind auf dem Bett war zu jung dazu ...

Miles fand endlich ein feines Schweizer Batisthemd, das in einem ganz anderen Schrank hätte liegen müssen. Am besten in einer Mahagoni-Kommode aus dem achtzehnten Jahrhundert in zart verblichener Goldfarbe. John Cobb, der königliche Möbelbauer, hätte so was für dieses süße junge Geschöpf machen können! Miles betrachtete das Batisthemd. Es war genau richtig. Eine handgearbeitete Spitze am Schulmädchenkragen und ein rosa Band am Hals. Auf der Brust war ein kleines rosa Monogramm: M. B. – Das Hemd war alt, aber es war erstklassig. Morgen mußte er dem dummen Kind gut zureden und es anschließend zu seinen Eltern zurückbringen. Er würde schon eine glaubhafte Erzählung für die Eltern von »M. B.« erfinden. Was die Jugend heutzutage anstellte! Die Kleine trug übrigens einen kostbaren Ring.

Miles suchte sich ein Handtuch, säuberte den Fußboden und öffnete behutsam das Fenster. Die Nachtluft schoß herein und machte ihn völlig nüchtern. Er schloß das Fenster wieder, ging zu dem Mädchen zurück und versuchte, ihr das Nachthemd anzuziehen, ohne ihr wehzutun. M. B. gab keine Hilfe. Sie stöhnte immer noch mit geschlossenen Augen, aber das Schlimmste war vorüber. Endlich hatte Miles dem Kind das Hemd übergestreift, die zarten Arme in die langen Ärmel mit den Spitzenmanschetten geschoben und die Knöpfe des Hemdes geschlossen. Das Kind konnte doch nicht in dem kalten Zimmer mit offener Brust daliegen. Miles band mit zitternden Händen die Schleife am Hals zu. Die junge Unbekannte lag nach dem Anfall erschöpft da. Ihr seidiges Haar breitete sich über die geflickten Kissen. Sie sah so blutjung und hilfsbedürftig aus, daß Miles sich flüchtig hinunterbeugte.

»Was sind das für Sachen?« fragte er milde. Das Mädchen antwortete nicht. Es lag wie ein Schulkind in den Kissen. Plötzlich riß das Schulkind die hellblauen Augen auf: »Wer sind Sie?«

Gordon Miles starrte in Kates Augen. Sein Herz begann albern zu klopfen. »Ich wohne nebenan und hörte Sie stöhnen.«

Die Fremde starrte ihn an. Sie mußte doch etwas älter als siebzehn Jahre sein. Die Augen sahen im Schein der Nachtlampe klar aus. ›Eigentlich leer‹, dachte Miles flüchtig. Kate hatte anders geblickt. In Kates Augen waren der Frühling, der Wind von der Themse und ihr Herz gewesen.

»Wer sind Sie?« fragte Miles. Seine Schüchternheit überfiel ihn plötzlich, da der Traum zu Ende und das Mädchen wach war. Eine unmögliche Situation! –

»Ich heiße Ulrika.« – Miles betrachtete verstohlen das Monogramm M. B. – Hatte die Kleine das Hemd und den Ring vielleicht gestohlen? Man las genug von der Verkommenheit der Jugend in der Zeitung. Aber nein – die Kleine sah so unschuldig aus. Sie sprach mit einem schwachen Akzent. Keine Engländerin.

»Es tut mir leid«, flüsterte das Mädchen. »Mir wurde plötzlich schlecht. Ich muß geträumt haben.«

»Gute Nacht«, murmelte Miles mit abgewandtem Blick. »Bitte,

sagen Sie nichts!« Er streckte abwehrend seine feine Hand aus. »Bin immer froh, wenn ich helfen kann.« – Er wandte sich brüsk ab und strich sich das weiche graublonde Haar aus der schweißbedeckten Stirn.

»Bleiben Sie! Bitte!« rief das Mädchen flehend. »Nur noch eine Viertelstunde! Ich habe solche Angst, wenn ich allein bin.« Ein trockenes Schluchzen schüttelte den zarten Körper.

Miles trat erschüttert an das Bett zurück. »Vor wem haben Sie Angst, mein Kind?«

»Vor Marie Bonnard.« Das fremde Mädchen hielt seine Hände umklammert. »Helfen Sie mir! Sie ist hinter mir her.«

Das Mädchen sank in die Kissen zurück, aber es ließ die Hände des fremden Mannes nicht los. Miles setzte sich auf den Bettrand und wartete geduldig, bis das Kind eingeschlafen war. Morgen mußte er die Kleine zu ihren Eltern zurückbringen. Er war wirklich immer froh, wenn er helfen konnte, aber sein Rücken schmerzte. Er war fünfzig Jahre alt. In den besten Jahren – wie sie immer sagten –, aber von innen angeknabbert. Tja –

Er saß noch eine Viertelstunde. Dann löste er sanft seine Hände aus den Händen der Kleinen. Sie atmete ruhig und sah mit geschlossenen Augen wieder wie seine Traumtochter aus. –

Gordon Miles grübelte . . . Ulrika? – M. B.? – Auch die anderen Wäschestücke im Schrank waren so gezeichnet.

Miles schlich auf Zehenspitzen in sein Zimmer zurück. –

Wo hatte er den Namen Marie Bonnard nur gehört? –

SECHSTES KAPITEL

Eros in der Sackgasse

I

Gordon Miles erfuhr niemals, wer Ulrika war, denn er fragte das Mädchen M. B. nicht danach. M. B. hatte schlecht geträumt. Er wußte nun: die Kleine hieß Madeleine Boussac und wollte aus irgendwelchen Gründen nicht nach Paris zurück. Wenn Madeleine aufgeregt war, sprach sie französisch. Miles antwortete englisch. Er hatte wieder Angst, daß Madeleine sein Französisch belächeln würde. Er lebte während der Wochen, in denen er gelegentlich in den Portobello Mews erschien, in der ständigen Angst, daß dieses junge bezaubernde und mitleiderregende Geschöpf über ihn lachen würde. Er konnte sich diese Angst nicht erklären. Er war *die* Beschützerfigur, und das junge Ding klammerte sich an ihn . . . Die Kleine war vielleicht nicht ganz richtig im Oberstübchen, dachte Miles manchmal. Aber was tat es? In den wenigen Wochen, die er mit dieser Unbekannten verlebte – entweder in Wirklichkeit oder in seinen Gedanken –, war Gordon Miles ein glücklicher Mann. Er liebte. Er stand stumm und verzaubert in der Portobello-Wüste, und vor seinen tränenden Augen grünte der Baum des Lebens. Der Baum war ein Wunder – wie das biblische Manna, das in der Wüste vom Himmel fiel. Miles sah den Baum grünen und wachsen. Er stammte aus den Wäldern der Freiheit und war in dieser Sackgasse in die Höhe geschossen. Die grüne Krone breitete sich über die Enge und die Häßlichkeit der alten Häuser und Ställe – bald würde der mythische Baum die ganze Erde beschatten. Seine Zweige hingen voller Früchte, aber Gordon Miles wollte die Früchte nicht kosten. Sie waren reif, wie seine geheimen Träume durch die Jahre reif geworden waren. Bald würden die Früchte abfallen. – Das Mädchen würde doch eines Tages nach Paris oder in die Hölle abreisen, und Miles würde die Gasse verlassen – ein nicht mehr junger und ganz hoffnungsloser Mann. Mit seinen fünfzig Jahren war er in diesen Wochen gleichzeitig ein junger Mann und ein Greis, der die Possen des jungen Miles kopfschüttelnd mit ansah. In seiner empfindlichen Seele hatte Kate sich vor Jahrzehnten eingenistet – eine eigensinnige Wunschfigur, die der Erfahrung der Sinne trotzte. Miles hatte jene behagliche Frau mit den flachen freundlichen Zügen sofort nach seinem Besuch in Southwark vergessen. Sie gehörte der Dimension der Erfahrung an, und diese Dimension hatte ihn niemals sonderlich beeindruckt. Mochte die rundliche Person ihren Sprößlingen die schmutzigen Nasen putzen und weiterhin Schokolade und Biskuits verkaufen! Mit Kate hatte diese Frau nichts zu tun. Auch nicht mit Undine oder Madeleine . . .

Gordon Miles brachte seinen Schützling in der Dachkammer hinter der Portobello Road niemals mit »Marie Bonnard« in Verbindung, die Lady Melford einmal in der Park Lane erwähnt hatte. Was ging ihn Marie Bonnard an? Er hatte bereits vergessen, daß sein Schützling diesen Namen in der ersten Nacht in der Dachkammer genannt hatte. Aber er hatte zu seinem Erstaunen von Madeleine erfahren, daß sie verheiratet war.

»Wo ist dein Mann jetzt?« fragte Miles. Ein Mann paßte nicht zu seiner Vision. Ein Mann würde Ansprüche an dieses unwirkliche und ätherische Geschöpf stellen, das seine Angstvisionen in seinen Armen ausschlief . . .

Madeleine lachte sonderbar, als Miles nach ihrem Mann fragte.

»Ich hatte einen Mann, Onkel George!« Mr. George Miller, Handlungsreisender, hatte gerade noch soviel Verstand gehabt, seiner Wunschfigur die Familie Miles zu unterschlagen. – »Mein Mann verschwand eines Tages«, erklärte die Kleine. »Das Komische ist, er war gar nicht mein Mann. Es war ein Stellvertreter.«

»Ich verstehe nicht, Kind!« – Miles blickte in die hellen leeren Augen. Hatte das Mädchen wieder Marihuana-Zigaretten geraucht? Besorgte Mr. Leech das verdammte Gift? Madeleine hatte versprochen, sich das Rauchen abzugewöhnen. Es war sehr komisch, weil Mr. George Miller doch selbst . . . Aber Mr. Miles hatte sich mittlerweile zusammengerissen. Die erlaubte Portion Heroin, um den Alltag zu ertragen und Geld zu verdienen! Nichts weiter. Er mußte auf dieses Kind aufpassen und brauchte einen klaren Kopf. Madeleine war eine Waise. Miles konnte sie nicht zu den ängstlichen Eltern zurückbringen. Sie hatte mit Tränen in den Augen vom Waisenhaus in Paris gesprochen. –

»Ein Stellvertreter?« fragte Miles ungläubig. Ein kleiner Schauer überlief ihn, als er in die leeren Augen blickte.

»Er sah genau wie mein Mann aus, aber er war es nicht«, erwiderte die Kleine geheimnisvoll. »Der Stellvertreter war ein Freund von Ulrika. Du weißt schon . . . ich träume manchmal von dem Biest. Sie ist grauenhaft. Redet mir ein, *ich* wäre sie, Ulrika! Sie sind beide hinter mir her . . . Darum bin ich hier in dem alten Pferdestall.« Die Stimme war immer höher gestiegen und tönte schrill. »Beschütze mich!« schrie das Kind und legte den Kopf an die Brust des Fremden. »Gestern waren sie im Café in der Portobello Road. Ich lief davon.«

»Du hast wieder geraucht«, sagte Miles streng. »Du böser Säugling.«

Schluchzen. –

»Weine nicht«, murmelte Miles mit erstickter Stimme. Er hatte Madeleine sechs Tage in der Dachkammer beruhigt. Wie konnte er so hart sein? Er löste das Köpfchen sanft von seiner Schulter und legte die Kleine aufs Bett zurück. Es war alles unwirklich: das enge Dachzimmer, die abgestoßene Waschschüssel, die wilden, von Rauschgift inspirierten Erzählungen, von denen Miles kein Wort glaubte, und das Mädchen, das ihn unverwandt anstarrte. Ihm wurde heiß und kalt. Sein Herz klopfte unvernünftig. Seine Kehle war ausgedörrt. Er hätte dieses Mädchen in die Arme nehmen mögen – oder schütteln und prügeln, weil es seinen Traum beständig zerstörte. Das Mädchen war nämlich nicht scheu und rein – Miles hatte es mit Kummer festgestellt. Im Halbschlaf redete Madeleine unanständiges Zeug. Sie verstand allerhand von Männern. Aber ihn verstand sie nicht. Was tat das? Er liebte dieses Kind. –

Madeleine begann, häßlich zu husten. Miles sprang auf. »Ich koche dir Milch mit Honig. Setze dich auf, Kind, sonst wird der Husten schlimmer. Wo hast du dir das geholt? Warst du gestern abend wieder in Soho?«

Keine Antwort.

»Ich habe es dir doch verboten!« Miles schwieg verzweifelt.

Die Kleine starrte ihn an. Ein kleines niederträchtiges Lächeln spielte um den Mund mit den zartroten, durstigen Lippen.

»Reibe mir den Rücken ab, dann wird der Husten besser. Tu doch endlich etwas!«

Madeleine hatte in einem Befehlston gesprochen. Gordon Miles war gegen den Ton allergisch.

»Gute Nacht«, sagte er kalt und schloß die Tür. Der Teufel sollte alle Frauenzimmer holen! Sie waren alle gleich. Keine Manieren, kein Feingefühl, nur Frechheit und Geschlecht . . .

Eine halbe Stunde später klopfte es leise an seine Tür. Es war seine letzte Nacht im Logierhaus. Sollte dieses Pariser Gassenmädchen sehen, wo sie blieb. – Ein wahres Glück, daß es ihm gelungen war, sich so zusammenzunehmen, auch wenn es ihn Nerven gekostet hatte. Es fielen ihm Erzählungen von Männern seines Kreises ein, Männern in seinen Jahren, die sich plötzlich eingeredet hatten, es gäbe im Herbst noch einen Frühling für sie . . . Entweder es war ein Gesellschaftsskandal mit Scheidung geworden oder . . . Miles wollte nicht weiter denken. Wieder klopfte jemand an seine Tür.

Er sprang ärgerlich auf. Was wollte die Wirtin um neun Uhr abends? Eilbriefe kamen nicht an Mr. George Miller in den Mews.

Als er aufmachte, stand Madeleine vor der Tür. Große Tränen liefen ihr über das blasse kleine Gesicht. »Verzeih mir, George!«

Er konnte nichts antworten. Vor seinen Augen tanzten rötliche Funken. ›Ich muß wahnsinnig sein‹, dachte er. Vielleicht waren alle alternden Männer gelegentlich wahnsinnig vor Liebe. Es war eine allgemeine Kalamität. Er nahm die leichte Gestalt auf seine Arme und trug sie ins Zimmer zurück.

Madeleine hörte so plötzlich auf zu schluchzen, als reguliere eine Uhr ihre Emotionen. Sie machte eine verstohlene Bewegung, so daß der geblümte Schlafrock abfiel. Miles wich zurück. Er hatte Madeleine einmal nackt gesehen, aber da war sie krank gewesen und hatte sich übergeben.

Marie Bonnard sah den Handlungsreisenden George Miller an. Er hatte graue Haare, trübe Augen und ein Doppelkinn. Unter dem Schlafrock wölbte sich ein schüchterner Bauch. Aber es war komisch: dieser alternde Handlungsreisende in dem schäbigen Schlafrock sah wie ein Herr aus, wie ein Gentleman, der in einer Sackgasse versackt war . . . Er flößte Respekt ein, ohne es zu wollen. Er war ohne jede

Anstrengung seinerseits einfach ein feiner Mann, und Marie merkte es. Sie fühlte in diesem Augenblick einen unerklärlichen Groll gegen ihren Beschützer. Sie blickte ihn unter gesenkten Lidern an. Warum hatte er die Augen wie ein Sterbender geschlossen?

»Sieh mich an«, flüsterte Marie. –

Die Zeitmaschine stand still. Jemand hatte sie abgestellt, damit Gordon Miles diesen Augenblick verlängern konnte. Die Außenwelt war eine Bühne, auf der substanzlose Schatten ihre kleine Rolle spielten. Miles stand reglos in diesem muffigen Dachzimmer, das sein Auge beleidigte – aber auch der Raum hatte seine Wirkung verloren. Miles lebte in diesem Augenblick in einer Dimension zwischen Vergangenheit und Zukunft. Alles war bereits geschehen, und alles konnte noch geschehen. Seine Vergangenheit zeigte sich ihm in einem Zerrspiegel: die Grundlagen seiner Existenz waren zu Zufälligkeiten degradiert – der Garten in Wiltshire, die Karriere, die Häuser und Hallen, die er Jahr für Jahr einrichtete; seine eingebauten Möbel für die großen, eleganten Flats und die kleinen eleganten Flats – die Gordon Miles-Ausstellung! Teuer, aber oho! Außer den seltsamen Sitzgelegenheiten gab es nur dekorierte Wände in den Schlafzimmern, Speisezimmern, Hallen und in den Büros der Direktoren. Hier und da ein Museumsstück neben dem verborgenen Fernsehgerät, dem eingebauten Cocktailschrank aus edlen Hölzern. Miles würde niemals wieder einen Sessel entwerfen, ein Bild für eine leere Wand suchen und Farbensymphonien schaffen, die seinen Stempel trugen: »Ach sooo – ein Gordon Miles-Raum! Etwas verrückt, aber himmlisch, *my dear*!«

Welch ein Leben! Miles wußte in diesem Augenblick wieder einmal, daß er nur bis zum Alter von fünf Jahren glücklich gewesen war. Danach noch einmal mit Kate in Southwark. Da war er sechzehn gewesen. Dann gab es nur noch die Oper, Hogarth und die Niederlagen des Herzens. Keine Lust, keine Ruhe, keine Erlösung durch die Frau. Nur Geplapper, messerscharfe Blicke, einen neutralen Leib und Heroin, wenn die Leere zu brüllen begann. Sumpf ohne Wiesenblumen. Und doch – in diesem Augenblick mußte Gordon Miles an seine Frau denken. Das schönste Mädchen der Welt flüsterte: »Sieh mich an!«, und er sah Dorothy. Es war lächerlich, unbegreiflich, vernichtend. Gordon Miles konnte diese hinterlistige Vision nicht verbannen. Er fragte sich auch später nicht, warum er auf der Schwelle der Erfüllung an Dorothy denken mußte. Sie hatte ihm weder genügt, noch hatte sie ihn in Ruhe gelassen. Sie war nur jahrelang in seinem Leben gewesen und ließ sich offenbar nicht wegschieben wie ein altes Möbelstück. Miles glaubte längst nicht mehr an das mysteriöse Bündnis zwischen Eheleuten. Niemand konnte weiter entfernt von ihm sein als Dorothy in ihrem Wohnzimmer. Sie hatte es sich in ihrem eigenen Geschmack eingerichtet. Miles hatte es ihr nie verziehen. Und dort, zwischen viktorianischen Greueln und einigen erlesenen Trostpreisen aus ihrem Elternhaus, saß Dorothy steif und herrschsüchtig auf ihrem harten Sessel und blickte ihrem Mann hinter dem Portobello-Markt direkt ins Auge. Neben ihr stand auf einem verbauten Teetisch der gebutterte Toast. Ein substanzloser Schatten leistete Dorothy Gesellschaft. Miles wußte, daß es ihr ungeborener Sohn war, den sie gleich nach seiner Geburt für Eton vornotieren lassen wollte ... Sie saß wohl so steif in ihrem Sessel, damit sie über der Schilderung der Cricket-Spiele nicht zusammenbrach. — War Miles verrückt? Was ging ihn seine Frau an? Er lehnte sie ab — und alles, was sie darstellte. Natürlich trug sie auch in seiner Vision ihren Tweedrock und einen farblosen Pullover. Sie hatte es stets verschmäht, das Auge ihres Mannes zu erfreuen. Das war eine der sieben Todsünden einer Ehefrau ... An die anderen sechs Sünden wollte Miles gar nicht erst denken. Warum zum Teufel trug Dorothy nicht wenigstens ihre Diamantbrosche, ein frühes georgianisches Schmuckstück, das er ihr geschenkt hatte, als sie seinen Sohn trug? Aber sie hatte gegen den Rat des Arztes das Hürdenrennen mitgemacht und war gestürzt. — Er hatte die Brosche nie an ihr gesehen. — Bald nach dem Unglück war er in sein eigenes Schlafzimmer umgesiedelt ...

Gordon Miles stand immer noch reglos vor Madeleine und strich sich über die schmerzende Stirn. Er öffnete die Augen, die die Schönheit noch im staubigsten Winkel entdecken konnten, und sah das nackte Mädchen endlich an. Aber er sah schärfer, feiner, vollkommener als sonst. Plötzlich hörte er Musik, als wäre er im Heroinrausch. Der Baum des Lebens wuchs in die Portobello-Wüste hinein. Seine Zweige bildeten ein Schutzdach über Miles und dem Mädchen. Nein — Miles war selbst der Baum. Er seufzte. Oder seufzten die Äste im Nachtwind? Wie konnte ein kahler Baum dieser Nymphe Schatten spenden?

Miles stand plötzlich auf dem Gipfel eines Berges und griff mit beiden Händen in die Wolken. Irgendwo in diesen Wolken verbarg sich Aphrodite. Nur ihre Stellvertreterin lag auf dem Bett. Miles wußte es, doch das Wissen tat seiner Liebe keinen Abbruch. Aber ein Abgrund trennte ihn auf seinem Berg von diesem jungen Geschöpf. Warum hatte er nicht springen gelernt? Ein kühner Sprung, und er wäre in der Ebene gelandet. Ebene? Mein Gott – es war der Sprung in den Abgrund!

Miles stöhnte. Er konnte seine Augen nicht von Madeleine losreißen. Er hatte nicht gewußt, daß junge Frauen in ihrer Unzulänglichkeit so vollendet sein konnten. Aber er stand wie angewurzelt, und die Angst lähmte ihn. Es würde sehr komisch wirken, wenn er kopfüber in den Abgrund stürzte und machtlos am Boden lag . . . Seine endgültige Zerstörung würde dieses Mädchen amüsieren.

Wieder schloß er die Augen. –

»Gefalle ich dir nicht?« fragte das Mädchen.

II

Mr. Daniel Leech bewohnte das Zimmer unter Marie Bonnard. Er versorgte sie zu Wucherpreisen mit dem Stoff der Träume. Manchmal betrachtete der westindische Student seine schöne Kundin mit sinnendem Blick. Er überlegte, wann das Geld und der Schmuck und der ältere Zimmernachbar die junge Dame verlassen würden. Für *die* Zeit hatte Mr. Leech Vorschläge bereit. Aber der Handlungsreisende Miller mußte erst verschwinden. Obwohl Daniel in seinen Gedanken diesen gesetzten Herrn, der mit seinem eingerollten Regenschirm niemals am Tage in der Sackgasse auftauchte, nie in amouröse Verbindung mit Madeleine Boussac brachte, warnte sein Instinkt ihn vor diesem Mieter. Dabei war Mr. Miller so schüchtern, daß er nicht aufblickte, wenn er pustend die schmalen dunklen Treppen zu dem Dachgeschoß erklomm. Daniel Leech war sensitiv. Er konnte es nicht wissen, er konnte nur fühlen, daß dieser Mr. Miller ein von den Glücksdrogen heftig angeknabberter Gentleman war. Ein Gentleman, was immer die weißhäutigen Briten sich darunter vorstellen mochten. Es hatte nichts mit Geld zu tun. Mr. Leech, zum Beispiel, zog sich viel eleganter und farbenfreudiger an. Von Mr. Miller ging eine negative Kraft aus. Er war unauffällig wie eine Maus und dabei unangreifbar. Der junge Mr. Leech – elegant mit Strohhut und nagelneuem kariertem Seidenhemd und ein guter Liebhaber mit zahlreichen Referenzen in Soho und Notting Hill – wich vor diesem Mr. Miller im alten Regenmantel zurück, da der Mann ihm trotz seiner Höflichkeit gefährlich vorkam. Mr. Leech wußte nicht, wie sicher sein Instinkt ihn beriet. Er ging Mr. Miller aus dem Weg. Er verabscheute ihn allmählich. Dieser Gent tat nur so freundlich. In seinen wässrigen hellblauen Augen stand das Erstaunen darüber, wie viele dunkelhäutige Gents es in Notting Hill und Umgegend gab. Einmal hatte der Student Leech den Handlungsreisenden Miller auf der Treppe darüber informiert, daß er, Mr. Leech, ebenfalls britisch wäre. – Seine Familie hätte hohe Stellungen in Kingston ... Mr. Miller war rot geworden und hatte geschwiegen. Immer das Bequemste! Diese verfluchten Heuchler! Mr. Leech hatte dunkel hinzugefügt, daß noch nicht aller Tage Abend wäre und daß Gottes Mühlen langsam mahlten ... – Der Gent hatte eine Miene gemacht, als ob Mr. Leech eine ungeheuerliche Unanständigkeit geäußert hätte. »Ja, natürlich«, hatte er in seinem hassenswerten leisen Ton gemurmelt. »*Very nice,* Mr. Leech!« – *Was* war sehr nett? Daß Gottes Mühlen langsam mahlten? Daß das Heroin teurer geworden war? Daß Mr. Miller die farbigen Briten in aller Höflichkeit übersah? Mr. Miller würde sich noch wundern! In Daniels Studium der allgemeinen Poesie war ein Mißton geraten: der Haß gegen den Heuchler, der die Wochenende in der Dachkammer neben dem Mädchen aus Paris verbrachte.

*

Mrs. Burstows Logierhaus in den Portobello Mews war kein Hafen der Stille. Da war erst einmal Mrs. Burstows ohrenbetäubender Frohsinn. Ihr Gelächter schallte durch alle Stockwerke. Sie zügelte ihre Heiterkeit nur, wenn sie neue Mieter begrüßte, alte Mieter an die Luft setzte oder in ihrem Büro Rechnungen schrieb. Der Frohsinn war Mrs. Burstow angeboren. Es war bemerkenswert, denn bei Licht besehen hatte diese Dame nichts zu lachen. Gordon Miles hätte gewünscht, daß Mrs. Burstow weniger lachte, denn er sah dann ihre Zahnlücken, und ihre schlaffe Gesichtshaut schlug Falten wie ein plissierter Taftrock. Mrs. Burstow freute sich ohne ersichtlichen Grund ihres Lebens. Ihr Logierhaus lehnte sich nach einer Seite wie der Schiefe Turm von Pisa – es war nur weniger bekannt. Das Haus lag dem Norden zugewandt; es zog durch alle Fenster und Mauerritzen. Nichts störte Mrs. Burstow. Nicht einmal die Tatsache, daß ihr Ehemann meist wie eine große dunkle Katze auf der Couch lag und auf die Mahlzeiten wartete. Mr. Burstow war ebenfalls aus dem sonnigen Jamaica nach London gekommen und ein Mieter auf Lebenszeit geworden. Er hatte Mrs. Burstow, die ein dürres, nach Unterhaltung hungerndes spätes Mädchen gewesen war, mit seinen Reden in Paroxysmen der Heiterkeit versetzt. Mr. Joseph Burstow redete wie ein Buch. Von seinen genußsüchtigen dunkelroten Lippen träufelten biblische Prophezeiungen und Scherze in seltsamem Wechsel. Er war abwechselnd feierlich und lustig, aber immer faul. Er hatte ein keckes kleines Bärtchen auf der Oberlippe, eine breite Nase und sehr schlaue schwarze Äuglein unter hochgezogenen Augenbrauen. Er war zehn Jahre jünger als seine Frau und kam glänzend mit ihr aus. Mrs. Burstow hatte einen großen, warmen, vergnüglich schnurrenden Kater gebraucht, nachdem ihre Eltern und ihre eigene Katze gestorben waren. Mr. Burstow füllte seinen Platz bewundernswert aus. Er war von Beruf Tischler und hatte die entsetzlichen Schränke und Kommoden mit Hilfe eines fleißigen Landsmanns zusammengeschustert. Mrs. Burstow bezeichnete ihren Mann als Künstler. Man hörte ihn manchmal Klarinette blasen. Er tat es mit großer Kunst, und es drang lieblich und träumerisch bis zu Gordon Miles, der sich wunderte, wer in dieser Wüste den Mut zur Musik aufbrachte. Dann hörte man wieder Mrs. Burstows wilde Lachstürme – es war zum Kofferpacken! Einmal hatte Mr. Joseph Burstow die junge Dame aus Paris im Treppenhaus getroffen, als sie – mit der dunklen Brille vor den Augen – des Abends ausgehen wollte. Er war mit unheimlicher Behendigkeit vor die Haustür gesprungen und hatte in seinem weichen singenden Englisch seine Begleitung angeboten. So junge Damen dürften nicht allein ausgehen, und London bei Nacht wäre »Sodom und Gomorrha zusammengerollt«. Bevor Mr. Burstow hinzufügen konnte, daß er nicht stolz auf seine meisterhaften Musikdarbietungen wäre, denn Stolz wäre der Erzfeind der Zufriedenheit, hatte Mrs. Burstow ihren Mann zurückgepfiffen. An diesem Abend hörte man keine Lachsalven.

In Mrs. Burstows Logierhaus lebten alle Mieter wie auf einem

Schiff, dessen Passagiere taubstumm sind und sich nur hin und wieder in den engen Gängen begegnen, bevor sie in ihre Kabinen zurückkehren. Dies war ein Schmerz für Mr. Burstow, denn er gehörte zu denen, die eine Zuhörerschaft brauchen. Mrs. Burstow war etwas eintönig als Publikum, aber wer konnte in der Fremde alles haben? Mrs. Burstow hatte die Geldtasche und den Speck. Sie arbeitete von früh bis spät und kochte sogar bestimmte westindische Gerichte, wenn der große Kater genug von Lamm und Minzsauce und feuchten Kartoffeln hatte. Mr. Burstow war – selbstverständlich unschuldig verurteilt – in einem englischen Gefängnis gewesen, wo ihm niemand gelauscht und ihm mit Lachsalven für seine Anekdoten belohnt hatte. Mrs. Burstow ging ihm manchmal nach, wenn er aus Langerweile in die leeren Zimmer der Mieter schlich. Sie hatte ihn ertappt, als er die Reisetasche von »M. B.« mit einem Nachschlüssel öffnen wollte. Dieses Mal war Mr. Burstow der Zuhörer gewesen. Er hatte nie wieder versucht, fremde Reisetaschen zu öffnen. Was konnte das schäbige Mädchen »M. B.« auch schon in dem Handköfferchen haben? Der Stein an ihrem Ring war so groß, daß er unmöglich echt sein konnte. Wer echte Steine besaß, der quartierte sich woanders ein, dachte Mrs. Burstows Ehemann.

Im ersten Stock hauste Miss Crackerley, die es mit den Sternen hatte. Sie war die einzige, die Besucher empfing und ihre Miete mit einer gewissen Begeisterung zahlte. Die Sterndeutung mußte sich bezahlt machen. Miss Crackerley war angeblich Schauspielerin gewesen. Sie war heftig geschminkt und rollte wie eine kleine Kugel die engen Treppen herunter, um täglich große Mengen Nahrungsmittel einzukaufen. Das Studium der Gestirne mußte gewaltigen Appetit machen. Miss Crackerley aß dutzendweise Sandwiches und Fruchttorten, Wiener Würstchen, Fleischpasteten, Bananen, Puddings und alles andere, was fett macht, und spülte ihre seltsamen Menüs mit starkem süßem Tee herunter. Was sollte man machen, wenn man dreiundsechzig Jahre alt war, keinen Hund hatte und in der Sackgasse gelandet war? Miss Crackerley war Garderobenfrau in einem Provinztheater gewesen, aber ihre Arthritis verbot jetzt das lange Stehen. Es strengte sie schon genug an, wenn sie an zwei Stöcken die Treppen zum Markt auf der Portobello Road hinunterhumpelte. Sie kaufte leidenschaftlich gern ein und kehrte sonnabends mit merkwürdigen Gegenständen beladen in ihr Zimmer zurück. Der Spaß war der Einkauf, nicht die abgestoßene Kuchenplatte mit dem Blumenmuster, oder der Porzellanhund, oder die Samtjacke, die viel zu eng für Miss Crackerley war, aber vom vornehmen Leben sprach. Miss Crackerley lachte mit sämtlichen Grübchen in ihrem rosa geschminkten alten Puppengesicht, wenn sie ihre Einkäufe betrachtete und mit einem seltenen Mangel an Geschmack in ihrem Zimmer zur Schau stellte. Wann immer sie Kunden empfing, hing die rote Samtjacke über der Sessellehne – da sah man doch, daß man es mit einer Dame zu tun hatte! Da Miss Crackerley jedem Kunden ein großes Vermögen und günstige Veränderungen im Liebesleben ankündigte und entweder einen großartigen Charakter, der sich nächstens strahlend bewähren mußte, oder weite Reisen in den nächsten drei Jahren aus den Horoskopen las, waren alle zufrieden. Wer verändert sich nicht gern in seinem Liebesleben? Die Damen und Herren der Gegend betrachteten verstohlen die Zeichnungen mit den geheimnisvollen Kreisen und Namen, über die Miss Crackerley sich beugte, während ihre Ohrringe klirrten und ihr Schlangenarmband glitzerte. Sie war voll magischer Ungeduld, den Kunden nach Erklärung des Horoskops los zu werden und Rosinenbrote und Fleischpasteten zu essen und Tee zu trinken. Endlich gingen die Leute nach Haus, und Miss Crackerley konnte essen. Manchmal stimmten ihre Prognosen auffallend und verbreiteten ihren Ruhm in Notting Hill. Miss Crackerley war nämlich eine Menschenkennerin und verließ sich mit gutem Grund mehr auf ihren Instinkt und ihre Beobachtungen als auf die wankelmütigen Sterne. Die neue Mieterin der Dachkammer gefiel Miss Crackerley nicht besonders. Mit dem Mädchen M. B. stimmte etwas nicht.

Den älteren Herrn im zweiten Dachzimmer hatte Miss Crackerley nur einmal gesehen – daß heißt, hier im Haus. Sie hatte Mr. Miller schon am Sonnabend-Markt in Portobello mit den Augen verfolgt, wenn er chinesische Vasen oder alte Brokate oder Messinggeräte betrachtete. Er hatte gar keinen Geschmack. Er suchte immer nach Sachen, die nach nichts aussahen. Miss Crackerley dachte im geheimen, Mr. George Miller müsse etwas ausgefressen haben. Er war ein Gentleman, auch wenn er sich noch solche Mühe gab, diese Tatsache zu verbergen. Er hatte ihr alle Pakete die Treppe hinaufgetragen und sie respektvoll gestützt, weil die Treppe so steil war und ihre Beine schmerzten. Wie verlegen er ihren Dank und die Einladung zu einer

Tasse Tee (ohne Beilagen) abgelehnt hatte! So stotterten nur Leute aus den feinen Kreisen! Merkwürdig – sehr merkwürdig. – Sie hatte dem Herrn eine Berufskarte durch die Tür ins Zimmer geschoben: »Bernice Crackerley, geprüfte Astrologin. Zivile Preise«. – Man brauchte nur das Datum der Geburt anzugeben, die Jahreszahl und den Ort, und die Zukunft und der Charakter des Kunden lagen für dreißig Schillinge vor Miss Crackerleys Luchsaugen. Sie hieß eigentlich Betty, aber die Kunden konnten für dreißig Schillinge einen Vornamen verlangen, der zu der roten Samtjacke paßte. Leider hatte Mr. George Miller kein Horoskop bestellt. Und das Mädchen »M. B.« erst recht nicht. Letzteres erstaunte Miss Crackerley nicht. Das Mädchen war apathisch. Kein Wunder, wenn man sich nicht richtig und regelmäßig ernährte! Wie dünn das junge Ding war! Am liebsten hätte Miss Crackerley ihr ein Rosinenbrötchen angeboten, aber das Mädchen huschte immer so schnell an ihrem Zimmer vorüber und war so ungemütlich – das waren die Dünnen immer!

Im zweiten Stock hauste Mr. Gaylord Bunch, ein Sammler unkontrollierbarer Beiträge zur Unterstützung von Vereinen, die zwar dem Wohl der Menschheit dienten, von denen aber niemand je gehört hatte. Im Hauptberuf verkaufte Mr. Bunch alte Kleider auf dem Markt. Miss Crackerley hatte die rote Samtjacke bei ihm erstanden. Sie gab keine Spenden für Mr. Bunchs humanitäre Vereine, da sie Steuerzahlerin war und die Menschen ihrer Meinung nach durch Spenden zur Untätigkeit veranlaßt wurden. Mr. Bunch interessierte sich nicht für Miss Crackerleys Meinungen, wohl aber für ihren Tee mit Kuchen und Sandwiches und sprach manchmal vor, ohne allerdings ein Horoskop zu bestellen. – Mr. Bunch verkaufte auch Lebensversicherungen – er verkaufte überhaupt alles, was sich verkaufen ließ – und war eine bekannte Persönlichkeit auf dem Markt vor der Sackgasse. Mit seinen Lebensversicherungen hatte er wenig Glück. Er sprach so oft und gern vom Tod, der die Menschen unvermutet anfiel, daß die Leute in Notting Hill nicht einsahen, warum sie noch das Geld für eine Versicherung ausgeben sollten, wenn der Tod bereits in Colville Road oder Westbourne Grove auf sie wartete! Mr. Bunch verstand nicht soviel von Gesichtern und Gerede wie Miss Crackerley und machte dementsprechend schlechtere Geschäfte. – Sollte er sie heiraten?

Ferner wohnte in dem Logierhaus eine Schlangentänzerin, die in einem Nachtclub in Soho arbeitete und am Tage schlief. Mlle. Lorraine, die ihr Leben als »Lizzie« in Brixton begonnen hatte, verstand sich nicht nur auf Schlangen, sondern auch auf Striptease. Ihr Akt war Auskleiden mit Schlangenbegleitung. – Natürlich war Mr. Burstow hinter dem hübschen, dunkelhaarigen Mädchen her, aber Mrs. Burstow hatte zwei bebrillte Augen in ihrem lustigen Kopf und paßte unter höllischem Gelächter auf, daß Mlle. Lorraine, née Betty Carter aus Brixton, ihre Kleider nicht aus Zerstreutheit auf der Treppe ablegte. Sie tat Mlle. Lorraine absolut unrecht. Diese junge Dame zeigte sich in Soho nur gegen Kassenzahlung im Urzustand mit ihren lieben kleinen Schlangen. Sonst wäre ihr junger Mann auch sehr böse geworden, denn Albert war gar nicht für das Striptease. Es brachte jedoch Geld, und sie wollten später ein Kolonialwarengeschäft in Brixton eröffnen. Die Kinder würden nichts von dem Schlangengeschäft wissen. Und Betty würde im Laden und im Haushalt alle Hände voll zu tun haben ...

*

Vor dem Logierhaus in den Portobello Mews residierte ein Pfandleiher. Der Laden war nach alter Tradition kakaobraun. Mr. Austin hatte sonderbare Dinge im Laden, die nicht selten auf dem »Porto« endeten, wo seine verheiratete Tochter und der Schwiegersohn einen Verkaufsstand hatten. Die Pfandleihe hatte kleine abgetrennte Abteilungen. So konnte niemand sehen, wenn Marie Bonnard ein Schmuckstück versetzte, um sich Träume zu verschaffen. Gordon Miles hatte jedoch ihre Ringe wieder eingelöst. Er hatte ihr eine Halskette aus alten Granaten geschenkt, einen Sessel, und einen wattierten Schlafrock in Apfelgrün und Rosa, in dem sie ihn schläfrig und bezaubernd anlächelte. Wenn die Kleine lächelte – was nur vorkam, wenn »Onkel George« Geschenke brachte –, versank dieser geräuschvolle Marktwinkel von London. Gordon Miles war sich vollkommen darüber klar, daß dieses junge Geschöpf – aus welchem Pariser Distrikt es auch stammen mochte – ihn schamlos ausnutzte, ihn keine Spur liebte und rauchte, sobald er den Rücken wandte. Er konnte nur gestohlene Nachtstunden mit ihr verbringen. Sobald seine Frau mit Nurse Waterhouse von der Erholungsreise nach Torquay zurückkehrte und Nurse eine andere Stelle annahm, ging das alte Leben in der Park Lane wieder los: Parties, Musicals, Geschwätz, das gemeinsame Frühstück und das Wochenende bei Dorothys Freunden. Gordon hatte noch eine Woche Zeit. Er war fünfzig Jahre alt und hatte keine romantischen Flucht- oder Reisepläne. Im Gegenteil. Seitdem dieses Mädchen ihm einen tieferen Glücksrausch gab, als das Heroin es jemals fertiggebracht hatte, konnte Gordon Miles sehr klar denken. Es gab keine Zukunft für ihn und Madeleine, die manchmal merkwürdige Zustände bekam und laszive Reden führte. Er wußte, daß sie ihn belog, wahrscheinlich auch betrog, wenn sie Gelegenheit hatte. Was trieb sie den ganzen Tag? Er war zu klug, um zu fragen. Er wollte keine lebensgefährlichen Antworten hören, die ihn zwängen, zu gehen. »M. B.« war sein Leben. Noch eine Woche ... Vielleicht geschah irgendein Wunder. Miles schüttelte über sich selbst den Kopf. –

Als er an diesem Abend Madeleines Zimmer betrat, stand sie mit erhobenen Händen vor dem halbblinden Spiegel. Sie betrachtete ihre Gelenke, die Handflächen und den Handrücken. Jede ihrer Bewegungen war Poesie für Gordon Miles. Das Mädchen hatte Undines langsame erlesene Grazie. Ihr Gesicht war durchsichtig. In den hellen Augen war ein grünlicher Schimmer. Der Mantel mit den Apfelblüten hing von den nackten Schultern.

»Was machst du da?« fragte Miles. Wieder war seine Kehle ausgedörrt. Sein Herz hämmerte. Soviel Schönheit und Gleichgültigkeit schmerzten. Madeleine hatte ihn im Spiegel kommen sehen und sich nicht einmal zur Begrüßung umgedreht. Sie betrachtete im Schein der Lampe ihre Hände im Spiegel ...

»Siehst du etwas?« fragte sie heiser.

Miles nahm die schönen zarten Hände in die seinen. Er betrachtete die Finger mit den rosigen gewölbten Nägeln und dem ausgelösten Smaragdring von Großmutter Bonnard. Es war ein exquisites Stück. Miles hatte nicht gewagt zu fragen, woher Madeleine, die nur einen schäbigen Handkoffer besaß, einen solchen Ring hatte. Hatte sie ihn gestohlen?

»Habe ich einen Ausschlag?« fragte Madeleine tonlos.

Ausschlag? Was hatte das Kind nur wieder? Miles konnte nichts entdecken. Die Haut war nicht gerötet.

»Wie kommst du auf diesen Gedanken, Kind?« fragte er unbehaglich.

»Ich hatte im Fernen Osten einmal einen Ausschlag. Ich dachte, er wäre wiedergekommen. Mein Gott, ich stehe Ängste aus.«

»*Du* warst im Fernen Osten?«

Das Mädchen starrte ihn an.

»*Was* hast du gesagt? Ich war im Fernen Osten? Ich? Ich?« Ihre Stimme wurde immer schriller. Ihre Augen weiteten sich.

»Beruhige dich, Kind!« sagte Miles erschrocken. »Du mußt wieder geträumt haben.«

Er trug die Kleine auf seinen Armen in den Sessel, kniete neben ihr nieder, umfaßte sie und legte sekundenlang den Kopf mit dem weichen graublonden Haar an die junge Brust.

»Mein . . . süßes Kind . . .«

Madeleine saß wie ein Steinbild. Miles richtete sich langsam auf. Sein Herz klopfte zum Zerspringen.

»Ich träumte, ich hätte Lepra«, sagte das Mädchen tonlos.

Einen Moment schreckte Miles zurück. Was für entsetzliche Träume! Es wurde immer schlimmer. Nichts auf der Welt vermochte Madeleine vom Großen Rauch zurückzuhalten. Der Student Leech mußte dahinter stecken. Aber jedes Wort war vergebens. Miles wußte selbst am besten, wie vergeblich Worte waren, wenn der Rausch wirkte. Er starrte in Madeleines Augen. Ihr Blick war blicklos und erfahrungsarm. Er durfte sich nicht in diesen Augenteich verlieren. Er fühlte, wie diese Liebe sein Ich auflöste, seinen Verstand betäubte und seine Existenz aufspaltete. Dieses Mädchen war sein ungelebtes Leben — in aller Süße und Bitterkeit. —

Mrs. Burstows Gelächter drang in das Dachzimmer, wo Miles regungslos mit dem Mädchen im Arm dalag. Madeleine schlief. Sie hatte sich seine Umarmung gefallen lassen. Man hätte genauso gut eine Statue besitzen können. Er hätte am liebsten geweint, aber wenn ein Mann weint, fließt Tugend mit den Tränen fort. Er überlegte selbstlos, wie er dieses Mädchen retten könnte, ohne es der Polizei auszuliefern. Er wußte nichts von ihr außer dem »M. B.« auf dem alten Handkoffer. Alles andere waren Lügen und Rauschgift-Halluzinationen. —

Madeleine rührte sich im Schlaf, und Miles blickte sie an. — Ein aufgelöster Ausdruck lag über den schlafenden Zügen. Das Mädchen schlang im Halbschlaf die Arme um den Mann an ihrer Seite und flüsterte: »Francis!«

Gordon Miles erhob sich wie ein alter Mann, dem die Last des Lebens den Rücken zerbricht. Er deckte das Mädchen mit einer feinen weißen Wolldecke zu, die er ihr gekauft hatte. Dann stellte er ein Glas Milch auf den wackligen Tisch neben dem Bett. Vielleicht würde Madeleine wieder in der Nacht aufwachen und husten. Dann mußten Milch und Honig zur Stelle sein.

Miles schlich in sein Zimmer. Es war eiskalt, aber er fühlte die Kälte nicht. Er hatte nur den flüchtigen Eindruck, als senke sich das schiefe Dach auf ihn herab. Nicht, als ob er etwas dagegen gehabt hätte. Er war am Ende eines langen ermüdenden Weges angelangt, und hinter jeder Ecke wartete eine neue Sackgasse . . .

Miles legte sich ins Bett. Er blickte mit offenen Augen ins Leere. Wie einfältig er war! Oder spielte das Leben ihm besonders schmutzige Streiche? Er wußte es nicht. Er hatte sich niemals ein langes Leben gewünscht – nur ein glückliches! Für solch ein Ausmaß von Einfalt bekam ein Mann seine Strafe. Das war alles.

Gordon Miles schloß die Augen, um die Leere und den erkalteten Gasofen nicht zu sehen. Auf dem Nachttisch lagen Staubschichten und sein Siegelring.

Er fühlte einen Schmerz, gegen den kein Kraut gewachsen war. –

SIEBENTES KAPITEL

Mord ohne Leiche

I

»Etwas kann ich an der Londoner Polizei nicht leiden«, sagte Mr. Joseph Burstow aus Jamaica zu Mr. Daniel Leech. »Die Kerle hier geben einem das Gefühl, daß man ein Verbrecher ist.«

Mr. Burstow, der seiner Meinung nach unschuldig in englischen Gefängnissen gesessen hatte, biß sich auf seine genußsüchtigen dunkelroten Lippen. Die beiden Herren verzehrten gerade ihr Mittagessen in einem westindischen Restaurant der Gegend.

»Sschscht«, sagte Mr. Leech, »man weiß in diesem Land nie, wer von der Polizei ist.«

Strohwitwer Burstow sah sich verstohlen um. Seine schlauen schwarzen Äuglein blinzelten. Er lachte herzlich. Sein junger Landsmann sah Gespenster.

»Wohin ist Mrs. Burstow gefahren?« erkundigte sich Mr. Leech. Er wollte gern wissen, ob die »Aufpasserin« weit oder in die Nähe verreist war.

»Sie ist mit einer Freundin in Italien«, sagte Mr. Burstow. »Sie sagte, sie möchte endlich mal wieder Englisch sprechen hören.«

›Sehr unfreundlich‹, dachte Mr. Leech, der schon wieder nach Beleidigungen dürstete. Laut sagte er: »Mrs. Burstow ist immer so lustig.«

»Hmmm!« – Mr. Burstow ließ sich in London nie mit seinen Landsleuten in eine Diskussion über seine englische Ehefrau ein. Einmal war er zu taktvoll, und dann wollte er sich nicht den Appetit an den heimischen Gerichten verderben lassen. Die Besitzerin des Lokals, die in alle Regenbogenfarben gekleidet hinter der Theke stand, kochte erstklassig. Diese dunkelhäutige Dame von den karibischen Inseln hatte sehr weiße Zähne und trug einen kugelrunden Strohhut mit einem rosa Band. Der Strohhut war alt und staubig. Mrs. Jackson hatte ihn stolz nach London gebracht und trennte sich nur beim Schlafen von dem Prachtstück. Sie und ihre dicke Schwester waren ein Heimathafen für die westindischen Einwanderer. Sie lieferten in einem niemals gefegten, mit einem blinden Spiegel und einem heiseren Plattenspieler gezierten Lokal alles, was die Landsleute in dieser Roastbeef-Wüste brauchten: geröstete süße Kartoffeln, ein spezielles hartes Brot, Früchte aus Westindien, roten Pfeffer und »schwarzäugige Erbsen« zum getrockneten gesalzenen Fisch. Mrs. Jackson kaufte alle diese Delikatessen auf dem Brixton Markt in London S. W. 9, wo ihre Kusine zusammen mit ihrem englischen Mann einen offenen Laden hatte.

»Jetzt wäre die Zeit, diesen Mr. Miller rauszukomplimentieren«, sagte Mr. Leech nachdenklich. »Der Bursche gefällt mir nicht. Ob er nicht doch von der Polizei ist? Ich habe ihm seinerzeit Heroin verkauft. Vielleicht tat er nur so. Was meinst du?«

Mr. Burstow zögerte mit der Antwort. Er verschlang gerade mit unglaubhafter Geschwindigkeit eine Brotfrucht. »Wir wollen ihn nicht vorschnell verurteilen, Daniel! Wenn du mich fragst, versteckt sich dieser Gent vor der Polizei. Sehr peinlich für uns! Wir vermieten doch nur an einwandfreie Leute.« Mr. Burstow räusperte sich tugendhaft und nahm ein paar Mangofrüchte in Angriff. »Man soll immer Freunde im Himmel *und* in der Hölle haben, mein Sohn! Du bist eifersüchtig auf diesen Gent! Du möchtest wohl gern mit Miss Boussac im Heu herumrollen, he?«

»Man tut gut, unzüchtige Dinge anständig auszudrücken«, teilte Mr. Leech dem Restaurant im allgemeinen mit. Die kleine Madeleine in der Dachkammer hatte ihm schon in Soho gefallen. Aber dieser Gent, der vielleicht doch für die Polizei in Portobello herumspitzelte und den Leuten nicht einmal ihr bißchen Spaß und Rauschgift gönnen wollte, paßte höllisch auf. Obwohl er nur abends in die Gasse kam, mußte er das Mädchen behext haben. Sie hatte stets ihre Tür abgeschlossen. Dabei war Mr. Leech soviel jünger und schöner als der Gent! Aber er war arm. Miss Boussac sah aufs Geld. Das ganze Haus wußte von Mr. Millers Geschenken. Miss Crackerley konnte nicht nur Horoskope stellen, sondern sah offenbar durch Wände hindurch. Eine ganz Schlaue, diese Miss Crackerley! Mr. Leech blickte düster vor sich hin. Er war es nicht gewohnt, daß man seine Liebe mit Füßen trat. Madeleine bezahlte ihre Zigaretten und schlug ihm dann die Tür vor der Nase zu. Es war eine Schande, einen britischen Staatsbürger so zu behandeln. Aber Staatsbürger Leech war auch nicht von vorgestern. Er hatte seine kleinen Tricks. Miss Boussac sollte noch ihre Wunder erleben.

»Vergiß das Mädchen, Daniel«, riet Mr. Burstow gutmütig. Er las in dem Gesicht seines jungen Freundes wie in einem westindischen Dekamerone. »Es gibt mehr Honigbienen in Notting Hill! Und alle stechen.« Er lachte behaglich. Der Honigbiene Burstow hatte er das Stechen allmählich abgewöhnt. – Mr. Leech antwortete nicht. ›Der Tröster hat niemals Kopfschmerzen‹, dachte er verbittert, stand mit katzenhafter Grazie auf und schlenderte dem Markt zu. Heute war Sonnabend und großer Betrieb. Menschenmassen schoben sich die Portobello Road hinunter – es gab soviel zu sehen und zu kaufen!

Mr. Leech sah sich sorgfälig um, ob er den Gent irgendwo bei den Silberwaren oder alten englischen Gläsern entdecken konnte. Aber Mr. George Miller war nirgends zu sehen.

Mr. Leech schlich in die Sackgasse zurück, bevor sein Mut ihn verließ. Er öffnete vorsichtig mit dem neuen Nachschlüssel die Tür zu Miss Boussacs Zimmer.

Sie schlief. Sie hatte offenbar stark geraucht, denn im Zimmer war ein Duft von Verfall und Marihuana.

Mr. Leech tänzelte zum Bett. Sein Herz klopfte. Er wußte nicht, ob aus Erwartung, Angst vor Mr. Miller oder befriedigter Rachsucht. Gestern hatte Madeleine ihn wieder *Darkie* genannt – und neulich *Nigger*, nämlich als er in gerechtem Zorn den Preis für die Marihuana-Zigaretten gesteigert hatte. Wer einen britischen Staatsbürger beschimpfte, konnte nicht auf Freundschaftspreise rechnen. – Und auf keinen Fall ließ Mr. Leech sich wie einen Fisch vom gestrigen Mittagsmahl in den Ascheimer werfen.

Er stand vor dem Bett und fühlte sich elend vor Angst und Lust. Kleidungsstücke lagen in der Kammer verstreut. Auf dem Nachttisch lag der Smaragdring von Großmutter Bonnard, den Gordon Miles ausgelöst hatte. Daniel starrte den Ring hypnotisiert an. Es kam ihm keinen Augenblick in den Sinn, den Ring zu entwenden. Er kam aus einer vornehmen Familie – er würde später ein hoher Staatsbeamter in Kingston sein und sich amüsieren und befehlen.

Er würde diese Madeleine großmütig heiraten, sobald er ihr Manieren beigebracht hatte. *Nigger*! – Mr. Leech versank in eine Art von versteinertem Zorn. Er würde der kleinen Hure eine Lektion erteilen. Es sollte eine ganz milde Lektion sein. Er wollte sie nur besitzen und dann verprügeln. Das war alles. Er wollte weder wild noch abstoßend werden. Aber Madeleine würde von heute an wissen, daß sie Mr. Leech respektvoll entgegenkommen mußte. Sie würden auf ein Schiff gehen und in Kingston heiraten – falls seine Familie es erlaubte.

Mr. Leech hatte es sich auf dem Bettvorleger bequem gemacht und brütete über das erlittene Unrecht nach, statt zur Bestrafung der spärlich bekleideten jungen Dame zu schreiten. Er hatte sich das Strafgericht mit Lustgewinn in seiner lebhaften Phantasie so häufig ausgemalt, daß er den ganzen Vorgang wie am Schnürchen beherrschte. Was er nicht beherrschte, war seine leidige Gewohnheit, seine Gedanken auf Reisen zu schicken und das Strafregister seiner weißhäutigen Feinde zu memorieren. Ihm fehlte die Zielbewußtheit seiner Feinde, die Schritt für Schritt eine Handlung durchführten. Mr. Leech gab sich nicht ohne Genuß seinen masochistischen Zwangsvorstellungen hin. Er durchlebte auf diesem geflickten Bettvorleger im Geist noch einmal seine gesamten Erfahrungen in Großbritannien, von der Ankunft bis zu der Begegnung mit Mr. Miller im Treppenhaus. »Gottes Mühlen mahlen langsam«, hatte Daniel gesagt. »Sehr nett!« war die Antwort. Wie der Gent dabei zur Seite geblickt hatte! Mr. Leechs Anblick schien ihm Höllenqualen zu verursachen. –

Ob Mr. Leech in seinem Trance Miss Boussac vergessen hatte, oder ob seine Reaktionen so langsam waren wie Gottes Mühlen, das ist schwer zu entscheiden. Sicher war nur, daß Mr. Leech in seiner Sorglosigkeit nicht einmal die Tür abgeschlossen hatte. Er war im Gedanken in einem großen leeren Traumhaus und raste über weitläufige Treppen, da er von einem Dämon verfolgt wurde. Der Dämon war Mr. Leech schon in seiner Kindheit erschienen. Er hatte mehrere feuerspeiende Köpfe, ein gieriges Maul und einen ungemütlichen Gesichtsausdruck.

Mr. Leech hatte so volle fünf Minuten auf Maries Bettvorleger meditiert, als die Tür sich öffnete. Der Dämon erschien – da gab es keinen Zweifel. Gelähmt vor Angst, starrte Daniel ihm ins wutrote Gesicht. Es war natürlich nicht der westindische Kinderschreck, den Mr. Leech vor sich sah. Der Dämon trug einen Bowlerhut und einen Überzieher von tadellosem Schnitt und Material. Er hatte dünne Lippen und nur einen einzigen feuerspeienden Kopf. Der Gesichtsausdruck hätte allerdings auch bei der Konkurrenz in Jamaica nicht ungemütlicher sein können. Auch noch etwas war genau wie in den Schreckträumen aus Daniels Kindheit. Der Dämon fragte nicht erst, was Daniel in diesem Zimmer zu suchen hatte, sondern stürzte sich — komplett mit Bowlerhut und Überzieher — auf den erstarrten, aschgrauen jungen Mann und verfolgte ihn programmgemäß durch das steile Treppenhaus. Das heißt — er verfolgte ihn nicht. Gordon Miles warf den jungen Mann rasend vor Wut die Treppe hinunter. Leech mußte sich das Genick brechen. Und das war genau, was der milde Mr. Miles beabsichtigte. War er nicht länger er selbst? Ein Mann, der Gewalttätigkeit sein Leben lang verabscheut hatte? Ein gesetzestreuer Mann aus Kreisen, in denen man höchstens Füchse jagte und tötete? Oder war Gordon Miles gerade in diesem Augenblick mehr er selbst, als er es jemals zuvor gewesen war? War diese mörderische Wut, die seine Hemmungen und jegliche Überlegung auslöschte, seine wirkliche Natur, die er erst mit fünfzig Jahren in dieser Häuserwüste entdeckt hatte? Hatte er den ganzen Apparat des englischen Gesetzes vergessen, der kurz nach der Tat in Kraft treten würde? Hatte er seine Eltern, seine Frau und seinen Studienfreund Charles vergessen, dessen Bruder ein Strafverteidiger war, der vielleicht plädieren würde? Was brachte ihn zu dieser Mordtat. Momentane Geistesgestörtheit — wie man dergleichen bei feinen Leuten zu nennen pflegt — oder einfach Rachedurst, weil ein junger Mann sein Mädchen besessen hatte? Miles kam nicht auf den Gedanken, daß noch gar nichts passiert war. Und niemand beim Gericht würde es sich vorstellen können. Denn einmal lag ja der junge Student aus Kingston mit gebrochenem Genick am Fußende der Treppe, und sodann hätte schon jemand die Mentalität der farbigen Mitmenschen etwas genauer kennen müssen als Gordon Miles. Der Student Leech hatte ganz friedlich auf dem Teppich gesessen, und das Bett war kein bißchen verwühlt. Nur der Kopf des Mädchens hatte unter der Bettdecke hervorgeschaut, und nicht einmal verführerisch! Das schlecht gefärbte Haar war verwirrt und etwas verfilzt, und der Speichel rann aus dem halboffenen Mund auf die feine weiße Wolldecke. Man sieht im Rausch nicht wie Venus oder eine Schönheit aus der Illustrierten aus. Aber das alles hatte Miles gar nicht bemerkt. Seine Wut hatte ihm Scheuklappen angelegt. Sein einziger Impuls war Rache. War es aber wirklich Mord aus Leidenschaft? Es war Mord aus Stumpfsinn. Denn Gordon Miles – aufgeschlossen für die schönen Künste und den milden Sitten seines Landes – hatte in dem Augenblick der Tat an stumpfem Sinn gelitten, an einer extremen Form von katatonischem Wahn, wie er viele Mörder kurz vor der Tat befällt. Er hatte einen heulenden Laut ausgestoßen – wie ein Tier, nicht wie Gordon Miles, dem leises Sprechen zur zweiten Natur geworden war. Dieser unmenschliche Laut riß Miss Crackerley aus ihrer Siesta mit Tee und Käsekuchen. Sie hatte nie ein solches Geheul gehört und humpelte mühsam zur Tür. Dank ihrer scharfen Intelligenz erfaßte sie die Situation sofort. Sie sah den jungen Mann in einem komischen Bogen die Treppen hinunterrollen. ›Wie im Zirkus‹, dachte Miss Crackerley. Dann sah sie den freundlichen Herrn, der ihr öfters mit den Paketen geholfen hatte, auf dem Treppenabsatz stehen. Er stand wie angewurzelt da und rührte sich nicht. Sein Gesicht war bedrohlich gerötet, sein Mund stand offen, seine Augen schienen aus dem Kopf zu quellen. Miss Crackerley blickte sich scharf um. Es war anscheinend niemand im Haus. Mr. Burstow war im Restaurant, die Schlangentänzerin machte heute einen Ausflug mit ihrem Albert, und Mrs. Burstow war immer noch verreist.

Miss Crackerley humpelte zu dem freundlichen Herrn, der so sonderbar aussah. Sie berührte mit ihrer kleinen dicken Hand sacht seine Schulter. »Gehen Sie, Sir«, flüsterte sie. »Schnell!«

Miles blickte die kleine Kugel mit dem alten Puppengesicht verständnislos an. Was hatte sie gesagt? Er strich sich mit der feinen Hand über die mit kaltem Schweiß bedeckte Stirn. Und dann sah er Miss Crackerleys Augen auf sich gerichtet – mitleidige und kluge Augen, wie alle Menschen sie haben sollten und meistens nicht haben. In Miss Crackerleys Blick war das Wissen um verschwiegenes Leiden und jene Ahnung von bösen Sternen, die sie aus ihren Verkaufs-Horoskopen verbannte. Der Blick war traurig und doch wach und sehr sanft. Er drang durch die Schicht von Stumpfheit in das Bewußtsein des reglosen Mannes in seiner Gebrechlichkeit und seiner Gefährdung. Am Fuß der Treppe lag eine leblose Masse im grellgestreiften Hemd. Der Strohhut mit dem kecken Band, den Mr. Leech während seiner letzten Meditation auf dem Kopf behalten hatte, war bis an die Türschwelle gerollt.

»Kommen Sie, Sir«, flüsterte Miss Crackerley. Wie sie es fertigbrachte, ist schwer zu sagen – aber der große, kräftige Mann stützte sich auf sie und ihre Krücken, und so schlichen sie die Treppe hinunter. Einmal meinte Miss Crackerley einen Laut zu hören – aber er kam nicht aus dem Haus. Nach einer Ewigkeit hatten sie die Haustür erreicht.

»Eine Taxe, Sir«, flüsterte Miss Crackerley.

»Wie bitte? . . . Ach so!«

Gordon Miles schlich an der reglosen Masse vorbei ins Freie, wo die Leute sich drängten, weil Sonnabend-Markt in Portobello war. Damit hatte Miss Crackerley gerechnet. Der Herr verschwand in der Menge. Miss Crackerley humpelte erschöpft in ihr Zimmer. Der Tee war kalt und der Käsekuchen vertrocknet. Sie schob die Mahlzeit an den Tischrand. –

Kaum war Miss Crackerley verschwunden, erhob Mr. Leech sich aus seiner Lage. Er konnte springen und fallen wie eine geschmeidige Katze. Er hatte sich tot gestellt. Das war immer noch das sicherste Mittel, um am Leben zu bleiben.

Er schlich vorsichtig auf die Straße. Nach einigem Suchen hatte er den Bowlerhut entdeckt. Er folgte Mr. Miles durch die Menschenmenge vorsichtig bis zur Kensington Park Road, wo ein großer eleganter Wagen hielt. Der erfolglose Mörder schwankte wie ein Betrunkener und blickte sich nicht um. Mr. Leech schlich hinter ihm her. Falls Miles sich aber umgeblickt hätte, würde er Mr. Leech trotzdem nicht erkannt haben. Einmal hielt er ihn für tot, und dann gehörte Mr. Miles zu den Leuten, die einen farbigen Mann nicht vom anderen unterscheiden können.

Miles stand betäubt vor seinem Wagen, als ein Messer in seine Richtung flog. Wer hatte es geworfen? Es konnte nur Mr. Leech hinter einer halb geschlossenen Haustür gewesen sein. Miles fühlte einen scharfen Schmerz im Rücken, kletterte aber noch in seinen Wagen. Etwas rann ihm klebrig den Rücken herunter. Er konnte sich bewegen, nur war er einen Augenblick lang sehr schwach. Er fuhr ein paar Meter, hielt dann mit einem Ruck und taumelte auf einen Schutzmann zu.

»Sie sind verletzt, Sir«, sagte der große freundliche Bobby und betrachtete das Blut auf seinen weißen Handschuhen. Miles wollte gerade sagen, daß er einen Mann ermordet hätte und es bei der nächsten Polizeistation melden wollte. Aber er murmelte nur: »Ich habe . . . einen . . .«

Dann sagte er nichts mehr. –

II

Mr. Leech schlich ins Logierhaus Burstow zurück. Er war todmüde, aber in seinem Kopf summte es, wie wenn tausend Honigbienen sich in seinem Hirn häuslich niedergelassen hätten. Er fühlte jeden Stachel, der ihm ins Hirn drang, und es war kein gutes Gefühl. Er mußte jetzt *alle* seine Feinde vernichten! Er wollte nur die Angst in ihren kalkweißen Gesichtern sehen – das war lustig. Und es war gerecht. Man mußte Schritt für Schritt vorgehen. Diese weibliche Person im Logierhaus – auch sie durfte keinen Tag länger leben! Sie war mit dem Gent im Bunde gewesen. Wer das Geld hatte, hatte die Beschützer und die Gönner. Alle waren sie Feinde, die Daniel Leech nicht für voll nahmen. –

Er schlich lautlos die Treppen hinauf bis zu dem Zimmer der Person. Die Tür stand offen. Er brauchte keinen Nachschlüssel.

Er starrte in zwei erstaunte Augen.

»Darf ich nähertreten«, fragte Mr. Leech sanft. –

ACHTES KAPITEL

Immer am Sonntag

I

Immer am Sonntag besuchte Mr. Gaylord Bunch seine alte Freundin Miss Crackerley. Mr. Bunch wußte nicht, was er sonst am Sonntag in dieser Riesenstadt anfangen sollte. Er konnte weder Beiträge für seine Vereine sammeln noch Lebensversicherungen verkaufen. Dagegen konnte er am Sonntag bei Miss Crackerley mit einem sehr reichlichen Tee rechnen. Mr. Bunch rieb sich die fröstelnden dürren Finger. Er war drei Tage außerhalb von London gewesen, um in der Provinz Lebensversicherungen zu verkaufen, und hatte wenig Erfolg gehabt – wie immer. Die Leute wurden immer zynischer und gaben das Geld für andere Vergnügungen aus. Mr. Bunch schüttelte seinen grauen Kopf mit den hervorstehenden blauen Augen, der großen Warze links vom Kinn und der roten spitzen Nase. Er kämmte sich vor dem Spiegel seine letzten Haarsträhnen, um auf Miss Crackerley Eindruck zu machen. Er hatte sich nun doch zur Heirat mit ihr entschlossen. Sie war eine behagliche Person mit einem gutgehenden Sternenhandel, und Mr. Bunch würde endlich täglich seine Mahlzeiten gekocht und serviert bekommen. Er aß bisher meistens in dem westindischen Restaurant, das Mr. Burstow und Mr. Leech besuchten. Es war billig, aber das war auch alles. Mr. Bunch schätzte einen nett gedeckten Tisch, ein saubergekleidetes Gegenüber und Mahlzeiten, die von den Gewürzen und Düften Westindiens unberührt blieben. Miss Crackerley bot alles das und dazu ihre eigene rundliche Person. Sie war ein reguläres Sofakissen. Mr. Bunch war in die Jahre gekommen, wo man ein Sofakissen jeder Schlangentänzerin vorzieht. Mit Schlangen kannte man sich nie aus. Mit Miss Crackerley wußte man, woran man war. Sie war eine Londonerin wie Mr. Bunch. Beide waren unempfindlich gegen Geräusche, liebten ihren Klatsch und »ihr Bier und Bitteres« und konnten ihre instinktive Abneigung gegen Mr. Leech hinter freundlichen Mienen verbergen. Mr. Bunch war sich nicht darüber klar, warum er den jungen Studenten aus Jamaica nicht leiden konnte. »Ich habe keine Vorurteile«, hatte Mr. Bunch unzählige Male zu Miss Crackerley gesagt, »aber ich ziehe den Trennungsstrich bei den Herren Burstow und Leech. Sie sind britisch – schön und gut –, aber ich ziehe den Trennungsstrich.« – Mr. Bunch hielt diese Haltung für Toleranz. »Nicht meine Sorte«, fügte er erklärend hinzu. Wenn Miss Crackerley ihm dann Gurkenbrote anbot und christliche Milde empfahl, erklärte er: »Ich *bin* milde, aber ich habe ein Recht auf meine Sorte.« – Miss Crackerley war seine Sorte – darum wollte er ihr heute nachmittag einen Heiratsantrag machen.

Es war totenstill in dem Logierhaus hinter der Portobello Road. Mr. Burstow war am Sonnabend abend bei Freunden in der Gegend versackt und mußte den Studenten Leech mitgenommen haben. Der Handlungsreisende George Miller war wohl wieder auf Reisen. Das Mädchen aus Paris war entweder in ihrem Zimmer oder in Soho – Mr. Bunch ignorierte Mlle. Boussac, nachdem sie ihm zweimal zuerst in die Augen geblickt hatte und dann fortgelaufen war. ›Französinnen‹, dachte Mr. Bunch, ›nicht meine Sorte!‹

Mr. Bunch blickte auf seine Uhr: Fünf Uhr genau. Er räusperte sich, rieb sich die Hände noch einmal in froher Erwartung des Tees und des Verlobungs-Geschäfts und klopfte an Miss Crackerleys Tür.

Keine Antwort. –

Mr. Bunch fühlte eine leichte Trübung seiner wolkenlosen Sonntagslaune. Er klopfte seit fünf Jahren jeden Sonntag Schlag fünf an Miss Crackerleys Tür und wurde unter Gekicher hereingebeten. Er sah immer drei Dinge – Miss Crackerley selbst vor dem Teetisch, die Rosinenbrote und gebutterten Muffins, den geräucherten Fisch, die Erdbeer-Konfitüre und die belegten Brote – und als drittes Miss Crackerleys Samtjacke über der Stuhllehne. Er würde ihr zur Verlobung ein Stück roten Samt schenken, damit sie die Jacke erweitern konnte. Eine Ehefrau in roter Samtjacke war ebensogut oder besser als die Stripteaser in den Nachtclubs. ›Nicht meine Sorte‹, dachte Mr. Bunch hochmütig.

Die Stille im Korridor verdarb Mr. Bunchs Sonntagslaune. Es knackte in den alten rissigen Wänden des Hauses. Es war der einzige Laut, den Mr. Bunch hörte. Im Nebenhaus plärrte das Radio – aber Mr. Bunch war etwas schwerhörig.

Außerdem zog es im Treppenhaus. Mr. Bunch schauerte leicht zusammen und klopfte nochmals an Miss Crackerleys Tür. Wie konnte man sich so lange anziehen? Er würde der künftigen Mrs. Bunch diese Saumseligkeit abgewöhnen müssen. Mr. Bunch benahm sich bereits wie ein im Dienst ergrauter Ehemann. Fünf Jahre hatte Miss Crackerley Schlag fünf Uhr kichernd »Bitte eintreten!« gerufen, und heute, wo sie zum erstenmal unpünktlich war, erschien sie ihrem Zukünftigen bereits als eine saumselige Person, die dringend einer Ermahnung bedurfte.

Es war dunkel auf der engen Treppe. Die Visitenkarte an Miss Crackerleys Tür leuchtete kalkweiß. Es war ein trüber Nachmittag. Mr. Bunch hatte die kahle Birne angeknipst und stand in einem Teich von kränklichem gelbem Licht. Roch es nach Moder in dem alten Stall? Oder nach den Pferden, die hier früher gewohnt hatten? ›Wir werden hier ausziehen‹, dachte Mr. Bunch – ganz der Herr und Meister. ›Hier kann man noch so viel scheuern und schrubben, an den Wänden klebt nun einmal der Schmutz von Generationen.‹ Man würde die Preise für die Horoskope steigern, und er mußte mehr Lebensversicherungen verkaufen, dann konnten sie in eine der Vorstädte ziehen, einen Garten haben und Mr. Bunchs Lieblingsblumen pflanzen. Er konnte es keinen Augenblick länger ohne einen Garten aushalten. Hunger und Durst hatte er auch. – Hoffentlich hatte Miss Crackerley Käsekuchen gekauft.

»Miss Crackerley«, rief er durch die Tür. »Darf man eintreten?«

Keine Antwort, kein Kichern, kein Garnichts.

Ob Miss Crackerley krank war? Aber man war doch nicht so krank, daß man nicht antworten konnte? Mr. Bunchs Laune sank auf den Nullpunkt. Er war für einen Teenachmittag, nicht für eine Krankenvisite eingeladen. Er würde Miss Crackerley ihre Sorglosigkeit in der Behandlung von Männern abgewöhnen müssen, aber sonst war sie in Ordnung. ›Meine Sorte‹, dachte Mr. Bunch selbstzufrieden. Er war heimlich immer der Ansicht gewesen, daß es um Großbritannien und die Welt besser bestellt sein würde, wenn es mehr von seiner Sorte in London gäbe. Aber natürlich dachte man so etwas nur. Keine

Gehirnwäsche hätte Mr. Bunch veranlassen können, diese Ansicht zu äußern. –

Er faßte sich ein Herz, öffnete die Tür und stand einen Augenblick versteinert da. Miss Crackerley lag auf dem Boden. Aber es war gar nicht Miss Crackerley, wie Mr. Bunch sie seit fünf Jahren kannte und schätzte. Ihre gelben Locken waren wirr, ihr altes, rosig geschminktes Kindergesicht war bläulich angelaufen, und ihre Augen schienen aus den Höhlen zu quellen. An ihrem runden, behaglichen Speckhals waren häßliche Würgmale. Ihre dicken kurzen Beine waren gespreizt, und ihre ringgeschmückten molligen Händchen waren anklagend ausgestreckt. Sonst hatte sich nichts in dem Zimmer geändert. Auf dem Kamin standen wie stets die Plastikblumen von Woolworth neben der Photographie von Miss Crackerleys Eltern ... Londoner Gesichter, gewollt ausdruckslos, dabei pfiffig und milde vor sich hindösend. Die alten Herrschaften Crackerley aus dem East-End schienen zu sagen: »Was ihr auch heutzutage anstellt, wir wissen, was wir wissen.« Sie wußten alles und das meiste besser – wie so viele Londoner. Aber daß ihre Tochter einmal von dem westindischen Studenten Leech in einem Anfall von Rachsucht, Angst und Wahnsinn erwürgt werden würde, weil sie mit Mr. Miller im Bunde gewesen war, das hatten Mr. und Mrs. Crackerley nicht geahnt. Geglaubt hätten sie es – man hatte so etwas oft erlebt oder in der Zeitung gelesen. –

Mr. Bunch setzte sich auf »seinen« Sessel mit dem gestrickten Rükkenschoner. Auf dem Tisch standen eine halbgeleerte Teetasse und ein Teller mit einem Stück Käsekuchen. Der Rest mußte im Schrank in der Kochnische sein. Mr. Bunch kniete nieder und suchte Miss Crackerleys Puls. Das tat man. Er hatte es tausendmal im Kino gesehen. Das Händchen war eiskalt. Mr. Bunch erhob sich mühsam und sank in den Sessel zurück. Ihm war schwindlig. Es mußten der Schock und der Hunger sein. Ohne zu wissen, was er tat, streckte er die Hand nach dem vertrockneten Käsekuchen aus. Er aß ihn Brocken für Brocken, während ihm die Tränen über das lederne Gesicht liefen. Er stand auf und ging zur Kochnische. Er hatte zum Mittag nur eine Suppe und belegte Brote gegessen, weil Miss Crackerley ihm sonntags einen *high tea* vorsetzte. Er aß noch ein Stück Käsekuchen, ein Rosinenbrötchen mit Butter und schnitt sich zwei Sandwiches mit dem guten mageren Schinken, der drei Pennies mehr kostete als die fette Sorte. Miss Crackerley hatte sich sein Herz damit erobert, daß sie an den Kosten für seinen Tee nicht sparte. Er dachte dumpf: ›Die guten Sachen . . . sie hat schließlich . . . teures Geld dafür bezahlt‹, und aß weiter, während seine Tränen das Brot aufweichten und das Schlukken ihm schwer wurde. Er war dreiundsechzig Jahre, und nun war er ganz allein. Er deckte eine Wolldecke von Miss Crackerleys Bett über ihre Beine. Sie war seine Sorte, und es wäre ihr nicht recht gewesen, so unmanierlich dazuliegen. Er sah nach, ob die Schränke erbrochen waren. Dann wäre es Raubmord. In der rechten Schublade der alten Kommode lagen die Horoskope und Kundenlisten. Alles proper und in Ordnung. –

Mr. Bunch ließ sich nochmals auf die schmerzenden Knie nieder: sein Rheumatismus wurde in dem feuchten Haus immer schlimmer. Nun konnte er niemals mehr in eine grüne ruhige Vorstadt ziehen. Andere Leute würden seine Blumen pflanzen und begießen. Miss Crackerley würde niemals mehr sagen: »Essen Sie noch ein Schinkenbrot – *bitte*! Tut Ihnen gut! Sie sind nur Haut und Knochen! Und noch eine nette Tasse Tee!«

Tee! Aber Mr. Bunch vergaß den Tee in der nächsten Minute. Er kniete neben seiner alten Freundin, die ihm – immer heiter und niemals knickrig – seit fünf Jahren seinen Sonntag verschönt hatte. Was sollte er machen? Wen sollte er besuchen? Wer würde den guten mageren Schinken für einen mürrischen alten Mann kaufen? –

Er strich scheu mit seiner dürren, blaugeäderten Hand über Miss Crackerleys Locken. Jetzt sah sie ganz ordentlich aus – so würde sie aussehen wollen. Er deckte sein eigenes Taschentuch über das fremde, blaugeschwollene Gesicht. Wie lange mochte sie so gelegen haben? Er wusch seinen Teller ab und säuberte Miss Crackerleys Tasse mit dem abgestandenen Tee – es mußte ihre letzte Tasse gewesen sein. Die Milch war zu Klumpen geronnen. Er trocknete die Tasse sorgfältig ab und stellte sie in den Küchenschrank zurück, auch den Rest Schinken und den Kuchen.

Dann erst verließ er das Zimmer und klopfte bei Mr. Burstow an. Keine Antwort. Er stieg ins Dachgeschoß. Kein Laut. Es war niemand zu Hause. Miss Boussacs Zimmer war abgeschlossen. Er klopfte nicht weiter. Sie sprach Englisch mit einem Akzent, und sie war nicht seine Sorte. – Das Zimmer des Handlungsreisenden Miller war leer, aber im Schrank hing sein Regenmantel, und in der Kommode lag etwas feine Wäsche. Der würde wiederkommen. –

Das Zimmer des Studenten Daniel Leech sah dagegen wie ein Schlachtfeld aus. Papier lag überall herum. Die Schubfächer waren völlig leer. Der Vogel war fortgeflogen. –

Mr. Bunch stand reglos. In seinem Kopf mit dem harten Londoner Wirklichkeitssinn ergaben das leergeräumte Zimmer und die Leiche im Nebenraum eine glatte Rechnung. Er sah sich um, ob der Student Leech vielleicht zurückgekommen war, um ihn – einen Zeugen! – anzufallen. Aber niemand kam. Und Mr. Bunch hätte sich gewehrt. Bei Gott – er hätte den Bastard einige Dinge gelehrt! Wieder krampfte sich etwas in ihm bei dem Gedanken an Miss Crackerley zusammen. Er suchte sein Taschentuch. Dann erinnerte er sich, daß er es über ihr Gesicht gebreitet hatte. Er wischte sich mit dem Handrücken die alberne Feuchtigkeit aus den Augen. –

Dann verließ er das Haus. Er ging in eine rote Fernsprechzelle und meldete der Polizei den Mord in den Portobello Mews.

II

Immer am Sonntag machte Gordon Miles seine privaten Ausflüge, wenn er nicht mit Dorothy ihre Freunde besuchen mußte. Er fuhr nach Chiswick in der Grafschaft Middlesex und besuchte Hogarth. Hier in Chiswick hatte der große Maler und Kupferstecher vor zweihundert Jahren in dem »kleinen Kasten an der Themse« gelebt und gearbeitet. Gordon Miles sah Hogarth vor sich: die kleine kräftige Gestalt mit dem wissenden »Jockey-Blick« in den blauen Augen. Ein Londoner, wie Miles ihm oft begegnet war. Hogarth hatte sich in seiner Welt scharf umgesehen. In der Beziehung war er seinem Bewunderer Miles weit überlegen gewesen. In seinem *Cockney-Spiegel* hatte Hogarth im 18. Jahrhundert Londons Glanz und Dunkelheit aufgefangen: vornehme Damen, brutale Richter, Schurken, Bettler, Liebhaber in seidenen Röcken, Zwerge, Trunkenbolde, Kupplerinnen, Taschendiebe, Schutzleute, Tanzlehrer, Spieler, Biertrinker und Huren. Viele Huren – große und kleine, schöne und häßliche, junge und vom Zahn der Zeit angeknabberte Stripteaser im Reifrock. Hogarth hatte auch die Kulissen für seine Londoner geliefert: Gin-Paläste, Salons, Gerichtssäle, Green Park und Covent Garden, Bedlam und die Gefängnisse. Er hatte viel mehr gesehen als Gordon Miles in Wiltshire oder in der Park Lane. Mr. Miles hatte nur blutlose Damen getroffen und dann eine einzige kleine Hure in dem Logierhaus in den Portobello Mews. Und nun, während er in der Privatklinik auf dem Rücken lag, schien es ihm, als hätte Madeleine – oder wie immer das Mädchen heißen mochte – alle Hurenschönheit, alle Tricks, die Dreistigkeit und die Süßigkeit von Hogarths leichten Mädchen besessen. –

Immer am Sonntag besuchte Dorothy ihn in der Klinik. Sie hatte nun nichts anderes zu tun, da Miles verwundet in der Marylebone Road lag. Sie tat natürlich, was Millionen von Londonern am Sonntag tun – sie las die *News of the World.* In diesem Blatt stand alles, was in der Riesenstadt allwöchentlich passierte. Kürzlich stand in den *News*, die Polizei habe den westindischen Studenten Daniel Leech wegen Mordverdacht verhaftet. Das Logierhaus in Portobello war abgebildet. Das Haus war menschenleer gewesen, als die Polizei durch einen Telephonanruf verständigt wurde. Man hatte Mr. Leech aus Jamaica ohne Schwierigkeiten gefunden. Die Fingerabdrücke und Würgemale am Hals der Leiche waren unverkennbar die seinen, und er hatte sofort gestanden. Er wußte nicht mehr, warum er die ältliche Mieterin erwürgt hatte. Er wollte ihr einen Denkzettel geben, aber er hatte vergessen warum. Den Reisenden George Miller aus demselben Haus hatte Mr. Leech nicht erwähnt. – Dorothy Miles ließ die Sonntagszeitung bei ihrem Mann in der Klinik, wo die Schwestern sie zum Tee lasen. Der Patient las nicht. Er lag still auf dem Rücken. Seine Fleischwunden heilten, und wenn er aus dem Heilschlaf erwachte, behauptete er, er hätte jemanden umgebracht. Niemand nahm das ernst. Der Sachverhalt war klar. Einmal war Mr. Miles offensichtlich nicht ganz ohne Heroin-Erfahrung. – »Und Sie wissen ja, mein Lieber, das Zeug verursacht Wahnvorstellungen bei den feinsten Leuten!« – und dann hatten in Mr. Miles Wagen einige alte chinesische Teller und Bilder gelegen. Er ging oft sonnabends auf den Portobello Markt. Da gab es immer noch dies Zeug – neben soliden Bratpfannen und roten Samtjacken. Mr. Miles hatte den Trick heraus. Er pflanzte eine Mingvase neben einen hochmodernen Teetisch, und schon hatte er in der Brust nüchterner Millionäre wieder ein Bedürfnis und eine Sehnsucht nach Schönheit erweckt. Mr. Miles verkaufte Bedürfnisse! Ansehen tat man ihm Gott sei Dank nichts von diesen Exzentrizitäten. Er sah aus wie jeder andere Gentleman – nur noch farbloser.

Der Tatbestand war klar. Kunstsammler Miles war in Portobello in irgendeine Messerstecherei zwischen schwarzen Gentlemen geraten – »eine von jenen Gegenden, wissen Sie! Man schrickt zusammen, wenn man ein englisches Gesicht sieht«!

Aber Mr. Miles ließ den Leuten in der Klinik keine Ruhe. Und so erschien eines Sonntagsnachmittags – es war Gordons dritter Sonntag in der Klinik – sein Freund Walter Langton, ein eminenter Strafverteidiger. Sir Walter sah – wie Hogarth – »die Manieren der Leute in ihren Gesichtern« und wanderte mit seinen Klienten wortkarg, aber aufmerksam durch die Labyrinthe des Verrats, der Leidenschaft und der Stupidität. Gordon Miles hatte Sir Walters Haus in Sussex eingerichtet. Das verstand der Bursche – aber sonst war er kein Licht. Wenigstens nicht, was Sir Walter unter einem Kirchenlicht verstand. –

Er saß anscheinend im Halbschlaf an Gordons Bett und brachte erst einmal etwas Ordnung in dessen ungereimte Erzählung. »So geht es nicht, alter Junge«, sagte er milde. »Du mußt mir schon reinen Wein einschenken und mit dem Anfang anfangen!«

Miles wurde rot wie ein Schuljunge. Sir Walter schien es nicht zu bemerken. Er hörte die ganze ungereimte und traurige Erzählung von Gordons drittem Frühling in Portobello ohne Wimperzucken an. Der Mann war fünfzig Jahre und mit Dorothy verheiratet. Na ja ... Dorothy war zwar keine üble Sorte, ähnelte aber verzweifelt dem alten Lord Howe: Pferde, dann eine Weile nichts und dann nochmals Pferde. Aber es gab schlechtere Frauen. Sie war ganz betroffen, daß Gordon den Kopf abwandte, wenn sie ihn pflichtgetreu am Sonntag besuchte. Heute war sie auf Sir Walters Wunsch nicht gekommen. Er hatte sich natürlich mit Dorothy Miles unterhalten. »Wir sind miteinander ausgekommen«, hatte sie gesagt. Sir Walter hatte nichts auf die Feststellung erwidert, aber er hatte die Augenbrauen hochgezogen: ein Zeichen, daß er Zweifel hegte. Dorothy hatte nach einer Weile gemurmelt: »Ich weiß nicht, was Gordon an mir auszusetzen hat! Er ... er geht seit Jahren seine eigenen Wege.« Ihre Mundwinkel hatten gezuckt. Sie hatte sich hastig eine Zigarette anzünden wollen, aber die Zigarette war auf den Teppich gefallen, weil ihre Hände zitterten. Sir Walter hatte die Zigarette aufgehoben und für Dorothy eine frische angezündet. »Gordon kann jetzt seine Scheidung haben, wenn er durchaus will!« Dabei hatte Dorothy ihr scheußliches Silbertablett angestarrt. »Sei doch nicht albern«, hatte Sir Walter milde gesagt. »Er braucht dich!«

Der erstaunte Blick in Dorothys Augen war ihm nahegegangen. Das war ja unglaublich. Er hatte immer gedacht, Dorothy hätte zuviel Selbstbewußtsein. Und ihr hartes Gesicht! Aber lerne einer die Leute kennen!

»Mach dir keine Sorgen, Dorothy! Ich werde Gordon besuchen, sobald er nicht mehr fiebert.«

»Warum will er dich sprechen, Walter? Was ist eigentlich los? Niemand sagt mir etwas.«

»Gar nichts ist los. Gordon wurde verwundet. Das weißt du ja. Er suchte wieder nach antiken Sachen in der Portobello Road.«

»Er ist seit Monaten kein Wochenende zu Haus.«

»Beruf ist Beruf! Danke, Dorothy, keinen Tee mehr! Ich werde dir später berichten! Aber schlag dir die Scheidungsidee aus dem Kopf, Mädchen!«

»Wenn er es aber will? Ich bin in jedem Fall der schuldige Teil.«

»An einer Ehekrise haben immer beide Teile Schuld. Und kein Ehemann weiß, was er will, meine Liebe!«

*

Walter Langton hatte Gordons Bericht bis zum Ende angehört. Miles wunderte sich, daß seine Erzählung keinen größeren Eindruck auf den bekannten Strafverteidiger machte. Er hatte doch wochenlang Ehebruch getrieben und zum Schluß einem Mann das Genick gebrochen. Was mußte ein Mensch eigentlich anstellen, um Sir Walter aufzuregen?

»Wie hieß der junge Mann?« fragte Sir Walter schläfrig.

Miles faßte sich an den schmerzenden Kopf. Er fühlte eine schreckliche Leere im Hirn. Er war durch feurige Höllen geschritten, und nun war er ausgebrannt. Selbst die Erinnerung an Madeleine war so blaß wie ihr blondes Haar unter dem Farbstoff. Alles war unwirklich. Miles schloß die Augen. Er war sehr müde. Seine Gewissensangst, seine stumme Verzweiflung und das Gefühl der Heimatlosigkeit im eigenen Heim hatten ihn fertig gemacht. Und er hatte einen jungen Menschen umgebracht. Er hatte mehr zerstört als einen geschmeidigen Körper – er hatte einen Geist ausgelöscht, eine Hoffnung von Eltern in Jamaica vernichtet.

»Was sagtest du, Walter?«

»Wie hieß der junge Mann, den du die Treppe hinuntergeworfen hast?«

Wie hieß er noch? – »Daniel Leech.« Natürlich! Wie hatte er diesen Namen vergessen können? – Sir Walter dachte scharf nach. Neben der Lektüre von Milton und Plato las auch er am Sonntag die *News of the World* . . . In einigen Monaten würde Daniel Leech sich in Old Bailey wegen Mordes verantworten müssen. Er hatte mittlerweile auch den Mordversuch an einem Mr. George Miller aus demselben Logierhaus eingestanden. Er hätte es gar nicht nötig gehabt. Niemand hatte nach George Miller gefragt. Aber Daniel war plötzlich in einen Strudel dramatischer Selbstanklagen geraten. Und wenn er schon den Zeitungen Schlagzeilen lieferte, dann sollte es sich wenigstens lohnen. Mr. Leech suchte den Ruhm, wo er ihn fand . . .

»Leech hat nicht nur Miss Crackerley umgebracht. Er hat auch ein Messer nach einem Unbekannten geworfen. Er sagt aus, der Mann habe sich George Miller genannt. Du kannst ruhig schlafen, Gordon! Der Fall liegt klar.«

Irgend etwas in der Stimme seines Freundes ließ Gordon Miles aufhorchen. Er war jetzt und stets nachher überzeugt, daß Sir Walter wußte, wer George Miller war . . . Aber er schwieg sich über diesen Punkt aus. Er sparte seine Redegabe für Gerichtsverhandlungen auf . . .

Er stand auf und klopfte seinem Freunde vorsichtig auf die Schulter. Gordon Miles schien jedes Interesse am Leben verloren zu haben. Es sah ziemlich schlimm aus. Ja, und diese Madeleine Boussac, die Miles in der Sackgasse geliebt hatte, diese junge Person, hatte niemals wirklich existiert. Sir Walter blickte Gordon scharf an. Wie bleich und apathisch er dalag! Für heute hatte er genug Nachrichten aus aller Welt gehört. Die Welt war immer nur ein Winkel, ein paar Freunde, eine Sackgasse abseits der »guten Adresse«, und alles spielte sich unter etwa hundert Leuten ab. Mehr traf man nicht in diesem Leben, und von den hundert waren etwa sechsundneunzig überflüssig.

Walter Langton fuhr aufs Land zurück. *Immer am Sonntag* besuchte er sein kleines Landhaus, das Miles zu einem bezaubernden Heim ausgebaut hatte: Tudorstil und innen alles, was man brauchte . . .

Sir Walter vertiefte sich in Gedanken in die Akten seines nächsten Sensationsprozesses. Er war heute in den *News* angekündigt worden. Man mußte der Klinik telephonisch mitteilen, daß Mr. Miles auf keinen Fall die Sonntagszeitung in die Hände bekommen dürfe.

Man hatte ein Mädchen, das sich »Madeleine« nannte und Gordons Beschreibung entsprach, im Heroinrausch im Hinterraum einer Pfandleihe vor den Portobello Mews gefunden. Eine Privatdetektivin hatte die junge Person entdeckt. Ihr wirklicher Name war Marie Ekelund, geborene Bonnard. Sie war eine Nichte von Paul Bonnard, Sir Walters altem Freund.

Aber die Entdeckung von Marie Bonnard interessierte Sir Walter nicht besonders. Die Sensation war die Verhaftung von Lady Melford, die von Nancy Biggs beschattet worden war. Detektivin Biggs – früher Scotland Yard und heute Hoteldetektivin –, deren Name in den Zeitungen nicht erwähnt wurde, war übrigens für Sir Walter keine Unbekannte. Sie war eine sehr tüchtige und unauffällige Kraft. In diesem Fall hatte sie der Interpol geholfen, einen Rauschgiftskandal aufzudecken, der Opiumschmuggel von Nord-Siam über London und Paris bis nach den Vereinigten Staaten umfaßte. Marie Bonnard war eine Nebenfigur in diesem Skandal.

Sir Walter hatte die Verteidigung von Lady Melford übernommen. Er hatte sie bei Dorothy Miles getroffen und hinter ihrem Redeschwall nichts Erfreuliches vermutet. Er mißtraute Schnellrednern... Die Familie Melford in Irland würde die Kosten decken.

Sir Walter saß in dem einen gemütlichen Sessel, den er sich von Gordon Miles nicht hatte entreißen lassen. Der Sessel hatte schon seinem Großvater gedient. Ein altes Möbel, aus abgeschabtem dunkelrotem Leder und schamlos bequem – wie die ganze »Bude«, in die Walter Langton sich gelegentlich vom Familienleben zurückzog. *Immer am Sonntag* saß er abends in der »Bude« und betrachtete im Geiste das, was er »das Mosaik« nannte – die vielen kleinen Steine der Stadt London, die verstreut in allen Windrichtungen lagen, aber schließlich immer wieder ein Ganzes bildeten. Gordon Miles, Marie Bonnard, Lady Melford, George Miller, Madeleine Boussac, Daniel Leech und die Toten, die es immer gab, wenn die Lebenden die Steine des Mosaiks durcheinander warfen. Diese verstreuten Steine mußten aber immer wieder ein Muster bilden. Davon hingen Leben und Ordnung der Londoner ab. –

Sir Walter betrachtete ein Photo von Marie Ekelund, née Bonnard, das die Sonntagszeitungen ausgegraben hatten. Das Bild zeigte eine junge Schönheit am Arm eines auffallenden Mannes. Es war Dr. Erik Ekelund, der zukünftige Ehemann, ein bereits berühmter Soziologe aus Stockholm.

Sir Walter betrachtete lange das bezaubernde Gesicht mit den etwas starren Augen, die anmutige Gestalt und die erlesene Eleganz des Mädchens. Eine kleine Aphrodite, von Pariser Modekönigen angezogen und von einer subtilen Verderbnis angehaucht. – So mußte die junge Medusa geblickt haben . . .

Er wußte ganz plötzlich, warum Gordon Miles seinen Verstand über diesem jungen Ding verloren hatte. Da konnte Dorothy nicht mit!

›Umso besser für Dorothy‹, dachte Sir Walter.

III

Dorothy Miles saß im Warteraum der Privatklinik. Es war wieder eine Woche vergangen. Gordons Zustand hatte sich überraschend gebessert. Die Ärzte meinten, es bliebe eigentlich nichts mehr zu tun übrig. Dorothy solle ihn irgendwohin nach Italien mitnehmen, wo er etwas Hübsches sah: Meer, oder alte Kirchen – und wo es allerhand künstlerisches Zeug in kleinen dunklen Läden gab. Kurz und gut: wenn Patient Miles so weitermachte, dann konnte er bald entlassen werden.

Patient Miles machte so weiter, da er kein Mörder war. Aber das wußten nur Gott, Sir Walter und der mysteriöse George Miller, Handlungsreisender im Niemandsland . . .

Gordon studierte gerade eine seiner unverständlichen Kunstzeitschriften, als Dorothy zögernd eintrat. Sie hatte neuerdings oft gerötete Augen. Ein Bindehautkatarrh, hatte sie Gordon mitgeteilt. Sie trug wie stets ihr tadelloses graues Kostüm, den historischen Filz und irgendeinen farblosen »Lappen« unter der Jacke. Das nahm Gordon wenigstens an. Dorothy setzte sich auf den Besucherstuhl neben dem Bett. Der Stuhl war so unbequem, daß Gordon ihn hätte erfinden können. Es sei sehr nett, daß er so gut weiterkäme, meinte sie. Sie würden zwar die Rennen von Ascot versäumen – das heißt, Dorothy würde sie versäumen, aber es machte nichts! Sie hätte schon immer im Mittelmeer schwimmen wollen.

»Nachher können wir nach Florenz oder irgendwohin fahren«, sagte sie. »Du kannst dann in den Kirchen herumschnüffeln! Ist es dir recht?«

Dorothy hustete verlegen. Ihr Mann war ihr fremd und doch vertrauter als jemals zuvor. Er sah sie nämlich an. Er blickte nicht an ihr vorbei wie an einem Hindernis, das ihm irgendeine grandiose Aussicht versperrte. –

»Du hast dich sehr anständig benommen, Dorothy!«

Sie zuckte zusammen. Machte Gordon Witze? Sie hatte ihn jahrelang nach Strich und Faden betrogen, und er wußte es. Er war kein Narr.

»Es ist in Ordnung«, sagte sie schroff.

Pause. Gordon sagte nichts, und sie sagte auch nichts. Sie nestelte nervös an ihrer großen praktischen Handtasche herum – kein Zierpuppenzeug für Dorothy Miles! – und brachte ein in braunes Packpapier gewickeltes Buch zum Vorschein.

»Für dich«, murmelte sie verlegen. »Du fährst doch sonst immer am Sonntag dorthin.«

Miles zog das Buch aus dem lieblosen Packpapier. Es war eine populäre und ziemlich armselig bebilderte Monographie über Hogarth und sein Studio in Chiswick. Miles war eine Autorität in allem, was Hogarth betraf. Das wußte außer seiner Frau eigentlich jeder. Seine Essays über bestimmte satirische Drucke waren in solchen schwer verständlichen Zeitschriften erschienen, wie Gordon sie auch in der Klinik las. Seine Bibliothek über Hogarth war für ihre Qualität bekannt.

Er blätterte in dem billigen Ding und dachte, daß man eigentlich so schäbige Reproduktionen polizeilich verbieten müßte. Seine feinen Hände schlugen langsam Seite um Seite um – wie verwischt, wie flüchtig waren diese Reproduktionen! Und wie kostbar für Gordon Miles ...

»Ist das Buch richtig?« fragte Dorothy mit ungewohnter Schüchternheit. »... Sie sagten mir im Laden, es wäre sehr beliebt. Und ich meinte ...«

Es war peinlich, aber die Stimme versagte ihr. Sie saß hilflos da, und ihr Bindehautkatarrh machte sich bemerkbar ... Sie suchte nach einem Taschentuch in ihrer Tasche. Ihr war sehr heiß. Sie warf mit einer brüsken Bewegung ihre Kostümjacke ab und enthüllte einen Pullover im verkehrten Rosa. Viel zu jung und lebhaft für sie. Ein kaltes, bläuliches Rosa würde ihr stehen. Aber Gordon Miles, der alles über die einzige rosa Farbe wußte, die Dorothy tragen könnte, sagte heroisch:

»Netter Pullover! Steht dir gut, altes Mädchen!«

Wieder blickte er sie an. Er war seinen Irrweg allein gegangen und hatte sich jahrelang nicht mehr nach Dorothy umgewandt. War das etwa fein und nett von ihm gewesen? Und sie kam jeden Sonntag in die Klinik, obwohl sie ihn hätte verabscheuen müssen. Sie wußte doch bestimmt, daß er sein Wochenende nicht ausschließlich im Chiswick-Haus verbracht hatte . . . Und sie hatte ihm in der Unschuld ihres Herzens dieses Buch geschenkt und sich einen grauenhaften Pullover angezogen, um ihm eine Freude zu machen. Er hatte sie allein gelassen, und dabei hatte er damals mit seinem Jawort in der Kirche bekräftigt, daß die Ehe in guten und schlechten Tagen und in Gesundheit und Krankheit ihre Gültigkeit behielt. –

Er blickte Dorothy immer noch an. Sie suchte nicht mehr nach einem Taschentuch. Sie ließ die Tränen einfach über ihr Gesicht auf den rosa Pullover laufen. Gordon war das Beste, was ihr jemals im Leben begegnet war, und sie hatte ihn verloren. Auf der Hochzeitsreise war er liebevoll und heiter gewesen. Und wie hatte er sich auf den Sohn gefreut! Jeden Stein hatte er ihr aus dem Weg räumen wollen. Bis das Hindernisrennen gekommen war . . .

Er hatte das Hogarth-Buch aus der Hand gelegt und sich nicht einmal bedankt. Dorothy stand auf. Es war alles vergebens . . . Vielleicht sollte es so sein. Sie würde weiter die richtigen Pferde und die falschen Liebhaber haben, und Gordon würde weiter in Portobello oder Florenz nach seinem alten Kram suchen. Sie konnte nun am Sonntag machen, was sie wollte.

»Willst du schon gehen, Dorothy? Warum die Eile?«

»Du mußt doch müde sein!«

Plötzlich kam es Miles so vor, als lieferte er diese herrschsüchtige, nicht mehr ganz junge Amazone einer grimmigen Einsamkeit aus. Niemand hatte das verdient. Dorothy mit ihrem rosa Pullover und dem Hogarth-Reiseführer schon gar nicht! Er konnte ihr schließlich eine helfende Hand reichen und sie nach Chiswick mitnehmen, damit sie dort das Richtige sah. Natürlich nur, wenn sie wollte! Und er würde sie vielleicht auch hin und wieder zu den Rennen begleiten. Was bedeutete es schon, sich ein paar Stunden zu langweilen?

Dorothy stand immer noch vor seinem Bett. Sie blickte ihn nicht an. Es zuckte um ihren Mund. Es war ziemlich merkwürdig.

»Ich danke dir für das Buch, Dorothy! – Wirklich nett von dir!«

Sie antwortete nicht. Sie sah verloren aus in ihrem soliden Kostüm und dem strengen Filzhut. Zum Donnerwetter, sie war die anständigste Person auf der Welt! Bemühte sich wie drei Teufel um seinen Sonntagnachmittag und mopste sich mit ihm und Hogarth in diesem Krankenzimmer. –

»Komm doch etwas näher«, sagte Gordon Miles. »Ich beiße nicht!« Er warf ihr geschickt ein Taschentuch zu. Sie kam langsam zum Bett zurück.

»Gordon«, sagte sie mühsam, »ich muß reinen Tisch machen. Dann kannst du mich rauswerfen!«

»Später oder nie«, erwiderte er milde. »Vielleicht wirst du mich rauswerfen!« Dabei lächelte er tatsächlich. Dorothy sah es mit Staunen. Sie war niemals aus Gordon schlau geworden. Er war überhaupt nicht mehr schüchtern ...

»Komm.« Er zog sie auf den Bettrand. »Setz dich und putz dir die Nase! So ist's recht. – Du bist mein gutes Mädchen!«

*

Gordon Miles lag sehr still, nachdem Dorothy gegangen war. Er sah nach Jahren eine Zukunft für sich und seine Frau. Er machte sich nichts vor. Sie würde weiter Anfälle von Herrschsucht haben, und er würde sich gelegentlich mit seinen Erinnerungen herumschlagen. Die Ehe war anders, als die Romane und Filme es dem zahlenden Publikum darstellten. Sie war weder ein Rausch noch eine Traumerfüllung noch eine Delikatesse oder eine reich verzierte Torte. Sie war das tägliche Brot – etwas trocken, aber nahrhaft für Leib und Seele. Sie war kein Allheilmittel gegen Einsamkeit, schlechte Laune und unvernünftige Wünsche alternder Menschen. Die Ehe war eine Aufgabe – man mußte diese Aufgabe in irgendeiner Form lösen. Aber sie war noch etwas anderes, dachte Miles schläfrig. Die Ehe rief den trägen Geist und den müden Körper zur Aktion. Man mußte gut zueinander sein – wenn es auch schwerfiel. Was zum Kuckuck war so schwer daran? Gelegentlich würde er auf den Rennplatz gehen oder sich mit Dorothy über die Cricket-Spiele bei Lord's unterhalten müssen. Heute nachmittag war ihm ein Licht aufgegangen. Dorothys ungeschickte Versuche, ihn zu erfreuen, hatten ihn gerührt. Sie würde ihn niemals mehr durch ihren Befehlston ganz von sich forttreiben können: er hatte sie weinen sehen. Dorothy war erstklassig erzogen worden. Sie begegnete Schwierigkeiten mit der vorgeschriebenen »steifen Oberlippe«, und sie konnte gewandt über nette Nichtigkeiten reden . . . Aber jetzt brauchte sie ihn, und vielleicht brauchte er sie auch, selbst wenn er im Augenblick hauptsächlich damit beschäftigt war, das Bild von Madeleine aus seiner Seele zu verjagen. Eigentlich eine großartige Sache, daß man noch gesund war und jemanden erfreuen konnte! Besser als Heroin, wenn man es genau betrachtete. – Er hatte nicht geahnt, wie unsicher und verlassen Dorothy war. Sie mußte ihm nur erlauben, sie zu schützen und zu hegen und zu pflegen – in guten und bösen Tagen, in Gesundheit und Krankheit. Miles dachte einen Augenblick an das Logierhaus hinter dem »Porto«, aber es hatte jede Realität verloren. Nur die Verlassenheit der Bewohner war real gewesen. –

Miles klingelte. Eine junge Schwester erschien. Sie wußte, daß Mr. Miles ein berühmter Architekt war, wenn er auch tat, als könne er keine Ming-Vase von einer Woolworth-Schale unterscheiden.

»Kommen Sie näher, mein Kind«, sagte er milde. –

Das reizende junge Ding errötete. »Ich habe mir Vorwürfe gemacht, Sir«, murmelte Nurse Farnhem. »Ich dürfte Sie nicht mit solchen Sachen belästigen.«

»Ich habe *Sie* doch gefragt, Nurse!« Mr. Miles zog eine Zeichnung aus einer Illustrierten unter den Papieren auf seinem Nachttisch hervor. »Dies wird ein sehr netter Wohnraum, wenn Sie im Herbst heiraten! – Aber hier gehören blaßgelbe Vorhänge hin – *nicht* braune!«

Mr. Miles zog eine Adresse aus der Nachttischschublade. »Gehen Sie zu diesem Tischler. Sagen Sie, Sie kämen von mir, dann macht er Ihnen einen Vorzugspreis. Und alles auf Abzahlung. Tja – und hier ist ein kleines Hochzeitsgeschenk!«

»Aber, Sir! Das können wir nicht annehmen!«

»Warum nicht? Sie machen mir eine Freude!« sagte Mr. Miles einfach. »Übrigens – können Sie mir eine Sonntagszeitung bringen?«

»Die *News of the World?*« fragte die junge Nurse, die in der freudigen Aufregung vergessen hatte, daß Mr. Miles keine Zeitungen lesen sollte. Auf der Titelseite prangte das Photo einer jungen blonden Dame. »Marie Bonnard«. Aus der Familie der bekannten Londoner Hoteliers. Gordon war mit Paul Bonnard befreundet.

›Unerhört, was diese jungen Frauen heutzutage anstellen‹, dachte Mr. Miles und trank stoisch seinen Apfelsaft. Marie Bonnard sah Madeleine ähnlich. Sie *war* Madeleine . . . Aber sie hatte nichts mit Undine zu tun. Sie hatte auch nichts mit Gordon Miles zu tun. Er hätte es sich dreimal überlegt, ehe er mit einer Verwandten der Bonnards angebändelt hätte . . . Seltsam, er hatte die Kleine die ganze Zeit für eine kleine Hure gehalten. –

Er nahm sich einen Reiseführer von Florenz vor und strich einige Sehenswürdigkeiten an, die er Dorothy zeigen wollte; nicht zu viel, um sie nicht abzuschrecken . . .

Aber sie würden erst im August oder Ende Juli fahren. Vorher waren die Rennen in Ascot. Queen Anne hatte sie im Jahre 1711 begründet. ›Wir kleben an unsern Gewohnheiten‹, dachte Miles. Ihm war zu Mute, als habe er bereits alle Pferderennen seit dem Jahr 1711 mitgemacht – und das Derby und den ganzen Rest. Er würde auch dieses Rennen überleben. Es war seine große Überraschung für Dorothy, daß er mit einem dummen Gesicht und grauem Zylinder die ganze Woche neben ihr auf der Tribüne sitzen würde . . .

Seine Gedanken wanderten zu seinem Freund Paul Bonnard. Was für nette Dinners hatte er im »Gelben Salon« mitgemacht! Sie waren meistens zu dreien gewesen: Nur Paul, Sir Walter Langton und er selbst. Er sah Pauls lange distinguierte Figur, seinen kühlen Blick und die Tafel mit der Brüsseler Spitzendecke und dem Silber der Bonnards . . .

›Hart für ihn! Bonnard ist ein kalter Fisch, aber doch ein großartiger Kerl‹, dachte Gordon Miles. Aber irgendwie sagte ihm sein Instinkt, daß Paul den Fall »Marie Bonnard« offiziell ignorieren würde. Privat mochte es anders sein. Aber Paul Bonnard war ein glücklicher Mann, dachte Miles schläfrig. Er kam mit einem Minimum von Privatleben aus.

IV

Immer am Sonntag führte Paul Bonnard sein unabänderliches Sonntagsprogramm durch. Es spielte keine Rolle, ob die Sonne im Hyde Park schien, oder ob es regnete, ob alles in der Familie in Ordnung war, oder ob Marie gerade den saftigsten Skandal in der bewegten Familiengeschichte der Bonnards geliefert hatte. Paul wußte genau, was er am Sonntag tat und was er unterließ. Er ging früh zur Kirche und erbaute sich pflichtschuldig. Dann saß er bis zum Lunch, den er stets mit einem oder zwei Freunden einnahm, auf seinem Stuhl im Park. Nicht an der Sprecher-Ecke natürlich! Paul war nicht neugierig. – Aber er liebte »den Park«, wie *Whiskers* – sein Vater – ihn geliebt hatte. Die Tatsache, daß das Tor von Marble Arch nur zum Spaß dastand und nirgends hinführte, gefiel ihm. In London war alles anders, als die Touristen es erwarteten. Und der Hyde Park war ein Wunder – grün, weit, beruhigend. Nachdem Paul seinen Lunch mit den Freunden verzehrt hatte, legte er sich in einen Sessel, den Gordon Miles nicht erfunden hatte. Es war ein alter französischer Brokatsessel – selbst Gordon hatte zugeben müssen, daß er »recht nett« war... In diesem Sessel las Paul Bonnard – wie jeder Londoner – seine Sonntagszeitung. Selbstverständlich ein ehrwürdiges Blatt, das Skandale ignorierte. Für die Skandale waren andere Sonntagsblätter zuständig. Paul hatte sie alle lesen müssen, nachdem Marie durch Nancy Biggs gefunden worden war. Die Sache mit Lady Melford war unangenehm. Sie hatte in seiner Hotelhalle Tee mit dem Grafen Tsensky getrunken. Das ließ sich nicht mehr ändern. Schade um den guten Tee! Aber ein großes Londoner Hotel war schließlich keine Kinderbewahr-Anstalt.

Am Sonntagnachmittag besuchte Paul jahraus, jahrein die alte Miss Bonnard in Haverstock Hill. Er wußte, daß sie sich nicht besonders viel aus seiner Gesellschaft machte – aber er machte sich besonders viel aus ihrer Gesellschaft. Manchmal waren einige alte Damen anwesend – das ließ sich nicht ändern. Paul hatte keine Angst vor Mrs. Pollitt oder den anderen alten Hexen. Seine kalten Blicke schüchterten die Damen so ein, daß sie aufatmeten, wenn er nach dem Tee aufbrach. Dann bestieg er seinen Jaguar und fuhr zufrieden nach Brook Street zurück. Er speiste abends allein im gelben Salon, betrachtete das Portrait des Kavaliers, das die liebe Marie gemalt hatte, als sie noch alle fünf Sinne beisammen hatte. Rauschgiftskandale waren übrigens an der Tagesordnung. Marie sei ein Opfer, hatte ein Reporter sentimental geschrieben. Paul fand, daß die Bonnards die Opfer von Marie waren. Aber danach krähte kein Hahn und kein Tintenfisch der *News*. – Paul dachte flüchtig, daß Dr. Ekelund das bessere Teil erwählt hätte. Er war angeblich vor einigen Wochen in den Fernen Osten zurückgeflogen. Damals war Marie noch unauffindbar gewesen. Was sollte Erik Ekelund machen? Er hatte einen Beruf. Und wenn er von Marie die Nase voll hatte – Paul Bonnard konnte ihm das nachfühlen. – Trotzdem tat Marie ihm leid. Sie war wahrscheinlich jetzt in einem Zustand wie der arme Antoine. Noch wenige Tage, und Nurse Waterhouse würde Marie dorthin bringen, wo sie hingehörte: in die Klapsbude nach Zürich. –

Es war am Sonntagnachmittag immer still und angenehm in Haverstock Hill. Louise war bei ihrem Großvater in Camden Town, und die alte Garde besuchte ihre Familie oder, wenn es Absagen gab, das Kino. Major Waterhouse ging mit Penny in den Zoo, die pensionierten Rebellen schrieben Briefe an die *Times*, und Mrs. Biggs war bei ihren Spiritisten. Niemand wußte, was Nancy Biggs fertiggebracht hatte. Eine Detektivin mußte so unauffällig wie eine Maus sein. Madam dachte über die ganze Sache nach, während sie Paul seinen Tee eingoß. Es war so einfach und doch so verwickelt. Nancy und die Polizei hatten Marie wochenlang gesucht. Und dann folgte Nancy eines Nachmittags Lady Melford nach Notting Hill in die Pfandleihe, die der Weiterleitung des Rauschgifts diente. Marie war dorthin geflüchtet. Nancy war mit einem Beamten in Zivil in die schokoladenfarbene Bude gewandert und hatte Marie in einem Hinterzimmer im Heroinrausch gefunden. Sie hatte sie ohne Schwierigkeiten nach Haverstock Hill gebracht. Nun war sie in derselben Klinik wie Gordon Miles – aber weder Miles noch Marie wußten es . . . Sie sprach kaum ein Wort, aber sie war ganz friedlich. Nurse Waterhouse hatte immer mit ihr umgehen können. –

Madam reichte Paul Bonnard einen Brief. Er war von Dr. Littlewood aus dem Leprahospital in Chiengmai. Pauls Augen wurden beim Lesen immer erstaunter. Das war unerhört. So etwas konnten sich nicht einmal die Tintenfische von den *News* ausdenken. Aber wenn Dr. Littlewood behauptete, Marie habe in Chiengmai jene Drohbriefe selbst an sich geschrieben, dann mußte es stimmen. Nurse

Waterhouse hatte ihm die Zettel geschickt: »Nehmen Sie sich vor Ihrem Mann in acht, Madam! Er will Sie verschwinden lassen!« – Dr. Littlewood hatte die Lösung durch Zufall gefunden. Er fand in seinen Papieren eine Karikatur von Nurse Waterhouse, die Marie im Hospital in Chiengmai gezeichnet hatte. Die Unterschrift in Druckbuchstaben war mit den Buchstaben der Briefe identisch.

Warum hatte Marie ihren Mann in diesen entsetzlichen Verdacht bringen wollen? Sie würden es niemals erfahren. Marie schwieg . . .

Hilda Sunshine erschien in der Tür. Madam setzte die Teetasse vorsichtig hin. Hilda war blaß.

»Ist etwas passiert?« fragte Madam. Paul Bonnard zündete sich eine Zigarre an. Er blickte an Hilda vorbei. Es gehörte sich nicht, die Leute wie Meerwunder anzustarren. Es hatte ihm stets an Marie mißfallen. –

»Dr. Ekelund aus Stockholm ist angekommen. Er möchte Sie sprechen, Mrs. Bonnard!«

»Aber er ist doch schon im Fernen Osten«, sagte Madam schwach.

»Es ist Dr. Oscar Ekelund, Maries Schwiegervater. Was will er hier?«

»Ich weiß es nicht. Aber es läßt sich ja herausfinden. Bitte, Hilda, schicke ihn zu mir herauf! Steh nicht da wie ein Ölgötze, Kind! Hast du einen Schreck bekommen?«

»Es ist alles so erschreckend, Mrs. Bonnard.« Hilda hatte rotgeweinte Augen. Dominik Bonnard war mit seiner Frau in den Schweizer Bergen abgestürzt. Er machte immer am Sonntag Touren. Hilda hatte ihn oft gebeten, auf sich aufzupassen. Er würde nie wieder »Grüetzi« zu ihr sagen. –

Paul Bonnard stand auf. Er hatte nicht die Absicht, sich seinen Sonntag von Dr. Oscar Ekelund verderben zu lassen. Der Tee war getrunken. Paul wollte nun nach Haus fahren und den Plattenspieler anstellen. Er hörte immer am Sonntagabend Beethoven oder Mozart. Aber das ging niemanden etwas an. –

Madam hatte gerade nach frischem Tee geklingelt, als Oscar Ekelund eintrat. Er stand zwischen Tür und Angel – groß, gebeugt, sehr müde. Sein graues Haar fiel ihm in die hohe Stirn – Eriks Stirn. Seine Augen hinter der Goldbrille sahen aufmerksam umher, bis sie Madams Blick begegneten. Es waren merkwürdig wissende, gütige und dabei scharfe Augen. Dr. Ekelund war Strafverteidiger, fiel Madam ein. –

»Ich bedaure, Sie einfach zu überfallen«, sagte Dr. Ekelund. »Und noch dazu am Sonntag!«

»Ich freue mich, Sie kennenzulernen«, erwiderte Catherine Bonnard. »Im übrigen habe ich immer am Sonntag Gäste! Bitte nehmen Sie Platz, Dr. Ekelund! Kann ich etwas für Sie tun?«

Der Besucher war in Schweigen versunken. Plötzlich lächelte er. Es war, als erhelle eine blasse nordische Sonne den dämmrigen Raum. In den Augen des Schweden brannte plötzlich eine Art Feuer. So blicken Apostel oder Strafverteidiger, dachte Catherine Bonnard. Aber Dr. Ekelund hielt etwas zurück. Er mußte eine Nachricht für die Bonnards haben. –

»Kann ich etwas für Sie tun?« fragte Madam noch einmal. Aber die Frage hing beziehungslos in der Luft. Man konnte nichts für diesen Mann tun. Er schien ganz frei von den tragischen Unarten der modernen Welt. Dies war wirklich der Fall. Er interpretierte nichts gewaltsam in die Leute hinein, um sie für irgendwelche Zwecke umzubiegen. Er gestattete ihnen, sie selbst zu sein. Er gab ihnen dadurch Wirklichkeit in einer Gesellschaft, die aus politischen und sozialen Gründen zerbrechliche und schäbige Verwandlungen der Persönlichkeit bewirkte. Catherine Bonnard fühlte, daß von diesem bescheidenen, ermüdeten Mann eine reinigende Kraft ausging. Er blickte sie in diesem Augenblick mit einer Aufmerksamkeit an, die alle Vorwände und Konventionen sprengte. –

»Wir sind sehr unglücklich«, murmelte sie. »Ist etwas geschehen?«

»Ja«, sagte Dr. Ekelund behutsam. »Deswegen bin ich hier, Madame! Bitte, beunruhigen Sie sich nicht! Es passiert immerzu etwas. Und dann passiert die nächste Sache, und die übernächste . . . Übrigens – ich bin schon seit drei Tagen in London. Eine ungewöhnliche Stadt . . . Ich möchte sagen – ein Labyrinth mit einem tadellosen Verkehrsnetz.« –

»Sind Sie wegen Marie hier?« fragte Catherine Bonnard tonlos. »Sie ist in der Privatklinik gut aufgehoben. Wir erwarten Maurice Bonnard in den nächsten Tagen, den Züricher Psychiater . . .«

»Es hat mit Marie zu tun, Madame! – Tja . . . mein Sohn ist hier in London.«

»Ich denke, er ist schon abgereist!«

»Erik ist gegen meinen Rat nach London mitgekommen. Er hat soeben seine Frau in der Klinik besucht.«

»Ist das alles, Dr. Ekelund?«

»Nein, Madame! Es kommt noch einiges hinterher. Darf ich erst einmal um eine Tasse Tee bitten?«

»Entschuldigen Sie vielmals! Ich bin schrecklich unaufmerksam.«

»Ich trinke immer am Sonntag um diese Zeit Tee«, bemerkte Dr. Ekelund. »Man soll niemals von seinen Gewohnheiten abgehen, wenn etwas passiert. Herzlichen Dank! Welch guter, starker Tee! Ganz recht – es ist eine englische Kunst! Ja . . . nur einen Tropfen Milch und zwei Stücke Zucker, wenn ich bitten darf.« –

NEUNTES KAPITEL

Gottes Hand in Lidingö

I

»Ist sie tot?« fragte Catherine Bonnard.

»Marie?« Oscar Ekelund sah Madam erstaunt an. »Marie geht es gut. Das heißt: den Umständen entsprechend. Die Entziehungskur wird sehr milde vorgenommen.« –

»Was ist geschehen, Dr. Ekelund?«

»Ich wünschte, ich könnte Ihnen das sagen! Es ist etwas passiert, während mein Sohn und Marie Tee tranken. Wir hatten sie bereits begrüßt. Nurse Waterhouse hatte uns vorher angemeldet. Die Kleine war völlig ruhig und schien sich sogar über Eriks Kommen zu freuen. Nurse bestellte Tee. Ich wollte keinen trinken. Wir wollten Marie und Erik natürlich allein lassen. Es war das erste Wiedersehen seit ihrem Verschwinden.«

»Hat Ihr Sohn die Sache schwer genommen?«

»Sie hat ihm einen Schock versetzt. Erik war die ganze Zeit bei mir in Stockholm. Er hat mit keinem Menschen gesprochen, nur seine Notizen überarbeitet.«

»Sehr interessant«, sagte Catherine Bonnard abwesend. *Was* war nur geschehen?

»Man muß sehr vorsichtig mit Anschuldigungen sein«, sagte Dr. Ekelund langsam. »Man erlebt im Gericht die unglaublichsten Dinge in dieser Hinsicht.« Er richtete seinen scharfen, aber mitfühlenden Blick fest auf die alte Frau. »Was würden Sie sagen, wenn Sie nach dem Genuß einer Tasse Tee im Korridor mit Vergiftungserscheinungen hinfielen?«

»Um Himmels willen! Marie ist doch keine Mörderin!«

»Niemand ist ein Mörder, Mrs. Ekelund! Morden ist im allgemeinen kein Beruf. Leute werden zu Mördern – für eine Stunde, aus einem unbekannten Motiv oder aus einem nervlichen Versagen. Kurz und gut, Erik wankte gerade noch in den Korridor der Klinik. Er hatte Sehstörungen, Atembeschwerden, dann Krämpfe. Wir holten sofort den Arzt.«

»Ist nun alles in Ordnung?«

»Er bekam Magenspülungen und Brechmittel. Wenn ärztliche Hilfe zur Stelle ist, kommt meistens alles in Ordnung. Erik muß irgend etwas gegessen haben, was ihm nicht bekam – vielleicht zum Mittagessen! Anders ist es nicht zu erklären.«

Strafverteidiger Ekelund blickte die alte Mrs. Bonnard fest an. In seinem Blick war eine dringende Aufforderung, diese Erklärung zu akzeptieren.

»Ich kann es nicht verstehen ...« Kalter Schweiß stand Mrs. Bonnard auf der Stirn.

»Warum wollen Sie es verstehen, Madame? Die Erscheinungen erinnerten an Symptome einer Vergiftung durch Schlangenbisse. Aber in dieser Londoner Privatklinik gibt es keine Schlangen.«

»Wo ist Erik jetzt?«

»Er schläft in der Klinik. Ich werde ihn gegen Abend abholen. Würden Sie noch etwas Geduld mit mir haben? Ich erwarte nämlich einen Telephonanruf.«

»Sie sind mir ein Trost«, sagte Mrs. Bonnard einfach. »Wenn man mit Ihnen spricht, verlieren die Dinge ihre Schrecken. Übrigens – was hat Marie dazu gesagt?«

»Nichts. Sie ist jetzt wieder in einem Zustand der Geistesabwesenheit. Sie sah einen Augenblick wie eine Tote aus.«

»Diese Zustände hatte sie schon, wie sie als Kind in Haverstock Hill war.«

»Marie muß so schnell wie möglich zu Professor Bonnard nach Zürich gebracht werden. Würden Sie ihm bitte telegraphieren?«

»Er ist nicht zu Haus. Wir erwarten ihn in den nächsten Tagen in London. Ich hatte immer gehofft, Erik und Marie würden sich miteinander einleben. Man kann es doch schaffen«, sagte Catherine Bonnard. »Aber ich fürchte nun doch, daß Marie ihn haßt. Wahrscheinlich geht es Erik nicht viel anders.«

»Ich weiß es nicht, Madame! Mein Sohn hat mich in dieser Angelegenheit nicht ins Vertrauen gezogen.«

»Ich glaube, er hat Marie niemals geliebt.«

Dr. Ekelund betrachtete das Porträt des armen Antoine. »Welch ein eigenartiger Kopf!«

»Mein verstorbener Mann. Er starb geistesgestört bei Maurice Bonnard in Zürich.«

»Marie ist jung«, sagte Oscar Ekelund besänftigend. »Im Augenblick ist sie nicht zurechnungsfähig. Es ist wünschenswert, daß Professor Bonnard das bestätigt, Madame! Ich meine ... nach dem heutigen Vorfall! Die Leute führen so unvorsichtige Reden. Sie sind ja nicht grausam, nur eben unvorsichtig.«

»Aber Marie *kann* doch nichts getan haben! Nurse Waterhouse gibt ihr ihre Medikamente, und die Medizinschränke der Klinik sind abgeschlossen. Es ist unausdenkbar, Dr. Ekelund!«

»Deswegen wollen wir es uns auch nicht ausdenken. Wir können uns alle an einem Fisch oder einer Pastete vergiften.«

»Was wird nun werden? Ihr Sohn kann wirklich nicht sein Leben ruinieren! Marie ist eben doch nicht normal. Schrecklich!«

»Nicht für Marie. Ich meine, nicht unter allen Umständen! Die Schizophrenen leben in ihrer eigenen Welt manchmal ganz glücklich. Im Augenblick besteht kein Zweifel, daß Marie an einer Wesensspaltung leidet. Sie denkt manchmal, sie wäre jemand anderes. Dann nennt sie sich Ulrika.«

»Ich habe diesen Namen doch in irgendeinem Zusammenhang gehört.«

»Sie war die Adoptivtochter meines Bruders. Marie traf sie in Paris.«

»Davon weiß ich nichts«, sagte Mrs. Bonnard. »Marie war uns immer ein Rätsel. Aber wir dachten zunächst, sie liebe Erik auf ihre Weise.«

»Auf *ihre* Weise. Das ist immer das Malheur, Madame! Wie oft höre ich von meinen Klienten, die, sagen wir, ihre Braut umgebracht haben: ›Ich habe sie auf meine Weise geliebt.‹ Das genügt nicht. Man muß einen Menschen auf *seine* Weise lieben. Auf uns kommt es dabei nicht an. Ihnen braucht man das nicht zu erklären, Madame!«

Das Telephon schrillte. Dr. Ekelund sprang auf. »Entschuldigen Sie bitte! Es wird der Anruf für mich sein.« Er sprach einige Minuten und legte den Hörer wieder auf. »Es ist alles in Ordnung. Erik ist aus dem Koma erwacht. Er wird aber heute noch in der Klinik bleiben. Er hat morgen Fernseh-Interviews über seine Arbeit in Asien. Übrigens, Paul läßt Sie grüßen, Madame!«

»Paul?«

»Paul Bonnard! Er wollte Sie nicht stören! Professor Maurice Bonnard ist soeben in Brook Street angekommen.« »Gott sei Dank!«

»Der Professor hat seine langjährige Mitarbeiterin mitgebracht: Dr. Mathilde Brunner! Das ist sehr gut. Und dann haben wir glücklicherweise Nurse Waterhouse für den Transport.«

Catherine Bonnard nickte mit zugeschnürter Kehle. Die Tränen liefen ihr über ihr schönes, stilles Gesicht. Sie wischte sie nicht ab: »Ich hatte Marie als Kind bei mir. Sie war damals für jedes gute Wort dankbar. So ein einsames kleines Ding! Sie können es sich gar nicht vorstellen!«

»Doch ...«, sagte Dr. Ekelund sanft. »Einsamkeit ist die Zeitkrankheit. Wir werden ja alle mit der Zeit einsam, aber in der Kindheit sind die Abwehrmechanismen noch nicht geformt.« Er schwieg und dachte: ›Wir Erwachsenen haben unsere Arbeit, unsere Freunde, unsern ganzen komplizierten Apparat der äußeren und inneren Hilfsmittel. Aber so ein Kind allein in Paris ...‹

»Marie weinte wie ein Schloßhund, als ihre Mutter sie von uns wegnahm«, sagte Madam. »Ich nahm sie manchmal ins alte Hampstead – zu den Malern! Wir saßen am Teich. Da war sie glücklich.«

»Es gibt für ein Kind nur Engel und Teufel, Madame! Eine Welt der naiven Vereinfachungen. Manchmal glaube ich, daß Marie diese Welt niemals verlassen hat.«

Catherine Bonnard reichte ihm stumm Dr. Littlewoods Brief aus Chiengmai. Oscar Ekelund las ihn aufmerksam und gab ihn schweigend zurück. Er ahnte die Zusammenhänge. Also schon zu jener Zeit hatte Marie ihrem Mann aus irgendwelchen Gründen Schaden zufügen wollen! Auf eine kindische und doch raffinierte Weise hatte sie damals einen schweren Verdacht auf Erik gelenkt. Und heute hatte sie Erik vergiften wollen. Wie sie es angestellt hatte, das blieb ihr Geheimnis, das sie mit anderen Geheimnissen in ihrer schwarzweißen Welt hütete. Oscar Eklund seufzte. Ihm war nichts Menschliches fremd. Es gab überall in der heutigen Welt lebensgefährliche Einsamkeit – bitter für den isolierten und unberechenbaren Grübler, aber eben lebensgefährlich für seine Umgebung. Die Zeitungen waren voll von solchen Verbrechen, und Ekelund verteidigte täglich Männer und Frauen, die »immer ruhig für sich gelebt hatten« und dann plötzlich jemanden entführten oder erschossen oder vergifteten. Die Braut, die Eltern, ein Kind oder der Verlobte oder Ehemann waren die Opfer. –

Wieder seufzte Oscar Ekelund. Er blickte auf die Uhr. Paul Bonnard würde ihn in einer halben Stunde abholen.

»Wollen Sie mich noch so lange hier behalten, Madame?« fragte er lächelnd. »Es tut mir leid um Ihren Sonntagnachmittag! Gehen Sie nicht sonst um diese Zeit spazieren? Die Londoner Parks sind doch einzig schön.«

»Ich freue mich, wenn Sie bei mir bleiben«, sagte Catherine Bonnard. »Vielleicht sehen Sie dann noch meine Großnichte Louise.«

»Das würde mich sehr interessieren.« Oscar Ekelund wollte sich gern ein Bild von der jungen Frau machen, die beinahe seine Schwiegertochter geworden wäre. »Wo ist sie?«

»Sie besucht sonntags meistens ihren Großvater in Camden Town – einen uralten Herrn. Er verwechselt unsere Louise manchmal mit ihrer Mutter Laura. Louise liest ihm die Zeitung vor. Seine Augen haben sehr gelitten. Seine liebe Frau starb leider vor vier Jahren.«

»Hat Louise alles überwunden?« fragte Ekelund zart.

»Schwer zu sagen! Sie steckt immer mit unserer Hilda zusammen. Das ist die junge Dame, die Sie unten begrüßte.«

Oscar Ekelund schwieg. Er saß gelassen auf dem Gobelinsessel und rauchte. Paul Bonnard wollte ihn abholen, weil er ihm während der Fahrt nach Brook Street etwas mitteilen wollte. Oscar sollte mit ihm zu Abend essen.

»Wie nett von Mr. Bonnard, daß er mich hier abholt«, sagte er gedankenverloren.

»Ich bin sehr erstaunt! Pauls Sonntag ist eine geheiligte Einrichtung. Unterbrechungen der Routine sind eigentlich unausdenkbar.«

»Was macht er denn sonst um diese Abendstunde?«

»Ich weiß es nicht. Paul ist so zugeknöpft, wie seine englische Mutter es war. Übrigens wurde schon sein Vater in London geboren. Er wurde wegen seines Backenbartes *Whiskers* genannt.«

Dr. Ekelund lächelte wieder und sagte: »Ich finde Paul Bonnard bemerkenswert.«

Madam blickte ihn sprachlos an. »Unsern Paul? *Wir* haben niemals irgend etwas Besonderes an ihm entdecken können. Er ist ein ziemlich kalter Fisch. Hängt eigentlich an niemandem und interessiert sich nur für Herzoginnen.«

»Und für die Familie Bonnard«, sagte Dr. Ekelund trocken.

»Wie meinen Sie das?«

Aber Dr. Ekelund sagte nicht, wie er es meinte. Er stand auf, um Louise Bonnard zu begrüßen. Sie war aus Camden Town zurückgekommen, um Madam zu einem Spaziergang in den Regents Park abzuholen.

»Ich freue mich, Sie endlich kennenzulernen«, sagte Oscar Ekelund herzlich. Er betrachtete mit Interesse das große kühle Mädchen mit den klugen Augen und dem kühnen Profil.

»Ich freue mich auch«, sagte Miss Bonnard. Aber es klang nicht so. –

II

Paul Bonnard war nach seinem Tee in Haverstock Hill in die Klinik zu Marie gefahren. Er besuchte sie häufig, aber das ging niemanden etwas an. Nurse Waterhouse und er waren gute Freunde geworden. Nurse hatte Weisung, sofort in der Brook Street anzurufen, wenn sie oder Marie »etwas brauchten«. Daß Paul des Sonntags in die Klinik fuhr, war ungewöhnlich, aber diesmal mußten Beethoven und Mozart warten. Irgendein Instinkt trieb ihn hin zu Marie. Paul Bonnard handelte selten impulsiv, folgte aber einem Impuls, wenn er ihn verspürte. –

Er hörte mit unbewegtem Gesicht den Bericht von Nurse Waterhouse an. Sie saßen in dem Empfangsraum der Klinik. Nurse dämpfte ihre Stimme. Paul starrte in eine Ecke. Da hatten sie Glück gehabt, daß Erik sofort behandelt werden konnte!

»Hat Dr. Ekelund hier etwas gegessen?« fragte er.

»Er trank nur Tee mit seiner Frau. Sein Vater meint, er müßte beim Lunch etwas gegessen haben. Allerdings aßen die beiden Herren nicht zusammen. Dr. Ekelunds Vater war bei Sir Walter Langton eingeladen. Sie wissen ja, Sir: Der Prozeß mit Lady Melford...«

Auch Nurse Waterhouse las die *News of the World.*

Paul machte ein saures Gesicht. »Ich weiß«, sagte er unfreundlich. Im Bonnard in Brook Street würde Lady Melford nicht mehr so bald wohnen, aber er machte aus einem anderen Grund sein saures Gesicht.

»Dr. Erik Ekelund aß bei mir. *Mir* ist es gut bekommen! Ich werde natürlich in der Küche nachprüfen lassen, was man uns gegeben hat.«

Nurse Waterhouse war rot geworden. »Es tut mir leid, Sir«, sagte sie hastig. Nicht ein einziges Sprichwort fiel ihr ein. Mr. Paul Bonnard war bei Licht besehen einschüchternd, aber sie neigte wahrhaftig nicht dazu, sich von einem Mann einschüchtern zu lassen. Als Patienten waren sie alle Wimmerliesen. –

»Schon gut«, sagte Mr. Bonnard steif. »Nicht Ihre Schuld, Nurse Waterhouse! Woher sollten Sie wissen, wo Dr. Ekelund gegessen hatte? Sie sind doch kein Gedankenleser.«

»Nein, Sir.« Es klang ziemlich gedrückt – für Nurse Waterhouse.

Plötzlich blickte Mr. Bonnard sie beinahe beschwörend an. »Wir sind doch alte Bekannte, nicht wahr? Unter uns – ich möchte gern weitere Skandale vermeiden.«

»Sehr verständlich, Sir!«

»Sir Walter Langton hat mir versichert, daß Marie nicht in den Rauschgiftprozeß Melford hineingezogen wird. Marie ist verrückt. Sie wird hoffentlich so schnell wie möglich aus London verschwinden. Ich meine: sie *ist* doch verrückt!«

»Im Augenblick ist sie nicht ganz im Gleichgewicht«, sagte Nurse Waterhouse vorsichtig. »Ich kann wenig dazu sagen, Sir! Dr. Woodman hat die Behandlung.«

»Das ist mir bekannt«, erwiderte Mr. Bonnard steif. »Aber was halten Sie persönlich von der peinlichen Angelegenheit von heute nachmittag?«

»Es ist mir unbegreiflich. Ehrenwort, Sir! Sie können das ganze Zimmer absuchen: Mrs. Ekelund bekommt nicht eine einzige Droge in die Hände. Ich *habe* übrigens das Zimmer abgesucht.«

»Sehr verbunden, Nurse Waterhouse. Übrigens – haben *Sie* eigentlich Tee getrunken?«

»*Das* war bei der Aufregung nicht möglich, Sir!«

Paul Bonnard erhob sich zu seiner schlanken Höhe. In seinen blaßblauen Augen war ein undefinierbarer Ausdruck. »Jetzt haben Sie Zeit, Nurse Waterhouse! Wer ist bei Marie?«

»Nurse Farnhem. Sehr zuverlässig. Betreut auch Mr. Miles.«

»Ich habe Mr. Miles schon begrüßt. Ich möchte auch Dr. Ekelund nachher noch sehen, wenn es geht. Komisch – allmählich liegen meine sämtlichen Freunde in dieser Klinik! Bald werde ich an der Reihe sein.«

»So sehen Sie nicht aus, Sir!«

»Ich kann nicht klagen, danke sehr! Ich ernähre mich vernünftig und bin Junggeselle. Das ist der ganze Trick . . . Wie gesagt, kann ich nachher Dr. Ekelund besuchen?«

»Ich werde Dr. Woodman sofort fragen, Sir! Glücklicherweise ist Dr. Ekelund bereits aus der Betäubung erwacht. Ich nehme an, Sie können ihn sprechen. Schließlich ist er ja nicht weiter krank.«

»Nur vergiftet«, sagte Paul Bonnard mit dem ersten und einzigen Anflug von Ironie, den er sich jemals geleistet hatte. »Ich kann doch erst einmal zu Marie hinein, nicht wahr?«

»Jederzeit, Sir! Sie tun ihr immer gut.«

Paul Bonnard hob abwehrend die Hand. Nur keine Übertreibungen! Er tat niemandem gut und hatte auch nicht die Absicht. »Tut mir leid mit Dr. Ekelund«, murmelte er. »Sehr guter Freund von mir! Hmm! Ich weiß nicht, wie es kommt, aber alle meine Freunde haben gesundheitsschädliche Frauen. *Mich* stört es allerdings nicht.«

Nurse Waterhouse hätte beinahe laut gelacht, aber sie merkte noch zur rechten Zeit, daß Mr. Bonnard keinen Witz machen wollte. Im nächsten Augenblick ging er den Korridor hinunter. –

Nurse Farnhem saß am Bett der schlafenden Patientin. Sie sprang sofort auf und zog sich zurück. Sie strahlte, weil sie endlich Tee trinken konnte. –

Paul Bonnard trat dicht an Maries Bett heran. Sie hatte tiefe Schatten unter den Augen und schlief fest. Er betrachtete das glanzlose Haar, das trotz der chemischen Wäschen noch einen dunklen Schimmer hatte, und die scharfen Linien in dem schönen zarten Gesicht. Hoffentlich kam die ganze Geschichte eines Tages in Ordnung. Paul entfernte ein unsichtbares Stäubchen von seinem Anzug aus der Saville Row. Der Anzug war ein Wunder an kostspieliger Unauffälligkeit. Paul hatte mehrere Dutzend Anzüge in gedeckten Farben und verabscheute phantasievolle Westen, wie sie selbst in seiner Hotelhalle gelegentlich auftauchten. Der Anblick eines Mannes im Bowlerhut und weichem Hemd beunruhigte ihn ernstlich. Aber das war nichts gegen die Peinlichkeiten, die Marie in London verursacht hatte. Warum gerade in London? In Paris sah man tolerant über vieles hinweg, und wenn eine schöne junge Frau im Mittelpunkt eines Prozesses stand, dann konnte sie auf Freispruch hoffen. Wenigstens war Paul Bonnard dieser Ansicht. Er behielt sie — wie alle seine Ansichten — strikt für sich.

Es war ein wahres Glück, daß Marie verrückt war, dachte er. Aber Nurse Waterhouse war so zurückhaltend gewesen. Wie, wenn Marie nur verrückt spielte? Paul traute es ihr ohne weiteres zu. Er sah sich forschend im Zimmer um. Einer mußte schließlich herausbekommen, ob Erik in *diesem* Raum die peinliche Überraschung erlebt hatte. Wenn Marie nur verrückt tat — es war kinderleicht, die Ärzte zu täuschen und ihnen ungereimtes Zeug zu erzählen — und wenn sie Erik irgendein Gift in den Tee getan hatte, dann war sie eine Mörderin. Aber Paul wollte nicht klüger als die Psychiater sein . . . Sollte Marie ruhig unzurechnungsfähig sein. Nur keine Gerichtssache! Lady Melfords Prozeß genügte ihm, obwohl er ihn nichts anging. In Brook Street hatte sie kein Opium herumliegen lassen. —

Paul Bonnard blickte immer noch umher. Es war das in einer guten Privatklinik übliche hygienische Krankenzimmer. Als er sich achselzuckend entfernen wollte, fiel sein Bilck auf den Nachttisch, auf dem ein leeres Wasserglas und ein kleiner Kasten standen. Er war aus asiatischem Holz angefertigt und kunstreich mit Muscheln und scharlachroten erbsenähnlichen Kugeln dekoriert. — Paul Bonnard starrte den Kasten an. In allen Bonnard-Hotels standen solche ostindischen Andenken herum. Die scharlachroten Kugeln waren sogenannte Paternostererbsen. Im Altertum nannte man sie Hahnenaugen. Die Pflanze, die diese Erbsen hervorbrachte, war ein ostindischer Schmetterlingsblütler. Die roten Kügelchen enthielten Abrin — ein schweres Gift, das dem Schlangengift ähnelte. Paul Bonnard nahm das Kästchen vorsichtig in die Hand. Es hatte dieselbe Form und dieselben Muscheln wie sein eigenes Kästchen, das seiner Großmutter in Hinterindien geschenkt worden war. Es stand unter Verschluß in seinem Wohnzimmer — zusammen mit den Elfenbeinfischern und T'ang-Pferden, die Gordon Miles so entzückten. Er hatte das Kästchen scheußlich gefunden, aber als Paul erklärte, es sei ein Familienandenken, hatte Miles ergeben genickt. Wo die Pietät anfing, hörte die Ästhetik auf . . .

Paul Bonnard öffnete Maries Kasten. Er enthielt Knöpfe, Nähgarn und einige Adressen, die Paul selbstverständlich nicht las. Er examinierte den Kasten von allen Seiten. Eine kleine rote Erbse fehlte. Paul stand am Fenster und fühlte, daß seine Hand zitterte.

»Was machst du da?« fragte eine Stimme. Er fuhr herum, obwohl er nicht gerade schreckhaft war. Marie starrte ihn aus leeren Augen an. »Gefällt dir der Kasten, Paul? Du kannst ihn haben!«

Sie schloß die Augen.

»Ich wollte dich gerade darum bitten«, sagte Paul Bonnard. »Ich hab' doch auch so ein Ding!«

»Sie sind sehr nützlich«, sagte Marie. »Ich meine, zum Knöpfeaufheben! Was bewahrst du in deinem Kasten auf?« Sie begann schrill zu lachen. »Du bist wahnsinnig komisch«, stieß sie unter Gelächter hervor. Sie bekam öfters solche Lachanfälle, die mit stundenlanger manischer Schweigsamkeit abwechselten. –

Paul Bonnard steckte den Kasten hastig in die Manteltasche. Das Ding dehnte die Tasche aus, worüber Paul sich ärgerte. Der Mantel würde aufgebügelt werden müssen.

»Wirf den Kasten in die Themse«, sagte Marie mit geschlossenen Augen. »Da liegt er gut.« Sie lachte so schrill, daß es einem durch Mark und Bein ging. –

»Nimm dich doch zusammen«, sagte Paul Bonnard unfreundlich.

Marie stöhnte vor Lachen. Plötzlich begann sie zu schluchzen. »Du bist so häßlich zu mir, Paul!«

Er klopfte ihr verlegen auf die Schulter. »Schon gut, Kleine! Reg dich nicht auf!«

Marie zog einen Ring vom Finger. »Nimm ihn, Paul! Ich will dafür nur einige M-Zigaretten! Bitte, bitte!« Sie schrie das letzte »bitte« so laut, daß Paul Bonnard zusammenfuhr. Er hatte indessen den Ring auf Maries Nachttisch gelegt und unauffällig nach Nurse Waterhouse geklingelt. Haarsträubende Angelegenheit! Der arme Antoine hatte wenigstens den Mund gehalten und seine Verwandten nicht bestechen wollen. –

Marie lag wieder mit geschlossenen Augen da. Sie klammerte sich an Nurse Waterhouse und hielt ihre Hand fest. Paul Bonnard verschwand. Der Muschelkasten würde ihm die Manteltasche zerreißen, wenn er ihn nicht sofort in die Themse warf. Es war das Beste, was man tun konnte. Niemand wußte, ob die Spürhunde von Scotland

Yard nicht die kleinen roten Dinger kannten. Oder sie holten einen Sachverständigen, der sich in Asien auskannte. Paul traute niemandem . . .

Morgen würde er seinen Krankenbesuch bei Erik Ekelund machen. Jetzt fehlte ihm die Zeit dazu.

In Brook Street bestellte Paul ein feines leichtes Essen für Eriks Vater und Maurice Bonnard, der in wenigen Stunden in London eintreffen würde. Paul trank einen doppelten Kognak. – Seine Manteltasche war leer. –

Marie war verrückt, obwohl sie lichte Momente hatte. Wenn Paul es recht bedachte, mußte sie vorhin, als sie ihm ins Gesicht lachte, einen besonders lichten Moment gehabt haben. *Er* war sich wie der Verrückte vorgekommen.

*

Niemals zuvor hatte Paul einen Verwandten mit solcher Wärme begrüßt wie jetzt Professor Bonnard aus Zürich. »Ein wahres Glück, daß du da bist, Maurice! Marie ist unmöglich.«

»Ich will sie mir erst einmal ansehen«, sagte der Professor vorsichtig. »Phantasiert sie? Ich meine, redet sie ungereimtes Zeug?«

»Mir kam es vor, als wisse sie genau, was sie sagt.«

»Das bedeutet noch nichts.«

»Natürlich nicht«, sagte Paul Bonnard mürrisch. »Für euch kann jemand gar nicht verrückt genug sein.«

»Ich muß deinen Scharfblick bewundern, Paul!«

»Übrigens, der gute Erik liegt auch in der Klinik. Er fühlte sich schlecht nach seinem Besuch bei Marie. Sehr verständlich, wenn du mich fragst!«

»Was hat er? Schnupfen? – oder leidet er an Melancholie?«

»Bei dem ist nichts zu holen, Maurice! Ekelund hat kein Seelenleben.«

Professor Bonnard betrachtete Paul aufmerksam durch seine Brillengläser. Er sah gelblich aus und hatte dunkle Ringe um die kalten blauen Augen.

»Ist dir nicht wohl, Paul? Hast du etwas gegessen, was deiner Galle nicht gefällt?«

»Das ist das zweite Mal an einem Tag, daß meine Küche angezweifelt wird. Wenn das so weitergeht, kann ich das Haus schließen.«

»Du gefällst mir nicht«, sagte der Arzt ruhig. »Du solltest verreisen.«

»Ich will nicht verreisen, und ich will dir nicht gefallen! Was möchtest du trinken, Maurice? Einen Whisky-Soda oder wieder deinen alten Hennessy?«

III

»Sehe ich Sie noch einmal, Dr. Ekelund?«

Catherine war wieder allein mit Eriks Vater. Louise hatte sich sofort verabschiedet. Sie wollte Hilda an die frische Luft bringen, oder sonst etwas unternehmen, was Hilda von dem Gedanken an Dominik Bonnard ablenkte. –

»Ich fliege morgen nach Stockholm zurück«, sagte Oscar Ekelund. »Es war mir eine große Freude, Madame! Meine Angelegenheiten in London sind beendet.«

Madam nickte. Sie ahnte, daß der schwedische Strafverteidiger seinen Freund Walter Langton gefragt hatte, ob Marie in den Melford-Prozeß hineingezogen werden würde. Beide Ekelunds hatten in Sir Walters Wohnung übernachtet. Sir Walter war stets in Stockholm Gast der Ekelunds. Eine alte gute Freundschaft. Sie hatten sich auf einem internationalen Juristenkongreß kennengelernt. –

»Was soll aus allem werden?« fragte Catherine Bonnard. Sie war tapfer und von Natur optimistisch, aber Maries Verschwinden hatte ihr etwas angetan. Und nun dieser Schock . . . Sie schalt sich schweigend, weil sie plötzlich an Natalya Bonnards Behauptung denken mußte. War Marie wirklich mit dem Unglück verbündet? Zerstörte sie die Männer, die ihren Weg kreuzten?

»Zunächst einmal muß Marie gesund werden«, sagte Oscar Ekelund. »Professor Bonnard hat ja einen großen Ruf.«

»Es ist alles in der Familie«, Madam lächelte matt.

»Und da scheint es auch zu bleiben«, bemerkte der schwedische Strafverteidiger trocken. Madam fand die Bemerkung seltsam.

»Bitte, rechnen Sie mich zur Familie«, sagte Oscar Ekelund ruhig. »Es ist mir Ernst damit.«

Catherine Bonnard nickte wieder. Sie fühlte, daß eine Tragödie einen vorläufigen Abschluß gefunden hatte, aber Maries Abtransport tat ihr weh. So jung – knapp siebenundzwanzig Jahre – und welch ein Schicksal! Marie hatte in den wenigen Ehejahren Dinge erlebt, die für drei Menschenleben reichten. – Wie war es möglich, daß auf der anderen Seite manche Menschen siebzig Jahre in verhältnismäßiger Ruhe und Gleichförmigkeit verbringen durften – wie etwa Louisens Großvater in Camden Town oder Paul Bonnard in Brook Street. Kam es, weil sie so korrekt waren und nicht gegen Regeln verstießen?

Mrs. Bonnard blickte den Schweden sinnend an. Er war in wenigen Stunden ein Freund geworden. Hätte doch sein Sohn nur etwas von seiner menschlichen Wärme gehabt! Dann hätte Marie wahrscheinlich nicht zum Opium gegriffen!

»Was soll aus ihr werden?« fragte Madam noch einmal. Ihr war, als schwanke der Boden unter ihren Füßen. Es mußte doch ein Sinn hinter Maries Geschick sein. Schmerz und Leid waren für gewöhnlich die großen Lehrmeister, ohne die der Mensch auf einer kindlichen Stufe stehen blieb. Aber Marie war in ihrer schwarzweißen Welt ein Kind geblieben – ein Kind, das böse Streiche ausheckte. –

»Ich werde sie zu mir nehmen, wenn sie gesund wird«, sagte Oscar Ekelund. »Sie wird mit mir erst einmal in Stockholm leben. Sie muß wieder Zutrauen fassen – darauf kommt es an, glaube ich. Zutrauen zu den Menschen und Vertrauen zu Gott. Es geht nicht anders.«

Er schwieg einen Augenblick und blickte in den Garten, in dem der Frühling sich regte. Der Frühling fing früh in England an. Es war ein mildes Land! Eine heitere und maßvolle Luft wehte hier. –

»Wir haben in der Nähe von Stockholm einen Felsengarten«, sagte er langsam. »›Lidingö‹ heißt er. Der Bildhauer Milles hat ihn erbaut.«

»Ich habe davon gehört, Louise ist dort gewesen.«

»Es gibt dort eine Skulptur, die ich oft betrachte. Gottes Hand, Madame! Auf der riesigen Bronzehand steht ein kleiner Mensch. Er balanciert auf den Zehenspitzen zwischen Gottes Daumen und Zeigefinger. Man denkt, er müßte im nächsten Augenblick in die Tiefe fallen. Aber er fällt nicht, Madame! Nicht, wenn er nicht freiwillig abspringt.«

Die Rezeption meldete, Mr. Paul Bonnard warte unten.

Oscar Ekelund drückte Madams kalte Hand. »Mich friert«, murmelte sie. »Wir müssen noch mehr heizen.«

»Schicken Sie mir also Marie nach Stockholm, sobald sie soweit ist.«

Der schwedische Strafverteidiger stand bereits in der offenen Tür. Sein weiches, graublondes Haar fiel ihm in die hohe Stirn. Seine hellen, nachdenklichen Augen überblickten noch einmal dieses englische Wohnzimmer mit den alten Messingkrügen, den Wedgewoodschalen, den Familienbildern. Er betrachtete die schöne ungebeugte Frau mit dem traurigen Mund und den sprühenden Augen. Sie gehörte in diesen Raum – er schloß sie ein. Antoine Bonnard blickte direkt auf seine Frau herunter ...

Oscar Ekelund sah die kleine Marie in der weiten schwedischen Landschaft, wo alles hell war und ohne Erinnerungen für sie. In Lidingö würde sie die Sonne grüßen ... Man mußte ihr helfen, in einer schattenlosen Welt heimisch zu werden. Sonst würde sie wieder in einem Mohnfeld einschlafen und in der Dunkelheit erwachen.

Antoine Bonnard schien leise zu lächeln. Ekelund wandte sich von dem Portrait ab.

Er würde es schwer mit Marie haben. Sie hatte niemals seine Briefe beantwortet. Aber Oscar Ekelund erwartete keine Antworten. Er erwartete gar nichts von den Menschen, die er jahraus, jahrein gegen die Welt und ihr eigenes Ich verteidigte. Er stand abschiednehmend vor Maries Großtante – unauffällig, ruhig und tröstlich. Seine Schultern waren leicht gebeugt. Catherine Bonnard wunderte sich nicht darüber. Diese Schultern trugen die Bürde der Nächstenliebe. –

VIERTES BUCH

Die Bürde der Nächstenliebe

ERSTES KAPITEL

Die Gefährten

Jetzt bin ich seit sechs Monaten in der Klapsbude und finde es sehr nett. Das heißt, ich wohne bei Maurice in seinem Flügel. Nebenan schläft Fräulein Dr. Brunner – sie ist unsere Assistentin. Natürlich bin ich nicht verrückt – das weiß Maurice genausogut wie ich. Sie halten mich hier fest, weil niemand draußen die Geduld aufbringt, sich etwas um mich zu kümmern. Im allgemeinen tut das der Ehemann, aber Erik ist nicht da. Sein Stellvertreter besuchte mich in der Klinik in London. Erst dachte ich sogar, es wäre Erik. Dann sah ich sehr schnell, daß Erik diesen Stellvertreter engagiert hatte, um mich um die Ecke zu bringen. Er sah genauso aus wie Erik, aber ich merkte sofort, daß er die Rolle nur spielte. Deswegen wollte ich ihn bestrafen. Es war schrecklich komisch, wie Paul Bonnard den Muschelkasten examinierte. Paul ist unheilbar korrekt, aber er hat trotzdem Beweismaterial vernichtet. Er tat es nicht meinetwegen, sondern seinetwegen. Ich hoffe, daß ich ihn nie wiedersehe. Er ist ein sehr schlechter Hotelier – er hat nicht einmal einen kleinen Vorrat von Marihuana-Zigaretten für seine Gäste. Man ist ja bereit zu bezahlen, nicht wahr? Wer will schon etwas umsonst von einem Ekel wie Paul? Aber Paul nahm meinen Ring nicht. Er hat zuviel Geld. Das ist immer ein Unglück für die Leute. Geld verdirbt den Charakter ... Ich hätte Paul noch gern gefragt, ob er den Muschelkasten in die Themse geworfen hat, aber es kam nicht mehr dazu. Am nächsten Morgen verfrachten sie mich in die Klapsbude. Ich wachte am Züricher See auf. –

Miss Kuang hat mir damals den Muschelkasten geschenkt. Ein ganz billiges Ding, aber das Holz roch so gut. Es stammt aus Hinterindien. Die kleinen roten Erbsen sind sehr niedlich und todbringend.

Hoffentlich haben sie bei dem Stellvertreter ihre Wirkung getan. Drüben verfertigen sie auch Halsketten und buddhistische Rosenkränze aus den Paternostererbsen. Man hat in Asien keine Angst vor dem Tod und trägt ihn gern mit sich herum. Paul sah mich an, als ob ich eine Mörderin wäre – so ein Unsinn! Ich hätte ihm beinahe erklärt, daß es sich nur um Eriks Stellvertreter handelte, der *mich* umbringen wollte! Aber ich ahnte, daß er es nicht verstehen würde. Die Bonnards sind schwer von Begriff. –

Maurice ist der einzige, der weiß, was ein Stellvertreter ist. Ich erzählte ihm alles. Er nickte ... »Schon gut, Kind! – *Der* kommt nicht wieder! Wir lassen ihn nicht zu dir herein. Du kannst immer Fräulein Dr. Brunner rufen!« – Nurse Waterhouse war mir lieber, aber sie ist nach London zurückgefahren. Alle lassen mich nach einiger Zeit allein. Ich habe das Maurice erklärt. Er gehört zu den wenigen Leuten, die genau zuhören. Allerdings läßt er sich dafür bezahlen. Seine Rechnungen sind gesalzen. Aber – wie gesagt – wenn ich gewußt hätte, wie nett es in seiner Klapsbude ist, hätte ich mich nicht in London versteckt! Allerdings bekomme ich nichts zu rauchen. Maurice treibt mir die Anwandlungen auf elektrischem Wege aus. Und mit Drogen natürlich. Alles kostet extra. Maurice scheint anzunehmen, ich wäre eine Millionärin. Dabei bin ich eine ganz bescheidene Erbin. In Portobello hat es mich so gut wie nichts gekostet. George Miller – er hieß bestimmt anders! – bezahlte alles. Es ist sehr angenehm, arm zu sein. Dann rühren sich die Männer wenigstens und zücken das Scheckbuch. Es war das erste Mal, daß ein Mann alles für mich bezahlte und eigentlich kaum etwas von mir verlangte. Onkel George war sehr komisch. Es ist doch nicht normal für einen Gentleman, sich in so einer Bude zu verkriechen, wenn er rauchen oder lieben will. In seiner Wäsche waren Monogramme: G. M. – Aber was ging es mich an? ... Er ist auch weggelaufen, genau wie alle anderen Männer, die ich in meinem Leben getroffen habe. Sie lieben mich, können mich aber nicht leiden ... –

Ich weiß nicht, warum niemand mit mir zusammen bleiben will. – Deswegen habe ich mir einige *Gefährten* angeschafft, die mir Gesellschaft leisten. Das wissen aber nur Maurice und ich. Die Familie würde sofort wieder sagen, daß es bei mir piept. Dabei ist es das Selbstverständlichste auf der Welt. Schon in der Bibel wird gesagt, es wäre nicht gut, daß der Mensch allein sei. »Nicht gut« ist gut.

Ich habe hier sehr wenig zu tun. Man tut Dinge mit mir. Nachdem ich durch die Schockbehandlung so normal wurde, daß ich mich wahnsinnig über die Rechnungen aufregte, bekam ich Beruhigungsdrogen. Man kann sie jedem empfehlen, der mit den Steuerbehörden zu tun hat. Wenigstens aß ich besser, nahm an Gewicht zu und nahm das Tuch vom Spiegel weg. Das hätte ich aber nicht tun sollen. Ich sehe so merkwürdig aus. Meine Lippen sind ganz steif. Die Schläfen sind bläulich, und kleine Adern bewegen sich wie Forellen unter der Haut. Außerdem habe ich Glasaugen. Ich wollte schreien, besann mich aber zur rechten Zeit, daß in der Klapsbude immer andere Gesichter aus den Spiegeln heraussehen. Neulich war es Ulrika . . . Ich konnte mich gar nicht rühren vor Schreck. Jetzt haben sie den Spiegel herausgenommen.

Ich rede mit niemandem hier. Die Leute sind alle verrückt. Ich habe meine eigenen Gefährten. Sie sind unsichtbar, und wir unterhalten uns sehr angenehm. Wenn ich allein sein will, sage ich einfach: »Fort mit euch!« Und sie verschwinden gehorsam. Selbst die *Gouvernante*, die sehr hartnäckig geworden ist! Schade, daß Paul die Paternosterperlen in die Themse geworfen hat. Sie würden der Gouvernante denselben Schreck einjagen wie Eriks Stellvertreter. Ich hätte mich totlachen können, als der Stellvertreter in der Londoner Klinik stöhnte und sich hin und her bog wie eine Ähre im Wind. Er muß gestorben sein, denn er ist mir nicht nach Zürich gefolgt. –

Die Gefährten teilen alles mit mir: meine Behandlung, meine Spaziergänge mit Fräulein Dr. Brunner und meine Träume. Fräulein Dr. Brunner ist sehr schreckhaft – nicht das Richtige für eine Ärztin. Sie tut auch nur so. Sie sagt, sie sei eine Helferin von Professor Bonnard! So eine Frechheit! *Ich* bin seine Helferin. Maurice vertraut mir alles an, genau, wie ich ihm alles anvertraue.

Einmal war ich dumm genug, Fräulein Dr. Brunner von den *Gefährten* zu erzählen. Ihre Hornbrille fiel ihr vor Schreck von der Nase. Sie heißt Mathilde und sieht so aus. Sie versuchte, mir die Gefährten auszureden, aber es gelang ihr nicht. Ich sagte einfach: »Ich habe geträumt. Sie haben natürlich recht!« – Das ist die Zauberformel für den Umgang mit Psychiatern. Wenn sie recht haben, ist alles in Ordnung, und sie lassen uns in Ruhe. Ich hatte genug Reserpin bekommen. Mein Kopf war klar. Manchmal sind Paternostererbsen drin, und dann rüttelt es in meinem Kopf, als ob Gepäckwagen hin und her geschoben würden. Es ist grauenhaft, wenn Gepäckwagen auf einem so kleinen Raum hin- und herrasen.

Ich bin auf ganz einfache Weise zu meinen Gefährten gekommen. Da ist erstens die *Gouvernante,* dann der *Weltreisende* und schließlich sind da *zwei Zwerge.* Die Zwerge sind taubstumm und zu unserer Bedienung da. Sie dürfen nicht mitreden, wenn ich mit dem Weltreisenden und der Gouvernante über ernsthafte Sachen spreche. Es ist sehr nützlich, daß die Zwerge taubstumm sind. Sie könnten gar nicht mitreden, selbst wenn sie wollten. Der Weltreisende sieht wie Francis Littlewood aus, aber er ist es nicht. Francis ist in Chiengmai. Das weiß ich ganz genau. Ich brauche ihn jetzt nicht mehr. Der Weltreisende ist viel netter. Er hat Zeit für mich. Wir haben viel zu tun. Wir sind oft in Lampang im »Drachenboot«. Nicht einmal Maurice weiß es. Niemand ist leichter zu täuschen als ein Psychiater. Manchmal fürchte ich, daß Maurice nicht alle Tassen im Schrank hat. Ich bespreche seine Behandlung oft mit der Gouvernante. Sie hat alle Tassen im Schrank und noch ein Dutzend in Reserve für den Fall, daß es klirrt und wieder eine Tasse zerbricht.

Die Gefährten sind eine englische Einrichtung. Ich kann England und seine Insassen nicht leiden, aber die »Stummen Gefährten« gefielen mir sofort. Ich habe sie niemals vergessen können, seitdem ich sie mit Mrs. Hicks im Schloß in Knole sah. Es war auf einem unserer Donnerstag-Ausflüge. Ich war elf Jahre alt. Madam besuchte einen ausgedienten Oberkellner in Sevenoaks – in der Nähe des Schlosses. Es war ein heißer Tag. Kent ist aber so grün, daß die Hitze sich in den Bäumen und Wiesen verkriecht. Mr. Hicks hatte einen kleinen Teeladen (natürlich mit meinem Geld gekauft!). Ich bekam Zuckerkuchen. Dann sagte Madam, sie wolle sich ausruhen, aber ich solle das Schloß sehen, das der Familie Sackville-West gehört. Ich wollte das Schloß nicht sehen. Ich kenne die Familie nicht. Schlösser waren mir stets verdächtig. Es gibt so viele Galerien und kleine runde Turmzimmer mit versteckten Türen und riesige leere Säle und dicke Mauern. Wer in einem Schloß verschwindet, nach dem kräht kein Hahn mehr. Besonders englische Schlösser sind lebensgefährlich. Sie sind durchweg von Geistern der Vergangenheit bewohnt. Man weiß nie, wann solch ein Geist mitten auf den Teetisch springen wird . . . Aber in *Knole* sah ich die Gefährten . . . Die Engländer sind klüger, als ich dachte. Sie sind einsame Leute und wissen es. Deshalb stellten sie die

Gefährten in den Schlafzimmern von Knole auf. Ich war erst elf Jahre alt, aber ich kapierte es sofort.

Mrs. Hicks war klein, dick und sehr freundlich. Sie hatte gar keine Lust, mit mir den Hügel zum Schloß hinaufzusteigen, sondern hätte lieber in ihrem Teeladen gesessen und Kuchen gegessen. Aber sie liebte Madam – alle Leute lieben Madam, obwohl nichts Besonderes an ihr dran ist. Mrs Hicks zeigte es nicht, daß sie keine Lust hatte, sich mit mir zu unterhalten. Sie erwiderte auf alles, was ich sagte: »Entzückendes Wetter heute!« und daß wir bald oben wären. Das Schloß war grau und riesengroß. Ich wollte nicht hinein, sondern lieber unter einem Baum liegen. Es waren himmlische Bäume im Schloßpark. Ich weinte. Aber Mrs. Hicks sagte *»There, there – ducky«*, und sie meinte, das Schloß wäre ganz entzückend. Wir gingen hinein. Mrs. Hicks hielt mich fest an der Hand und sagte, ich sollte tüchtig aufpassen. Das Schloß wäre sehr alt, und so etwas würde ich niemals woanders zu sehen bekommen. Dann pustete sie wie eine kleine Dampfmaschine und wischte sich den Schweiß von der Stirn. Die Engländer sagen einem immer, daß man ihre Einrichtungen niemals woanders zu sehen bekommt. Da haben sie recht.

Wir gingen mit einem Schwarm von Touristen durch das Schloß. Die Touristen sagten zu allem »sehr nett« oder »reizend«, auch wenn es sich um den ältesten zerbrochenen Sessel in ganz Großbritannien handelte. Ich weiß alles noch wie heute. Ich erinnere mich jetzt stets an meine Kindheit, wenn nicht gerade rote Erbsen in meinem Kopf herumrollen. Heute machen sie Feiertag.

Wir wanderten durch den kühlen steinernen Hof in die »Große Halle«. Mrs. Hicks hielt mich immer noch fest. Sie lutschte Pfefferminzbonbons und bot mir davon an. Ich mag kein Pfefferminz. Mrs. Hicks betrachtete dies als eine persönliche Beleidigung gegen die Pfefferminzbonbons von Sevenoaks, aber sie sagte, es machte nichts ...

Auf der großen Treppe – vielmehr an ihrem Fuß – stand ein großer weiblicher Nackedei aus Stein: eine Italienerin . . . Mrs. Hicks zog mich schnell auf die Treppe. Ich fragte, warum die Italienerin nichts anhabe. Mrs. Hicks überhörte die Frage. »Wir kommen jetzt in die braune Galerie«, sagte sie und lutschte ihre Bonbons. Sie war noch röter geworden. Die nackte Dame hatte sie aus der Fassung gebracht.

Schließlich sah ich die *Gefährten.* Wir standen in Lady Betty Germains Räumen. Vorher hatte Mrs. Hicks mich an Hunderten von Bildnissen vorbeigeschleift. Mir gefiel nur der kleine *Wang-y-Tong*, der chinesische Page auf Schloß Knole. Er war mit anderen Portraits im »Reynolds Raum« zu sehen. Der Kleine erinnerte mich an meinen Freund *Zweikopf*. Der war auch ein Chinese, aber er bewohnte nur Louise Bonnards Zimmer in Haverstock Hill. Wang-y-Tong hätte wunderbar zu meinem Freund mit den zwei Köpfen gepaßt, dann hätten drei Köpfe auf chinesisch gelächelt. Es wäre sehr lustig gewesen. Ich fragte Mrs. Hicks, ob ich Wang-y-Tong mitnehmen könnte, aber sie sagte, das ginge nicht. Wang wäre immer im »Reynolds Raum« gewesen, und da müßte er bleiben. »Immer« hieß seit 1776, und da war nichts zu machen. –

Die Gefährten waren bemalte Holzfiguren in Lebensgröße und standen am Kamin in Lady Bettys Schlafzimmer. Der Führer machte uns auf alles mögliche aufmerksam, auf den Teppich aus dem sechzehnten Jahrhundert und die Queen-Anne-Stühle. Ich wußte damals nicht, daß es Queen-Anne-Stühle waren, aber ich bin noch einmal nach Knole gefahren, als ich mich kürzlich in London versteckte. In Knole versteckte ich mich in einem großen Touristenschwarm. Ich wollte die »Gefährten« wiedersehen. Sie waren immer noch da. Sie werden noch in Lady Bettys Schlafzimmer stehen, wenn wir alle Pfefferminzbonbons in der Hölle lutschen . . .

Der Führer erklärte, die Holzfiguren hätten dazu gedient, die Türen offenzuhalten, wenn Lady Betty ins Zimmer kam, oder sonst jemand hereinkam oder hinausging. Aber ich wußte es besser, obwohl ich erst elf Jahre alt war. Die Gefährten leisteten Lady Betty Gesellschaft. Sie unterhielt sich mit ihnen – wie ich mit der Gouvernante und dem Weltreisenden. Aber im 18. Jahrhundert verstand man, daß jemand Gesellschaft braucht. Lady Betty kam deswegen nicht in die Klapsbude. Sie saß mit den Gefährten in ihren Zimmern in Knole, nähte die Vorhänge für ihr Bett mit dem Baldachin, erfand Kochrezepte und schrieb Briefe an ihre Freunde. Ich habe nicht einmal Freunde und bekomme keine Briefe.

Die Gouvernante besuchte mich zuerst, als ich noch hinter dem Portobello Markt wohnte. Sie stand an meinem Bett – groß, dünn und wachsam. Ich zeichnete sie mit ihrem hochgeschlossenen Kleid, ihrem altmodischen Schleierhut und ihrem weißen, strengen Gesicht. Ich zeigte Maurice das Bild, damit er Bescheid wüßte, mit wem ich mich hier unterhalte. Er nickte und hat die Skizze weggeschlossen. *Ich* brauche sie nicht. Ich nehme an, Maurice will sich mit der Gouvernante über meine Geheimnisse unterhalten. Aber sie verrät nichts. Sie steht stumm da – genau wie Lady Bettys Gefährten. Die erzählen den Touristen auch nicht, was Lady Betty über den ersten Herzog von Dorset dachte, dessen Gast sie auf Knole war. Ich denke auch allerlei über Maurice Bonnard, dessen Gast ich hier bin. Ein zahlender Gast natürlich! – Maurice würde nicht daran denken, mich mit den wirklich Verrückten in eine Abteilung zu tun. Die Gouvernante hat mich über diesen Punkt vollkommen beruhigt.

Ich verdanke ihr meine Freiheit. Sie riet mir, das Haus von Mrs. Burstow zu verlassen und erst einmal in die Pfandleihe überzusiedeln. Miss Crackerley war nämlich ermordet worden, während ich rauchte. Ich hörte Stimmen im Korridor und einen dumpfen Fall. Als ich mit der Gouvernante aus meinem Zimmer stolperte, war das Haus totenstill. Miss Crackerley war erwürgt worden. Und der Sugar Daddy hatte mich verlassen. Er kam niemals wieder in die Portobello Mews. Ich weiß nicht, warum er ohne Abschied fortgegangen ist, wo er mich doch so anbetete. Ich erlaubte ihm, meine Schmucksachen einzulösen und mit mir im Bett zu liegen. Mehr konnte ich für den alten Knaben nicht tun. – Mr. Austin in seinem kakaobraunen Pfandladen versteckte mich in einem Hinterzimmer. Es war ihm nicht angenehm, aber er war sehr anständig. Er nahm Großmutter Bonnards Smaragdring wieder in »Aufbewahrung« und sah sich nach einem anderen Logis für mich um. Die Burstows waren auch verschwunden. Ich sagte kein Sterbenswort über die Gouvernante. Mr. Austin hätte diesen Gast, der nichts zahlte, nicht aufgenommen. Die Gouvernante trägt keinen Schmuck und immer dasselbe graue Kleid, eine dunkle Brille und einen Schleierhut. Sie sieht mir ähnlich – ich meine, so werde ich in dreißig Jahren aussehen, wenn ich es noch erlebe. – Ich bin froh, daß die Gouvernante eine dunkle Brille trägt, denn ihre Augen sind so starr. Der Weltreisende ist ganz anders. Er hat die Augen von Francis. Aber manchmal erschreckt er mich und sieht plötzlich wie Erik aus. Ich meine natürlich wie Eriks Stellvertreter. Was aus Erik selbst geworden ist, weiß ich nicht. Entweder ist er in Stockholm oder in Chiengmai. Er ist sowieso ein Fremder, mit dem ich zufällig verheiratet war. Ich habe oft mit der Gouvernante darüber gesprochen, ob Erik den Stellvertreter selber engagiert hat oder ob dieser Kerl sich ohne seine Erlaubnis als Doppelgänger betätigt. Wir sind uns nicht einig. Ich habe Maurice nichts davon gesagt, denn er ist etwas schreckhaft. Ich fühle, wie er zusammenfährt, wenn ich vom »Stellvertreter« anfange. Mit dem Weltreisenden und den Zwergen ist Maurice einverstanden. Er hat nichts dagegen, daß ich nachts mit dem Weltreisenden unterwegs bin und etwas Neues sehe. Die Zwerge bedienen mich. Das ist Maurice auch recht. Da spart er an meiner Bedienung. Aber neulich sagte er: »Es wird bald soweit sein, daß du deine Gefährten wegschicken kannst, Marie! Ich bin sehr zufrieden mit dir!«

Ich denke nicht daran, die Gefährten wegzuschicken. Ich werde ihnen erst kündigen, wenn die Gefährten aus Lady Bettys Raum in Knole verschwinden. Aber ich nickte nur und sagte, Maurice habe ganz recht. Ich rede kaum mehr. Die Worte sind treulose Diener. Sie verraten meine Geheimnisse, ohne daß ich es ihnen erlaube. Neulich fragte Maurice, ob ich verreisen möchte. Dabei weiß er ganz genau, daß ich jede Nacht mit dem Weltreisenden und den Zwergen unterwegs bin . . . Maurice hatte einen Brief aus Stockholm. Er mußte einen Augenblick ins Nebenzimmer gehen. Ich sah mir den Umschlag an. Er war von Oscar Ekelund aus Stockholm. Der Name kommt mir bekannt vor. Aber es ist unwichtig. –

Ich hab' sehr gefroren in der Pfandleihe. Aber Mr. Austin sagte, man könne nicht alles haben: Sicherheit *und* Zentralheizung! Ich stimmte ihm bei. Ich weiß heute noch nicht, wieso ich eines Tages in der Londoner Klinik aufwachte und Nurse Waterhouse an meinem Bett stand. Erst dachte ich, es wäre die Gouvernante, aber es war Nurse Waterhouse. Sie fragte: »Wie fühlen wir uns heute morgen?« Das würde die Gouvernante niemals fragen. Sie weiß, wie wir uns fühlen.

Immer, wenn Ulrika mich hier besucht, passieren komische Dinge. *Ich* bin plötzlich Ulrika und kann auch tanzen. Aber Fräulein Dr. Brunner meint, das Tanzen strenge mich zu sehr an. Wie albern! Eine Ballerina tanzt eben, bis sie umfällt! Ich habe mich bei Maurice beklagt, daß Fräulein Dr. Brunner keine Ahnung vom Ballett hat. Dabei fiel mir Tsensky ein, und ich mußte weinen. Ich hasse Tsensky, aber ich mußte weinen. Die Gouvernante läßt ihn nicht mehr zu mir herein. Tsensky hat stets meiner Gesundheit geschadet. Er ist Hitze und Kälte und Frühling und Winter in einer Person. Zum Schluß verließ er mich wegen Ulrika. Wenn ich damals schon meinen Muschelkasten gehabt hätte, wäre alles einfacher gewesen. –

Der Weltreisende bringt mich nachts in Gegenden ohne Namen und Hotels. Die Orte liegen stets am Meer: nur Felsen, und ein heller Himmel und Statuen. Einmal dachte ich, es wäre Lidingö. Aber Lidingö liegt bei Stockholm. Es hat einen Namen. Es gibt auch Häuser in den Gegenden, die ich mit dem Weltreisenden und den Zwergen besuche, aber die Häuser liegen in den Bergschluchten. Ich gehe niemals in ihre Nähe. Ich weiß nämlich, daß Ulrika in einem dieser Häuser wohnt und sich für ihren Tod auf der Landstraße rächen will. Einmal stürzte sie tatsächlich aus einem weißen Haus heraus. Sie redete mir ein, *ich* wäre die Ballerina. Sie wartete darauf, daß ich ins Meer tanzte und ertränke . . . Aber die Zwerge packten bereits die Koffer, und wir verschwanden. Ich sah noch, wie Ulrika in ihr weißes Haus zurückging. Sie warf den Kopf in den Nacken und lachte. Efeu hing wie ein dunkler grüner Teppich über der Pforte. Ulrika vermischte sich mit dem Efeu . . . Die See brüllte. Wir machten, daß wir nach Zürich zurückkamen. Dort stand Fräulein Dr. Brunner mit dem Haferbrei und fragte, wie ich geschlafen hätte. Ich warf den Teller mit dem heißen Brei an die Wand. Fräulein Dr. Brunner wollte eigentlich böse werden, aber sie besann sich noch zur rechten Zeit, daß ich hier ein Gast bin . . . Es tat mir leid mit dem Teller, aber es war Ulrikas Schuld . . . Mich täuscht Ulrika nicht, und wenn sie sich täglich dreimal in eine Efeuranke verwandelt. Mir wird sie den Hals nicht umdrehen. Die Zwerge kennen auch einige Tricks . . .

Das Schönste an meinen Weltreisen ist das Licht. Die Landschaften haben ja keine lokalen Sehenswürdigkeiten wie Knole oder das alte Hampstead oder der Felsengarten in Lidingö. Das Licht entschädigt für alles – es ist glänzend und leuchtet sogar in den Schluchten. Nur wenn es in meinen Kopf dringt, dann tut es weh. Dann muß Maurice mich elektrisch behandeln. Ich möchte niemals mehr von hier fort. Es ist wirklich nett in der Klapsbude. Man hört immer so albernes Zeug über solche Hotels. – Ich weiß jetzt, ich hätte von Geburt an hier leben sollen. Nirgends habe ich so reizende Gefährten gehabt. Die Zwerge bedienen uns umsonst – wo gibt es das noch? Es ist schrecklich, was Angestellte draußen kosten! –

Wir würden die Gouvernante gern auf unsere Reisen mitnehmen. Sie hat nichts von der Welt gesehen – nur die Portobello Mews! Aber sie muß nachts in meinem Zimmer bleiben und aufpassen, daß sich niemand einschleicht. Man weiß bei soviel Verrückten nie, was die Leutchen sich einreden. Es könnte doch eine kommen und Maurice erzählen, sie wäre Marie Bonnard! Dann bin ich mein Zimmer los! Wir haben der Gouvernante alles erklärt. Sie hat eingesehen, daß sie mein Zimmer bewachen muß. Fräulein Dr. Brunner ist zu gutgläubig. Jeder kann ihr einreden, er wäre Marie Bonnard. Sie hat nur ihren Beruf, ihre tragbare Schreibmaschine und ihre unglückliche Liebe zu Maurice. Aber Maurice ist Besseres gewohnt. Er behandelt die Doktorin, wie sie es verdient, freundlich und sachlich! Sie hat offenbar ihr Todesurteil akzeptiert, denn sie benimmt sich Maurice gegenüber auch freundlich und sachlich, aber ich fand in ihrem Schreibtisch einen Brief an ihre Freundin. – Ich wühle immer noch schrecklich gern in fremden Schubladen herum. – *So* verliebt hätte ich auch einmal sein mögen! Was kann Fräulein Brunner schon verlangen? Sie soll ihre Schreibmaschine heiraten und Maurice und mich in Ruhe lassen. Wir Bonnards interessieren uns nur für die Unerreichbaren . . .

Neulich nacht flogen wir in einen Dschungel. Es war sehr heiß. Wir mußten in Thailand sein. Irgendwo hinter den Tropenbäumen lag das Leprahospital. Dort war Francis. Einige Kranke gingen an uns vorüber. Ich erklärte dem Weltreisenden, er brauche keine Angst zu haben, Francis hätte gesagt, Lepra wäre eine Krankheit wie jede andere . . . Überall lagen Hände, Füße und Nasen herum. Wir flogen zurück. Francis zeigte sich nicht. Er hat mich längst vergessen. Heute abend reisen wir wieder in die Felsenlandschaften am Meer. Dort gibt es keine Erinnerungen. Die Wellen tanzen im Licht.

*

Maurice will mich loswerden. Ich fühle es. Es ist sehr schlimm. Der Weltreisende ist bereits verschwunden. Die Zwerge auch. Nur die Gouvernante kommt noch manchmal an mein Bett. Meistens ist es aber Fräulein Dr. Brunner. Gestern hatte sie rote Augen. »Was fehlt Ihnen denn?« fragte ich. »Oh, nichts! Die Sonne scheint mir in die Augen. So, mein Fräulein! Schlucken Sie diese netten kleinen Pillen!« Sie schob mir das Zeug in den Mund. Nette kleine Pillen! Alberne Person! Maurice wird sie niemals heiraten. –

Maurice hat keine Ahnung, wie unglücklich er mich gemacht hat.

Er hat mir meine Gefährten weggenommen. Ich weiß nun leider, daß die Gouvernante, der Weltreisende und die taubstummen Zwerge Ausgeburten meiner erkrankten Phantasie gewesen sind. Sie waren niemals mit mir zusammen. Ich habe sie mir ausgedacht. Und doch waren sie so wirklich wie jede Julia oder Ophelia, die Shakespeare sich seinerzeit ausgedacht hat ... Ich zeichnete die Gouvernante, und sie war wirklicher als die Leute hinter dem Porto-Markt, oder Louise Bonnard, oder Erik. Die Gefährten begleiteten mich auf allen Wegen. Wir gingen tagsüber zusammen am Züricher See spazieren und reisten nachts nach den Felseninseln oder diskutierten. Fräulein Dr. Brunner sagt, ich hätte ein ganzes Jahr lang laut mit den Gefährten gesprochen. Es war meine glücklichste Zeit. Nie vorher im Leben war ich so beständig von Freunden umgeben. Entweder tat ich das Normale und Natürliche, als ich meine innere Leere mit Gefährten bevölkerte, oder ich war schon als Kind nicht ganz richtig im Oberstübchen, denn damals führte ich auch lange Unterhaltungen mit dem chinesischen Zweikopf in Haverstock Hill ... Warum sollen eigentlich alle Leute normal sein, falls es das überhaupt gibt? Warum erlaubt man uns nicht, ein Leben in der Phantasie zu führen? Maurice hat mir nur die Leere zurückgegeben, die mich vorher so quälte. Er ist sehr stolz darauf. Den Geschmack am großen Rauch hat er mir ebenfalls weggezaubert. Ich schüttle mich bei dem Gedanken an Marihuana ... Ob er mich hypnotisiert hat oder sind es die Pillen? Ich bin jetzt eine ausgestopfte Puppe, die in den Nähten platzt. Wenn man sie rauh anfaßt, fallen die Sägespäne heraus. Aber ich weiß nun nach achtzehn Monaten wer ich bin und was ich mir eingeredet habe. Nicht in Einzelheiten, aber im allgemeinen. Fräulein Dr. Brunner sagte mir, ich wäre abwechselnd apathisch, aggressiv, schwermütig und lustig gewesen. So war ich eigentlich immer – nur war ich nicht gemeingefährlich. Maurice hat mir vorsichtig klar gemacht, daß ich sehr aggressiv gegen Erik war. Er soll es mir nicht nachtragen ... Fräulein Dr. Brunner spricht von meiner Krankheit wie von einem verlängerten Schnupfen ...

Maurice sagt, ich müsse mehr Anteil an meiner Umgebung nehmen. Er hofft, das käme noch mit der Zeit. Augenblicklich sitze ich herum und schweige. Man sagt zu leicht irgend etwas, was falsch aufgefaßt wird. Es ist natürlich *nicht* so, als ob die Gesunden keine inneren Spannungen oder merkwürdigen Vorstellungen hätten! Aber wenn Louise Bonnard behaupten würde, sie habe sich in der Nacht mit weißen Mäusen unterhalten, würden alle lachen und Louise witzig finden. Wenn *ich* das sage, würden sich alle bedeutungsvoll ansehen... Deshalb rede ich überhaupt nicht mehr. Ich habe es Maurice erklärt, aber selbst er hat es nicht verstanden.

Viele seiner Patienten leiden hier fürchterlich, weil sie mit den falschen Gefährten zusammen sind. Ich hatte den richtigen Artikel für meine Bedürfnisse ausgesucht. Mein Rückzug aus der Wirklichkeit war immer sehr erfreulich – sowohl der Mohn in den Bergen wie die Konversation der Gouvernante taten mir wohl. Eigentlich sind Geisteskranke in ihrer Art Künstler. Ich weiß vom Malen her, daß das, was man wegläßt, den großen Effekt hervorruft. Genauso habe ich alle Leute, die mir schlecht bekommen, einfach weggelassen und habe mich mit den Gefährten zusammengetan. –

Jetzt erinnere ich mich wieder an jedes Unglück in meinem Leben. Ich bin ganz allein mit mir, und es gefällt mir nicht. Die Behandlung hat mich so ruhig gemacht, daß ich mich kaum bewege. Ich könnte mich neben den »Stummen Gefährten« in Knole am Kamin aufstellen, niemand würde den Unterschied merken. Aber Maurice sagt, es läge kein Grund vor, mich weiter in einer Anstalt zu behalten – nicht einmal als Gast . . .

Morgen kommt mein Schwiegervater. Er will mich erst einmal mit nach Stockholm nehmen. In zwei Monaten werde ich achtundzwanzig Jahre. Ich weiß nicht, ob Erik in Stockholm ist.

Es ist mir vollkommen einerlei. Man sagt zu so vielen Leuten: »Willkommen, Fremdling!« –

ZWEITES KAPITEL

Medusa am Mälarsee

»Von den drei Gorgonen war Medusa
allein die sterbliche Schwester.«
Sagen des klassischen Altertums

I

»Ist Marie nun wirklich gesund, Herr Professor?«

Maurice Bonnard schwieg einen Augenblick. Er betrachtete Maries Schwiegervater durch seine goldene Brille mit den scharfen Gläsern. Dr. Oscar Ekelund sah sehr abgespannt aus. Er war unmittelbar nach Abschluß eines großen Prozesses nach Zürich geflogen, um Marie abzuholen. Er wollte sie, wie er schon in London erklärt hatte, erst einmal bei sich aufnehmen, um ihr die Rückkehr in den Alltag zu erleichtern. Oscar Ekelund war vor einer halben Stunde im Sanatorium angekommen und saß mit Maurice Bonnard bei einem Glas Wein in dessen privatem Wohnzimmer. Die Fenster gingen auf den Züricher See und die Berge – kranke Menschen konnten es nirgends heller und heiterer haben. Aber niemand weiß genau, ob die Schönheit der Umgebung die Dunkelheit in den Seelen der Patienten aufhellt. –

Maurice Bonnard räusperte sich. »Wir haben Marie nun ein und ein halbes Jahr bei uns gehabt, Dr. Ekelund! Sie zeigt seit etwa sechs Monaten keine Symptome von Verfolgungswahn. Sie spricht nicht mehr laut mit Personen, die nur in ihrer Einbildungskraft existieren. Sie findet sich langsam in die Wirklichkeit zurück, der sie so lange den Rücken gewandt hatte. Geheilt?« – Der Psychiater zuckte die mächtigen Achseln. »Wenn ich Marie mit Ihnen gehen lasse, dann ist es nichts als ein Experiment, lieber Freund! Bitte, behalten Sie das fest im Gedächtnis.«

»Ein Experiment? Wie meinen Sie das, Herr Professor?«

»Keine Sorge! Marie wird nicht toben oder irgendeine sozialwidrige Tat begehen! Dessen bin ich ziemlich sicher. Aber sehen Sie, selbst die neuen Drogen aus den USA, die wir hier zusammen mit eigenen Präparaten verwenden – selbst diese Wunderdrogen können aus Marie keine andere Persönlichkeit machen. Wir können die geistig Erkrankten nur von den schlimmsten Qualen befreien, ihnen Beruhigung verschaffen und versuchen, ihnen die Rückkehr in die Realität zu erleichtern. Und ich bin der Meinung, daß Marie bei Ihnen leichter zurückfinden wird als hier.«

»Ich hoffe es. Ich traue der Natur und vertraue auf Gott.«

Maurice Bonnard nickte. »Immer noch die beste Methode!«

»Wie konnte es nur soweit kommen? Ich lernte Marie als Eriks Braut in Stockholm kennen. Sie war jung, schön, amüsant! Ich dachte damals, Marie sei vielleicht zu weltlich für meinen Sohn. Erik ist ein Wissenschaftler durch und durch. Allerdings«, Dr. Ekelund zögerte, »Maries Augen schienen mir merkwürdig starr zu sein. Aber so helle Augen blicken oft ohne Tiefe.«

»Niemand kann eine Person wie Marie leicht durchschauen! Sehen Sie, ich kenne diese Kleine ziemlich genau. Ich kenne die Familiengeschichte, Maries persönliche Erlebnisse als Kind und ihre Erbanlagen.« – Professor Bonnard schwieg wieder. Er sah den unglücklichen Antoine in seinem Kardinalshut am Züricher See sitzen. Er war genauso glücklich in seinem Wahn gewesen wie Marie mit den ›Gefährten‹. Nur in den Klauen des Verfolgungswahns litten sie Qualen. Antoine hatte zum Schluß in seinem Bruder Maurice den Verfolger gesehen – Marie in der toten Ulrika ...

»Meine einzige Sorge ist, daß Stockholm Marie an Ulrika erinnert, Dr. Ekelund! Sie schrie hier in Todesangst und floh vor diesem Mädchen in den finstersten Winkel. Wir konnten sie dann nur mit starken Mitteln beruhigen. Aber das scheint nun überwunden zu sein.«

»Marie traf Ulrika nur wenige Male in Paris. – Sie ist nun schon seit Jahren tot.«

»Die Toten haben ein langes Leben für unsere Kranken! Marie versicherte mir übrigens, sie hätte Ulrika ermordet. Ich habe mich bei Ihrem Sohn genau nach den Umständen ihres Todes erkundigt und nichts herausgebracht, was diese Vorstellung rechtfertigt. Trotzdem war es eine von Maries hartnäckigsten Wahnideen. Die andere war, daß Erik sie verschwinden lassen wollte. Sie hatte furchtbare Angst vor ihm. Deshalb erfand sie sich als Sündenbock jenen ›Stellvertreter‹. Ein wahres Glück, daß Ihrem Sohn damals in der Londoner Klinik sofort geholfen werden konnte.«

»Wir haben damals böse Stunden durchgemacht.«

»Marie war nicht für ihre Handlungen verantwortlich. Ich hätte es jedem Gericht mit gutem Gewissen bestätigt. Schließlich habe auch ich etwas zu verlieren, mein Freund!« Maurice Bonnard lächelte dünn. »*Nicht* die Nerven, aber meinen Ruf! – Tja, was möchten Sie noch wissen, Dr. Ekelund?«

»Die positiven Symptome... Worin besteht Maries Besserung nach diesen achtzehn Monaten?«

»Sie weiß wieder, wer sie ist, wo sie ist und daß niemand ihr Böses wünscht oder antun will. Sie spricht gelegentlich mit anderen Leuten. Aber sie ist sehr vorsichtig.«

»Vorsichtig?«

»Marie hat noch zu niemand Zutrauen – außer vielleicht zu mir. Aber sie wurde so abhängig von mir, daß dieser Wechsel der Umgebung mir sehr günstig erscheint.« Maurice Bonnard entzündete eine neue Zigarre. »Maries Krankheit ist nicht so kurzen Datums, wie es den Anschein hat. Was ich heute von ihrem Leben kurz vor und nach ihrer Heirat weiß, scheint auf eine bestimmte psychische Grundhaltung zu deuten.«

»Bitte, erklären Sie sich deutlicher! Nehmen Sie keine Rücksicht auf die Familie Ekelund! Je mehr ich über Marie erfahre, desto besser werde ich mit ihr umgehen können. Wir haben ja nur Einfluß auf jemand, von dem wir sehr viel wissen.«

»Maries Grundhaltung war stets Flucht! Sie floh von ihrer Mutter zu dem Grafen Tsensky, von Tsensky zu Ihrem Sohn und dann ...«

»Bitte, sprechen Sie weiter!«

»Marie floh vor Ihrem Sohn in den Opiumdunst. Damit flüchtete sie aus der Wirklichkeit – im wahrsten Sinn! Ich habe niemals viel von dieser Lepra-Episode gehört, aber mir scheint – nach dem, was Dr. Littlewood mir damals schrieb und was Marie mir von diesem Arzt erzählte –, daß sie trotz der Krankheit dort oben in Chiengmai zur Ruhe gekommen war. Von *dort* wollte sie nicht fliehen. Nurse Waterhouse hat es mir bestätigt. Sie ist übrigens vor einer Stunde in Zürich angekommen.«

»Wir können nicht dankbar genug sein.«

»Nurse Waterhouse ist großartig geboren und so geblieben«, sagte Maurice Bonnard. »Sie wird für einen Monat nach Stockholm mitkommen.«

»Eine große Beruhigung für mich, Herr Professor.«

»Und für mich! Nurse Waterhouse hat es immer mit Marie verstanden. Sie hat sich für diesen Monat nur mit Mühe frei gemacht.«

»Ist sie schon bei Marie gewesen?«

»Ich habe eine Stunde strikte Ruhe für sie angeordnet, aber sie muß jetzt in ein paar Augenblicken bei uns sein. Ich möchte Marie dann bringen lassen.«

»Vielen Dank für alles! Wir fliegen also in einer Stunde.«

»Wann kommt Erik nach Stockholm zurück?«

»In einem Vierteljahr. Er ist wieder in Indien.«

»Ich gratuliere noch zu seinem Erfolg. Sein Buch über die Lepra-Stationen im Fernen Osten ist sehr neuartig und fesselnd.«

»Er will den zweiten Teil in Stockholm schreiben.«

»Hat er die Scheidungsidee aufgegeben?« fragte der Professor zögernd.

»Ich weiß es nicht. Mein Sohn schreibt nichts darüber, aber er freut sich, daß Marie endlich ansprechbar ist.«

»Eines noch! Ich muß mich darauf verlassen können, daß Sie mir regelmäßig berichten, lieber Dr. Ekelund. Es ist für Sie eine weitere Bürde, aber nur unter dieser Bedingung kann ich das Experiment wagen.«

»Selbstverständlich! Ich weiß, daß man bei der Schizophrenie auf eine Heilung nur hoffen kann. Eine Gewißheit scheint es nicht zu geben.«

»Wo gibt es Gewißheit? Wer hat bis jetzt den Krebs heilen können? Sehen Sie, wenn unsere Patienten hierher kommen, ist es meistens schon zu spät, aber das ist nicht pessimistisch gemeint! Wir haben eine Reihe von Patienten ins Leben entlassen können – mit vorläufigen und dann anhaltenden guten Resultaten. Warum sollte Marie nicht zu ihnen gehören? Aber vergessen Sie das eine nicht, lieber Freund: Stockholm ist nur ein Experiment!«

»Ich wünschte, Marie käme in fähigere Hände.«

»Sie kommt in die besten Hände, die ich mir denken kann«, sagte Maurice Bonnard ungewöhnlich herzlich. »Ah – da ist auch Nurse

Waterhouse! Treten Sie näher, meine Liebe! Hier sind alte Freunde! Haben Sie etwas geschlafen?«

»Vielen Dank, Herr Professor! Ich habe nichts gegessen und dadurch prächtig geschlafen. Wir sagen daheim: ›Schlafe ohne Supper und erwache ohne Schulden!‹« Nurse Waterhouse lachte kräftig. Sie brachte eine Atmosphäre von Normalität und Alltagsweisheit in dieses Gelehrtenzimmer. Oscar Ekelund drückte ihr stumm die Hände. Beryl Waterhouse wurde sofort ernst. Sie strich sich das rote Haar unter die Pflegerinnenhaube.

»Wie geht es Mrs. Ekelund, Herr Professor?«

»Ich lasse sie jetzt kommen.«

»Wird sie uns erkennen?« fragte Oscar Ekelund tonlos.

»Selbstverständlich«, erwiderte der Professor energisch. »Nein, nein – Sie müssen Marie jetzt als normal betrachten! Sie ist mißtrauisch, in sich verschlossen und sehr schweigsam, aber – wie gesagt – ganz vernünftig.«

»Wir werden das Kind schon schaukeln«, sagte Nurse Waterhouse.

Oscar Ekelund schwieg.

Der Arzt sprach ins Telephon. Dann entstand eine unbehagliche Pause. Dr. Ekelund und Nurse Waterhouse kamen sich plötzlich vor, als warteten sie auf einem Bahnhof auf eine unbekannte Person. Wieviel lag zwischen dem letzten Treffen in London und heute! Maurice Bonnard war einen Augenblick in Gedanken versunken. Tat er das Richtige? Ein schizophrener Patient war wie ein zerbrochenes Glas. Er hatte die Scherben nach den neuesten Heilmethoden des 20. Jahrhunderts wieder zusammengesetzt. Würden die Teile aber zusammenhalten? –

»Ich möchte Sie noch schnell auf etwas aufmerksam machen«, sagte er hastig. »Bitte erschrecken Sie nicht, wenn Dr. Brunner die Patientin jetzt bringt. Es würde schlecht auf Marie wirken.«

»Erschrecken?« flüsterte Nurse Waterhouse. Sie merkte zu ihrem Erstaunen, daß ihr Herz heftig klopfte, und fand es albern von ihrem Herzen. Sie kannte doch Mrs. Ekelund wahrhaftig! Sie waren zusammen durch Feuer und Wasser geschritten. Nurse kannte Marie und ihre Tänze, und Marie kannte Nurse. Wovon in aller Welt sprach Professor Bonnard? Nurse erschrak nicht einmal in Hitchcock-Filmen! –

Draußen auf dem Korridor gingen Leute hin und her. Durch die

Glastür sah man Schatten vorbeihuschen. Dann öffnete sich die Tür. Nurse Waterhouse brauchte ihre ganze berufliche Disziplin, um ihr übliches undurchdringliches Gesicht zu machen. *Das* sollte Marie Bonnard sein?

Auf den Arm von Dr. Mathilde Brunner gestützt, stand da ein Geschöpf – halb Kind, halb alte Frau. Zwei unordentlich geflochtene Zöpfe pendelten über die schmalen Schultern. Ein loses Kleid hing wie an einer Gliederpuppe herunter – so sehr war Marie abgemagert. Nur ihr Bauch stand heraus – wie bei unterernährten asiatischen Kindern. Das Geschöpf schien um einen Kopf kleiner zu sein, als Marie Bonnard gewesen war, aber Nurse Waterhouse sah mit ihrem geschulten Blick, woran es lag: Marie hielt sich krumm – sie hatte den Kopf lauernd vorgestreckt. Sie stand mit rundem Rücken und blickte im Zimmer herum. Wenn man es blicken nennen konnte! In ihren Augen war kein Ausdruck. Und trotzdem war es ein furchtbarer Blick. So mußten Tote blicken, die wider Willen dem Grab entstiegen sind. –

»Das ist schön, Marie«, sagte Maurice Bonnard. »Hier sind lauter Freunde.«

Marie trat einen Schritt näher. Sie wirkte besonders winzig, weil sie Sandalen anhatte. Sie trug nur einen Strumpf. »Hier ist der andere!« Fräulein Dr. Brunner gab Nurse Waterhouse den linken Nylonstrumpf. Dann verschwand sie durch die Glastür. –

Nurse Waterhouse sagte forsch: »Wir machen uns später fertig, nicht wahr, *ducky*?«

Marie zeigte eine Spur Leben. Sie ging langsam auf Nurse Waterhouse zu, sagte aber immer noch kein Wort. Plötzlich legte sie ihren Kopf an die Schulter ihrer alten Beschützerin. –

Die beiden Männer studierten die Aussicht auf den Züricher See.

»*Allons, enfants*«, sagte Nurse Waterhouse noch munterer. Sie betonte wieder jede Silbe verkehrt. »Sie werden uns beide jetzt hoffentlich entschuldigen, meine Herren! Wir wollen uns reisefertig machen. Und dann trinken wir noch eine nette Tasse Tee zusammen. Wo ist der Strumpf hingekommen?«

Marie bückte sich, hob den Strumpf vom Boden auf und reichte ihn Nurse Waterhouse. »Er ist scheußlich. Er kratzt. Und hat soviel gekostet«, sagte sie ohne jede Betonung.

»*Never mind, dear*«, erwiderte Nurse Waterhouse. »Wir suchen ein besseres Paar heraus.« Sie legte ihren Arm um Maries schmale Schultern. »Dann frisieren wir uns und ...«

»Nicht frisieren, bitte! Der Kamm kratzt so! Das kommt von den Pillen. Aber – Sie können mich bürsten, Nurse Waterhouse!«

»Wird gemacht«, sagte Nurse Waterhouse rauh. »Immer nett und proper! So kommen wir am besten weiter. Stimmt's?« –

II

Dr. Ekelund brachte Marie nicht in die Stadtwohnung. Es war Sommer in Stockholm, und die Ekelunds besaßen ein einfaches Sommerhaus auf Vaxholm, einer Insel in den schwedischen Gewässern. Dort gab es Stille, ruhige freundliche Villen, Wälder und einen blauen Nachthimmel. Dort gab es auch Erinnerungen, aber Marie kannte sie nicht. In Vaxholm hatte Erik Ekelund seine Ferientage mit Ulrika verbracht. Sie hatten dort schon als Kinder geschwommen und gesegelt ...

Nurse Waterhouse freute sich schweigend über Marias Fortschritte. Sie blieb wieder einmal länger, als sie sich vorgenommen hatte. Sie konnte doch Maria nicht allein lassen, jetzt, wo sie sich so nett herausmachte und die Krankengewohnheiten langsam ablegte. Marie zog sich wieder ordentlich an, türmte ihr blondes Haar zu einem modischen »Pompadour« und verlor das Fett um Taille und Bauch durch eifriges Schwimmen. Bis auf den Blick in ihren Augen war Marie eigentlich nicht von normalen Leuten zu unterscheiden. Nurse Waterhouse's Unterhaltung tat ihr wohl. Man sprach über Dinge, die nicht aufregten: Cricket, Hockey, das schwedische Wetter und Wasser-Ski im Inselmeer. Oscar Ekelund kam über jedes Wochenende nach Vaxholm und freute sich über Maries Fortschritte. Sie sprach immer noch sehr wenig. Ihre frühere Lebhaftigkeit war offenbar endgültig verschwunden. Manchmal versuchte sie, eine witzige Bemerkung zu machen, aber sie errötete mitten im Satz und verstummte... Wer wie Lazarus aus dem Grab zu den Lebenden zurückkam, der hatte das Witzemachen verlernt. – Nachts lag sie mit offenen Augen in dem schmalen Bett, das Ulrika gehört hatte. Sie sprach aber niemals mit sich selbst oder den »Gefährten« und schrie auch nicht. Nurse Waterhouse wachte oft lange im Nebenzimmer – alles blieb ruhig.

Offenbar hatte Professor Bonnard die Sache geschafft. Wenn Marie nur etwas anders blicken wollte! Aber Nurse Waterhouse ermahnte sich zur Geduld. Mitte September kehrten sie nach Stockholm in die Stadtwohnung zurück. Nurse Waterhouse blieb auf Einladung von Dr. Ekelund noch eine Woche. Er wollte ihr Stockholm zeigen. Sie hatte ja bisher nur eine kleine bewaldete Insel und Wasser gesehen. Nurse Waterhouse behauptete zwar, sie wünsche sich nichts Besseres, besichtigte jedoch vergnügt – mit Marie am Arm – Stockholms Sehenswürdigkeiten. Sie gingen aber nicht in der »Alten Stadt« herum, und Nurse Waterhouse sah auch die Milles-Gärten auf Lidingö nicht. Irgendein Instinkt hielt Dr. Ekelund davon zurück, Marie in diese ungewöhnlichen Welten mitzunehmen.

Marie verabschiedete sich ohne Erschütterung von ihrer treuen Pflegerin. Sie war überhaupt niemals von Gefühlen bewegt. Sie hatte jetzt das Gesicht einer Statue und den Blick der Medusa. Manchmal war es Nurse Waterhouse kalt über den Rücken gelaufen, wenn Marie sie regungslos anblickte, aber Nurse begann in solchen Fällen stets ein Baldriangespräch, und Marie beteiligte sich nach einiger Zeit daran. Ein seltsames Lächeln spielte manchmal um ihren Mund; aber Nurse Waterhouse machte Tee und ignorierte Maries Umgang mit dem Verborgenen. Trotzdem verließ sie ihre Dauerpatientin mit schwerem Herzen. Aber nun war ihr Vater in London erkrankt, und Blut war dicker als Wasser... auch wenn Nurse nicht allzuviel mit Major Waterhouse im Sinn hatte und der Major seine tüchtige Tochter eigentlich schwer ertragen konnte. Aber er hatte nach Beryl verlangt...

Eine Woche nach ihrer Abreise aus Schweden wurde Dr. Erik Ekelund in Stockholm erwartet. Marie sagte, sie freue sich, aber sie verzog keine Miene. Oscar Ekelund wußte nicht, was er von seiner Schwiegertochter halten sollte, aber das hatte er nie gewußt. –

Jeden Abend ging er mit Marie am Mälarstrand spazieren. Sie waren ein sonderbares Paar, aber niemand blickte sich nach ihnen um. Dafür hatte man vor dem berühmten Strafverteidiger zu viel Respekt. Im übrigen wußten die Stockholmer, daß Oscar Ekelund bereits eine Halb-Verrückte im Haus beherbergte: das Mädchen Ulla mit den offenen blonden Haaren, das vor Jahren einen Mord aus Leidenschaft begangen hatte. Es war so lange her, daß selbst Ulla nie mehr an das Malheur dachte. Sie hatte auch zuviel im Haus zu tun, seitdem Madame Ekelund gestorben war. Ulla kochte, wusch, plättete, bediente bei Tisch und las Dr. Ekelund senior jeden Wunsch von den Augen ab. Sie konnte die junge Frau Ekelund nicht leiden. –

Ein paar Nächte vor Eriks Ankunft hörte Ulla in Maries Schlafzimmer Stimmen. Sie schlief neben der jungen Frau und berichtete Dr. Ekelund stets, ob alles ruhig geblieben war. Marie unterhielt sich halblaut mit irgend jemandem. Da Ulla nicht Französisch sprach, konnte sie ihrem Herrn nicht sagen, mit wem »Fräulein Marie« sich unterhalten hätte. Ulla dachte an Marie stets als »Fräulein«. Sie war so dünn und auf eine merkwürdige Art unfraulich oder unverheiratet. Sie stand – ohne Beziehung zu Menschen und Dingen – am Fenster und blickte auf das Wasser und über die Stadt. Sie stand immer am Fenster.

Was in aller Welt gab es dort für sie zu sehen? Marie sah einen Vogel über das Wasser fliegen. Er hieß »Silbervogel« und hatte magische Kräfte. Er sang nachts, und Marie sang mit ihm. Aber sie hütete sich, ein Wort über Silbervogel zu sagen.

Als Dr. Ekelund Marie drei Nächte vor Eriks Ankunft nachts singen hörte, fröstelte er in seinem Schlafrock. Ulla hatte ihn geholt, weil das Fräulein so heiser sang. Am nächsten Tag telegraphierte Dr. Ekelund seinem Sohn nach Paris, er möchte seinen Besuch in Stockholm noch aufschieben. Marie hätte einen leichten Rückfall, aber Professor Bonnard hätte ihn beruhigt. Es sei nichts Besonderes bei solchen Patienten.

Maurice meinte am Telephon, es sei kein Grund zum Alarm. Aber er riet Dr. Ekelund, doch eine Krankenschwester zu engagieren. Sie trug Zivil und hieß Fräulein Margarethe. Dr. Ekelund erklärte Marie, sie sei seine neue Sekretärin und würde mit ihnen im Hause wohnen. Im Augenblick habe sie Ferien. Sie kam aus einer kleinen Stadt im Norden und ging mit Marie spazieren. »Sie gefällt mir nicht recht«, sagte Schwester Margarethe eines Abends zu Dr. Ekelund. Aber wem gefiel Marie Bonnard?

»Hat sie etwas gegen Sie, Schwester?«

»Ich weiß es nicht, Dr. Ekelund! Sie ist sehr höflich, aber sie verzieht keine Miene, wenn ich ihr etwas erzähle.»

Oscar Ekelund seufzte.

»Hat Frau Ekelund sich einer Gesichtsoperation unterzogen?« fragte die nette, vernünftige Schwester.

»Nicht, das ich wüßte. Wieso kommen Sie darauf?«

Schwester Margarethe dachte einen Augenblick nach. Die junge Frau Ekelund hatte überhaupt kein richtiges Gesicht. Eigentlich nur eine Maske. Oder ein Gesicht, an dem eine teuflische Hand herumoperiert hatte. Die Mundwinkel waren starr heruntergezogen, die Augen waren durch Glasstücke ersetzt, das Kinn war spitz, und alle Züge waren ganz leicht verzerrt. Es fiel nur auf, wenn man die junge Frau sehr genau betrachtete. Das taten zum Glück die wenigsten Leute.

»Sie muß bildschön gewesen sein«, sagte Schwester Margarethe gedankenverloren.

»Lassen Sie sie nicht aus den Augen, Schwester«, bat Dr. Ekelund. »Wollen Sie bitte meine Schwiegertochter jetzt zu mir bringen? Ich will mit ihr spazierengehen.«

Sie waren allmählich eine bekannte Erscheinung am Mälarsee — der große, gebückte Strafverteidiger und die junge Person mit den steinernen Zügen und dem unheimlichen Blick.

»Möchtest du einmal etwas anderes sehen, Kind? Vielleicht Djurgarden oder Skansen?«

»Vielen Dank! Ich will nichts anderes sehen.«

»Wie du möchtest, Marie! Schau einmal, da fliegt eine Seemöwe!«

Marie schenkte der kleinen Möwe einen halben Blick. Sie konnte sich nicht mit Silbervogel vergleichen. Die Möwe hatte kein einziges Lied im Programm. Dummes Geschöpf! —

Es war Herbst geworden. Der Mälarsee sah im Abendlicht blaß aus; ein großer um das Nordufer gelegter silberner Arm. Dr. Ekelund sah noch etwas gebeugter aus als früher, aber er war unverändert geduldig und liebevoll mit Marie. Es war ein Glück, daß er zu den Menschen gehörte, die nie Dank erwarten. Er erhielt von Marie nie ein Wort des Dankes dafür, daß er ihre Bürde mit ihr trug. In ihren fühllosen Händen hielt Marie stets eine kleine, fest verschlossene Ledertasche. Darin lagen ein Taschentuch und ein winziger silberner Vogel chinesischer Herkunft.

»Möchtest du einmal mit mir einen Film sehen, Marie?« Dr. Ekelund ging mit seiner Schwiegertochter durch die Kungsgatan zurück. Es war schon Abend. Die Straße war ein Meer von Neonlicht und Reklamen. Junge Menschen hasteten lachend und schwatzend an dem seltsamen Paar vorbei. Marie betrachtete die lachende Jugend mit starren Blicken — sie selbst lebte in einer anderen Provinz der Erfahrung. —

»Einen Film?« fragte sie zusammenschreckend. »Nein, danke! Das interessiert mich nicht. Ich muß immerzu hinsehen... das halte ich nicht aus.«

»Schon gut, Kind! Ich fragte nur... Und du willst wirklich nicht, daß wir ein paar nette Leute einladen? Es muß dir langweilig werden, immer nur uns drei zu sehen.«

»Es ist nicht langweilig«, sagte Marie scharf. »Es ist sehr interessant mit... mit...« Sie verstummte abrupt. Beinahe hätte sie Silbervogel verraten. Dr. Ekelund klopfte ihr die Schulter. »Schon gut, Marie! Reg dich nicht auf.«

»Ich hab mich nicht aufgeregt. Aber bitte, lade niemanden ein!«

War es der herbstliche Mälarsee oder die kalte Luft? Oscar Ekelund wurde auch immer stiller im Hause am Strandvägen. Er lebte nur im Gericht auf, wenn er einen neuen Mandanten zu verteidigen hatte. Manchmal blickte er Marie grüblerisch an. Er konnte aus den leicht verzerrten Zügen nichts herauslesen. Marie war immer höflich, aber sprach kaum ein Wort. Sie sah hager aus. Manchmal lächelte sie – niemand wußte warum. Erik Ekelund war in den Fernen Osten zurückgeflogen. Er wollte nun doch die Scheidung einreichen, da er wieder heiraten wollte. Sein Vater hatte keine Ahnung, auf wen Eriks Wahl gefallen war, aber er bat seinen Sohn auch diesmal um Geduld. Marie war doch schließlich aus der Anstalt entlassen worden. Sie tat keiner Seele etwas zuleide. Und sie war Eriks Frau. Sie blieb es in guten und bösen Tagen. –

Dr. Erik Ekelund las den Brief seines Vaters im Bonnard in Hongkong. Er legte ihn beiseite und beantwortete ihn nicht. –

»Ich kann Erik keinen Vorwurf machen«, sagte Staatsanwalt Gustaf Ekelund zu seinem Bruder Oscar. »Er kann doch schließlich nicht sein ganzes Leben mit dieser verrückten Frau vertrauern. Sie *ist* doch nicht normal, Oscar!«

»Sie ist noch still und verschreckt. Sie muß sich langsam ans Leben gewöhnen.«

Staatsanwalt Ekelund betrachtete seinen Bruder. Oscar sah vollkommen erschöpft aus. Er verbrachte jetzt viele Abende bei ihm, dem Staatsanwalt, oder bei Kollegen. Lastete die Bürde der Nächstenliebe zu schwer auf Oscars Schultern? Staatsanwalt Ekelund war ernstlich besorgt um seinen Bruder.

»Du mußt sie zu Maurice Bonnard zurückschicken, Oscar! Sie ist nicht normal und nicht verrückt und nicht tot und nicht lebendig. Ein unmöglicher Zustand! Du machst dich krank!«

»Es geht mir gut«, sagte Oscar Ekelund ohne rechte Überzeugungskraft. »Viel im Gericht zu tun. Und dann, Gustaf! Marie ist nicht mehr verrückt.«

»Sie leidet immer noch unter den Nachwirkungen der Katatonie, und du weißt es«, sagte der Staatsanwalt ungeduldig. »Schicke sie zurück, Oscar! Sie hat sich von der Wirklichkeit entfernt. Ich nenne es Stupor, wie sie dasitzt und einen anstiert! Ich bin nicht schreckhaft, mein Lieber! Aber ich dachte neulich allen Ernstes, so müsse die alte Dame Medusa die Männer angeblickt haben. Man kann wahrhaftig zu Stein erstarren!«

»Du hast mehr Phantasie, als ich dir zugetraut habe!« — Oscar Ekelund lächelte schwach. »Ich *muß* mich um Marie kümmern.«

»Kannst du dich nicht um angenehmere Leute kümmern?«

»Die brauchen mich nicht. Angenehme Leute finden tausend offene Türen. Du lieber Himmel, Marie ist noch jung! Sie kann ganz gesund werden. Ich fühle mich für sie verantwortlich, weil es sonst niemand tut.«

Oscar Ekelund hatte mit solcher Schärfe gesprochen, daß sein Bruder ihn erstaunt anblickte. Rote Flecken zeigten sich auf Oscars mageren Wangen. ›Sie ist ein zerstörender Einfluß‹, dachte der Staatsanwalt plötzlich. ›Aber ich werde Oscar nicht von ihr zerstören lassen. Morgen schreibe ich an Maurice Bonnard.‹

Laut sagte er: »Trink noch ein Glas Wein, Oscar! Der Abend ist jung.«

III

Professor Bonnard schrieb an Staatsanwalt Ekelund, er würde Marie nächstens in Stockholm besuchen. Falls seine Eindrücke mit denen des Staatsanwalts übereinstimmten, würde er nachdenken, wo man Marie eine Zeitlang unterbringen könnte. Der Zustand wäre allerdings langwierig und schwankend, aber Marie wäre privat besser als in einer Gemeinschaft von Geisteskranken aufgehoben. Wenn der Staatsanwalt aber meinte, daß es zuviel für Maries Schwiegervater wäre, so würde Rat geschafft werden. Diesem Brief folgte ein Telegramm: Professor Bonnard kündigte seinen Besuch für die folgende Woche an.

›Sehr anständig‹, dachte Gustaf Ekelund. Er wußte, daß der überlastete Arzt diesen Besuch in Schweden schwer einrichten konnte. Er schrieb einen höflichen Dankbrief und bat Professor Bonnard, sein Gast in Stockholm zu sein. Das ganze große Haus stünde seit Ulrikas Tod leer. –

In der einen Woche vor der Ankunft des Psychiaters bat Marie ihren Schwiegervater zum ersten Mal, ihr einmal etwas anderes zu zeigen. Oscar Ekelund war erfreut. Es war ein gutes Zeichen, daß Marie wieder mehr Interesse an der Umgebung nahm.

»Wohin möchtest du gehen?«

»Nach Gamla stan, Vater!«

»Was willst du in der Altstadt, Kind? Sie ist dunkel und düster. Wollen wir nicht lieber nach Haga?«

»Ich möchte Gamla stan wiedersehen, aber wenn du nicht willst...«

»Natürlich will ich! Schön, daß du einmal selbst einen Vorschlag machst, Marie! Wann wollen wir gehen?«

»Ist es dir morgen recht, Vater?«

»Morgen habe ich den ganzen Tag Besprechungen, aber übermorgen kann ich dich begleiten.«

»Ich möchte aber morgen ausgehen.« In Maries Stimme war ein schriller Ton.

»Gut, gut«, sagte Dr. Ekelund hastig. »Fräulein Margarethe wird dich begleiten.«

»Ich möchte allein gehen!«

»Das kommt nicht in Frage, Marie! Später, wenn du ganz gesund bist.«

»Meinetwegen kann die langweilige Person auch mitkommen! Ich rede sowieso keinen Ton mit ihr.«

Schwester Margarethe hätte am liebsten noch Ulla mitgenommen, aber Ulla hatte in der Küche zu tun. Es war schwierig mit Fräulein Marie. Schwester Margarethe war nicht die Jüngste. Das Laufen strengte sie an. In der Altstadt waren die Straßen teilweise so eng und holprig, daß die Autos dort nicht fahren konnten. Was war Fräulein Marie nur wieder in den Kopf geschossen? Warum gab Dr. Ekelund ihren Launen immer nach? War es ärztliche Vorschrift? ›Einen Tag hätte es wohl noch Zeit gehabt‹, dachte Schwester Margarethe verstimmt. Sie würde kündigen. Sie wollte lieber wieder eine vernünftige Lungenentzündung pflegen. –

Marie sprach während des Spaziergangs kein Wort, aber sie kicherte unhörbar in sich hinein. Silbervogel hatte ihr diesen Ausflug angeraten. Silbervogel sprach die ganze Zeit mit ihr. Er konnte keinem Vergleich mit den Gefährten standhalten, aber er war besser als nichts. – Marie hatte in den letzten Wochen auf der Seepromenade festgestellt, daß alle Leute sie beobachteten und über sie tuschelten. Ihr Schwiegervater hatte nicht bemerkt, daß auch Ulrika unter den Beobachtern war. Marie hatte einen großen Schreck bekommen. Sie mußte woanders spazierengehen! Da frische Luft verordnet war, hatte sie einen Führer durch Stockholm herausgesucht. Jeden Tag würde sie nun woanders hingehen, und Ulrika würde das Nachsehen haben! ... Marie hatte diesmal die Altstadt ausgewählt – ein Platz war so gut wie der andere, aber in den engen Gassen konnte man sich vor Ulrika verstecken. Das war günstig. Außerdem wollte Marie ein Vogelbauer für Silbervogel kaufen. –

Marie und Schwester Margarethe liefen ziellos in Gamla stan umher. Marie war hier als Braut mit Erik gewesen, aber die Gassen und Läden weckten kaum eine Erinnerung. Sie ging jetzt wieder gebückt und streckte ihren Kopf wie eine Schwerhörige lauschend vor.

»Heben Sie doch den Kopf, Fräulein Marie«, riet Schwester Margarethe freundlich. »Das Blut steigt Ihnen sonst zu Kopf. Das ist nicht gut.«

»Das ist nicht gut«, wiederholte Marie und senkte den Kopf noch tiefer. Die Person störte sie sehr. Sie, Marie, mußte alle Sinne anspannen. Sie hörte Stimmen – leise, laute, anklagende Stimmen. Sie mußte genau wissen, was *sie* sagten.

Sie ging langsam mit der Krankenschwester in Zivil an schön gemeißelten Toren und mittelalterlichen Häusern vorbei. Die Stimmen wurden lauter. »Sch ...« murmelte Marie. Die »Sekretärin« brauchte nicht alles zu wissen. Marie hatte sich niemals erkundigt, warum die Sekretärin ihres Schwiegervaters nicht im Büro arbeitete. Manche Leute verdienten ihr Geld mit Faulenzen. Marie hätte der Sekretärin keinen roten Heller gegeben, aber Dr. Ekelund schien nicht zu bemerken, daß seine Hilfskraft niemals ins Büro kam. War ihr Schwiegervater vielleicht nicht ganz bei Verstand? Dann mußte er zu Maurice in die Klapsbude. Marie hatte gestern beschlossen, den armen Herrn scharf zu beobachten und Maurice zu berichten. –

Was tuschelten die Leute schon wieder auf dem Marktplatz? *Alle* blickten sie an! Gestern abend im Radio hatte jemand sie des Mordes angeklagt. Er hatte sich in acht genommen und einen anderen Namen genannt, aber sie war keine Närrin. Sie hatte sofort gemerkt, daß der Reporter *sie* meinte. Dabei war Ulrika schon seit Jahren tot! –

Es dämmerte. Schwester Margarethe hatte vergeblich versucht, Marie zur Heimkehr zu bewegen. Die Schwester seufzte unhörbar. Hätte sie doch nur Ulla mitgenommen! Zu zweien wären sie mit der eigensinnigen Kranken fertig geworden. Wie hastig Fräulein Marie mit vorgebeugtem Kopf durch die Gassen lief. Schwester Margarethe konnte kaum mit, aber sie hielt ihre Patientin fest am Arm. Mit der wurde sie noch fertig! So klein und dünn!

Fräulein Marie ging weiter an den Antiquitätenläden und alten Portalen vorbei. Das heißt, sie schlurfte vorbei. Sie hob kaum die Füße. War sie müde? Sie gab keine Antwort, wenn man sie fragte.

Marie ging in einem Traumzustand durch ein Land, wo Vergangenheit und Gegenwart sich vermischten und alles jeden Augenblick passieren konnte. Sie mußte Ulrika heute loswerden. Und sie wußte nun, wie sie es anstellen würde. Sie waren jetzt am Ende der Prästgatan angelangt. Zu ihrer Rechten lag die Mårten-Trotzig-Gasse – die engste Straße der Welt, die Marie auf ihrer Hochzeitsreise einen Schrecken eingejagt hatte. Aber jetzt war sie über die Schrecken der Vergangenheit hinaus. Nur Ulrika schrie ihr noch und auch in diesem Augenblick mit ihrer Geisterstimme Beschuldigungen ins Ohr.

»Es ist nicht wahr«, stöhnte Marie, aber sie bewegte nur die Lippen. Schwester Margarethe hielt die Patientin fester: sie spürte eine entsetzliche Unruhe in der jungen Frau. »Es ist alles in Ordnung«, besänftigte sie, »wir müssen umkehren.«

Fräulein Marie antwortete nicht. Eine gräßliche Angewohnheit, dachte Schwester Margarethe noch. Dann dachte sie nichts mehr, denn Fräulein Marie hatte sich losgerissen und rannte auf die engste Gasse der Welt zu. »Ulrika«, schrie sie. »Wo bist du?« Einen Augenblick stand sie bewegungslos an der Mårten-Trotzig-Gasse und blickte in den Straßenschlund hinab. Dann hob sie die gekrümmten Hände, als ob sie einen Schatten greifen wollte, der ihr immer wieder entwischte. – Wollte sie den Schatten erwürgen? Plötzlich stürzte sie sich mit erhobenen Händen die steile Treppe hinunter.

Irgendwo rief jemand »Hilfe!« Schwester Margarethe hatte ihre eigene Stimme nicht erkannt. Sie bewegte die Lippen zu einem Stoßgebet — dann wußte sie nichts mehr. —

Eine Menge Leute standen um die Unglücksstelle am Fuße der Mårten-Trotzig-Gasse. Die junge Frau, die heiser »Ulrika!« geschrien hatte, war bereits fortgeschafft. —

»Diese alten Straßenschluchten in Europa sind ja ganz malerisch«, sagte ein amerikanischer Tourist, »aber man sollte solche Treppen heutzutage nicht dulden. Stockholm ist doch sonst so modern.«

Sein Freund knipste die Gasse. »*Sehr* malerisch«, erwiderte er. »Aber nicht gefährlicher als Wolkenkratzer, mein Lieber! Der Sozius von meinem Großonkel mütterlicherseits stürzte sich bei hellichtem Tag aus seinem Bürofenster im 28. Stock! Man kann überall leben und überall sterben.«

»War es ein Unfall oder Selbstmord?« fragte der andere Vergnügungsreisende. »Ziemlich junge Frau, glaube ich. Ein wahres Glück, daß wir erst kamen, als sie abtransportiert wurde. Es hätte mir den ganzen Appetit fürs Dinner verdorben. Ich bin zu weich, Jack — das ist mein Unglück.«

»Wo wollen wir essen?« fragte Jack. »Ich schäme mich, tatsächlich — aber Unfälle machen mich hungrig.«

»Ich habe wenig Appetit, Jack! Nur Smörgåsbord und danach vielleicht schwedische Hausmannskost: Fleischbälle, Pfannkuchen mit gehacktem Schinken — *Fläskpannkaka* heißt das Zeug — Käse, Früchte und so. Ist eigentlich jetzt die Crayfisch-Saison?«

»Ich glaube«, sagte Jack, »aber das kann man nicht essen! Da muß man vorher mindestens sechs Wochen bei einem Schweden trainieren.«

*

Der appetitlose Herr hatte ein zünftiges Smörgåsbord mit drei Heringssorten, geräuchertem Fleisch und Fisch, drei Mayonnaisen-Salaten und sechs verschiedenen Käsen absolviert, als er sich bei den Fleischbällen und Pfannkuchen an das Unglück in der Mårten-Trotzig-Gasse erinnerte.

»War sie eigentlich tot?« fragte er und bediente sich mit dem ausgezeichneten, in Kohlblätter gehüllten Fleischpudding.

»Keine Ahnung«, meinte Jack. »Ich nehme es an. Das heißt, ich wünsche es dieser Unbekannten. Sonst wird sie wahrscheinlich lebenslänglich mit verkrümmtem Rücken im Rollstuhl sitzen.«

In diesem Augenblick wurden die Abendzeitungen in den Restaurants verteilt. In *Berns Salonger*, wo Ekelunds die große Hochzeitsfeier für Marie und Erik veranstaltet hatten, im Restaurant *Gondolen* oben auf dem Katarina-Lift und in den vielen von mittelalterlicher Luft erfüllten Lokalen von Gamla stan.

»Großes Unglück in Stockholms Altstadt«, lauteten die Schlagzeilen. »Junge Frau stürzt die Mårten-Trotzig-Gasse hinunter. Einzelheiten noch nicht bekannt.«

Die meisten Besucher Stockholms hatten glücklicherweise ihre Mahlzeit hinter sich. Die Nachricht von dem Unglücksfall in der engsten Straße der Welt konnte ihnen nicht mehr den Appetit verderben. Im übrigen hatte Jack recht. Man konnte überall leben und überall sterben. Und man konnte niemandem wünschen, zwischen Leben und Tod zu existieren. Oder zwischen Tag und Nacht...

Jeden Tag passierten solche Unglücksfälle, und die Zeitungen berichteten darüber. Dann ging der Alltag weiter.

Nurse Waterhouse ließ in einer Londoner Klinik die Zeitung sinken. Sie sah ihren Vater, das Zimmer und den Londoner Regen durch einen Schleier.

»Was hast du, Beryl?« fragte Major Waterhouse. »Misch endlich die Karten, Mädchen!« Sie spielten jetzt täglich Karten, denn es ging dem Major wieder recht nett.

»Was hast du?« fragte er nochmals ungeduldig.

»Nichts.« Nurse Waterhouse putzte sich energisch die Nase. »Hab' mich erkältet. Komm mir nicht zu nah, Vater!«

»Werde mich hüten«, brummte Major Waterhouse. Er blickte seine Tochter scharf an. »Was ist los, Beryl?«

»Nichts. – Ich hole dir deine Milch!«

Sie verschwand im Korridor. Einen Augenblick stand sie stockstill. ›*Ducky*...‹, dachte sie. ›So ein Jammer!...‹ Wie alt mochte sie gewesen sein? Noch keine dreißig Jahre. Niemand konnte behaupten, daß sie, Nurse Waterhouse, es nicht mit der Kleinen verstanden hätte.

Sie hustete geräuschvoll und kühlte sich im Teezimmer die roten Augen. Ducky war in Zürich auf sie zugegangen und hatte ihr Köpfchen an ihre Schulter gelegt. So verrückt war eben niemand, daß er nicht wußte, wer es gut mit ihm meinte ... Gewiß, alle hatten getan, was sie konnten. Aber was man auch für andere tat – es war immer zu wenig. –

*

»Es ist für uns alle das Beste«, sagte Staatsanwalt Ekelund zu seinem Bruder Oscar. »Das siehst du doch ein, alter Junge?«

Oscar Ekelund nickte müde.

»Du hast dein Möglichstes getan, Oscar! Es liegt in der Natur von Experimenten, daß sie schiefgehen können. Bonnard ist ein großer Arzt. Er wollte das Beste für Marie, als er sie nach Stockholm schickte.«

»Nicht einmal das Beste ist eben jemals gut genug.« Strafverteidiger Ekelund stand auf. Er sah sich und Marie am Mälarsee spazierengehen – Arm in Arm – Schritt für Schritt. Und die Gedanken meilenweit voneinander entfernt. Wer hatte jemals irgend jemanden verstanden? Das große Leiden in der Welt wurde dadurch verursacht, daß der tiefste Schmerz stumm blieb. –

Ulla erschien mit rotgeweinten Augen in der Tür. Dr. Ekelund hatte seit dem Unglück das Essen kaum angerührt.

»Frau Dahlberg möchte Sie sprechen, Herr Doktor.«

Staatsanwalt Ekelund sagte scharf: »Sie soll morgen ins Büro kommen. Mein Bruder braucht Ruhe. Kannst du das nicht verstehen?«

»Ihr Sohn ist verhaftet, Herr Staatsanwalt. Frau Dahlberg weiß nicht, was sie tun soll. – Sie sagt, nur Herr Doktor könnte noch helfen«, erwiderte die Haushälterin schüchtern.

»Bringe sie herein, Ulla«, sagte Oscar Ekelund milde.

»Das ist Wahnsinn!« Staatsanwalt Ekelund war sehr ärgerlich. Oscar sollte endlich einmal an sich selbst denken. Er hatte noch mehr abgenommen und sah miserabel aus.

»Die Leute hängen wie Bleigewichte an dir, Oscar! Sie denken nur an sich.«

»Die armen Dinger verstehen es nicht besser.«

»Es ist zuviel für dich! Du mußt verreisen.«

»Da sind noch zwei Prozesse und jetzt Frau Dahlberg! Ich *kann* die Leute nicht im Stich lassen.«

»Aber sie können dich im Stich lassen! Und sie tun es«, sagte Gustaf Ekelund grimmig. Er wurde den Gedanken nicht los, daß Marie

Bonnard seinen Bruder »im Stich gelassen« hatte. Aber er schwieg und fuhr in seinem Wagen davon. –

»Mein Sohn würde niemals einen Mord begehen«, schluchzte Frau Dahlberg. »Ich kenne ihn doch.«

Oscar Ekelund ließ diese Behauptung unter den Tisch fallen. Das sagte jede Mutter ... Wer kannte wen?

»Wir wollen mit dem Anfang beginnen, Frau Dahlberg«, sagte er milde. »Wann und wo traf Ihr Sohn dieses Mädchen zum erstenmal?«

Spät in der Nacht stand Oscar Ekelund am offenen Fenster. Es war eine klare nordische Nacht. Die Sterne waren winzige Lichtpunkte. Marie war irgendwo – an einem unbekannten Ort der Erfrischung und des Friedens. Ihre Leiden hatten einen vorläufigen Abschluß gefunden. Gott würde Erbarmen mit dieser armen verirrten Seele haben. Marie hatte schon lange nicht mehr gewußt, was sie tat. Darum würde ihr vergeben werden. –

Dr. Ekelund trat an seinen Schreibtisch zurück und vertiefte sich mitten in der Nacht in die Dahlberg-Akten. Gott hatte ihm das Amt der Beratung anvertraut. Er hatte ihm eine gewisse Fähigkeit gegeben, sich selbst klar zu sehen und dadurch die anderen sehend zu machen: die Schuldigen, die Ankläger, die Richter! Es wurde zuviel verfolgt in der heutigen Welt und zuwenig verteidigt. –

Oscar Ekelund würde Marie niemals vergessen, aber er durfte nur in stillen Stunden an sie denken. Er blätterte in der Akte und machte sich Notizen. Sein Bruder hatte nicht unrecht: Oscars Mandanten kannten kein Erbarmen. Sie überfielen ihn zu jeder Tages- und Nachtzeit und luden ihm die Bürde ihrer Existenz auf – ihre Ängste, ihre Qualen, ihre entsetzlichen Leiden und Zweifel. Aber warum sollten sie auf ihn Rücksicht nehmen? Wozu hatte Oscar Ekelund seine Schultern, wenn er die Bürden der anderen nicht tragen wollte?

Er machte sich weiter Notizen. »Es wird noch dein Tod sein, wenn du so weitermachst«, hatte sein Bruder gebrummt. Gustaf meinte es gut, aber er kannte seinen Bruder so wenig, wie irgend jemand Eriks junge Frau gekannt hatte. – Sein Tod? – Oscar Ekelund würde sterben, wenn niemand ihn mehr brauchte.

DRITTES KAPITEL

Privatleben eines Soziologen

I

Louise Bonnard (London) an Dr. Erik Ekelund (Chiengmai)

Hotel Bonnard, Haverstock Hill
London N. W. 3

Herbst 1961

Lieber Erik,

wir wollten Dir längst unser Mitgefühl zu Maries Tod aussprechen, aber meine Großtante Catherine erlitt einen Herzanfall, und Hilda und ich hatten alle Hände voll zu tun. Ich hoffe, Du wirst unser langes Schweigen entschuldigen. Paul hat Dir ja sofort in unser aller Namen geschrieben. –

Es ist schwer, etwas über die traurige Affaire zu schreiben, das Dir nicht unaufrichtig oder sentimental erscheinen würde. Was mich wirklich schmerzlich berührt hat, ist einmal, daß Marie so jung und verwirrt starb, und dann, daß Dein Vater die Tragödie aus nächster Nähe mitansehen mußte. Dein Vater ist ein wunderbarer Mann! Sein Brief hat meine Großtante Catherine getröstet. – Wenn ich Dir nun schreiben würde, daß ich persönlich um Marie traure, würde ich mir heuchlerisch vorkommen. Natürlich trug ich Marie längst nichts mehr nach – die ganze Angelegenheit ist heute klassisches Altertum ... aber ich habe mich niemals besonders gut mit Marie verstanden, wobei der Altersunterschied wohl auch eine Rolle spielte – Offengestanden: Du *hast mir die ganzen Jahre leid getan – aber des Menschen Wille ist sein Himmelreich. – Hilda hat natürlich alles von Anfang an gewußt ...*

Was auch immer im näheren und weiteren Kreis passiert – der Alltag geht weiter. Du hast Deine interessante Arbeit im Leprahospital in Chiengmai. Sie wird Dir helfen, die trüben Erfahrungen in Deiner ersten Ehe zu überwinden. Wie Dein Vater uns schrieb, willst Du wieder heiraten. Wir wünschen Dir alles Gute. –

Wir hatten im Hotel auch eine Heiratsaffaire. Major Waterhouse wollte unsere Hausdetektivin Nancy Biggs heiraten, die damals Marie in den Portobello Mews fand. Aber vor zwei Wochen hat der Major sich entschlossen, seine geschiedene Frau wieder zu heiraten. Nancy war natürlich etwas erstaunt. – Es wäre alles einfacher, wenn die Männer wüßten, was sie wollen, aber das ist wohl zuviel verlangt. –

Wie Paul Dir schon schrieb, hoffen alle Bonnards auf Deine weitere Freundschaft. Paul hat stets ein Zimmer für Dich in Brook Street bereit, und meine Großtante erwartet Dich in Haverstock Hill zum Tee, wann immer Du in London auftauchen solltest.

Mit freundlichen Grüßen
Louise Bonnard

II

Dr. Erik Ekelund - privat

... Es ist beinahe ein Schock, wenn man nach einer langen Zeit plötzlich einen Brief aus London bekommt! Er könnte genauso gut vom Mond kommen. Louise scheint eine abgeklärte, etwas säuerliche Dame geworden zu sein – aber sie ist wenigstens ehrlich. Sie weiß, daß Maries Tod eine Erlösung für mich ist. Und natürlich auch für Marie selbst. Wenn ich heute über alles nachdenke, ist Marie mir schon bei unserm ersten Zusammentreffen auf der Landstraße in Chantilly etwas merkwürdig vorgekommen. Das war auch ein Grund, warum ich Paris nach dem Unglück mit Ulrika am selben Abend verließ. Marie bildete sich damals und auch später allen Ernstes ein, ich hätte Ulrika das Steuer aus der Hand gerissen, um sie aus dem Wege zu räumen ... Man schenkt den fixen Ideen der Frauen zu wenig Aufmerksamkeit – oder den Frauen selbst. Wenn ich Marie aufmerksam zugehört hätte, dann wäre mir klargeworden, daß sie schon damals zu fixen Ideen neigte. Aber sie war so schön, daß ich sie nur ansah. –

Auf der Landstraße von Chantilly sah sie allerdings wie jedes andere kleine Ding mit Kopftuch und Sonnenbrille aus. Erst als ich sie in London bei Paul Bonnard wiedertraf – wo sie zu meinem Erstaunen Marie Bonnard anstatt Madeleine Boussac hieß –, da fand ich sie unwiderstehlich. Was Marie später oder schon damals über meine Motive phantasierte, war purer Unsinn. Ich heiratete sie nicht, weil sie eine »Augenzeugin« meines angeblichen Mordversuchs an Ulrika war, sondern weil sie das bezauberndste junge Geschöpf war, das ich je getroffen hatte. Ich erlebte einen Augenblick der vollkommenen Entzückung. Und für diesen Augenblick gab ich nicht nur die liebe Louise auf, sondern rannte in eine unerträgliche Ehe. Das war besonders absurd, da ich von Natur dazu neige, mich von privaten Verwicklungen fernzuhalten. Diese Neigung hat mich übrigens auch dazu bestimmt, die Probleme von Gruppen zu studieren. – Erst nach Maries Tod ist mir klar geworden, daß ich mich jahrelang hinter der Gruppe versteckt und sie als Wandschirm für meine Schuldgefühle benutzt habe. Ich *bin* schuld an Maries Tod. Niemand kann mich davon freisprechen, denn ich habe ihr im Unterbewußtsein den Tod gewünscht. Ich konnte nicht so lange warten, bis das arme junge Geschöpf sich in den Abgrund stürzte. Ich versuchte lange vorher, Marie zu einem lebendigen Tod in einer geschlossenen Anstalt zu verurteilen. Gewiß, sie war nervenschwach und neigte zu Wahnvorstellungen, aber ich sehe heute, daß sie vielleicht auf der Grenzlinie stehengeblieben wäre, wenn ich mehr Geduld und Verständnis aufgebracht hätte. Francis Littlewood hat mir hier in Chiengmai eine ganze Menge über Maries Aufenthalt im McKean-Hospital erzählt. Er ist vielleicht der einzige, der sie richtig behandelte. Francis lebt eben für andere, während ich stets für mich gelebt habe. Obwohl ich es mir eine Zeitlang einbildete, habe ich nicht einmal für Ulrika gelebt. Ulrika, Marie, Louise – alle sind sie unglücklich durch mich geworden. Denn auch Louise ist nicht glücklich, selbst wenn sie ihre Einsamkeit geschickt rationalisiert. –

Ich besuchte Maries Vater in seinem Hotel in Bangkok. Louis Bonnard ist plötzlich ein müder, ernster Mann geworden. Er will jetzt mit seiner Frau zusammenleben und wird das Bonnard in Paris übernehmen. Er macht sich Vorwürfe. Wir machen uns alle Vorwürfe – aber was nützt es? Ich führte schon kurz nach der Hochzeit ein Hundeleben mit Marie, aber wahrscheinlich wurde sie meine Feindin, weil sie sich in mich verliebt hatte. Ich fühlte sehr bald Langeweile, dann Überdruß, und zum Schluß sogar Haß, weil Marie mich für Ulrikas Mörder hielt. Wenn man längere Zeit für einen Mörder gehalten wird, entwickelt sich vielleicht die latente Mordlust, die in uns allen schlummert.

Ich will meine Schuld nicht verkleinern, ich versuche nur nachträglich die katastrophale Entwicklung meiner Ehe zu verstehen. Was man versteht, kann man in den Papierkorb der Vergangenheit werfen. –

Gewiß, Marie war kontaktschwach, sehr maliziös, geizig, und unerträglich launenhaft, aber sie war zur Zeit unserer Heirat ein Kind: zwanzig Jahre jünger als ich! Ich stellte das ungezogene Kind in den finstersten Winkel des Hauses, schloß die Tür hinter mir und studierte das Gruppenleben in Südostasien. Ich bin nicht so töricht, meine soziologischen Studien – beispielsweise Vorschläge für moderne Rehabilitierungs-Methoden für Leprakranke – plötzlich als wertlos zu betrachten. Ich hoffe sogar, daß diesen Kranken dadurch neue Lebensmöglichkeiten eröffnet werden. Aber nach Maries Tod wurde mir klar, wieviel leichter es ist, für Gruppen zu arbeiten, als sich mit einem einzigen Menschen zu beschäftigen... sagen wir, mit der eigenen Frau! Dazu gehört Liebe! Und Liebe hat nichts mit den Wunschbildern zu tun, die der Film und der romantische Roman uns vorgaukeln. Sie liefert zwar das Zuckerwerk für die Sinne, aber ihr wahres Geschenk ist die Erfrischung für den Geist. Louise Bonnard gab mir dieses Geschenk – ihre ungeteilte Aufmerksamkeit! Ich verwarf es wegen eines grünen Hutes, der sie in Maries Augen lächerlich gemacht hatte. Eine typisch männliche Reaktion.

Maries Schönheit war ein Sodomsapfel – eine glänzende Schale und ein Wurm im Kern. Wenn Sodomsäpfel Etiketten trügen, gäbe es nur glückliche Ehen. – Vielleicht sollte man prinzipiell auf das Schlimmste gefaßt sein, wenn man eine begehrenswerte Frau trifft. Ich hätte mich niemals näher mit Ulrika beschäftigt, wenn ich von Anfang an mit dem Schlimmsten gerechnet hätte. Ulrika war natürlich vollkommen normal. Sie war heiter, schön und begabt. Wie konnte ich ahnen, daß sie die Welt und die Männer verbessern wollte? –

Wie viele Junggesellen hatte ich bereits meine festen Gewohnheiten, als Ulrika sich bei unsern Fahrten ins schwedische Inselmeer in mich verliebte. Wir waren Vetter und Kusine, aber ich wußte, daß mein Onkel Gustaf die kleine Ulrika adoptiert hatte. Sie stand eines Tages in ihrer eisblauen Kappe und einem pelzbesetzten Mäntelchen in unserm Wohnzimmer in Strandvägen und blickte mit großen Augen um sich. Mein Vater sagte: »Das ist deine Kusine Ulrika!«

Als ich ihr meine Bücher zeigte, sagte sie: »Du mußt dein Zimmer aufräumen, Vetter Erik! Es ist sehr unordentlich bei dir.« Damals war sie zwölf Jahre alt, sehr groß für ihr Alter und weizenblond. Wenn sie lachte, warf sie den Kopf mit den Zöpfen in den Nacken. Ich war so verblüfft, daß ich mein Zimmer aufräumte. Abends konnte ich vor Ärger nichts essen, aber damals wußte ich noch nicht, daß Ulrikas Ermahnungen mir den Appetit verdorben hatten.

Jahre später nahm ich sie in meinem Boot nach Vadstena. Wir fuhren über den Vättern See. Ulrika sang. Dann sagte sie stirnrunzelnd, ich sollte nicht so schweigsam sein. Es wäre nicht höflich. Ich erzählte ihr daraufhin von der heiligen Birgitta, die die Mystik im vierzehnten Jahrhundert in Schweden salonfähig gemacht hat. »Du mußt Haaröl benutzen«, sagte Ulrika. »Du siehst wie ein Landstreicher aus!« –

Ich schwieg. Wir fuhren stundenlang über den dunkelnden See. Ulrika empfahl mir verschiedene Haaröle. Die Wasser und der Himmel wurden eins. Endlich schwieg sie. Wir stiegen in einem kleinen Gasthaus auf der Insel ab. In der Nacht ging ich mit Ulrika spazieren. Sie tanzte im Mondlicht wie Sjöra, die Nymphe des Vättern Sees. Ich erzählte ihr die alte Legende. Magnus, Gustav Vasas Sohn, war von Schloß Vadstena an den See gegangen und war der Nymphe in die Tiefen gefolgt. Sjöra hatte ihre Arme im Mondlicht ausgebreitet – wie Ulrika ... In dieser Nacht hatte sie nichts an mir auszusetzen.

Kurz nach unserem Ausflug an den Vättern See machte Ulrika mir einen Heiratsantrag. Ich war entsetzt. Ulrika hatte sich ohne Aufforderung in meine Arme geworfen und genau gewußt, was sie tat. Jetzt wollte sie das nächtliche Abenteuer am Vättern See legalisieren. Obwohl sie bereits eine bekannte Tänzerin des königlichen Balletts war, träumte sie davon, mich zu beherrschen, zu bekochen und meine Flügel zu beschneiden. Sie wußte wohl nicht, daß ich zu den Männern gehöre, die die Beschränkung ihrer Bewegungsfreiheit übelnehmen. Ulrika flehte mich abwechselnd an, lebenslänglich in Stockholm zu bleiben, mir das Haar zu glätten und sie zu heiraten. Nach ihrem Pariser Gastspiel schrieb sie dann, daß sie ein Kind von mir erwarte, aber sie werde nun den Grafen Tsensky heiraten. Er sei ihrer Karriere sehr förderlich, und sie habe eingesehen, daß ich kein Talent zum Hauskater hätte. Ich habe den Grafen Tsensky in Paris kennengelernt. Er fraß Ulrika aus der Hand. Das wollte sie. Sie hatte viele Tugenden und war schön und unverdorben, aber sie wollte einen Mann nach ihrem Geschmack ummodeln und beherrschen. Es wäre ihr niemals bei mir gelungen, und sie hatte es endlich erkannt.

Wir machten den Ausflug nach Chantilly ohne den Grafen Tsensky. Meine Abreise stand bevor. Ulrika hatte vom Ballett her einen Geschmack an Abschiedstänzen entwickelt und gab eine Galavorstellung: Sie berichtete mir unter Erröten und Schluchzen, daß sie sich das Baby ausgedacht hätte, um mich zur Heirat zu zwingen. Sie weinte aufrichtige Reuetränen und sah so entzückend aus, daß ich den Arm um sie legte. Trotz ihrer vierundzwanzig Jahre war sie ein Kind – mit den Listen eines Neugeborenen ... Da sie nun schon das Studio des Grafen Tsensky in eine Mischung von Milchhalle und Sonntagsschule umgewandelt hatte, sah sie einer Ehe mit einer gewissen Ruhe entgegen. –

Dann – mitten auf der Landstraße zwischen Paris und Chantilly – geriet Ulrika in ihre Friedhofslaune. Sie sah mich wiederholt von der Seite an. Ihre Augen füllten sich mit Tränen.

»Was hast du plötzlich, Ulrika?«

Ulrika teilte mir mit, daß sie ohne mich nicht leben könne. Sie könnte es eben nicht, und da wäre nichts zu machen. Sie liebe mich wahnsinnig, wenn ich auch Zigarettenasche verstreue und feuchte Weingläser auf polierte Tischplatten stelle. Bei Zigaretten fiel ihr ein, daß sie wieder rauchen wollte. Sie rauchte stets, wenn sie nervös war oder mir arglose Liebeserklärungen machte. Mir waren die Zigaretten ausgegangen, und zu ihrem Erstaunen hatte sie ihr Etui nicht bei sich. Sie mußte es bei Tsensky vergessen haben. Sie wurde rot, als sie das sagte. »Warum sollst du ihn nicht besuchen?« fragte ich. »Du willst ihn doch heiraten! Dann gehört es sich, daß du ihn zwischen seinen Milchflaschen etwas aufheiterst!«

»Du hast kein Herz«, schluchzte Ulrika. »Du bist ein Eisblock!« – Dasselbe hat Marie mir später gesagt. Ich weiß nicht, warum die Frauen so übertreiben. Ich habe ein Herz, aber ich besitze außerdem einen Rest Verstand und zeige daher mein Herz nur bei besonderen

Gelegenheiten. Dies war keine besondere Gelegenheit. Ich hatte die letzten zwei Jahre beständig von Ulrika gehört, daß ich ein Eisblock wäre.

Plötzlich begann sie wild drauflos zu fahren. Sie war sehr rot im Gesicht, und ihre Haare wehten. Die Tränen rannen ihr über das Gesicht, und sie fing sie mit der Unterlippe auf. »Laß mich fahren, Ulrika«, sagte ich besorgt. »Du bist zu erregt!« Sie schüttelte heftig den Kopf und fuhr noch wilder. »Ich will nicht mehr leben«, stieß sie hervor. »Und du kommst mit mir.« – Ich hielt es zunächst für die Schlußszene eines Balletts, aber es wurde ernst. Ulrika wich von der Landstraße ab und fuhr direkt auf einen Baum zu. Ich riß ihr das Steuer aus der Hand – aber es war zu spät. Der Wagen kam ins Schleudern. Ich sprang im letzten Augenblick hinaus und wollte Ulrika mit mir ziehen, aber sie klammerte sich mit entsetzlicher Kraft an das Steuer.

Sie blieb tot in den Trümmern des Wagens.

*

Ein Mädchen, das sich Madeleine Boussac nannte, brachte mich in ihrem Auto von der Unglücksstelle ins Hotel. Sie war hinter uns gefahren und hatte alles mitangesehen. Mlle. Boussac nahm ihre dunkle Brille von den Augen und murmelte plötzlich: »Ich werde Sie niemals verraten.« Ich blickte in überhelle, starre Augen – glühende Polarsterne. Ich sagte kühl: »Ich weiß nicht, wovon Sie reden, *Mademoiselle*!«

Mademoiselle klärte mich nicht weiter auf. Sie wollte mich abends zum Diner in meinem Hotel abholen und dann »Weiteres besprechen«. Ich fuhr Hals über Kopf ab.

Heute kann ich mein Verhalten überhaupt nicht mehr verstehen. Ich konnte Ulrika natürlich nicht mehr ins Leben zurückrufen – aber es wäre meine verdammte Pflicht gewesen, die Leiche meiner Kusine zu bergen und der Polizei den Unglücksfall zu melden. Ich hatte selbstverständlich einen schweren Schock und allerhand Grund zu bezweifeln, daß die französische Polizei meiner Darstellung des Unglücksfalles Glauben schenken würde. Vor allem aber hat wohl meine verfluchte Neigung, mich aus allen Komplikationen herauszuhalten, mein moralisches Versagen verursacht. Vielleicht wäre ich jedoch noch zur Besinnung gekommen, wenn das fremde Mädchen nicht plötzlich neben mir gestanden und mir die Flucht vor der Verantwortung so leicht gemacht hätte. –

Als ich Marie später bei Paul Bonnard wiedertraf, hatte ich ihr merkwürdiges Versprechen, mich nie zu verraten, längst vergessen. Sie lächelte mich an ... Sie war hinreißend. Louise Bonnard in ihrem grünen Hut wurde immer blasser.

Erst nach unserer Heirat wurde mir klar, daß Marie mich für Ulrikas Mörder hielt und ich infolge meiner Flucht nicht mehr das Gegenteil beweisen konnte. So wurde sie, als sich ihre Wahnvorstellung verstärkte, allmählich eine ernste Gefahr für mich. Sie erzählte sogar Nurse Waterhouse, ich hätte Ulrika um die Ecke gebracht und wolle nun sie selber verschwinden lassen. Sie schrieb sich selbst »Warnbriefe«, die Nurse Waterhouse zunächst stutzig machten. Arme Marie! – Sie war damals bereits durch das Opium zerrüttet. Und ich verstehe nicht zu vergessen oder zu vergeben.

Mein Freund Littlewood hatte Marie günstig beeinflußt. Im Flugzeug nach London versuchte sie zum erstenmal, unsere menschliche Beziehung zu verbessern. Sie fragte mich, soweit ich mich erinnere: »Könnten wir nicht versuchen, besser miteinander zu leben?« In diesem Augenblick habe ich völlig versagt. Ich ging auf ihre Bitte überhaupt nicht ein und habe ihr damit die Rückkehr in ein normales Leben abgeschnitten.

Ich ging eben niemals auf die Bitten von Frauen ein. Ulrika warf mir deshalb vor, ich wäre ein Eisblock. Marie versteckte sich in London aus panischer Angst vor mir. Louise Bonnard sagte mir beim Drachenbootfest in Hongkong, sie fände mich ›sehr nett‹. Das hat mich am tiefsten getroffen.

Ulrika und Marie konnten nicht begreifen, daß wenig Männer die Gesellschaft einer Frau ständig ertragen können. Ich weiß nicht, was daran so schwer zu verstehen ist. Natürlich versichern uns die Frauen, sie wären auch gern allein. Es stimmt nicht. Die meisten Frauen hassen das Alleinsein. Ich weiß nicht warum. Niemand weiß es. –

Und doch brauche ich eine Frau. Ich brauche die Spannungslosigkeit der Ehe, die private Sphäre inmitten unserer technisierten Vergnügungen. Aber von Künstlerinnen werde ich mich fernhalten. Ulrika dachte in den Begriffen des romantischen Balletts, wenn sie nicht gerade Milchflaschen zählte oder über eine neue vegetarische Diät nachgrübelte. – Marie malte begabte, aber reichlich verrückte Bilder. Sie hat noch bei Maurice ein Portrait gemalt, das auf einer Ausstellung in Paris gezeigt wurde. ›Die Gouvernante‹ heißt es – Niemand weiß, wer diese seltsame Person ist. Maurice Bonnard wahrt das Arztgeheimnis.

Wo finde ich die richtige Frau? Als ich meinem Vater einige Zeit vor Maries Tod schrieb, ich wollte wieder heiraten, dachte er, ich hätte bereits meine Wahl getroffen. Aber ich habe Bedenken. Wenn ich mir nun wieder ein schönes Bündel von Verschlagenheit und Rauschgift aussuche? Oder eine Reformerin wie Ulrika? Nur Louise Bonnard war eine Frau, die mir Ruhe und Bewegungsfreiheit und damit ein vernünftiges Glück gegeben hätte. Was sollen uns Frauen, die uns nicht binden, sondern nur anbinden? –

Wenn ich die Ehen in meinem Bekanntenkreis betrachte und meine eigene dazu, dann fällt mir ein Element der Beziehungslosigkeit auf. Zwei Fremde beschließen plötzlich, intim miteinander zu sein. Das geht doch nur, wenn beide Parteien, Güte, Geduld und Toleranz in die Ehe bringen.

Ich bin so arm an diesen Eigenschaften, daß ich nichts erhoffen kann. Aber wenn ich in einem Jahr zu dem Soziologen-Kongreß nach London fahre, will ich in Haverstock Hill einen Besuch machen. Louise hat mich schließlich eingeladen. Ich werde Tee trinken und mir noch einmal in Madams Wohnzimmer betrachten, was ich vor fünf Jahren für immer verlor.

Mein Besuch wird Louise weder freuen noch ärgern. Im Bonnard gehen die Fremden ein und aus. –

EPILOG

Das Elixier des Lebens

»Polly, put the kettle on!
We'll all have Tea.«
Charles Dickens »Barnaby Rudge«

I

»Ende gut, alles gut«, sagte Miss Hilda Sunshine und nahm die Lesebrille von der Nase. »Er will dich natürlich heiraten, Louise. Ich habe es immer gewußt!«

Miss Sunshine trank die vierte Tasse Tee. Sie reichte ihrer Freundin Erik Ekelunds Brief zurück. Die beiden Damen saßen im Büro neben der Rezeption. Nichts hatte sich in den fünf Jahren in Haverstock Hill geändert. Louise führte weiter ihre Kämpfe mit den Handwerkern, und Hilda las Dr. Ekelunds Briefe. Sie tranken den guten starken Tee, den sie immer getrunken hatten. Der Tee erheiterte und berauschte nicht. Ein wahres Elixier ...

»Warum sagst du nichts?« fragte Hilda ungeduldig. »Du könntest schlechter fahren, meine Liebe! Sieh mal — ein Neuer macht nur Schwierigkeiten! Erst sieht man ihn durch die rosa Brille — nachher durch die schwarze. Alles Unsinn! Bei Erik weißt du, was du hast! Du kennst alle seine Fehler und noch drei dazu! Was kann dir bei ihm passieren?«

»Gib dir keine Mühe, Hilda! Ich heirate ihn nicht.«

»Bist du ihm etwa böse — ich meine, wegen Marie?«

Louise Bonnard lachte. Sie betrachtete durch die Glastür den Vogel Garuda, der die Fremden in allen Bonnard-Hotels in der Halle begrüßte.

»Bei dir piept es wohl?« fragte Louise milde. »Für wen hältst du mich?«

Miss Sunshine hielt ihre beste Freundin für eine ziemlich einsame junge Frau, die immer einsamer werden würde. Denn Madam hatte wieder einen Herzanfall bekommen, wie damals, nach Maries Tod in Stockholm. Und Hilda selbst würde nicht mehr lange in Haverstock Hill bleiben ...

»Wann ist eigentlich deine Hochzeit?« fragte Louise.

»In drei Monaten. Natürlich *sehr* still«, sagte Hilda entschuldigend. Einen Augenblick herrschte Schweigen. Louise goß sich eine frische Tasse Tee ein. Hilda wußte stets alles im voraus, aber sie hatte nicht gewußt, daß Dominik Bonnard bei dem Absturz in den Schweizer Bergen mit dem Leben und einem zerschmetterten Bein davonkommen würde. Seine Frau war nicht zu retten gewesen. Als Dominik eines Abends in Haverstock Hill auftauchte und auf seinen Krücken zu dem Vogel Garuda humpelte, um ihm nach alter Gewohnheit die Reisetasche um den Hals zu hängen, war Miss Sunshine zum erstenmal im Leben sprachlos. Sie sah nur den breiten Bergsteigerrücken, und sie wußte, daß Dominiks Vitalität und Ausdauer seine Krücken beschwingen würde. Ja – und dann hatten sie bei einer Tasse Tee die Sache besprochen.

»Ich möchte Sie in Zürich haben, Miss Sunshine!«

»In der Rezeption?«

»Das *auch* ...«, sagte Dominik Bonnard vorsichtig. Er hatte Miss Sunshine immer in der Rezeption haben wollen. Sie war eine erstklassige Hotelkraft. Dominik würde eine Liebesheirat machen und ein Gehalt sparen. Es gab einfach nichts Besseres, als Hilda im Bonnard in Zürich zu haben. Den Verlobungsring hatte er in der Tasche ...

Dominik schob seine Teetasse mit einem Ruck zurück.

»Wollen Sie keinen Tee?« fragte Miss Sunshine ungläubig. Er blickte sie an. »Eben frisch aufgebrüht«, murmelte sie.

»Ich möchte im Augenblick etwas anderes.« Seine scharfen blauen Augen betrachteten Hilda unverwandt. Sie wurde sehr rot. Sie wußte nicht mehr, wann sie zum letztenmal rot geworden war. Sie war schließlich achtunddreißig Jahre und eine Einrichtung im Bonnard. –

»... wenn du einen Krüppel haben willst«, sagte Dominik Bonnard rauh. »Ich meine ...« Er verstummte, als er in Hildas dunkle Augen blickte. »Warum nicht gleich?« brummte er. »Warum läßt du mich solange reden, Mädchen?«

*

Miss Sunshine schwieg immer noch. Es standen Veränderungen im Bonnard bevor. Madam würde sich vom Betrieb zurückziehen. Daniel Bonnard aus Hongkong wollte nun einige Jahre das Haus in Haverstock Hill übernehmen – mit Louise als zweitem Direktor. Aber niemand wußte, wie es sich auswirken würde.

»Erst einmal kommst du ein halbes Jahr zu uns zur Erholung«, sagte Miss Sunshine zart. Es schien ihr immer noch unglaublich, daß sie ins Bonnard heiratete.

»Vielen Dank«, sagte Louise steif. »Wenn die Handwerker es erlauben, werde ich gern vierzehn Tage bei dir in Zürich verbringen.« Ein halbes Jahr! Hilda wußte nicht, was sie sagte, aber Miss Bonnard wußte Bescheid. In einer jungen Ehe war niemand so überflüssig wie die beste Freundin ...

Louise goß sich die dritte Tasse Tee ein. Hilda war immer eine süße Person gewesen. –

»Verwöhne Dominik nur nicht zu sehr, Hilda! Das bekommt keinem Mann.« – Louise sah auf die Uhr. »Du lieber Himmel! Wir reden, und die Alte Garde verdurstet uns inzwischen! Also bis nachher!«

*

Wie vor fünf Jahren, als Marie Bonnard den schwedischen Soziologen heiratete, besprach die Alte Garde beim Tee die laufenden Ereignisse. Bei ihnen hatte sich nichts geändert. Mrs. Bellingham suchte immer noch einen Ehemann für ihre Tochter Rosalind, Mrs. Biggs hatte es mit den Spiritisten, Mrs. Pollitt zankte sich mit ihrem Schwiegersohn, und Major Waterhouse? – Ja, Major Waterhouse hatte das Bonnard verlassen. Er war mit seiner Ehemaligen in eine Wohnung in Kensington gezogen, und die kleine Penny hatte wieder ein Elternhaus. –

Alles in London trank Tee, sogar Mr. Leech, der auf sein Urteil wartete wie Lady Melford auf den großen Rauschgiftprozeß. Es wurden immer noch Zeugen und Schuldige gesucht. Graf Tsensky war verschwunden. Niemand wußte, wo er war. Das Pariser Ballett trauerte ... Aber im Old Bailey würde es bald losgehen. Der arme Mr. Leech aus dem sonnigen Jamaica würde verwirrt das grandiose Schauspiel im Gerichtssaal betrachten, das man für ihn – einen unbedeutenden Mörder und Rauschgiftschmuggler – veranstaltete. Denn der *Central Criminal Court* – vertraulich *Old Bailey* genannt – würde alles aufbieten: rauschende Roben und Perücken, ein Meer von britischen Gesichtern, die Jury, den unnachahmlichen Duft von Schicksal, Staub und Rechtsprechung. Auch Lady Melford würde dieser Duft in die Nase steigen – der Duft der Gerechtigkeit und alles Mögliche ...

Aber im Augenblick tranken sie alle noch Tee im Gefängnis – genau wie Paul Bonnard in seinem gelben Salon und Gordon Miles mit seiner Frau in der Park Lane. Und wie der alte mürrische Mr. Bunch hinter dem Portobello Markt, der Mrs. Burstow über das wortlose Verschwinden ihres westindischen Ehemannes tröstete. Mrs. Burstow kaufte zwar nicht den mageren Schinken, der drei Pfennige mehr kostete, aber was blieb Mr. Bunch übrig? Miss Crackerley war nun einmal tot, und Mr. Bunch mußte mit dem vorliebnehmen, was der Nachmittag ihm bot. Wenigstens gab es auch bei Mrs. Burstow den guten starken Tee, ohne den kein Londoner das Leben überleben könnte. Die jungen Dinger saßen zwar heutzutage in den Espresso Bars in Soho und Chelsea, aber in zehn Jahren würden die Mädchen in den Röhrenhosen und mit den wilden Frisuren zu ihren Ehemännern sagen: »Trink noch eine Tasse Tee, *dear!* So gut und stark!«

In allen Wohnschlafzimmern zwischen Lambeth und Notting Hill und Golders Green, wo Marie Bonnard sich vor der Klapsbude versteckt hatte, tranken die Mieter Tee. Er rann stark und süß und wärmend in das kalte Innere und machte das Leben täglich für zwanzig Minuten freundlicher.

Auch die jüngere Miss Russel im Schwalbennest in Hove trank friedlich ihren Tee mit Mr. Sharples und dem Hund Bertie. Sie hatten immer noch nicht geheiratet, weil Mr. Sharples es Bertie nicht antun wollte. Bertie und er lebten so nett zusammen. Und es würde stets ein Wochenende in Hove geben ...

*

Eines Nachmittags – kurz vor der Teestunde – erschien Dr. Erik Ekelund im Bonnard in Haverstock Hill. Aber er trank seinen Tee nicht in Madams Wohnzimmer, wo der arme Antoine auf alle herablächelte. Madam war nicht auf dem Posten. Miss Sunshine war mit ihren Hochzeitsvorbereitungen beschäftigt, und der Vogel Garuda war unabkömmlich.

So blieb nur Louise Bonnard übrig. Sie fuhr den schwedischen Gast zum Tee nach Kensington. Dort gab es eine kleine Teestube, die elegant und unpersönlich war.

Miss Bonnard empfing keine Fremden zum Tee in ihrem eigenen Zimmer.

II

Dr. Ekelund war — wie sie alle — fünf Jahre älter geworden, aber Miss Bonnard stellte zu ihrem Mißfallen fest, daß er immer noch den Titel eines ›Schwedischen Adonis‹ beanspruchen konnte. Jedenfalls fand man das, wenn man kurzsichtig war und zum *tête à tête* mit einem Ehemaligen keine Brille aufsetzte. Es war nicht etwa der Wunsch, diesem Dr. Ekelund zu gefallen, versicherte Miss Bonnard sich mit einem grimmigen Blick in den Spiegel. Die Brille machte sie nur noch zehn Jahre älter. Aber wenn man auf der falschen Seite der Dreißiger angelangt war, verlangte die Selbstachtung den Verzicht auf die Brille. Auf jede Brille! Miss Bonnard betrachtete den schwedischen Gast weder durch eine rosige noch durch eine schwarze, noch durch eine vom Optiker verschriebene farblose Brille. Sie betrachtete ihn überhaupt nicht. Sie rührte ihren Tee um und examinierte die Kuchen auf der Wedgewood-Platte. Das Gebäck war Luft und Zukkerguß und den Preis nicht wert, dachte Miss Bonnard. Sie lieferten das in Haverstock Hill reichlicher und billiger. Die Alte Garde wollte etwas zum Knabbern haben ... Und Louise auch. Es war phantastisch, wie schlank — oder mager — sie trotz reichlicher Kost geblieben war! Hilda wurde immer fülliger. Aber wer sie liebte, lachte doch ...

III

Vielleicht hätten sie über Marie sprechen sollen. Man kann einen Schatten nur durch Worte erschlagen. Aber sie sprachen über alles mögliche — nur nicht über Marie Bonnard. Und das verlieh der Toten eine gesetzwidrige Macht über die Lebenden. Marie starrte mit unversöhnlichen Augen in die Teestube in Kensington. Sie war schön und verhängnisvoll, und in ihren Haaren war ein Kranz aus Asche. Alles war Asche geworden, was sie berührt hatte ...

Als Louise das feine, harte Gesicht ihres ehemaligen Verlobten endlich anblickte, fühlte sie zum erstenmal in all den Jahren Mitleid mit Marie. Plötzlich war sie selbst jenes junge und liebesdurstige Geschöpf, das von niemandem Liebe oder Verständnis empfangen hatte. Vielleicht hatte Marie Blumen gepflanzt, und sie waren wie die Gärten des Adonis verdorrt, weil sie nicht in der Erde wurzelten und Kraft aus ihr saugen konnten. Louise fühlte einen schwachen Schmerz und die Unzulänglichkeit verspäteten Mitleidens. Jeder war eben für jeden auf dieser Welt verantwortlich ...

»Wir haben alle schuld«, sagte Erik Ekelund. Also auch er hatte die ganze Zeit an Marie gedacht. Kein Muskel bewegte sich in seinem Gesicht. Er trank den guten starken Tee, aß die kleinen Leckerbissen und fühlte die Last der Schuld wie ein Gebirge auf seinen Schultern. Obwohl die Ermordete schuldig war – er war und blieb der Mörder. Seltsam, daß Louisens Gegenwart, von der er sich vage Beruhigung erhofft hatte, ihm seine Unterlassungssünde so nackt und intensiv zum Bewußtsein brachte! Louise blickte von ihm weg – er sah nur ihr kühnes Profil, den bitteren Mund und die hohe gewölbte Stirn. Sie trug keinen Hut. Eine Haarlocke hing ihr über die Schläfe und machte sie um Jahre jünger. Sie strich sie ungeduldig zurück. »Es ist so windig wie im Herbst«, murmelte sie. Dabei waren sie noch mitten im Londoner Sommer, und die Paare lagen im Hyde Park auf der Wiese und versprachen einander den Himmel in Kensington oder Notting Hill Gate ...

›Er hat schon sieben graue Haare‹, dachte Miss Bonnard befriedigt.

»Bist du glücklich, Louise?«

»Natürlich!« erwiderte Miss Bonnard scharf. Was für eine alberne Frage! Sie wünschte sich nur das Erreichbare, dann hatte man alles Glück auf der Welt. Überhaupt Glück – niemand hatte einen Anspruch auf diesen verdammten Unsinn. –

War Louise wirklich so hart geworden? Oder hatte sie diese eiserne Miene aufgesetzt, um ihn abzuschrecken? Ekelund wußte es nicht. War Louise, wie *er* sie sah? Ein spätes, enttäuschtes Mädchen, das noch immer auf seinen Heiratsantrag wartete? Warum hätte sie ihn sonst empfangen und zum Tee nach Kensington genommen?

Irgendwo unter den Schichten des Stolzes und der Konvention mußte doch noch die Louise verborgen sein, die sich mit ihm vor der Untergrundstation in Piccadilly geküßt hatte! Das war ein lebendiges Mädchen gewesen, das sich zum erstenmal im Leben das Unerreichbare gewünscht hatte.

Ekelund stand abrupt auf. Louise hatte bereits gezahlt. Sie ließ sich nicht von Fremden einladen. Sie stand groß und selbstsicher in Kensington High Street. Das Warenhaus von John Barker & Company hatte in seinen riesigen Schaufenstern ein sommerliches Universum geschaffen. Das Leben war ein Badestrand. Barkers verkauften Glück in allen Preislagen. Louise wandte den Blick ab. Warum hatte sie nur diese sentimentale Einladung vom Stapel gelassen? Eriks Anblick erweckte nur unliebsame Erinnerungen. Louise hatte fünf Jahre lang mit großer Disziplin gegen Erinnerungs-Orgien angekämpft. Welche Illusionen hatte sie sich über Erik gemacht! Sie mußte damals mit ihren zweiunddreißig Jahren besonders dämlich gewesen sein. –

»Was hast du dir eigentlich unter einem Mann vorgestellt, Louise? Ein Modell aus Eisen und Unfehlbarkeit?« –

Miss Bonnard sagte kurz: »Das kann dich kaum interessieren! Aber, was immer ich mir damals unter einem Mann vorgestellt habe – es war das Verkehrte.« Sie fügte schnell hinzu: »Das war natürlich nicht *deine* Schuld!«

»Danke!« – Dr. Ekelund fühlte wieder die leise Ungeduld, die ihn zu einem schlechten Liebhaber machte. Sie waren doch nicht in Old Bailey! Louise verteilte nunmehr die Schuld – wie ein besonders pedantischer Richter! Es war ein Fehler gewesen, sie in Haverstock Hill aufzusuchen. Er hätte es sich denken sollen – er konnte doch sonst so brillant denken? – Trotzdem wußte er, während er Barkers Badeglück betrachtete, daß Louise Bonnard die Richtige für ihn gewesen wäre. Man erkannte das Glück immer zu spät – es war ein Konstruktionsfehler im Gehirn. Plötzlich sah Erik wieder Marie vor sich. Sie hatte ihn von seinem soliden Glück weggelockt. Arme Marie! Sie hatte nicht zu den Leuten gehört, um deren Grab viele Trauergäste stehen ... Aber es war noch nicht zu spät. Ekelund faßte einen Entschluß. Er zog Louise in eine Seitenstraße.

»Kannst du mir nicht verzeihen, Louise?«

Miss Bonnard blickte ehrlich erstaunt auf. Was in aller Welt wollte Dr. Ekelund nun von ihr? Sie sagte gemessen: »Wir wollen die alten Geschichten ruhen lassen, Erik! Es gibt nichts zu verzeihen. Wahrscheinlich sind wir beide schuld daran, daß wir es nicht schafften.«

»Mutter weiß es am besten!« Es klang sehr schroff. Louise blickte erstaunt auf. Sie sah die Erregung in Eriks Gesicht.

»Heirate mich«, murmelte er heiser. »Ich brauche dich!«

Louise Bonnard war sprachlos. Da hörte doch alles auf! Man konnte die Zeit nicht zurückschrauben. Wenn Erik es dachte, dann war er ein Narr. Aber er war niemals ein Narr gewesen, sagte sich Louise schnell, nur ein Mann ... Er brauchte sie jetzt – oder es erschien ihm so. Und er erwartete, daß Louise ihm beseligt mitten im Straßenverkehr an die Brust sinken würde. Vielleicht würde er sie einige Zeit brauchen – vielleicht sogar jahrelang. Aber das ging Miss Bonnard nichts mehr an. Erik hatte die Gelegenheit und den Augenblick der Erfüllung verpaßt. Jetzt hatte er noch einmal die Gelegenheit geschaffen – aber der vollkommene Augenblick war nicht da. Man konnte ihn nicht in Barkers Warenhaus kaufen, und Louise konnte ihn nicht herbeizaubern, selbst wenn sie es gewünscht hätte. Sie fühlte sogar Bedauern, daß sie so unbeteiligt blieb. Eriks und ihr Weg liefen in verschiedenen Richtungen. Diese Wege hatten sich heute noch einmal flüchtig gekreuzt. Niemals würde Erik verstehen, daß sie ihm wirklich nicht zürnte. Welcher Mann konnte verstehen, daß er einem Mädchen, das ihn einmal geliebt hatte, gleichgültig geworden war?

»Sei doch nicht so eigensinnig, Louise!«

Ekelund blickte auf Louise hinunter. Er war noch einen halben Kopf größer als dieses große Mädchen. Louise öffnete den Mund, aber Ekelund verschloß ihn ihr mit seiner Hand. Louise roch eine Sekunde Leder und Energie. Dann war Dr. Ekelund ohne Abschied in eine Taxe gesprungen. Er reagierte viel schneller als Louise! Er hatte ihre Antwort gewußt, bevor sie sie gegeben hatte. –

Louise Bonnard schritt langsam zu ihrem grauen Sportwagen zurück. Sie wußte nicht, warum sie in diesem Augenblick an Natalya Bonnards Brief nach Maries Tod denken mußte. Dramatisch wie stets, hatte die Russin geschrieben: *»Il faut que le cœur se brise ou se bronze.«* Aber dieses Mal hatte Maries Mutter recht gehabt...

Bei Harrods in Knightsbridge waren bereits die ersten Herbsthüte ausgestellt, aber Louise schenkte ihnen keinen Blick. Es lag Herbst in der Luft, obwohl die Mädchen in Sommerkleidern Hand in Hand mit ihren jungen Männern durch die Straßen schlenderten. In der Oxford Street wartete ein Mädchen in einem grünen Hut. Der Hut war ziemlich lächerlich, aber der junge Mann, der in diesem Augenblick auf das Mädchen zugestürzt kam, legte trotzdem den Arm um sein Fräulein Braut. ›Genau meine Idee eines Ehemannes‹, dachte Miss Bonnard. Sie hielt an der Straßenkreuzung und blickte auf das Menschengewimmel. Der blasse Londoner Himmel wölbte sich gleichmütig über der Oxford Street mit den großen Warenhäusern und den jungen Paaren, die Arm in Arm die Haushaltungsgegenstände bei Selfridges betrachteten... moderne Küchen, ein Gartenzelt, neue Pfannen, in denen kein Steak anbrennen konnte, auch wenn es sich noch soviel Mühe gab. Louise betrachtete die jungen Menschen. Sie erlebten vor Selfridges den Augenblick der glücklichen Erwartung: unter diesem buntgestreiften Gartenzelt würden sie ihren Egoismus zu zweien genießen ... Louise sah das grüne Licht und fuhr weiter.

Es hätte nur noch gefehlt, daß Erik gefragt hätte, ob ein anderer Mann im Spiel wäre. Vielleicht war es sogar der Fall – aber Louise hatte ihn noch nicht getroffen. Vielleicht lief er zwischen Hyde Park und Haverstock Hill herum und suchte sie in diesem Augenblick. Oder er würde heute abend vor dem Regents Park warten und sie in dem bleichen flutenden Licht erkennen. Vielleicht würden aber der Mann und sie aneinander vorbeilaufen. Vielleicht würden sie sich in dieser Riesenstadt niemals treffen. Dann hatte Louise auch nichts verloren. –

In der Baker Street leuchteten die ersten Lichter auf. Die Leute in den Kaffee-Bars und Teestuben saßen vor ihren leeren Tassen. Louise freute sich, daß sie sich bei Harrods keinen neuen Hut gekauft hatte. Sie hatte nun einmal keinen Geschmack in Hüten, aber sie hätte auf der Baker Street einen zerlöcherten Kochtopf auf dem Kopf haben können – niemand hätte sich umgedreht. London sah seit Jahrhunderten die vernünftigsten und verrücktesten Leute auf der Straße und zuckte nicht mit der Wimper. Alte Moden, neue Moden – in London verwischte sich der Unterschied! Denn Vergangenheit und Gegenwart mischten sich magisch in den Straßen dieser Stadt, auf den grünen Plätzen und in ihren Wohnstätten. Die Stadt lebte zugleich in der Erinnerung und in der Hoffnung auf ihre architektonische Zukunft. Doch sie kämpfte zäh und loyal um jedes alte Haus, um jeden Baum, um jeden engen Laden, der der Zukunft im Wege stand. Nur die Zukunft selbst stand nirgends im Wege – sie mischte sich unauffällig mit den Steinen und dem Efeu der Vergangenheit. – ›Ich möchte nirgendwo anders leben‹, dachte Louise plötzlich. London war eine einzigartige Stadt. Jeder war willkommen, und niemand wurde vermißt. Das gab einem ein Gefühl der Freiheit und sogar der Erheiterung ...

›Ich könnte noch eine Tasse Tee gebrauchen‹, dachte Miss Bonnard und fuhr zufrieden durch die Dämmerung nach Haverstock Hill zurück.

INHALT